historia

COLABORADORES

VOL. 2

GUATEMALA: JOSÉ LUIS BALCÁRCEL
EL SALVADOR: RAFAEL MENJÍVAR LARÍN
HONDURAS: VÍCTOR MEZA
NICARAGUA: GUSTAVO GUTIÉRREZ MAYORGA
COSTA RICA: MANUEL ROJAS BOLAÑOS
PANAMÁ: JORGE TURNER

VOL. 3

COLOMBIA: ENRIQUE VALENCIA
VENEZUELA: RODOLFO QUINTERO
ECUADOR: ELÍAS MUÑOZ VICUÑA Y LEONARDO VICUÑA IZQUIERDO
PERÚ: DENIS SULMONT
BOLIVIA: CAYETANO LLOBET TABOLARA
PARAGUAY: DARÍO SALINAS

VOL. 4

BRASIL: RAIMUNDO SANTOS
CHILE: ALEJANDRO WITKER
ARGENTINA: ISIDORO CHERESSKY Y MARCELO CAVAROZZI
URUGUAY: LUCÍA SALA DE TOURON Y JORGE LANDINELLI

HISTORIA
DEL MOVIMIENTO OBRERO
EN AMÉRICA LATINA

1

coordinado por
PABLO GONZÁLEZ CASANOVA

siglo
veintiuno
editores

MÉXICO
ESPAÑA
ARGENTINA
COLOMBIA

siglo veintiuno editores, sa
CERRO DEL AGUA 248, MEXICO 20, D.F.

siglo veintiuno de españa editores, sa
C/PLAZA 5, MADRID 33, ESPAÑA

siglo veintiuno argentina editores, sa

siglo veintiuno de colombia, ltda
AV. 3a. 17-73 PRIMER PISO, BOGOTA, D.E. COLOMBIA

portada de anhelo hernández
foto de rafael lópez castro

primera edición, 1984
© siglo xxi editores, s.a. de c.v.

ISBN 968-23-1229-9 (obra completa)
ISBN 968-23-1230-2 (vol. l)

la presente obra se publica por acuerdo especial
con el instituto de investigaciones sociales
de la universidad nacional autónoma de méxico

ÍNDICE

La historia del obrero en las ciudades, en los fondos mineros y en las plantaciones es a veces la del indio, la del negro o la del europeo pobre. En la América Latina de principios del siglo xx esa historia pareció por momentos borrar todas las diferencias raciales y coloniales y como dar lugar a un movimiento obrero único, universal y revolucionario. Pero desde la primera guerra mundial las grandes potencias impusieron su lógica. Como respuesta, cobraron nuevos ímpetus los movimientos liberadores que Martí había iniciado en la Cuba de finales del siglo xix, y los obreros volvieron a formar parte de los contingentes rebeldes de los pueblos dominados. Su historia se siguió moviendo de los planteamientos antiburgueses y anticapitalistas a los antimperialistas, nacionalistas y democráticos. A fines de los años treinta de nuevo surgió el proyecto vano de una república proletaria. Los frentes populares de los años treinta parecieron dar prioridad definitiva a las rebeliones nacionales y populares mientras las obreras o proletarias quedaban reducidas a grupos o sectas insignificantes. Para colmo, en esos años, y sobre todo desde la posguerra, se aceleró la política de concesiones y discriminaciones en el trato, el salario y los derechos de la clase obrera. Así, una historia hasta entonces menor ocupó un primer plano. Si la lucha entre el internacionalismo y el sindicalismo nacionalista había distinguido a radicales y revolucionarios de reformistas y moderados, desde entonces nacionalismo y sindicalismo encontraron apoyos crecientes entre los líderes democráticos y populistas que se enfrentaron cada vez más al aparato sindical montado por el imperio, un aparato particularmente penetrado y alentado desde la posguerra.

Por esos años la clase obrera fue segmentada como nunca. Aislados, quedaron de un lado el trabajador colonial, y de otro el de los grandes sindicatos y empresas industriales, sobre todo el calificado y especializado. Las luchas más fuertes del obrero fueron dirigidas por líderes populistas y hasta las que dirigieron los comunistas tuvieron un carácter predominantemente moderado y negociador, sobre todo en comparación a las de los años veinte o principios de los treinta. Los obreros ocuparon un lugar secundario en los movimientos de liberación. Tardaron en unirse a ellos (escépticos de los líderes nacionalistas), o los apoyaron sin poderlos dirigir, como en Guatemala en 1954, en que los obreros lucharon hasta el fin mientras los tenientes los abandonaron.

Desde la Revolución cubana los obreros aparecieron formando parte del frente del pueblo. Sus líderes fueron también líderes de la Revolución. Y si no todos los dirigentes revolucionarios fueron obreros o surgieron de la lucha obrera, todos reconocieron el papel central que desempeña la clase obrera para consolidar el poder y para profundizar la revolución social, política y cultural. Tanto en el campo internacional como en el interno, la clase obrera reveló desempeñar un papel esencial para la defensa e impulso de la liberación. Hoy,

[9]

el hecho se repite en Nicaragua y El Salvador. Si en un tiempo se quiso oponer la lucha de clases y la de liberación, o librar una sin asumir la otra, cada vez es más claro que sólo los contrarrevolucionarios y los necios persisten en semejante separación. Clase obrera y pueblo, pueblo y pueblo trabajador forman una unidad dialéctica que en América Latina vincula claramente la historia de la liberación, la de la democracia y la del socialismo.

En las veintiún naciones que integran nuestro continente la compleja historia presenta diferencias y afinidades concretas que esta obra recoge como un legado histórico sobre el que es necesario profundizar cada vez más, hasta que la mejor historia de cada país sea la del pueblo trabajador.

Ahora, por vez primera, el lector latinoamericano cuenta con las veintiún historias de una misma lucha, la de pueblos y obreros por su liberación.

PABLO GONZÁLEZ CASANOVA

HISTORIA DEL MOVIMIENTO OBRERO EN MÉXICO, 1860-1982

RAÚL TREJO DELARBRE

Mayor crisis y mayor envilecimiento que los que hoy padece el país, son ya difíciles de concebir. Hay muchas ilusiones muertas, ciertamente, pero son sólo los sueños que se vaciaron de contenido con el naufragio de la burguesía. Nuestro pueblo ha experimentado, con su revolución, la sensación exaltante de estar participando en la transformación del mundo; y jamás ha abandonado sus ansias de ser, sus anhelos de progresar, ansias y anhelos expresados bajo la forma de ideas fragmentarias y oscuras pero recurrentes, con las que ha podido sostenerse en estos largos años de desdicha y oscuridad. Ha habido quienes, desde lo alto de una sabiduría sin alma, sin sangre, sin vida, han decretado la muerte de ese movimiento revolucionario con el que demostró al mundo y se demostró a sí mismo que no está hecho para la soledad y la penuria, sino para el encuentro, la fraternidad y el progreso; y ha habido quienes, para engañarlo, le han adulado con la bandera de una revolución mexicana ininterrumpida, que se realiza un poco cada día en los actos de cada burócrata. Es la sucia combinación de la ignorancia y la deshonestidad. Pero en los espasmos de la presente crisis, el pueblo está aprendiendo a volverles las espaldas a unos y otros. Y prepara pacientemente en las escuelas, en los surcos, en el doloroso vagabundeo de los desempleados, pero sobre todo en las fábricas y en los sindicatos obreros, un nuevo ascenso revolucionario sobre bases nuevas.

RAFAEL GALVÁN
Discurso pronunciado el 16 de marzo de 1977

Las siguientes páginas (insuficientes pero —esperamos— útiles) están dedicadas a quienes conformaron la Tendencia Democrática de Electricistas, uno de los destacamentos sindicales que con mayor lucidez, asumiendo con plena conciencia sus responsabilidades nacionales, han contribuido a forjar un nuevo movimiento obrero, que sea digno de la extensa, compleja y prometedora historia de los trabajadores mexicanos.

INTRODUCCIÓN

La historia de los trabajadores mexicanos es, en muchos sentidos, la historia de un sistema político que, resultado de grandes procesos de masas, ha conseguido mantenerse y expandirse apoyado en esas mismas masas pero sosteniendo iniciativas y puntos de vista que tienden a beneficiar al capital. Ha sido, ésta, una historia de repetidas luchas y numerosos esfuerzos organizativos, de huelgas y represiones, de persecuciones y grandes sindicatos pero, sobre todo, ha sido y es la historia de los esfuerzos cotidianos que han logrado hacer del movimiento y las agrupaciones obreras factores de indiscutible presencia y fuerza social en nuestro país.

No es sencillo describir, así sea en sus trazos más amplios, la historia de los trabajadores mexicanos. Aunque existen numerosos testimonios, muchos escritos por los propios militantes y dirigentes sindicales, éstos son muy parciales o se encuentran extraviados. No es gratuito que los recuentos históricos o la descripción de episodios que se tienen del movimiento obrero mexicano, estén sustentados en los respectivos puntos de vista de sus diferentes protagonistas. Y éstos, esquemáticamente, son tres. Por una parte, la burocracia sindical surgida del desarrollo mismo del movimiento obrero pero que, al representar intereses que no son siempre los de los trabajadores, se ha diferenciado como un bloque aparte (aunque sin perder las vinculaciones con sus bases trabajadoras). En segundo término, como un protagonista exógeno pero siempre presente, tenemos a la burocracia política, al gobierno, que desde los inicios de su consolidación al frente del Estado mexicano encontró en el movimiento obrero una fuente indispensable de legitimación y sustentación. Abundan las interpretaciones que tienden a atribuir a los designios estatales la creación y el sostenimiento de las organizaciones obreras. Es indudable que en todas las fases de nuestro movimiento obrero ha existido influencia, muchas veces determinantes, por parte del Estado. Pero sostener que solamente ha sido ésta la razón de las acciones sindicales, numerosas y complejas, que han distinguido al movimiento obrero del país, implicaría despreciar el papel que, a pesar de su atraso organizativo, de su escasa conciencia y de otras muchas limitaciones, han tenido los trabajadores mexicanos.

Son, éstos, los terceros y fundamentales protagonistas en la historia del movimiento obrero mexicano. Son sus demandas e intereses inmediatos, la necesidad por mejores salarios, viviendas y servicios sociales, factores decisivos para impulsar la mayor parte de las luchas sindicales, para llevarlos a construir grandes sindicatos y luchar por defenderlos, para hacerlos pugnar por el reconocimiento de derechos como los de huelga y contratación. Es a partir de tales demandas, como los trabajadores mexicanos han llegado a defender no sólo sus intereses inmediatos sino, además, los intereses históricos del pueblo de este país. Así lo hicieron los obreros que impulsaron y apoyaron la expropiación del petróleo en la época de Cárdenas. Así lo quisieron hacer los electricistas que sostuvieron la heroica lucha de los años setenta. Así deberán hacerlo los contingentes obreros que, más temprano que tarde, logren superar las múltiples barreras que tienen ante sí para hacer avanzar sus banderas. En esa tarea, rescatar la historia, sus episodios más específicos, de las jornadas que hasta ahora han librado los trabajadores mexicanos, resulta importante.

Las siguientes páginas reseñan algunos de los principales momentos de esa historia Queremos insistir en el carácter general, provisional y amplio de ese trabajo, no por falsa modestia sino porque consideramos que *la* historia del movimiento obrero mexicano aún está por rescatarse, escribirse y construirse. Estas páginas son incompletas también porque hemos encontrado dificultades para localizar y precisar numerosos datos. Casi siempre utilizamos fuentes de segunda mano en virtud de que involucrarnos en una revisión de fuentes primarias hubiera sido tan ambicioso como imposible. En todo caso, podemos decir que en breve plazo contaremos con un panorama más preciso, al publicarse completa la colección *La clase obrera en la historia de México*, cuya elaboración coordina el Dr. Pablo González Casanova.

UNA PERIODIZACIÓN DEL MOVIMIENTO OBRERO MEXICANO

Son muchos los criterios que deben tomarse en cuenta para establecer una periodización en un examen tan panorámico como el que hemos debido realizar. En México existen pocos trabajos sobre la historia general del movimiento obrero (al final presentamos una breve bibliografía) y ninguno que rescate los principales acontecimientos del mismo. Los esquemas de periodización que se usan siempre obedecen a las intenciones particulares del autor. Hay periodizaciones por organizaciones, por momentos de crisis económica, por sexenios o regímenes presidenciales, etc. Hemos querido presentar una periodización que sin duda será poco satisfactoria en algunos casos pero que busca rescatar, con un criterio pragmático, los momentos de ruptura en el desarrollo del propio movimiento obrero y las líneas de continuidad que van de un período a otro.* El propósito es establecer de la manera más clara posible las fases de desarrollo organizativo de los trabajadores mexicanos, sin olvidarnos de las circunstancias económicas y políticas que les rodean. De esta forma, hemos llegado a señalar los siguientes períodos.

I. *1860-1906: organizaciones de artesanos, prohibición del sindicalismo*. No hay organizaciones sindicales propiamente dichas, sino apenas agrupaciones de artesanos de abigarrada ideología mutualista o anarquista. El Estado no interviene en las relaciones laborales. Los trabajadores comienzan a demandar mejores condiciones y a realizar iniciales y pequeñas luchas.

II. *1906-1910: despertar proletario*. El Estado asume una posición más activa, para prohibir la actividad de las nacientes agrupaciones sindicales. Represión y luchas destacadas. Fin del porfirismo.

* Esta proposición de periodización fue elaborada conjuntamente por los miembros del Área de Estudios del Movimiento Obrero, del Centro de Estudios Políticos (Facultad de Ciencias Políticas y Sociales de la Universidad Nacional Autónoma de México): Guillermina Baena Paz, José Rivera Castro, Rocío Guadarrama Olivera, Raúl Trejo y José Woldenberg K., a fines de 1978.

III. *1910-1917: primeros sindicatos.* Como resultado de la lucha armada se establecen las bases para un nuevo Estado y comienzan a surgir nuevas agrupaciones obreras, con rasgos propiamente sindicales. Alianza entre la Casa del Obrero Mundial y el gobierno de Carranza. Expedición de la Constitución de 1917, con avanzadas reivindicaciones laborales.

IV. *1918-1928: de la acción directa a la acción múltiple.* Las luchas obreras tienen una doble dimensión, política y económica. Hay agrupaciones sindicales que se adhieren a partidos políticos o forman el suyo. El marco jurídico laboral comienza a definirse. Las distintas posiciones ideológicas se expresan en diferentes centrales sindicales.

V. *1928-1937: reconstrucción del país, reorganización sindical.* La crisis política y económica obliga a una reconstrucción del país. El movimiento obrero no es ajeno a ella. Surgen nuevas centrales que desplazan a las anteriores. Nacen los sindicatos nacionales de industria. Los trabajadores desempeñan un papel decisivo en las reformas cardenistas.

VI. *1938-1947: la primera CTM.* La Confederación de Trabajadores de México, creada en 1936, es dirigida inicialmente con posiciones antimperailstas y nacionalistas. Sus conflictos internos desplazan al sector avanzado. La adopción por parte del Estado de un proyecto que beneficia la inversión extranjera y la producción en detrimento de los salarios lleva a reiniciar la subordinación del sindicalismo.

VII. *1947-1951: represión y "charrismo".* Son los años en que se consolida una burocracia sindical de actitudes antiobreras al frente de casi todas las centrales y sindicatos nacionales. Son reprimidos conflictos de huelga y los intentos por crear nuevas organizaciones.

VIII. *1952-1957: hegemonía del "charrismo".* Las direcciones sindicales se reorganizan. Nace el Bloque de Unidad Obrera (BUO) (1954) que las reúne a casi todas. La crisis económica, sin embargo, comienza a ser el fermento de nuevos brotes insurgentes.

IX. *1958-1962: emergencia obrera.* Movimiento de ferrocarrileros, telegrafistas, maestros, telefonistas, etc., marcan el período. Casi todos son (algunos brutalmente) reprimidos. Los electricistas crean la Central Nacional de Trabajadores.

X. *1963-1970: estabilidad de la burocracia sindical.* Una nueva fase económica, la del "desarrollo estabilizador" y la reorganización del movimiento obrero, consigue una relativa pero casi constante tranquilidad social. Hay brotes de insurgencia en algunos sectores, aunque son aislados. En 1966 nace el Congreso del Trabajo.

XI. *1971-1977: insurgencia obrera.* Movimientos insurgentes en sindicatos nacionales como los de electricistas, ferrocarrileros y mineros, y el nacimiento de nuevos y pequeños sindicatos independientes, constituyen una heterogénea pero constante ola de movilizaciones, huelgas y demandas. La crisis económica juega su parte y, también, la acción arbitral del Estado que casi siempre resuelve contra los trabajadores los conflictos a causa de la democracia sindical.

XII. *1978-....: ¿nueva fase del movimiento obrero?* Las tendencias del sindicalismo insurgente a participar al lado de las organizaciones dirigidas por la burocracia tradicional y la apertura de estas mismas direcciones, nos llevan a preguntarnos si asistimos a una nueva fase en la historia de los trabajadores mexicanos.

1860-1906: ORGANIZACIONES DE ARTESANOS, PROHIBICIÓN DEL SINDICALISMO

El auge en el proceso de industrialización hacia la segunda mitad del siglo XIX, trajo consigo la formación de un incipiente proletariado industrial que, lentamente, comenzó a organizarse. Aquí se encuentran los orígenes del movimiento obrero mexicano. La economía del país era aún esencialmente agrícola, pero el proceso de crecimiento en áreas como la industria textil, la minería y —lentamente al principio, con un ritmo vertiginoso después— la expansión de las vías de comunicación, especialmente ferroviarias.

Esta fase del crecimiento económico de México estaba regulada por los esquemas del desarrollo capitalista liberal. Las iniciativas para crear empresas, sostenerlas y para encargarse de la regulación de las condiciones laborales, correspondían esencialmente a los patrones. En un principio, "el Estado liberal se apegó estrictamente —en lo concerniente a la cuestión social— a la máxima del *laissez-faire*, esto es, la total abstención de intervenir en las relaciones obrero-patronales; aunque sí cumplió, y a la perfección, su papel de gendarme del capital".[1] Estaban prohibidas las huelgas. Las jornadas de trabajo llegaban a durar 16 horas; los horarios se imponían al arbitrio de los patrones; los trabajadores no tenían viviendas propias: habitaban en sitios que les alquilaban los propios dueños de las fábricas donde laboraban; comían lo que compraban en tiendas de raya, y estaban sujetos a malos tratos.

Éste es el contexto donde surgen asociaciones de artesanos, que se reunían para obtener beneficios comunes. Debido a que no existían instituciones de servicio social, ni asistencia médica, los propios trabajadores tenían que procurárselas. Éste es el motivo inicial para la creación de las docenas de asociaciones mutualistas, cooperativistas, de socorros mutuos, etc., que proliferan después de la segunda mitad del XIX, aun cuando pueden ubicarse algunas desde la primera década del siglo.

El funcionamiento de estas sociedades era simple. Un grupo de artesanos (plateros, impresores, talabarteros, etc.) se reunía para crear, con las aportaciones de cada uno, un fondo de ayuda mutua que se acrecentaba con sus cuotas regulares. Tenían una estructura organizativa que incluía cuerpos de dirección y ejecución, así como mecanismos de vigilancia y de elección y revocación. En muchas ocasiones, estas asociaciones tenían relaciones entre sí, se facilitaban locales, realizaban actos cívicos y algunas contaban con sus propios periódicos. Es en estas publicaciones donde tienen lugar los primeros debates públicos sobre las ideologías socialistas y anarquistas que comenzaban a interesar por esas fechas en nuestro país. Como resultado de las discusiones que allí se generaban, algunas asociaciones llegaron a funcionar como centros de debate político y no solamente en oposición al gobierno de la República. Algunas, solían apoyar a los funcionarios oficiales, en primer lugar al Presidente.[2]

1 Juan Felipe Leal, *La burguesía y el Estado mexicano*, México, El Caballito, 1972, p. 118.
2 Para una descripción del funcionamiento de estas sociedades véase José Woldenberg, "Sociedades de Socorros Mutuos de Impresores, 1847-1875", en *Antecedentes del sindicalismo*, México, Sep/80, 1983.

Debido al natural intercambio de opiniones entre los miembros de las distintas asociaciones, se crearon lazos de relación que alcanzaron nivel institucional. Diversos congresos obreros reúnen a representantes de varias docenas de estas sociedades. El esfuerzo organizativo que alcanza mayor cohesión es el que crea en 1872 el Gran Círculo de Obreros, que llegó a convertirse en la organización más importante de aquellos años. Con sucursales en diferentes puntos del país, alcanzó a integrar en su seno a numerosos contingentes de artesanos y de obreros. Contaba con un periódico, *El Socialista,* que se convirtió en el más importante de su género. El Gran Círculo promovió los congresos obreros de 1876 y 1880.[3]

La ideología de las asociaciones de esta época y sus propósitos pueden advertirse en los estatutos del Círculo, que tenían por objeto "mejorar por todos los medios legales la situación de la clase obrera", "proteger a la misma clase contra los abusos de los capitalistas y maestros de los talleres", "propagar entre la clase obrera la instrucción correspondiente en sus derechos y obligaciones sociales y en lo relativo a las artes y oficios" y "establecer todos los círculos necesarios en la república..."[4] Es decir, con una heterogénea ideología que tenía rasgos del socialismo utópico, que no llegaba a plantear enfrentamientos con los patrones pero que señalaba el papel de clase de los trabajadores, reunía demandas inmediatas con la convicción de que sólo a través de la educación los obreros lograrían su superación.

Éste no era, en rigor, un "movimiento obrero". Más bien, "un movimiento —profesional y político— del artesanado urbano, al cual se le empezaban a sumar los primeros contingentes propiamente obreros —particularmente textiles— que despertaban a la lucha social organizada. En las demandas que enarbolaba, en el tipo de organización que asumía, en su concepción de la sociedad, del Estado y del lugar que ocupaban los trabajadores, en sus estrategias y sus tácticas, se trasluce que la fuerza del movimiento y la dirección del mismo descansaban en la hegemonía del artesanado urbano".[5]

El Gran Círculo promovería, junto con otras de las nuevas organizaciones de artesanos, distintas luchas reivindicativas. Algunas, llegan a la huelga. Entre éstas, pueden citarse la huelga de sombrereros, de la Sociedad Reformadora del Ramo de la Sombrería, en 1875. La de barreteros de la mina de Real del Monte, en 1872 porque se les quiso reducir el salario. Y media docena de huelgas textiles en empresas como La Fama Montañesa, Peña Pobre y La Hormiga, a partir de 1875.[6] La mayor parte de estas huelgas son derrotadas, pero indirectamente consiguen que se vaya abriendo camino la necesidad de reglamentar las relaciones obrero-patronales y la creación de organismos de asistencia social para los trabajadores.

En 1874, el Gran Círculo propone el establecimiento de un reglamento de actividades en las fábricas, que pretendía mejorar y homogeneizar las condi-

3 Juan Felipe Leal y José Woldenberg, *La clase obrera en la historia de México,* vol. 2: *Del Estado liberal a los inicios de la dictadura porfirista,* México, Siglo XXI, 1980, p. 234.
4 Citado por Jorge Basurto, *El proletariado industrial en México (1850-1930),* México, Instituto de Investigaciones Sociales, UNAM, 1975, p. 67.
5 Juan Felipe Leal y José Woldenberg, *op. cit.,* pp. 149-150.
6 *Ibid.,* pp. 203 *ss.*

ciones de trabajo. Este reglamento constituye un antecedente de los contratos colectivos que los trabajadores lograrían varias décadas más tarde. Estos intentos iniciales se contraponían a la total ausencia de legislación laboral durante la primera mitad del porfirismo. Incluso, las escasas referencias legislativas a las cuestiones de trabajo restringían las libertades sindicales. El Código Penal prohibía las huelgas y castigaba, en la ciudad de México, con arrestos de 8 días a tres meses y multas de 25 a 800 pesos a quienes intentaran un alza o baja de los sueldos o impidieran el libre ejercicio de la industria o el trabajo por medio de la violencia física o moral.[7]

La lucha por mejores condiciones de trabajo y el debate ideológico interno fueron las pautas de la actividad de las sociedades artesanas. El referido debate era resultado de la influencia de las doctrinas progresistas que llegaban de Europa. Inmigrados de nacionalidades diversas llegaron a México al comenzar el último cuarto del siglo y se dedicaron a aplicar en nuestro país los modelos de organización —utópicos, socialistas, humanistas— que habían aprendido en el otro continente. Es casi legendaria, por ejemplo, la figura del socialista de origen griego Plotino Rhodakanaty, discípulo de Fourier y Proudhon, que fundó periódicos y asociaciones artesanas durante varios años. En 1876, el Círculo de Obreros de México (que para entonces se llamaba ya Gran Círculo) realiza un Congreso Obrero en el que se advierte con claridad la presencia de dos corrientes bien diferenciadas: una, anarquista, encabezada por ideólogos como Rhodakanaty; otra, socialista, que formaban los principales dirigentes del Círculo. A pesar de estas filiaciones, en el Congreso se discutieron los asuntos más diversos: desde los nuevos estatutos, imbuidos siempre de un espíritu y una retórica progresistas, hasta la eventualidad de apoyar o no la candidatura presidencial de Porfirio Díaz. Esta última discusión llegaría a dividir la organización.

No puede afirmarse que las doctrinas socialistas y anarquistas hubieran arraigado entre los trabajadores, ni siquiera los artesanos. Sin embargo, su presencia es indiscutible. No sólo por la ya señalada influencia europea sino porque, en estos años, en México existían las condiciones para que fuesen asumidas por los sectores más avanzados. En México, la idea del sindicalismo y del cambio social tienen raíces propias. Es notable que, apenas en 1878, es creado un Partido Comunista Mexicano el cual, aunque no prospera, revela la inquietud por transitar de las formas de organización gremiales a las más claramente políticas. En 1885, el periódico El Socialista publica el Manifiesto comunista de Marx y Engels.

A partir de 1884, el movimiento obrero y artesano cae en una larga etapa de receso. Porfirio Díaz aplica su estilo de "poca política y mucha administración" y, después de una intensa represión, detiene los movimientos que los trabajadores y sus nuevas organizaciones realizaban por mejores condiciones laborales.

Sin embargo, la paz porfiriana no podía ser eterna. Conforme el proceso de industrialización sigue avanzando y se abren nuevas ramas de actividad, surgen

---

[7] Esther Shabot, La huelga ferrocarrilera de 1908, México, Centro de Estudios Políticos, FCPS-UNAM, 1979, mimeografiado, p. 10.

también nuevas organizaciones. A diferencia de las que habían aparecido dos décadas antes, después de 1900 comienzan a nacer organizaciones con características propiamente obreras.

La aparición de numerosas publicaciones de tendencia socialista o anarquista fue el primer síntoma de este renacimiento del movimiento obrero. Pero, sobre todo, este auge se advertía en la formación de agrupaciones que no eran sólo sindicales, sino también expresamente políticas. En 1901, Ponciano Arriaga y los hermanos Flores Magón, al frente de un grupo de intelectuales, forman el Partido Liberal Mexicano (PLM) que tendría un papel determinante en los movimientos más importantes de los últimos años del porfiriato. Posteriormente, el PLM sería influido por una ideología anarquista. Con esta orientación, llega a tener presencia en organizaciones gremiales como el Gran Círculo de Obreros Libres, en 1906, y la Gran Liga de Trabajadores Ferrocarrileros en 1908. Acciones como éstas y el desarrollo de una intensa tarea de propaganda por todo el país —especialmente a través de sus publicaciones, entre las que destaca *Regeneración*—, les valen a los anarquistas numerosas persecuciones y encarcelamientos.

Uno de los gremios donde los trabajadores asumen con más entusiasmo y perseverancia la construcción de organizaciones, es el ferrocarrilero, que protagoniza varias huelgas. En 1901,[8] la Unión de Mecánicos sostiene una huelga de cuatro días. Al año siguiente, toca el turno a la Unión de Fogoneros del Ferrocarril Nacional en Laredo. También en 1902, los trabajadores del Ferrocarril Mexicano en Orizaba que protestaban por retrasos en sus pagos. En 1903, los maquinistas del Ferrocarril de Coahuila, por aumentos de salarios. En 1905, los fogoneros del Ferrocarril Central Mexicano, por aumentos de salarios. En 1906, la Unión de Mecánicos Mexicanos demanda su reconocimiento y aumentos salariales. En general, se ha afirmado que durante estos años se realizan 250 huelgas, el mayor número de las cuales ocurre en la industria textil, en ferrocarriles y la industria cigarrera.

1906-1910: DESPERTAR PROLETARIO

Los más importantes de estos movimientos sindicales contaban con la presencia de militantes o simpatizantes del PLM. Así sucedió en la población minera de Cananea, en Sonora, al norte del país, donde en junio de 1906 los trabajadores suspenden sus labores en protesta por las condiciones a que estaban sujetos y por la discriminación que sufrían respecto de los trabajadores norteamericanos en ese lugar. Sometidos a diversas provocaciones, los mineros mantienen la huelga hasta que el gobierno ordena reprimirlos. Dos centenares de *rangers* norteamericanos participan en el asesinato de varios trabajadores, en balaceras contra toda la población y en el encarcelamiento de los principales dirigentes.

Esta represión indicaba, paradójicamente, el ocaso del régimen porfirista,

8 *Ibid.*

que no tenía ya opciones para levantar el forzado apoyo que antaño había logrado. La crisis del porfirismo la tuvieron que pagar los trabajadores violentamente obligados a dejar sus demandas reivindicativas, como los mineros de Cananea. También los obreros textiles de Río Blanco, en Veracruz —alentados por los postulados anarcosindicalistas— deciden no tolerar más las precarias condiciones a que estaban sometidos. Los patrones, y más tarde el propio gobierno de Díaz, ven en el conflicto un problema cardinal. Someterse a las demandas de los trabajadores implicaba aceptar la ilegitimidad de todo el sistema laboral. Una vez más, se busca resolver el asunto por la vía de la fuerza armada. En enero de 1907 los trabajadores textiles, exasperados por el silencio ante sus demandas, inician un movimiento que se extiende a todo el poblado. El ejército interviene, con un saldo sangriento.

Las acciones de fuerza contra los trabajadores y sus huelgas en Cananea y Río Blanco, con todo y su extrema violencia, no bastaron para detener las expresiones de inconformidad obrera. Durante 1907 se realizan nuevas huelgas. Las experiencias de organización gremial, aunque lentamente, se generalizaban.

En 1908, la Gran Liga de Empleados de Ferrocarril estalla una huelga en San Luis Potosí, el 20 de abril. Los trabajadores protestaban por distintas represalias a los miembros de la Unión. El movimiento se extiende a otras estaciones, causando la oposición de los patrones norteamericanos. Se sostiene por varios días, pero las amenazas del gobierno y las dificultades de la Liga para mantener el movimiento, terminan por debilitarlo.[9]

Igual que las huelgas y protestas obreras, se difundía la convicción de que era necesaria una transformación profunda del país. Durante un mitin en Río Blanco, un trabajador había dicho: "México ha tenido sólo dos revoluciones: Independencia y Reforma. Hoy se inicia la tercera, con este conflicto: dinero y trabajo."[10]

1910-1917: NACEN LAS PRIMERAS ORGANIZACIONES SINDICALES

El movimiento armado de 1910, que destituye a Porfirio Díaz, inicia una nueva era en la historia mexicana. Inicialmente el nuevo gobierno, presidido por Francisco I. Madero, debe aceptar la existencia de muchas nuevas agrupaciones sindicales que surgen en ese momento. Aunque la revolución había sido (y seguiría siendo en toda esa década) esencialmente campesina, en ella participaron destacadamente obreros de diferentes ramas. Baste considerar la actuación de los ferrocarrileros en una revolución que, en gran medida, se hizo a bordo de los trenes.

Madero no soslayaba la importancia del naciente movimiento obrero. En una declaración, el 22 de mayo de 1911, durante su campaña para presidente, expresó sus puntos de vista sobre la acción de los trabajadores: "Del gobierno

9 *Ibid.*, pp. 33-43.
10 Jorge Basurto, *op. cit.*, p. 126.

no depende aumentaros el salario ni disminuir las horas del trabajo, y nosotros que encarnamos vuestras aspiraciones, no venimos a ofreceros tal cosa, porque no es eso lo que vosotros deseáis; vosotros deseáis libertad, deseáis que se os respeten vuestros derechos, que se os permita agruparos en sociedades poderosas, a fin de que unidos podáis defender vuestros derechos;... vosotros no queréis pan, queréis únicamente libertad, porque la libertad os servirá para conquistar el pan."[11]

Entre 1911 y 1912 nacen numerosos sindicatos, la mayoría de carácter local. Otros, de alcance nacional, como la Convención Tipográfica de México (posteriormente Confederación Nacional de Artes Gráficas) cuya influencia se extendió más allá del gremio de tipógrafos.

Las ideas anarcosindicalistas y socialistas seguirían teniendo eco en la creación de organismos obreros. Una corriente distinta a la de los Flores Magón encabeza en 1912 la formación de la Casa del Obrero Mundial (COM). Concebida inicialmente como un centro de discusiones filosóficas, esta organización llega a convertirse en un embrión de federación obrera. Uno de sus creadores señalaría después que en la Casa "el sindicalismo reformista, de matiz socialista marxista, quedó al margen, y la atención de la Casa del Obrero Mundial fue centrada en un sindicalismo anarquista, anarcosindicalismo, sin brizna de política burguesa o proletaria".[12] Al manifestar un supuesto apoliticismo, los dirigentes de la Casa intentan apartarse de las luchas entre los grupos que se disputan el poder, pero también marginan a los trabajadores de la lucha política.

Después del golpe militar que derroca a Madero, la rebelión contra Victoriano Huerta se extiende por todo el país. Venustiano Carranza proclama el Plan de Guadalupe. La Casa del Obrero Mundial decide apoyar al carrancismo en su lucha contra los ejércitos campesinos de Francisco Villa, al norte del país, y Emiliano Zapata en el centro-sur. Al principio, Carranza rechazaba el acuerdo con la Casa pues consideraba que este organismo "renegaba de la patria" y no le era necesario. Sin embargo sus lugartenientes, en especial Álvaro Obregón, con más visión política, conciertan un pacto con la COM. De esta manera, en febrero de 1915 la Casa decide "suspender la organización gremial y sindicalista y entrar en distinta fase de actividad, en vista de la necesidad apremiante de impulsar e intensificar la revolución".[13] La Casa designa un "comité revolucionario" que establece una alianza por medio de la cual Carranza se compromete a expedir leyes que favorezcan a los trabajadores. Ésta era una alianza con el ala más impopular de la revolución, a cambio de la posibilidad de lograr un marco jurídico y un espacio social más favorables. A su vez, la COM organiza militarmente a casi diez mil trabajadores en seis "batallones rojos" para apoyar al gobierno constitucionalista. De esta manera, "los trabajadores

11 Arnaldo Córdova, *La ideología de la revolución mexicana*. Citado por Francis R. Chassen de López, *Lombardo Toledano y el movimiento obrero mexicano, 1917-1940*, México, Extemporáneos, 1977, p. 20.

12 Rosendo Salazar, *La Casa del Obrero Mundial-La CTM*, México, PRI, Comisión Nacional Editorial, 1972, p. 11.

13 Rosendo Salazar, *Las pugnas de la gleba*, México, PRI, Comisión Nacional Editorial, 1972, p. 19.

urbanos, conducidos por un puñado de líderes oportunistas, vivían un período de plena confusión. Incapaces de formar un proletariado independiente y proponer a la sociedad un programa inspirado en sus propios intereses de clase, fueron superados y ahogados por las fuerzas que se les imponían desde afuera, hasta que decidieron unirse a los que consideraron más fuertes, es decir, a los constitucionalistas".[14] En esta actitud influía también la crisis social y económica que dejaba al pobre proletariado representado por la COM en un estado de gran indefensión. No había fuentes de trabajo suficientes ni salarios satisfactorios, no se definía aún hacia dónde se inclinaría la balanza del poder político en el país. El desempleo, la carestía y la incertidumbre abrumaron a los dirigentes de la COM. Agrupados en los batallones rojos, los obreros de la Casa demuestran tener gran capacidad de organización, aunque emplean su fuerza para combatir a sus hermanos de clase, los campesinos, que se habían levantado en armas contra Carranza.

Pero no todos los sectores del movimiento obrero estaban de acuerdo en pactar con Carranza y así lo señalaron grupos anarcosindicalistas. Los trabajadores se dividieron, pues muchos de ellos no querían alistarse en las filas carrancistas. Para Jean Meyer, la colaboración de la COM con el gobierno fue "un paso fatal que pondría al movimiento obrero mexicano bajo la tutela del gobierno, tutela que se conserva hasta nuestros días".[15] Sin embargo las cosas no eran tan sencillas. De la misma manera que no puede decirse, sin más, que hasta ahora el movimiento obrero organizado siga los dictados del Estado, tampoco puede verse la alianza de la COM con Carranza como exclusivamente perjudicial para los trabajadores. Aparte de los elementos de colaboracionismo que ya hemos señalado, debe anotarse que gracias a sus buenas relaciones con el carrancismo, la Casa del Obrero Mundial logró crecer y ser el fundamento para que nacieran nuevas organizaciones sindicales. Con motivo de esa alianza, los sindicatos se multiplican por todo el país. Había sucursales de la COM y sindicatos afiliados a ella por lo menos en las ciudades de Veracruz, Orizaba, Jalapa, Morelia, San Luis Potosí, Mérida, Salina Cruz, Zacatecas, Pachuca, León, Tampico, Guadalajara, Colima, Monterrey, Linares, Tabasco, Tlaxcala, Querétaro, Celaya, Guanajuato, Aguscalientes, Torreón y Saltillo.[16] Inicialmente, en estos sitios funcionaban centros afiliados a la COM, pero después el alejamiento entre Carranza y la COM hace que ésta vaya languideciendo. Entonces, las agrupaciones del interior del país adquieren una autonomía que les permite aumentar sus vínculos con otras organizaciones regionales para ir creando, en los años siguientes, numerosas federaciones locales.

Si bien en términos de su organización nacional los progresos del movimiento obrero disminuirían, no ocurría lo mismo con sus afanes de expresión. Muy pronto, la difícil situación económica demostraría la importancia —que Carranza solía soslayar— de las organizaciones sindicales. Durante 1915 y 1916,

14 Arnaldo Córdova, *La ideología de la revolución mexicana*, México, ERA, p. 16.
15 Jean Meyer, "Los obreros en la revolución mexicana: los batallones rojos", en *Historia Mexicana*, El Colegio de México, núm. 81, julio-septiembre de 1971, p. 12.
16 Rocío Guadarrama Olivera, *Los sindicatos y la política en el período de los caudillos. La CROM, 1918-1928*, tesis profesional, Facultad de Ciencias Políticas y Sociales, UNAM, 1979, p. 39.

una ola de huelgas irrumpe por todo el país. El descenso de la producción agrícola, el cierre de fábricas, el aumento en los precios, el desempleo, eran algunas de las consecuencias de la crisis que, de manera natural, siguió a la guerra civil. Los maestros de escuelas primarias, los tranviarios, los electricistas, los mineros, desarrollan sendos y breves movimientos de huelga, especialmente por aumentos de salarios. El gobierno no intervenía, en parte porque tenía muchos otros motivos de preocupación y también porque estas acciones afectaban sólo los intereses de algunos empresarios en particular. Pero en 1916 fue diferente. Debido a la crisis ya señalada, los comerciantes de la ciudad de México, ante la falta de valor de la moneda, comenzaron a calcular sus precios en oro. Los trabajadores, a sus demandas de aumento, añadieron la del pago en metal, en vez de papel moneda. El 31 de julio, tranviarios y electricistas encabezan una huelga general que paraliza la ciudad de México por tres días. Carranza declara la ley marcial y anuncia penas de muerte contra "los trastornadores del orden público". Ante tal amenaza, los trabajadores levantan la huelga y algunos dirigentes son encarcelados.[17]

En 1917, mientras los líderes obreros más destacados siguen en prisión, el Congreso encargado de redactar la Constitución incluye en los artículos 27 y 123 algunas de las más importantes demandas de los trabajadores. Carranza, aunque no estaba de acuerdo con tales artículos, los acepta para evitar que la oposición organizada resurja. La nueva Constitución Política de los Estados Unidos Mexicanos recoge aspectos como el reconocimiento de los sindicatos y los derechos de huelga y organización, a un salario decoroso, a jornadas reglamentadas, a tener prestaciones y servicios sociales, etc. Los trabajadores, de esta manera, con la participación que habían tenido en la lucha de masas que acababa de transcurrir, inciden en la orientación de este renovado país. Era importante, en términos sindicales, la existencia de principios generales que normaran las relaciones laborales en el ámbito nacional. Hasta entonces, solamente habían existido intentos aislados por crear códigos locales o regionales. El artículo 123 de la Constitución satisfacía demandas que aparecían desde el programa del Partido Liberal en 1906 y que habían sido levantadas también por diversos núcleos obreros.

1918-1928: DE LA ACCIÓN DIRECTA A LA ACCIÓN MÚLTIPLE

El surgimiento de organizaciones locales en prácticamente todos los puntos del país reuniendo a trabajadores de todas las ramas, y la objetiva necesidad de dotar a la clase obrera de instrumentos de defensa laboral cada vez más amplios y sólidos, había convencido a los dirigentes, desde tiempo atrás, de la necesidad de crear una agrupación nacional. En enero de 1916, se integra la Federación de Sindicatos Obreros del Distrito Federal (FSODF), que reunía a la mayor parte de las organizaciones gremiales de la capital. Era significativo

---

17 Francis Chassen, *op. cit.*, pp. 26-27.

que de 14 sociedades y sindicatos que formaron inicialmente la FSODF, 11 habían pertenecido a la Casa del Obrero Mundial. La estructura organizativa de la Federación era más avanzada y tendía a dar mayor autonomía a sus integrantes, aunque sin descuidar los procedimientos para otorgarse mutua solidaridad. La FSODF sostenía la ideología de la acción directa. En su declaración de principios aceptaba que quedaba "excluida del esfuerzo sindical toda clase de acción política, entendiéndose por ésta, el hecho de adherirse oficialmente a un gobierno, partido o personalidad que aspira el poder gubernativo".[18]

Esta ideología prevalece por algunos años. La "acción directa" y la "acción múltiple" señalan toda una fase del movimiento obrero mexicano. Proponían la primera quienes consideraban que los trabajadores deben luchar directamente contra sus patrones, sin intermediaciones de ningua índole; es decir, se parte de que la clase obrera debe ganar la batalla contra los explotadores en el terreno mismo donde se trabaja; por consiguiente, se rechaza la participación de trabajadores y/o sindicatos en partidos o cualquier otro tipo de organismos políticos. La acción múltiple, en cambio, supone que la lucha de los trabajadores es una lucha por el poder político, en la cual deben valerse no sólo de sus sindicatos sino también de organismos partidarios. Durante un Congreso Preliminar Obrero convocado en Veracruz por la FSODF en marzo de 1916, ya se prefiguraban ambas tendencias. Una, de corte anarcosindicalista, la otra, que ha sido calificada como "reformista"[19] y que encabezaba el dirigente de la FSODF, Luis N. Morones. En el mismo Congreso es creada la Confederación del Trabajo de la Región Mexicana (CTRM). Morones declina el cargo principal en ese organismo, "por razones familiares". La CTRM tendría escasa vida y éxito. Las represalias carrancistas contra el movimiento obrero la debilitan. Pero habría jugado un papel necesario como antecedente de formas organizativas más acabadas.

Al siguiente año, 1917, un nuevo Congreso Obrero, esta vez en Tampico, insiste en la necesidad de fortalecer los vínculos orgánicos entre las diferentes agrupaciones gremiales mexicanas. Esto ocurre el primero de mayo de 1918, cuando comienza el Congreso Obrero de la ciudad de Saltillo, que había sido convocado desde la reunión anterior y que contaba con el aval indirecto de Carranza. El mandatario había comenzado a preocuparse por obtener y no perder el control, al menos parcial, de las agrupaciones obreras. A través del gobernador de Coahuila, Gustavo Espinosa Mireles, había patrocinado este Congreso. Algunos sindicatos, convencidos de que se trataba de una argucia de Carranza, deciden no asistir. La mayoría sí lo hace y, así, se reúnen 115 delegados de 18 estados de todo el país, en representación de 106 organizaciones. Después de largas discusiones y de numerosos compromisos entre las diferentes corrientes y organizaciones asistentes, nace la Confederación Regional Obrera Mexicana (CROM).

La existencia de la CROM señala toda una fase (de crecimiento, alianza y definiciones) para el movimiento obrero mexicano. Desde el comienzo, es presi-

18 Rocío Guadarrama, *op. cit.*, p. 35.
19 Francis Chassen, *op. cit.*, p. 30.

dida por Luis Napoleón Morones y otros líderes, que formaban parte del Grupo Acción. A través de este núcleo de dirigentes, Morones y quienes lo rodeaban, articulan su presencia al frente de la CROM con otras actividades políticas. Después de 1920, el Grupo habría conseguido el casi completo control de la gran central obrera. La CROM y sus dirigentes llegan a tener un destacado papel en la historia política mexicana, en virtud del fuerte bloque que constituyen en una fase de relativa anarquía y desigual concentración del poder en el país.

Los afanes políticos de Morones y sus aliados se habían desenvuelto desde algunos años antes. Estos esfuerzos señalan también la definitiva transición entre el sindicalismo de acción directa, tan preferido por los anarquistas y propalado inicialmente por la Casa del Obrero Mundial, y el de acción múltiple.

En febrero de 1917, Morones y otros dirigentes formaron el Partido Socialista Obrero, de inspiración laborista, con el propósito de incorporar la actividad de todos los grupos anarcosindicalistas y con el afán de obtener posiciones en las elecciones para diputados de ese año. Como no lo consiguen (en parte debido a la oposición de Carranza) optan por otros caminos. Otras corrientes surgen a la actividad política después de la consolidación del carrancismo. En 1918, es creado en México el Buró Comunista Latinoamericano, adscrito a la Internacional Comunista.

De esta manera, se estaba configurando un clima propicio para las agrupaciones radicales. En septiembre de 1919, tiene lugar en la ciudad de México un Congreso Socialista en donde destacan tres corrientes: un ala izquierda que pugna por crear el Partido Comunista y adherirlo a la Tercera Internacional; un ala derecha, que incluía a Morones y deseaba crear un Partido Socialista de corte laborista, y un ala que encabezaba el norteamericano Lynn A. Gale, en torno al cual se reunían exiliados estadunidenses radicados en México y que, en opinión de la investigadora Baena, era "subvencionado por el carrancismo para crear un partido que llevara a la presidencia al candidato Bonilla".[20]

Como resultado del Congreso, surge el Partido Nacional Socialista que declara aspirar a la construcción del comunismo y estar por la continuación de la lucha de clases. Entre sus dirigentes destacan el nacionalista hindú Manabendra Nath Roy, José Allen, Frank Seaman, Hipólito Flores y Lynn A. Gale quien, sin embargo, pocos días después se separa para fundar el Partido Comunista de México, que tendría una vida muy corta.

El 24 de noviembre, el Partido Socialista se transforma en Partido Comunista Mexicano y expresa su adhesión a la Tercera Internacional. Surgía así, el partido político de mayor antigüedad en la historia de México, sin duda también el más perseguido —como se verá más adelante— y con una experiencia tan abundante como contradictoria.

Por su parte, Morones y otros dirigentes ligados a organizaciones sindicales constituyen en diciembre de 1919, con apoyo de la CROM, el Partido Laborista Mexicano (PLM), que se presenta como el brazo político de la clase obrera mexicana. El PLM sería la expresión política del Grupo Acción y representaría

---

20 Guillermina Baena Paz, "La Confederación General de Trabajadores (1921-1931)", en *Revista Mexicana de Ciencias Políticas y Sociales*, núm. 83, enero-marzo de 1976. p. 118.

las posiciones cromistas en los campos electoral y parlamentario. Una de sus primeras acciones fue apoyar la candidatura presidencial de Obregón. En opinión de Basurto, éste es "el primer gran partido de la era revolucionaria de México; hasta entonces, el panorama nacional presentaba una multiplicidad de pequeños partidos que se formaban al calor de una elección para apoyar a tal o cual candidato y que desaparecían en cuanto habían cumplido con el fin para el cual habían sido creados, o bien en cuanto la personalidad alrededor de la cual se formaban, salía de la escena política. Además, como regla general eran muy dependientes del apoyo oficial".[21] El PLM, continuaría con esta tradición al recibir fuertes cantidades de dinero y el patrocinio político de Obregón y, más tarde, de Calles.

No puede decirse que éstos fueran partidos de masas ni que representasen los intereses directos e inmediatos de los trabajadores. El Partido Laborista, porque obedecía sobre todo a las aspiraciones del Grupo Acción. El PCM porque era apenas un embrión que tendría que salvar numerosos obstáculos. Pero en todo caso, la construcción de estos partidos, el establecimiento de la legislación laboral incluido en la Constitución del 17 y el surgimiento de nuevas organizaciones como la CROM, indicaban una participación más deliberada, compleja y eficaz de los trabajadores. Y no sólo en asuntos gremiales y estrictamente sindicales. Se trataba, para la clase obrera, de construir "un espacio social y político que garantizara la supervivencia y la expansión de sus agrupaciones. Este espacio, sabían ahora, sólo se abriría cubriéndolo con las alianzas que los obreros organizados forjaran con la coalición político-militar vencedora. Ésta fue la razón por la que el proceso de agrupación de los trabajadores en sindicatos, federaciones y confederaciones, y sus primeros proyectos políticos, estuvieron señalados por el carácter de las alianzas".[22] De esta manera, y paulatinamente, se abandonaba un sindicalismo que hasta entonces se había desarrollado al margen del Estado y que tenía aspiraciones socialistas y proletarias. Se le cambiaba por un tipo de sindicalismo que, de la alianza con el Estado, pasaría a ser subordinado por él.

La llegada de Álvaro Obregón a la presidencia del país, en 1920, permite que los líderes cromistas alcancen dos de sus objetivos: el apoyo oficial y su colocación dentro del aparato del gobierno. Celestino Gasca y Luis N. Morones (ambos del Grupo Acción) son designados gobernador del Distrito Federal y director de Abastecimientos Fabriles y Aprovisionamientos Militares, respectivamente. Esta doble condición de dirigentes sindicales y funcionarios gubernamentales, se traduciría en una notable sujeción de la CROM a los intereses del gobierno obregonista, en detrimento de los intereses obreros. Entre 1921 y 1923 estallan distintas huelgas, que son neutralizadas gracias a acuerdos entre Obregón y la CROM.

Esa actitud, si bien respondía a los afanes de Morones y su grupo, no correspondía al interés de todos los miembros dirigentes de la central. Desde 1920, no habían tardado en manifestarse expresiones de descontento que llegan a la escisión. Desde la fundación del PLM, había distintos líderes que no comulga-

21 Jorge Basurto, *op. cit.*, p. 213.
22 Rocío Guadarrama, *op. cit.*, p. 105.

ban con los principios de la "acción múltiple". En febrero de 1921 se reúne una Convención Nacional Roja, convocada por dirigentes que habían renunciado a la CROM y que funda la Confederación General de Trabajadores (CGT). Durante algún tiempo, la nueva central sería a la vez objeto de la hostilidad oficial (por su oposición a Obregón, Calles y la CROM) y punto de coincidencia de muchos adversarios al moronismo. Integrada por trabajadores de diversas ramas (especialmente textiles) se declara favorable a los partidos como el PCM que reconoce como revolucionarios, pero declara que ningún miembro de la CGT puede estar afiliado a organización política alguna.[23] La CGT estaba encabezada por dirigentes de filiación anarcosindicalista como Rosendo Salazar, Rafael Quintero y José G. Escobedo, pero, en un principio, también cuenta con la presencia de comunistas. Éstos salen de la organización cuando la línea anarcosindicalista (que se oponía a la Internacional Comunista) se endurece.

La CGT, en sus primeros años, encabeza huelgas textiles y ferrocarrileras, entre otros gremios. Cuando Obregón aplasta varios de estos movimientos, en especial la huelga de tranviarios de 1923, la CGT aumenta su oposición al gobierno. En esa ocasión, las autoridades abrieron las cárceles para que los presos, apoyados por el ejército, actuaran como esquiroles de la huelga, con un saldo de varios trabajadores muertos.

A su vez, la CROM recibe un evidente apoyo de Obregón. Morones es designado ministro de Industria, Comercio y Trabajo, cumpliendo así el paradójico y a menudo contradictorio papel de representante obrero y gubernamental en los conflictos laborales. Había sido elegido presidente, en 1924, Plutarco Elías Calles. En los mismos comicios, fueron nombrados 12 diputados y 3 senadores miembros de la CROM.

Al régimen constitucional, que ya había sentado las bases de su desarrollo, le interesaba ahora la conciliación de clases. Ése era el papel que debía desempeñar la CROM. De su inicial radicalismo y combatividad, la central deviene en instrumento del gobierno. En mayo de 1924, el dirigente cromista Reinaldo Cervantes aseguraba que la CROM había cambiado de tácticas: "ya no son demostraciones destructoras las que van a proclamar los derechos de los trabajadores... actualmente todos los aspectos de la Confederación están apegados a la más amplia justicia... no se trata de destruir al capital, se trata de consolidar el trabajo y el capital".[24] Calles, como candidato, había dicho que el papel de los sindicatos era "limitar el poder absoluto del capitalismo, sirviendo en ocasiones para protegerlo de posibles ataques que lo destruyan".[25] Y para Morones, si antes las huelgas habían servido para consolidar a la CROM, ahora resultaban perjudiciales. Poco después de ser nombrado ministro, decía con motivo de una huelga ferrocarrilera: "el gobierno no transigirá con esos procedimientos". Mientras tanto, la CROM transitaba por su etapa de mayor auge: entre 1920 y 1924, el número de sus agremiados aumenta de cien mil a un millón.

23 Guillermina Baena Paz, op. cit., pp. 120-129.
24 Rosendo Salazar, Historia de las luchas proletarias en México, México, Avante, 1938, p. 138.
25 Severo Iglesias, Sindicalismo y socialismo en México, México, Grijalbo, 1970, p. 98.

No debe considerarse, empero, que la CROM cumplía sólo una función de control de los trabajadores en beneficio del capital. Aunque ésas fueran sus expresiones en última instancia, la central, por la presión de sus representados, debía levantar demandas obreras legítimas y luchar por ellas. La posición de Morones, ciertamente, ayudaba a ello. Sin embargo existían conflictos que, al margen de la capacidad de decisión del gobierno federal (en un país donde el régimen presidencialista aún no se consolidaba), llegaban a la huelga y encontraban dificultades para solucionarse. Citemos, por ejemplo, la huelga encabezada en Veracruz por la Federación Nacional de Maestros en 1927. Este movimiento, originado por el retraso en los pagos a profesores de primaria, tuvo una amplia solidaridad en Veracruz y otros estados. En su sostenimiento, tuvo gran importancia la presencia del dirigente de la Federación, Vicente Lombardo Toledano.

Lombardo es uno de los personajes claves en el movimiento sindical mexicano. En 1920 funda la Liga de Profesores del Distrito Federal. Al año siguiente, asiste a la Tercera Convención de la CROM, ya como miembro de esta central. En los primeros años de la década, funge como dirigente del Partido Laborista, oficial mayor del gobierno del Distrito Federal, gobernador del estado de Puebla durante algunos meses, diputado al Congreso de la Unión, etc. En 1923 es elegido secretario de educación de la CROM y, por lo tanto, miembro del comité central de esta organización. En 1927 había formado la Federación Nacional de Maestros, donde lo designan secretario general.[26] Además de promotor sindical y dirigente nacional, Lombardo era filósofo y polemista, periodista prolífico y teórico del movimiento obrero. Sus obras se cuentan por docenas, sus artículos, por millares. Muchas de las acciones sindicales de la CROM en esta década son resultado de las iniciativas de Lombardo.

La CROM, de tal suerte, cumplía una doble función. Tenía la misión de evitar problemas laborales, para sostener su compromiso con el gobierno. Pero también, comprometida desde su creación con los trabajadores, necesitaba defender sus intereses. Esta dualidad la advierten dirigentes como Morones. No es gratuito que uno de sus principales intereses sea la creación de instancias tripartitas para la solución de conflictos laborales. Entre octubre de 1926 y marzo de 1927, se reúne la Segunda Convención Industrial Obrera del Ramo Textil, con objeto de solucionar los problemas de trabajo en esa rama. A iniciativa de Morones se crean comisiones mixtas de fábricas, se establecen salarios mínimo, etc., todo esto en una reunión donde participaban representantes obreros y empresariales. Se firma un contrato colectivo para toda la rama textil. De esta manera, Morones y la CROM inauguraban las prácticas de solución tripartita (obreros, Estado y patrones) en las cuestiones laborales. Era, a no dudarse, una modalidad que no sólo competería a los problemas de trabajo sino que llegaría a constituir uno de los cimientos del moderno Estado mexicano. Así lo advierte Krauze cuando señala que las dimensiones de Morones como dirigente rebasan, con mucho, el ámbito sindical: "Llamar a Morones 'precursor de charrismo' sería reducir su importancia. Morones fue un desta-

---

[26] Francis Chassen, *op. cit.*, p. 54.

cado constructor del Estado mexicano, un tipo de Estado que suele apoyarse cada vez que lo necesita 'en la ordenada pirámide de los obreros." [27]

Por esos años también nacen las Juntas de Conciliación y Arbitraje, en torno a las cuales funciona el sistema de solución de los conflictos laborales en México. La fórmula tripartita y corporativa para integrar a los trabajadores en los mecanismos de control de Estado (y, al mismo tiempo, para integrar a sus direcciones en los mecanismos de poder) se generalizaba en un momento de transición política y económica para el país.

Después del movimiento de masas de la segunda década del siglo, el país había transitado por una larga y penosa fase de reconstrucción interna. Como resultado de la guerra civil y los consiguientes estragos, entre 1926 y 1928 la economía mexicana sufría un casi total estancamiento. Existían obstáculos para el comercio interno en vista del deterioro de las vías de comunicación y por el descenso en la demanda interna, del comercio y los servicios. El país debía sortear estos problemas y hacer frente a las deudas con el exterior, así como dotarse de un esquema nacional para su economía.

El gobierno de Calles había emprendido los pasos más necesarios para la reconstrucción nacional. En el área de la economía, comienza a dictar medidas que destacan el papel del Estado, especialmente en el manejo de las finanzas (es creado el Banco de México) y en el crecimiento industrial. En el terreno de la política, se luchaba por hacer de México una verdadera República, donde los intereses sectoriales y locales se subordinasen al "interés general" presidido por el gobierno federal. A este proceso colabora la CROM moronista.

Sin embargo, y conforme se arribaba al momento de consolidar el sistema político, lo cual implicaría algunas modificaciones, el papel de la CROM resultaba menos necesario para el régimen. Desprestigiada por las pugnas internas y su dificultad para resolver diferentes conflictos laborales, la Confederación comienza a ser ineficaz. A esto se añaden los problemas que encuentra Morones con el resto de la burocracia política.

En 1928, el general Álvaro Obregón se postula como candidato para un nuevo período presidencial. Gana las elecciones, pero lo asesinan en el mes de julio. A pesar de que el ejecutor de este atentado es detenido de inmediato, se dice que Morones y la CROM son los responsables intelectuales del mismo. Después de la presencia de Morones en el gabinete de Calles, el líder de la CROM y Obregón se habían distanciado. La muerte del caudillo sonorense es razón suficiente para explotar las diferencias que tenía con Morones. Una intensa campaña de propaganda debilita al fundador de la CROM y, con él, a la propia central. Varios grupos sindicales se separan de ella al advertir su inminente decadencia. Morones, asimismo, cuando concluye el período presidencial de Calles debe renunciar al ministerio que ocupaba, terminando así esa fuente de poder que había empleado por varios años.

La decadencia de la CROM afectaba también, por supuesto, al Partido Laborista. Y además, a la forma de sindicalismo que este binomio había signifi-

[27] Enrique Krauze, *La reconstrucción económica*, vol. 10 de la *Historia de la Revolución mexicana*, México, El Colegio de México, 1977, p. 192.

cado. Era el fin de la acción múltiple, por lo menos como se le había concebido hasta entonces. "Los tiempos nuevos demandaban un reacomodo de los hombres en el poder, de los grupos políticos y de las organizaciones sociales, en aras de la consolidación del Estado y de la permanencia de sus instituciones... Como consecuencia de este reacomodo, la CROM ya no pudo seguir siendo, como pretendió ser, portavoz único de la sociedad y de los trabajadores organizados y, menos aún, el canal principal para arribar al aparato de poder."[28]

1928-1937: RECONSTRUCCIÓN DEL PAÍS, REORGANIZACIÓN SINDICAL

En septiembre de 1928, después de la muerte de Obregón, Calles anunciaba al país el propósito de construir un partido político de carácter nacional, que reuniera en una sola organización todos los esfuerzos de quienes participaban de la burocracia político-militar. Demandaba Calles "la entrada definitiva de México al campo de las instituciones y de las leyes y el establecimiento, para regular nuestra vida política, de reales partidos nacionales orgánicos, con olvido e ignorancia, de hoy en adelante, de hombres necesarios como condición fatal y única para la vida y la tranquilidad del país".[29] En otras palabras, se trataba de desplazar el caudillismo por la formalización del presidencialismo, al pragmatismo de la época de guerra civil, por la institucionalización de las relaciones políticas, necesaria en una fase de reconstrucción nacional. Las figuras de corte caudillista habían cumplido su función histórica. Ahora el gobierno revolucionario se dotaba de un instrumento permanente, a salvo de las contingencias personales, para mantener su hegemonía.

Ésta sería la función del Partido Nacional Revolucionario (PNR) antecesor del actual partido oficial, que desplazaría a cualquier otra organización política. El 4 de marzo de 1929, bajo el lema "instituciones y reforma social", queda constituido el PNR, al cual se incorporaron casi todos los pequeños partidos regionales y sectoriales que hasta entonces habían existido. La creación del PNR, señala Córdova, "acabó por hacer de Calles el máximo dirigente de la Revolución mexicana, el verdadero árbitro de la política nacional, por encima de los grupos revolucionarios".[30] Desde 1928 ocupaba el cargo de presidente de la República Emilio Portes Gil, designado para asumir el cargo provisionalmente después de la muerte de Obregón, aunque la influencia de Calles era evidente.

La creación del PNR tendía a formar un solo polo para la vida política nacional. Esto, por supuesto, afectaba a otros partidos. El Laborista quedó a la deriva, despojado de su carácter de organismo que sustentaba, así fuese sólo parcialmente, al gobierno. Para el Partido Comunista Mexicano comenzaría una

28 Rocío Guadarrama, *op. cit.*, p. 253.
29 Citado por Arnaldo Córdova, *La clase obrera en la historia de México*, vol. 9: *En una época de crisis (1928-1934)*, México, Siglo XXI, 1980, p. 33.
30 *Ibid.*, p. 33.

fase de represalias y persecuciones. En 1929, a su vez, el PCM crea la Confederación Sindical Unitaria de México (CSUM). La nueva central llegó a tener amplia influencia entre trabajadores ferrocarrileros, en sindicatos de Tamaulipas, entre mineros de Jalisco y petroleros de Veracruz. Además, tenía una gran presencia en el campo. Varias huelgas campesinas en Michoacán, la comarca Lagunera y Yucatán, fueron dirigidas por el PCM.[31] En un principio, la CSUM cuenta incluso con apoyo de Portes Gil, que veía en ella una posibilidad más de minar el ya de por sí decadente poder de la CROM. Gracias a esta ayuda, la central pudo desarrollarse con libertad. Pero muy poco después, tanto su política como el endurecimiento del gobierno la obligaron a replegarse. La CSUM, adherida a la Internacional Sindical Roja, sostenía posiciones anticapitalistas que chocaban con las del gobierno de la Revolución mexicana. Este alejamiento mutuo entre la CSUM y el gobierno de Portes Gil, le valieron al Partido Comunista una dura represión. Entre 1929 y 1934, el PCM tuvo uno de sus períodos más difíciles. Sin embargo, a pesar de tener que actuar en la clandestinidad, con muchos de sus militantes encarcelados y sometido a constante persecución, el PCM pudo mantener la influencia que había ganado en el seno del movimiento obrero y campesino. Un ejemplo de la represión de que era objeto, fueron los constantes allanamientos a las imprentas donde se editaba el periódico *El Machete*, órgano oficial del Partido. Esta persecución le impidió al PCM aumentar su influencia entre los trabajadores y, sobre todo, tender alianzas con otros agrupamientos que, como la CGT, tenían algunas coincidencias con la CSUM.

Uno de los principales puntos de distanciamiento entre el PCM (a través de la CSUM) y el gobierno, fue la discusión en torno a la Ley Federal del Trabajo. La necesidad de formalizar y reglamentar las relaciones laborales en todo el país era evidente. El artículo 123 de la Constitución era un marco jurídico que requería de numerosas precisiones. La fase de crecimiento económico por la que comenzaba a transitar el país, junto con la fase (paralela a la económica) de consolidación política y reconstrucción institucional que había emprendido el Estado, obligaban a atender el aspecto cardinal de las relaciones de trabajo. La crisis económica mundial de 1929 también se había experimentado en México, en virtud de la dependencia que nuestro país tenía respecto del extranjero. Si las huelgas y los movimientos obreros no fueron demasiados, se debió al relativo éxito de los intentos para, desde 1928, reglamentar las cuestiones laborales.

En noviembre de 1928, el gobierno federal convocó a una Convención Obrero-Patronal para examinar sendos proyectos de Ley Federal del Trabajo y Seguro Social, antes de ser presentados al poder legislativo. Las discusiones abundaron. La representación obrera, encabezada por Lombardo Toledano, delegado de la CROM, impugnó el registro obligatorio de los sindicatos ante las autoridades laborales pues, señalaba, implicaba serias limitaciones a derechos como el de huelga. En protesta por estos aspectos de la Ley, pero señalando también su ruptura con el gobierno de Portes Gil, la CROM abandona la Convención.

---

[31] Samuel León, "Alianza de clase y cardenismo (junio de 1935-febrero de 1936)", en *Revista Mexicana de Ciencias Políticas y Sociales*, núm. 89, julio-septiembre de 1977, p. 57.

Durante los tres años siguientes, los sindicatos obreros realizaron sucesivas reuniones e intentos de alianza para manifestar su desacuerdo con el proyecto de Ley. Todos coincidían en que era conveniente un código del trabajo que reglamentara en sus aspectos más particulares muchas de las normas generales del artículo 123 de la Constitución. Sin embargo, decían, el proyecto del gobierno federal tendía a limitar las libertades sindicales y a otorgar a las autoridades del trabajo grandes márgenes en su acción arbitral, abriendo así la puerta a eventuales fallos antiobreros. Entre las agrupaciones que expresaron desacuerdos con la Ley y que intentaron articular sus acciones a tal efecto, estaban la CROM, la CGT, la Alianza de Artes Gráficas del D.F., la Liga Nacional de Campesinos, la Confederación Nacional de Electricistas, la Federación Sindical del D.F., etc.[32] Además, como ya hemos señalado, la CSUM, cuyas críticas eran las más radicales. Sin embargo las divisiones entre estas mismas organizaciones les impidieron formar un frente con la suficiente cohesión para hacer prosperar sus puntos de vista. El cambio de gobierno (Portes Gil entrega el poder al nuevo presidente, Pascual Ortiz Rubio en febrero de 1930) dilata varios meses la aprobación de la Ley, que finalmente entra en vigor el 28 de agosto de 1931.

La Ley Federal del Trabajo tenía la virtud de establecer, en el plano nacional, las características de arbitraje laboral y garantías sociales que antes sólo existían en algunos estados de la República. Uno de sus aspectos más importantes era la obligación de establecer contratos colectivos en las empresas. Las asociaciones patronales habían estado en desacuerdo con este punto: "El grupo patronal sostiene que no se asegurará el empleo, ni siquiera la posibilidad de él a los obreros, por el hecho de que la Ley mande que los contratos sean perpetuos; por el contrario, el efecto que producirá será el del desempleo."[33]

Sin embargo la contratación colectiva, lejos de representar tal riesgo, contribuiría a asegurar la estabilidad en las relaciones laborales. Para los trabajadores era un avance poder afirmar su estabilidad en el empleo. Pero para los patrones, también, permitía la existencia de mecanismos institucionales de solución para los conflictos. Ya en la exposición de motivos de la Ley se señalaba, con certeza, que: "en el contrato colectivo reside la garantía del orden, de la disciplina y de la armonía de las relaciones entre el capital y el trabajo... el sindicalismo hace más armónicas, justas y ordenadas las relaciones entre los trabajadores y los empresarios, permitiendo elaborar con el contrato colectivo una fórmula permanente de paz entre las clases".[34]

Esta institucionalización de las relaciones laborales tenía dos razones. Una, la ya señalada intención del Estado por reglamentar los principales aspectos de la vida social, dentro de un proyecto general (más implícito que expreso) para reorganizar al país. Y, además, la existencia de un movimiento obrero que,

---

[32] Francis Chassen, *op. cit.*, p. 139.

[33] "Comunicación del Centro Patronal a la Cámara de Senadores el 11 de agosto de 1931", en Marco Antonio Alcázar, *Las agrupaciones patronales en México*, México, El Colegio de México, 1970, p. 115.

[34] Departamento Autónomo del Trabajo, "Proyecto de Ley Federal del Trabajo", citado por Armando Rendón Corona, *El Movimiento sindical en México en la década de 1930 a 1940*, tesis profesional, Facultad de Ciencias Políticas y Sociales, UNAM, 1971, p. 53.

aunque internamente dividido, agrupaba a los trabajadores de los principales sectores de la economía, y que expresaba sus demandas y preocupaciones a través de sus organizaciones. En 1917, la inclusión del artículo 123 en la Constitución Política del país había implicado el reconocimiento del derecho de huelga para los trabajadores, y el de sus organizaciones sindicales. Ahora, la reglamentación de ese artículo, con la Ley Federal, tendía a normar las relaciones entre capital y trabajo pero siempre a partir de un elemento irreversible: la existencia de agrupaciones obreras, muchas de las cuales, incluso, no comulgaban con la política del gobierno. Años más tarde, y hasta nuestros días, la lucha por la aplicación —con todo y las limitaciones que encierra— de la Ley Federal del Trabajo, ha dado contenido a muchos movimientos obreros.

El propósito de la Ley, ya lo hemos dicho, era institucionalizar la función del gobierno como árbitro de las relaciones laborales (de la misma manera que el desarrollo del sistema político consagraría al poder presidencial como árbitro de la sociedad toda). Y constituido en mediador con amplias facultades, no era extraño que fallara contra los trabajadores. Prueba de ello fue el caso de los tranviarios del Distrito Federal, que en cuanto se aprobó la Ley exigieron que se les pagasen salarios extras por el tiempo excedente, pues de acuerdo con un contrato firmado en 1925 se les obligaba a laborar media hora más de la jornada normal sin recibir por ello salario adicional. Aunque el artículo 123 y la recién creada Ley les garantizaban el derecho de cobrar sueldo doble por tiempo extra, la Secretaría de Industria, Comercio y Trabajo resolvió que la empresa no estaba obligada a pagar, argumentando que a causa de la difícil situación económica por la que atravesaba el país los obreros debían sacrificarse y no insistir en sus demandas. Esta situación persistió hasta 1940, cuando fue revocado el fallo.[35]

No sólo se formalizó el control legal. El Estado también perfeccionó su colaboración institucional con los organismos laborales, aunque la división del movimiento obrero constituía un obstáculo insalvable —por lo pronto— para ello. En junio de 1932 fue creada la Cámara del Trabajo del Distrito Federal, que intentaba unificar a todos los organismos sindicales de la capital. Participaron en este esfuerzo la Federación Sindicalista del Trabajo, que presidía el joven Fidel Velázquez, y la CGT. Según Clark, con la Cámara el gobierno "intentó tener un movimiento unificado para influir en la cercana elección presidencial".[36] Sin embargo, tal propósito no tuvo éxito porque no participaron la CROM ni la CSUM. Además, la misma CGT se encontraba en plena decadencia. Apenas si la sostenía el eventual apoyo del gobierno que con él intentaba debilitar a la CROM. Las tácticas de la anarcosindicalista CGT habían dejado de tener éxito y posibilidades con la expedición de la Ley Federal del Trabajo. Su debilitamiento interno también influía. La CGT decae y, de esta forma, va adoptando actitudes cada vez más colaboracionistas con el gobierno, siguiendo una tácita alianza con Calles (incluso, pocos años después sería partidaria del callismo en contra de Cárdenas y la mayor parte del movimiento obrero).

35 Rafael Ramos Pedrueza, *La lucha de clases a través de la historia de México*, México, Talleres Gráficos de la Nación, 1941, pp. 353-354.
36 Marjorie Ruth Clark, *La organización obrera en México*, México, ERA, 1980.

La CROM también tenía problemas internos. El propio gobierno había alentado a distintos grupos con posibilidades de ser disidentes. Uno de ellos era el que encabezaba Alfredo Pérez Medina, secretario general de la Federación de Sindicatos Obreros del Distrito Federal. Las rivalidades entre este dirigente y el resto de los líderes de la CROM tenían ya varios años. En abril de 1932 lo expulsan de la central, acusado de tener intereses en varios bancos del país. Esta decisión ocasiona la salida de algunos sindicatos, que reclaman para sí (y para su líder, Pérez Medina) la representación de la CROM en el Distrito Federal. Sin embargo otros permanecen en la central y eligen a Vicente Lombardo Toledano secretario general de la FSODF.

Para entonces, el papel histórico de la CROM dentro del Estado mexicano estaba por concluir. Había servido ya como elemento cohesionador de diferentes corrientes y concepciones sindicales y la burocracia que la encabezaba había podido desempeñar funciones importantes como grupo de presión. Sin embargo, su propia descomposición interna y la división ideológica y organizativa de todo el movimiento obrero, terminarían por acabar de debilitarla. Vicente Lombardo Toledano así lo comenzaba a entender, y trató de evitarlo. Como secretario general de la FSODF, buscó promover iniciativas que fortalecieran a la Federación (y a toda la CROM) en términos de su actuación sindical. Trató de restablecer los mecanismos democráticos, la gestión laboral, el ejercicio de la huelga. Pero no lo consiguió. Además, su alejamiento de Morones era irreversible y se manifestaba tanto en la política sindical cotidiana como en sus relaciones con otros sectores de la vida nacional.

El 23 de julio de 1932, Lombardo pronuncia un discurso donde define sus posiciones antimperialistas y reivindica el papel del proletariado ante el capitalismo. Reitera que él, en lo personal, no es comunista pero que a su juicio todos los gobiernos de la Revolución mexicana habían sido burgueses, ninguno había sido socialista y la Revolución estaba estancada. Después de las leyes agraria y obrera la Revolución no había avanzado. En consecuencia, afirmaba (y con esta frase se ha conocido desde entonces ese discurso): "¡El camino está a la izquierda!"[37]

Estas declaraciones acentúan el distanciamiento con Morones. El antiguo líder del Grupo Acción responde con vituperios contra Lombardo y reafirmando sus ataques al PNR y sus elogios a Calles. Finalmente, en septiembre, Lombardo renuncia a la CROM y a su cargo en la FSODF.

En marzo de 1933, Lombardo crea una nueva central, la "CROM-depurada". Se le llamaba así porque sus integrantes habían declarado expulsados de la CROM a Morones y a otros miembros de su grupo. La CROM-depurada estaba integrada por sindicatos que se habían segregado de la central moronista. En su programa, la nueva CROM señalaba con énfasis que las organizaciones sindicales debían estar al margen de la política y, en consecuencia, debían disfrutar de una independencia orgánica respecto del Estado. Ésta era una posición táctica de Lombardo, quien antes había pertenecido al mismo tiempo a los cuerpos dirigentes de la CROM y del PLM. Se trataba de subrayar, precisamente, su rompimiento con el Partido Laborista y su autonomía respecto del gobierno, justo

[37] Francis Chassen, *op. cit.*, p. 62.

cuando el PNR se mostraba interesado en contar con una central obrera que le permitiera tener un amplio frente de masas. Lombardo, en la CROM-depurada y otros organismos que formaría posteriormente, intenta mantener una útil distancia respecto de la burocracia política, para conservar así su capacidad de negociación.

Apenas tres meses después de haber nacido, la CROM-depurada y otras agrupaciones se reúnen para crear una nueva central. En junio de 1933, se proponen crear este organismo las siguientes agrupaciones, entre otras: la CROM-depurada, la Federación Sindical del Distrito Federal, la Confederación Sindicalista de Obreros y Campesinos del estado de Puebla, la CGT, la Confederación Federal de Electricistas y Similares, la Federación Sindicalista de Querétaro.[38] En octubre del mismo año, nace la Confederación General de Obreros y Campesinos de México (CGOCM). Lombardo es elegido secretario general.

Las primeras acciones de la CGOCM por defender los derechos sindicales, encuentran buena acogida por parte del gobierno (el presidente Ortiz Rubio había renunciado en septiembre de 1932, por diferencias con el general Calles, y había sido sustituido por Abelardo Rodríguez). La constante crisis económica lleva a los trabajadores a realizar huelgas durante estos años. Entre los conflictos protagonizados por sindicatos de la CGOCM, entre ocubre de 1933 y diciembre de 1934, pueden mencionarse los de los trabajadores de camiones en el Distrito Federal, del ingenio El Potrero, de trabajadores del cemento en Puebla, de trabajadores electricistas, de tranviarios de la ciudad de México, de textiles en Veracruz, etc.[39] Como resultado de la presencia de una central que, si no reunía al conjunto del proletariado organizado sí a muchos de sus contingentes más activos, el gobierno debe atender distintas demandas obreras. El 30 de diciembre de 1933, el Presidente declara el establecimiento de un salario mínimo; el 11 de enero de 1934 la Suprema Corte falla que se pagará el día de descanso a todos los trabajadores. El 2 de julio la CGOCM realiza un paro general en solidaridad con los trabajadores textiles de Atlixco, Puebla.[40]

Estas actitudes llevaron a la CGOCM a enfrentarse con el gobierno de Abelardo Rodríguez, el cual confiaba en detener las protestas obreras con dosificadas concesiones. Su pragmática política, la resumía en una frase: "la fórmula ideal que será nuestra consigna de lucha en el terreno económico: ocho horas de trabajo, ocho horas de esparcimiento, ocho horas de descanso y ocho pesos de salario mínimo".[41]

Sin embargo, Rodríguez no quedaba bien con el diablo ni con dios. Los trabajadores le reclamaban más prestaciones. Los empresarios explicaciones y una política menos flexible. En una carta a los industriales, el 22 de agosto de 1933, justificaba el establecimiento del salario mínimo expresando que los aumentos que éste implicaba no serían perjudiciales: "al contrario, significará muchos bienes, puesto que el aumento del salario se compensará con el mayor

38 Samuel León, op. cit., p. 41.
39 Ibid., p. 42.
40 Francis Chassen, op. cit., p. 162.
41 Citado por Rosendo Salazar, Del civilismo al militarismo en nuestra revolución, México, Libro Mex Editores, 1958, p. 337.

rendimiento de los trabajadores y, en cambio, los empresarios recibirán los grandes beneficios de un consumo mayor en el país".[42]

Éste era el estado del país en 1934, cuando México estaba a punto de entrar en el más importante período de reorganización de los gobiernos revolucionarios. Los principales puntos de apoyo del régimen (sobre todo el movimiento obrero) se habían debilitado. Los trabajadores, divididos orgánicamente, podían llegar a mayores enfrentamientos con el Estado si no se restablecían los lazos de alianza con él. Reconstruir, reorganizar, reubicar, llevar a cabo el proceso de institucionalización comenzado en 1929 sin abjurar de las conquistas sociales que resultaron de la Revolución, recuperar el consenso de masas sin enfrentamientos definitivos con la burguesía. Tales serían las tareas que tendría a su cargo el general michoacano Lázaro Cárdenas del Río, postulado por el PNR para la Presidencia del país.

Cárdenas había sido cercano colaborador de Calles desde 1915. Ocupó, entre otros, los cargos de secretario de Gobernación, secretario de Guerra y Marina, presidente del PNR y gobernador de Michoacán. En este puesto, había ensayado algunas de las reformas sociales que pondría en práctica como presidente de la República y había organizado a los obreros y campesinos del estado en la Confederación Michoacana del Trabajo. Su campaña electoral le sirvió para ratificar y precisar su filiación obrerista. A menudo se refería al movimiento obrero y su unificación.

Para Lázaro Cárdenas, los trabajadores debían desempeñar una función cardinal e ineludible en el desarrollo político y económico del país. Consideraba, incluso, que no podía gobernarse sin su participación o, al menos, sin su aceptación. La estrategia cardenista consistió en reivindicar la función del Estado como rector de la vida nacional, subordinando a él todas las fuerzas políticas y todas las fuerzas de la producción. A tal fin, proponía que los trabajadores ampliaran y consolidaran sus sindicatos. Arnaldo Córdova ha señalado que Cárdenas "quería que los trabajadores llegaran al poder, cierto, a condición de que se organizaran y se disciplinaran como clase; pero él no admitía que esto pudiera significar la posibilidad de que se *adueñaran* del poder mismo; semejante posibilidad ya quedaba fuera de su proyecto de reforma institucional, como alimento de la demagogia de sus adláteres. Cárdenas no sólo no veía ningún peligro en el hecho de que los trabajadores *entraran* en el poder, sino que había llegado al convencimiento de que el poder revolucionario no podría sostenerse mucho tiempo si no se *asociaba* a los trabajadores al Estado, si no se les convertía en una fuerza gobernante, también a ellos, junto con otras que por igual debían estar asociadas en la tarea de ejercer el poder".[43]

Ante la difícil situación de la economía del país, agravada por las presiones de los inversionistas extranjeros, Cárdenas convocaba a la organización solidaria de todos los sectores. Ya en su campaña electoral había afirmado que "el capitalismo siempre aprovecha la menor división entre los sindicatos. Las divisiones entre trabajadores son criminales y estériles. Los campesinos y trabajadores deben superar todos los obstáculos para unirse".[44]

[42] Citado por Severo Iglesias, *op. cit.*, p. 107.
[43] Arnaldo Córdova, *La política de masas del cardenismo*, México, ERA, 1974, p. 62.
[44] Marjorie Ruth Clark, *op. cit.*

Junto con estas consideraciones, Cárdenas llamaba a los sindicatos a apoyar su plan de gobierno, denominado Plan Sexenal. Con este proyecto (que era un plan para incrementar la hegemonía del Estado en la economía y para reorganizar a la sociedad en las líneas que ya hemos señalado) Cárdenas buscaba conferirles una función activa a las fuerzas controladas por el gobierno. Esto tenía el propósito de consolidar al Estado ante las influencias externas, especialmente después de los estragos que había dejado la depresión económica internacional del 29. Había bases para pensar que era posible. En el mercado internacional, el precio del oro y la plata habían subido, beneficiando así a México. Internamente, la recaudación de impuestos, la reconstrucción del mercado, de las vías de comunicación y la producción agrícola, habían mejorado.

Pero para que el país avanzara, pensaba el presidente Cárdenas, era necesario que mejorase la situación de los trabajadores. Esta consideración se hacía en un momento de objetivo ascenso del movimiento obrero. En 1934 tienen lugar 202 huelgas, en comparación con las 13 realizadas el año anterior. Cárdenas toma posesión en diciembre de 1934. Para 1935, las huelgas suman 642, en un gran movimiento pro aumento de salarios. "El relámpago del paro obrero todo lo ilumina", relata Salazar.[45] Los patrones y los sectores más reaccionarios de la burocracia política no tardan en expresar su preocupación por la gran flexibilidad de Cárdenas con los trabajadores. Le exigen que los reprima, pero él se niega. La CGOCM aplaudía las medidas que beneficiaban a los trabajadores, pero se cuidaba mucho de reafirmar su independencia orgánica a cada momento.

El 11 de junio de 1935, el general Calles declara ante un grupo de senadores partidarios suyos que muchas de las huelgas eran injustificadas y que respondían con "ingratitud" a la política del gobierno. Se trataba de un inusitado y franco ataque público a la política laboral que Cárdenas había propiciado.

Al día siguiente, la CGOCM responde que las declaraciones de Calles son una incitación para iniciar una era represiva contra los trabajadores. Las principales organizaciones sindicales manifiestan que los movimientos de huelga "obedecen a un malestar colectivo y a un estado de injusticia social" y advierten que pueden declarar la huelga general "como único medio de defensa contra la posible implantación de un régimen fascista en México". El 15 de junio estas agrupaciones, a iniciativa del Sindicato Mexicano de Eilectricistas, constituyen el Comité Nacional de Defensa Proletaria (CNDP), con el propósito de integrar un frente amplio en defensa de las reformas cardenistas y para promover la unidad de los trabajadores del país. En el CNDP participan, entre otros, la CGOCM, la Cámara Nacional del Trabajo, la CSUM, y los sindicatos de ferrocarrileros y minero-metalúrgicos, entre otros.[46] Quedan excluidas la CROM y la CGT, que sostenían una posición favorable a Calles y que por eso y por su consecuente enfrentamiento con el resto del movimiento obrero, estarían marginadas de la mayor parte de los trabajadores.

El Comité Nacional de Defensa Proletaria tendría un papel destacado no

45 Rosendo Salazar, Del civilismo... cit., p. 354.
46 Ignacio Marván, "El frente popular en México durante el cardenismo" en Revista Mexicana de Ciencias Políticas y Sociales, núm. 89, julio-septiembre de 1977, p. 12.

sólo al ser un objetivo avance en la unidad del movimiento obrero mexicano sino, también, al desempeñar actitudes definidas y firmes en apoyo del régimen cardenista y en contra de las posiciones derechistas y empresariales. Sus posiciones antifacistas lo llevaron a realizar una huelga nacional de diez minutos, en octubre de 1935, en protesta contra la agresión fascista a Abisinia. Pero además, el CNDP defendió estas conviciones en enfrentamientos callejeros. El 20 de noviembre del mismo año miembros de un grupo de derecha denominado Acción Revolucionaria Mexicana (ARM) llegaron montados a caballo al Zócalo de la ciudad de México para agredir a trabajadores de la CGOCM. Los obreros les hicieron frente, especialmente el Sindicato de Trabajadores del Volante que usó sus taxis contra la caballería de la ARM hasta derrotarla con un saldo de tres muertos, miembros de los sindicatos comunistas del CNDP. El 24 de noviembre el Comité realizó una manifestación en protesta por estos hechos.[47] Las manifestaciones serían un medio de expresión frecuentemente empleado por el CNDP que el 22 de diciembre vuelve a salir a la calle para reiterar su respaldo al presidente Cárdenas.

Estas movilizaciones y la respuesta que Cárdenas daba a los trabajadores al propiciar soluciones favorables a sus demandas (en este proceso tuvieron un papel destacado las Juntas de Conciliación y Arbitraje que por instrucciones presidenciales se inclinaban por soluciones en favor de los trabajadores) formarían una estrecha alianza entre gobierno y movimiento obrero, en detrimento del callismo y los empresarios. Sin embargo, aún restaban por realizarse nuevos enfrentamientos. Uno de los más importantes y definitivos tuvo lugar con motivo de la lucha de los trabajadores de la Vidriera Monterrey. En Monterrey ha tenido su sede uno de los grupos más beligerantes de la burguesía industrial. En febrero de 1936, los trabajadores de la vidriera emplazan a huelga; la Junta de Conciliación declara existente el movimiento y los patrones organizan una manifestación en protesta. El 6 de febrero, todos los establecimientos comerciales de esa ciudad izaron la bandera nacional, cerraron sus puertas y la industria fue paralizada. Esta huelga patronal era un claro desafío al gobierno. Al día siguiente, Cárdenas llega a Monterrey y rechaza que las acciones obreras pretendan trastocar el orden social. El día 9, preside una manifestación donde la CGOCM desfila levantando la bandera nacional junto a la bandera rojinegra de los trabajadores, y cantando el himno nacional y La Internacional. Dos días más tarde, el presidente define ante los empresarios de Monterrey la política de su gobierno en materia obrera, en un documento conocido como los "catorce puntos". Cárdenas señaló que "La causa de las agitaciones sociales no radica en la existencia de núcleos comunistas. Éstos forman minorías sin influencia en los destinos del país. Las agitaciones provienen de la existencia de aspiraciones y necesidades justas de las masas trabajadoras que no se satisfacen y de la falta de cumplimiento de las leyes de trabajo, que da material de agitación." Más adelante, precisaba: "Más daño que los comunistas han hecho a la nación los fanáticos que asesinaron profesores, fanáticos que se oponen al cumplimiento de las leyes y del programa revolucionario, y sin embargo, tenemos que tolerarlos." Y finalmente, advertía a los patrones: "Los empresarios

---

[47] Francis Chassen, *op. cit.*, p. 179.

que se sientan fatigados por la lucha social pueden entregar sus industrias a los obreros o al gobierno. Eso sería patriótico: el paro no."[48]

Menos de una semana más tarde y después de un recuento entre los trabajadores de la empresa, el sindicato de la Vidriera afiliado a la CGOCM ganó la titularidad del contrato colectivo de trabajo en esa empresa.

El enfrentamiento de los empresarios con el gobierno condujo al movimiento obrero a estrechar sus filas y a limar algunas de las diferencias que existían entre los integrantes del CNDP. Justamente, la CGOCM celebra entre el 17 y el 20 de febrero de 1936 su segundo y último congreso, y se declara disuelta para incorporarse a la formación de una nueva central. Ésta, habría de nacer en un Congreso Obrero-Campesino convocado por el Comité Nacional de Defensa Proletaria, y que se realiza entre el 21 y 24 de febrero. A este acto asisten más de cuatro mil delegados, en representación, se calcula, de 600 mil trabajadores. El día 24, se acuerda constituir la Confederación de Trabajadores de México (CTM), compuesta por las organizaciones obreras más numerosas e importantes del país.[49]

La fundación de la CTM, que desde entonces y hasta nuestros días sería la central obrera más importante, era consecuencia también del paulatino aunque firme proceso organizativo que se había desarrollado entre importantes sectores del proletariado industrial al crearse grandes sindicatos nacionales de industria. El 13 de enero de 1933, había nacido el Sindicato de Trabajadores Ferrocarrileros de la República Mexicana. En abril de 1934, el Sindicato Nacional de Trabajadores Mineros, Metalúrgicos y Similares de la República Mexicana. Y en agosto de 1935, 18 sindicatos de empresa se fusionan para formar el Sindicato de Trabajadores Petroleros de la República Mexicana. La creación de sindicatos nacionales tiene lugar en México cuando las propias luchas de los trabajadores los convencen de la necesidad de arribar a fases organizativas más avanzadas. Los sindicatos nacionales eran resultado también de la concentración del proceso de crecimiento industrial que obligaba a los trabajadores a contar con organismos más homogéneos ante los intereses indiscutiblemente unitarios de muchos patrones.

Estos sindicatos nacionales se incorporan a la nueva CTM desde el congreso constitutivo. Con ellos, destacan en las filas de la nueva central, los sindicatos que hasta entonces habían pertenecido a la CGOCM, la CSUM y la Cámara Nacional del Trabajo. Además, numerosos sindicatos como la Alianza de Obreros y Empleados de Artes Gráficas, la Alianza de Obreros y Empleados de la Compañía de Tranvías de México y organizaciones y sindicatos de carácter regional. Es decir, la CTM estaba integrada tanto por sindicatos de industria o verticales (como los ya señalados de mineros, petroleros, etc.), como por organizaciones regionales y horizontales (por ejemplo, agrupaciones de estados como Jalisco y Michoacán, del Distrito Federal, etc.). Esta composición mixta obedecía al propósito de reunir a la mayoría de las agrupaciones obreras.

Al frente de la CTM, en el cargo de secretario general, fue elegido por amplia mayoría Vicente Lombardo Toledano. Sin embargo, al momento de designarse

48 *Ibid.*, pp. 183-185.
49 *Ibid.*, p. 192.

el secretario de organización y propaganda, se suscitó un conflicto que estuvo a punto de arruinar la armonía que había distinguido el nacimiento de la nueva gran central. El comunista Miguel Ángel Velasco fue propuesto por la CSUM para ese cargo, con el apoyo de la mayor parte de las organizaciones que habían pertenecido al CNDP. Sin embargo, la CGOCM se empeñó en sostener la candidatura de Fidel Velázquez. La votación tuvo que posponerse hasta que, en un esfuerzo unitario, la candidatura de Velasco fue retirada ante la posibilidad de que la CGOCM regateara su apoyo a la nueva central. De esta manera, Fidel Velázquez fue encumbrado a uno de los principales cargos de la CTM. A Miguel Ángel Velasco le tocó la secretaría de educación.

La Confederación de Trabajadores de México habría de constituir el frente obrero más importante en la historia del país, al ser el punto de apoyo fundamental del gobierno cardenista, y al sintetizar los avances organizativos que hasta entonces habían logrado los trabajadores mexicanos. Sólo quedaban al margen de la CTM, agrupaciones como la CGT y la CROM, que habían formado una Alianza de Trabajadores Unificados que llega a defender a Calles, a condenar las huelgas de los sindicatos que habían formado el CNDP e incluso a apoyar a los patrones en conflictos con organizaciones de la CTM.

La CTM, además, sería la punta de lanza del Estado en su enfrentamiento con los empresarios. Éstos no dejaban de preocuparse ante la recomposición de fuerzas que tenían por delante. Por eso no desmayaban en sus críticas a la acción obrera y, particularmente, a las huelgas. En marzo de 1936, un grupo de banqueros y empresarios advierte a Cárdenas de los peligros que, a su juicio, podía tener la agitación entre los trabajadores para el país. Sostenían que las masas "son elementos de la naturaleza que se desbordan ciegamente y no respetan autoridad, gobierno, leyes, ni instituciones". Cárdenas respondió que las huelgas serían perjudiciales sólo si rebasaran "el marco de la ley y de la capacidad económica de los patrones".[50] El presidente tenía la seguridad de que tal cosa no ocurriría pues la identificación entre la central obrera mayoritaria y su gobierno permitiría que las demandas de los trabajadores se adecuasen a la estrategia económica del país.

El 6 de abril, el tren correo de Veracruz descarrila a causa de un atentado con dinamita y la responsabilidad del sabotaje se atribuye al grupo de Calles. Cuatro días después, son expulsados del país Plutarco Elías Calles, Luis N. Morones y sus colaboradores Luis L. León y Melchor Ortega. El día 12, la CTM realiza una concentración de apoyo a Cárdenas, a la que fueron llevadas las cenizas de tres ferrocarrileros muertos en el incidente. Durante ese año tienen lugar 674 huelgas y, en 1937, 576. Las huelgas, promovidas casi todas por sindicatos de la CTM, no excedían el "marco de la ley" pero cuestionaban la justicia de las relaciones laborales hasta entonces determinadas casi exclusivamente por el sector patronal. Entre las huelgas más importantes de esta fase, se encuentran la de ferrocarrileros en mayo de 1936, que es apoyada por un paro nacional de la CTM el 18 de junio. También, la huelga en la Fábrica de Papel San Rafael, que duró seis meses. Los electricistas realizan una huelga nacional contra la Compañía de Luz. Destaca, asimismo, la huelga de trabaja-

---

[50] Citado por Rosendo Salazar en *La Casa... cit.*, p. 209.

dores de la Standard Fruit. Todos estos conflictos eran resueltos con saldos favorables a los trabajadores. En la zona de La Laguna, se realiza una huelga de trabajadores agrícolas que concluye con la expropiación de los terrenos de esa localidad, que son entregados a los campesinos en calidad de ejidos.[51]

A pesar de que las huelgas victoriosas fortalecían a la CTM, las diferentes tendencias que integraban esta central comenzaban a manifestar sus discrepancias. En junio de 1937, los miembros de la CTM pertenecientes al Partido Comunista Mexicano, se separaron transitoriamente de la central obrera alegando violaciones a los estatutos y falta de democracia. En virtud de la compleja red de alianzas que se comenzaba a establecer dentro de la central, el grupo de Fidel Velázquez encabezado por el dirigente Fernando Amilpa, había empezado a ganar fuerza, en detrimento de la influencia de Lombardo Toledano. Amilpa y Velázquez representaban el ala conservadora de la CTM, en tanto que Lombardo procuraba apoyarse no sólo en ellos sino también en los sectores definidos hacia la izquierda. Por ello, la salida de los miembros del PCM lo debilita. "Al reducirse la influencia de los comunistas, el fidelismo ganó terreno y se fortaleció... el PC incurría en su vieja línea sectaria e intransigente, Lombardo caía en la complacencia fabiana frente a los líderes corrompidos y entreguistas. No hizo Lombardo, a pesar de su posición privilegiada como jefe de la CTM, ningún esfuerzo serio por crear nuevos cuadros obreros que remplazaran a los antiguos que venían de la CROM y de otras organizaciones que ya daban muestras de descomposición."[52] La actitud del PCM había sido muy variable. En 1935 sus dirigentes adoptan la política del "frente popular", convencidos de que las reformas cardenistas requerían de la mayor solidaridad. Más tarde, sus discrepancias con otras corrientes de la CTM les hacen salir de la central, aunque luego decidirían que las presiones norteamericanas al gobierno de México hacían necesaria la "unidad a toda costa" en la CTM. El Partido Comunista volvió a la central, pero la división dentro de éste ya no desaparecería.

Tendrían que transcurrir varios años aún para que las divisiones hicieran crisis dentro de la CTM. Éste era el frente obrero más sólido que recordaba la historia del país, y cumplía un eficaz papel de apoyo al gobierno. La movilización de masas con motivo de la expropiación petrolera en 1938 fue prueba de ello.

1938-1947: LA ÉPOCA DE LA PRIMERA CTM

El 28 de mayo de 1937, el Sindicato de Trabajadores Petroleros de la República Mexicana (STPRM) estalló una huelga contra las compañías norteamericanas que monopolizaban esa industria en nuestro país. El STPRM demandaba el establecimiento de un contrato colectivo para sus 18 mil trabajadores, y el

51 Ibid., p. 247.
52 Vicente Fuentes Díaz, "Desarrollo y evolución del movimiento obrero", en Ciencias Políticas y Sociales, año v, núm. 17, julio-septiembre de 1959, p. 339.

contrato incluía diversas mejoras económicas. Pero además, esta petición implicaba un enfrentamiento con las empresas extranjeras que durante varios años habían regateado prestaciones laborales a sus trabajadores y que habían mantenido una actitud hostil hacia los gobiernos que, después de la revolución, no habían conseguido imponer la vigencia del artículo 27 de la Constitución Política, que establece la soberanía de la nación sobre las riquezas naturales, entre ellas por supuesto el petróleo.

La huelga petrolera contaba con la colaboración de la CTM, en primer lugar de Lombardo Toledano y, a través de éste, del presidente Cárdenas. La Junta Federal de Conciliación y Arbitraje formula un dictamen favorable a la huelga, reconociéndola. En virtud de la actitud favorable de las autoridades del trabajo y debido también a la intransigencia de las empresas, que sostenían que las demandas obreras superaban sus posibilidades, el STPRM decide levantar la huelga el 9 de junio para someterse al arbitraje de la Junta de Conciliación. Una amplia campaña de demostraciones solidarias con los petroleros por parte del movimiento obrero y paralelamente, de ataques al gobierno por parte de las compañías y sus aliados locales, distingue el transcurso de los siguientes meses. En diciembre, la Junta de Conciliación dictamina que las exigencias del sindicato son adecuadas y que las empresas están obligadas a pagar las prestaciones, que sumaban la cantidad de 27 millones de pesos.

La intransigencia de las compañías petroleras no sólo persistió. Además, haciendo causa común con ellas, otros sectores financieros foráneos y locales comenzaron a presionar al gobierno cardenista retirando sus fondos de los bancos mexicanos y desarrollando una campaña contra las demandas sindicales y el régimen mismo, dentro y fuera del país. Se trataba, ya no sólo de regatear las demandas de un sindicato sino, con ese pretexto, de poner en cuestión y minar las bases del cardenismo. Las compañías petroleras solicitan un amparo a la Suprema Corte de Justicia. Ésta, el primero de marzo de 1938 resuelve que las empresas deben pagar las prestaciones que los trabajadores demandan, en un plazo de siete días. Cerrados los canales jurídicos y en plena marcha la campaña extralegal contra el gobierno, a Cárdenas no le quedaba más que ceder a la soberbia de las compañías o afirmar su autoridad decretando su expropiación.

El 16 de marzo el Sindicato de Trabajadores Petroleros da por terminados los contratos de trabajo con las compañías petroleras. La noche del día 18, el presidente Lázaro Cárdenas dirige un mensaje a la nación, en el cual anuncia la expropiación de los bienes de las 16 compañías petroleras extranjeras, en beneficio de la utilidad pública y de los intereses del país.

La expropiación de las compañías petroleras constituyó el momento de mayor tensión en la historia reciente de las relaciones entre México y Estados Unidos. También, el de mayor respaldo popular a una medida gubernamental. El 23 de marzo, 200 mil personas participaron en una manifestación de apoyo a esta medida, en la ciudad de México.[53]

Para impulsar su política nacionalista, el gobierno de Cárdenas necesitó oponer un sólido frente popular ante los intereses extranjeros que no dejaban de

[53] Francis Chassen, op. cit., p. 226.

tener influencia dentro del país. En septiembre de 1937, el presidente había señalado la necesidad de modificar la estructura del partido de gobierno, el Partido Nacional Revolucionario. Poco después, el PNR afirmaba que cualquier trabajador, por el hecho de pertenecer a un sindicato "revolucionario", estaba en condiciones de ser considerado miembro del Partido. Cárdenas había afirmado también que la fuerza del PNR debía derivarse de cuatro sectores fundamentales: el obrero, aglutinado en la CTM; el campesino a través de las Ligas de Comunidades Agrarias y posteriormente en la Confederación Nacional Campesina (CNC), creada en 1938, y, además, el sector militar y el popular.

Las organizaciones de masas respaldaron el propósito de Cárdenas y, de esta manera, el 30 de marzo se disuelve el PNR para que su lugar sea ocupado por el Partido de la Revolución Mexicana, PRM. Bajo el lema "por una democracia para los trabajadores", el PRM tuvo la función de reunir la fuerza de masas de las agrupaciones que habían surgido o se habían restructurado durante el gobierno cardenista, en un período señalado precisamente por los esfuerzos reorganizativos. El renovado partido, no nacía como complemento ni como opositor a las organizaciones de masas que ya existían, sino como un "aglutinador" de todas ellas. Con las reformas a su estructura, el cardenismo lograba institucionalizar esta política. El Estado, a través del PRM, se señalaba como organizador de los principales sectores sociales.

El movimiento obrero, a través de la CTM, tiene un papel fundamental en el PRM. La Confederación de Trabajadores de México había insistido en diferentes ocasiones, en la conveniencia de formalizar la tácita alianza que se había dado entre diferentes fuerzas avanzadas, que habían primero coincidido en la creación de la propia central, y más adelante en el apoyo a las medidas reformistas de Cárdenas. Para la CTM, la formación del PRM constituía la "realización de un frente popular en las condiciones de México". Se trataba sin embargo, de un frente donde la influencia y presencia de sus diversas organizaciones integrantes, la mayoría agrupaciones de masas, no serviría para dar mayor fuerza a los trabajadores sino, al contrario, para concentrar las posibilidades del Estado con el fin de subordinarlos. En el PRM participa prácticamente todo el movimiento obrero organizado de esta época. Incluso, se adscriben a él las antes disidentes centrales CROM y CGT. Junto con el "sector obrero" estarían presentes los campesinos, los militares y los trabajadores al servicio del Estado y miembros de sociedades profesionales en el denominado "sector popular".

En virtud de la política de alianzas propia de los frentes populares, ha señalado Marván, las principales organizaciones obreras pasaron de su relación de apoyo al Estado a una formal incorporación al PRM. Ocurrió entonces que: "La ausencia de un trabajo político en la base de las organizaciones obreras que les proporcionara la capacidad de mantener un proyecto conforme a sus intereses de clase, aun dentro de la política de alianzas que el momento requería, dejó a estas organizaciones sujetas al devenir de las negociaciones de sus líderes con el gobierno."[54]

Además de su participación en la reorganización de la política nacional, la CTM y su dirección encabezada por Lombardo tendrían una importante pre-

[54] Ignacio Marván, *op. cit.*, pp. 22-23.

sencia en las relaciones sindicales internacionales. El ascenso del fascismo en Europa, la situación de los estados socialistas y la necesidad de renovar o establecer alianzas entre las diferentes organizaciones obreras de tendencia progresista en el mundo, llevan a la CTM a encabezar reuniones internacionales y declaraciones de tono democrático en diferentes oportunidades. En septiembre de 1938, en una reunión convocada por la CTM e inaugurada por Cárdenas, representantes sindicales de trece países concurren a un Congreso Obrero Latinoamericano. Allí, acuerdan crear la Central de Trabajadores de América Latina (CTAL) que según su creador y presidente, Vicente Lombardo Toledano, "fue convirtiéndose en la fuerza de opinión más importante del continente americano".[55] En efecto y según otro punto de vista, la reunión que dio origen a la CTAL "fue, sin duda, el congreso continental más importante de carácter regional que se haya celebrado hasta nuestros días", contó con representaciones de varios continentes y sirvió para formular "una importante declaración contra el fascismo, 'que se opone a todas las legítimas aspiraciones de la clase obrera'".[56] La CTAL organiza varios congresos durante los siguientes años y mantiene su sede en la ciudad de México hasta que, posteriormente, la decadencia de la corriente encabezada por Lombardo en la CTM le resta fuerza a la central latinoamericana.

Otra de las medidas que en el cardenismo involucraron a los trabajadores, fue la promulgación, el 5 de diciembre de 1938, del Estatuto Jurídico de los Trabajadores al Servicio del Estado. Desde hacía varios años, había proliferado la formación de sindicatos en distintas oficinas de gobierno. La mayor parte de ellos había quedado reunida en la Alianza Nacional de Trabajadores del Estado que en 1935 se constituye en Federación. Los trabajadores del gobierno y dependencias públicas reclamaban derechos laborales idénticos a los del resto de los asalariados. Finalmente, no obtuvieron tal reconocimiento porque el Estatuto cardenista los ubicó en una calidad legal y en una condición organizativa diferente a las de los demás trabajadores. En efecto, una de las disposiciones del Estatuto de 1938 prohibía la afiliación a cualquier central, excepto a la Federación de Sindicatos de Trabajadores al Servicio del Estado. Esta limitación provocó grandes debates en el Congreso de la Unión, especialmente por parte de líderes obreros de la CTM que reclamaban para esta central la organización de los nuevos sindicatos de empleados públicos. El gobierno federal no quiso transigir y de esta manera los trabajadores del Estado quedaron, desde entonces, ubicados en un régimen jurídico peculiar y dentro de los marcos de la FSTSE. Entre otras, se restringía el derecho de huelga que sólo podría ser ejercido por violaciones frecuentes al Estatuto.

El gobierno cardenista, de esta manera, había desarrollado una política que no podía explicarse sin su objetivo y real apoyo en las masas, aunque sus procedimientos de organización devinieron en una renovación del control corporativo sobre los trabajadores, sobre todo cuando los siguientes regímenes presi-

[55] Vicente Lombardo Toledano, *La CTAL ha concluido su misión histórica*, México, Ed. Popular, 1964, p. 19.

[56] Amaro del Rosal, *Los congresos obreros internacionales en el siglo XX*, Barcelona, Grijalbo, 1975, pp. 385-386.

denciales abandonaron el estilo reformista de Cárdenas. El cardenismo, por lo pronto, había implicado también una efectiva mejoría en la situación de la clase obrera. No habían sido en balde los centenares de huelgas resueltas en favor de los trabajadores. Se ha señalado, justamente, que "entre los años 1935 a 1940, el poder adquisitivo de los salarios se modificó en línea paralela al índice del costo de la vida obrera y aun hubo años como el de 1939, en el cual el poder adquisitivo de dichos salarios fue superior al propio costo de los alimentos y vestuario de primera necesidad".[57]

Las últimas grandes manifestaciones del sexenio de Cárdenas tendrían lugar en 1938, durante la época de la expropiación. En ese momento se detuvo el proceso de consolidación de la CTM, que desde entonces disminuyó sus antes tan frecuentes demandas reivindicativas. Este cambio de actitud se debió, en parte, al afán de evitar o reducir los problemas laborales en momentos en que el país debía reforzar su unidad interna, ante las presiones del imperialismo disgustado por la expropiación. Pero también se debía al comienzo de un proceso de burocratización del sindicalismo nacional, que haría que la CTM pusiera más atención en su papel como sector de presión política, especialmente en las coyunturas electorales, que como vocero de los trabajadores y sus demandas más inmediatas. Con este proceso de burocratización, no fueron los obreros quienes se convirtieron en socios del gobierno (como esperara Cárdenas) sino los dirigentes sindicales.

En febrero de 1939, el Consejo Nacional Extraordinario de la CTM apoya la candidatura del general Manuel Ávila Camacho para el siguiente período presidencial de seis años. Sobre la actitud de la CTM en ese momento, más tarde opinaría Lombardo Toledano que "la CTM realizaría alianzas, pactos con otros sectores del pueblo, con otras instituciones inclusive ajenas al proletariado (pacto obrero-patronal) con el fin de sumar fuerzas que pudieran, en determinado momento del proceso evolutivo del país, llevar de un modo fácil al triunfo de la propia sociedad mexicana, empeñada en una lucha que ya tiene un cuarto de siglo por el mejoramiento de sus masas productoras".[58]

La participación de la CTM en las elecciones de 1940 también tenía el propósito de afirmar la cohesión del Estado mexicano, que había sido cuestionada por la candidatura del derechista Juan Andrew Almazán. La CTM creó el Frente Popular Electoral en favor del PRM, y sus dirigentes Lombardo Toledano y Fidel Velázquez recorrieron el país organizando mítines de apoyo a Ávila Camacho.

El gobierno de Manuel Ávila Camacho estaría determinado por el propósito de reconciliar a las diferentes facciones de la política nacional, que se habían polarizado durante el sexenio anterior. Además, tendría la pretensión de mantener unificadas a estas fuerzas en los momentos de la segunda guerra mundial. En contraste con la política de Cárdenas, quien no vaciló en pronunciarse en favor de los trabajadores (y apoyarse en ellos) ante enfrentamientos objetivos entre las dos clases sociales fundamentales, Ávila Camacho insistió en

[57] Guadalupe Rivera Marín, "El movimiento obrero en México", en *50 años de Revolución*, tomo III, México, Fondo de Cultura Económica, 1961, p. 263.
[58] Citado por Rosendo Salazar, *La CTM...* cit., p. 275.

mantener el equilibrio entre éstas, con demérito de los intereses obreros. No en balde declaraba y exigía: "Preciso la unificación nacional en torno a los problemas que atañen a la Patria, porque nuestra historia, nuestro presente y nuestro porvenir como nación libre están por encima de los intereses personales, de las necesidades de clase y de las ambiciones de partido."[59]

La reivindicación de la "libertad" nacional, frente a posiciones personales (como las que, de acuerdo con la propaganda anticardenista, había sostenido el anterior presidente), contra el interés de los trabajadores y eventualmente el del partido de gobierno, eran las pautas de la propaganda avilacamachista. Este régimen inició la política de "unidad nacional", que seguiría el resto de los gobiernos mexicanos, para significar la colaboración de clases y la subordinación de los intereses específicos de los asalariados.

Para impulsar la política de unidad nacional, se acudió lo mismo al apoyo público de personalidades políticas y ex mandatarios (el propio Cárdenas incluido) en actos como el realizado el 15 de septiembre de 1942 en torno al presidente Ávila Camacho, que a un proceso para dar nuevas pautas a las relaciones del gobierno con el resto de la sociedad, en especial el movimiento obrero.

Los cambios empezarían en la dirección misma de la CTM. Como resultado del aislamiento a que fue sometido Vicente Lombardo Toledano, en 1941 es desplazado de la secretaría general. El 27 de febrero de ese año, el Segundo Congreso General Ordinario de la central más grande del país, decide que Fidel Velázquez sea su sucesor. El nuevo secretario general promete cooperar "leal, sincera, abierta, desinteresadamente con el gobierno del general Manuel Ávila Camacho". A Lombardo se le designa para presidir un "consejo consultivo" de la central; el creador de la CTM seguiría teniendo influencia en la política y las alianzas de la organización, aunque había comenzado ya su definitivo desplazamiento de ella.

Ávila Camacho comienza a modificar los marcos de las relaciones obrero-patronales, con objeto de limitar la acción sindical. En febrero de 1941 presenta un plan de reformas legales que establecía nuevos requisitos para calificar el estallamiento de una huelga, y tipificaba el delito de "huelga ilegal señalando sanciones para quienes incurriesen en ella. La CTM aprueba el proyecto, que es sancionado por el poder legislativo unos cuantos días más tarde. Como parte del mismo proceso, por esas fechas se creó la Secretaría del Trabajo y Previsión Social, que sustituía al Departamento Autónomo del Trabajo, que funcionaba desde 1933 y que tenía a su cargo la representación del poder ejecutivo federal en las relaciones obrero-patronales".[60] Como resultado de estas y otras modificaciones legales, quedaba prohibida toda suspensión de actividades en empresas de "gran importancia social".

Además, Ávila Camacho creó el "delito de disolución social" que tenía el propósito de preservar el orden en la situación de emergencia ocasionada por la guerra mundial (México entró en estado de guerra en mayo de 1942). Sin embargo dicho "delito" siguió siendo aplicado contra dirigentes políticos y

[59] Citado en *Enciclopedia de México*, tomo I, México, 1978, p. 504.
[60] Luis Medina, *Del cardenismo al avilacamachismo. Historia de la Revolución mexicana*, tomo 18, México, El Colegio de México, 1978, pp. 290-291.

sindicales que diferían del gobierno durante los treinta años siguientes, convirtiéndose en uno de los instrumentos legales más empleados para reprimir movimientos sociales disidentes. Como consecuencia de la política de unidad nacional y del gobierno de mano dura que inaugura Ávila Camacho, se desata una campaña contra las organizaciones de izquierda. El fantasma del anticomunismo recorrió al país por esos años. En septiembre de 1941, un grupo de trabajadores de la Industria de Materiales de Guerra que había obtenido audiencia con el presidente, es atacado por tropas federales, con un saldo de nueve obreros muertos. Los funerales fueron "la acción política más importante del proletariado mexicano durante los años de la segunda guerra mundial".[61] Por esas mismas fechas se repiten las agresiones contra instalaciones y miembros de agrupaciones como el Partido Comunista.

En enero de 1942 nace la Confederación de Obreros y Campesinos de México, formada por sindicatos que se desprenden de la CROM. Un mes después, disidentes de la CTM con el apoyo del Sindicato Minero-Metalúrgico, crean la Confederación Proletaria Nacional. A pesar de su intento por diferenciarse de las grandes centrales, de las que se habían escindido, estas nuevas agrupaciones no consiguen formar polos alternativos al movimiento obrero institucional. Éste, por el contrario y como resultado del afán del gobierno por reorganizarlo, coincide en apoyar la política avilacamachista de unidad nacional en tiempos de guerra. En mayo de 1942, la CTM llama a sus afiliados a abstenerse de realizar huelgas durante la guerra y a dejar la solución de los conflictos laborales en manos de las autoridades. Al mes siguiente, las principales centrales suscriben un "pacto de solidaridad de los obreros" mediante el cual se comprometen a no realizar huelgas mientras durase la guerra y a colaborar con el gobierno en el abastecimiento de recursos para satisfacer las necesidades militares.

Estas organizaciones (CTM, CROM, SME, sindicato de mineros, etc.) constituyen en el mes de junio el Consejo Nacional Obrero, institución adscrita a la Secretaría del Trabajo y que tenía la finalidad de conformar un vocero unificado para las posiciones del movimiento sindical. El Consejo busca disminuir el número de conflictos obrero-patronales y sólo en una ocasión llega a demandar con énfasis la solución a demandas sindicales. Se trataría del conflicto en la fábrica textil La Trinidad, en el estado de Tlaxcala, donde un sindicato adherido a la CROM mantuvo por 23 meses una huelga en demanda de respeto al contrato colectivo, reinstalación de trabajadores despedidos y en repudio a un sindicato blanco. El apoyo del Consejo Nacional Obrero obligó al gobierno a solucionar favorablemente las peticiones sindicales y a incautar la empresa en julio de 1944.[62]

La situación de emergencia provocada por la guerra permite al gobierno mantener los salarios en reducidos niveles. Mediante un decreto del 16 de octubre de 1943, Ávila Camacho queda facultado para arbitrar casos graves de conflictos laborales. Así resuelve, ordenando aumentos a su juicio, una huelga

61 S. I. Semionov, "México durante el período de Ávila Camacho", en Varios autores, *Ensayos de historia de México*, México, Ediciones de Cultura Popular, 1972, p. 121.
62 Luis Medina, *op. cit.*, p. 312.

ferrocarrilera en noviembre de ese año, otra petrolera en junio del siguiente y una más, de la industria textil.[63]

Por esas fechas también surgió el que hasta ahora ha sido el más grande, numéricamente, de los sindicatos mexicanos. Como resultado de la fusión del Sindicato Único Nacional de Trabajadores de la Educación, el Sindicato de Trabajadores de la Enseñanza de la República Mexicana, el Mexicano de Maestros, el Nacional Autónomo de Trabajadores de la Educación, la Federación de Sindicatos Autónomos de Maestros y otras organizaciones del ramo de la enseñanza nació, a fines de 1943 el Sindicato Nacional de Trabajadores de la Educación (SNTE). La nueva agrupación reunía a los profesores y trabajadores de la enseñanza dependientes de la Secretaría de Educación Pública y su primer secretario general fue Luis Chávez Orozco. La tradición de lucha gremial de los trabajadores de la educación, junto con las grandes dimensiones del nuevo sindicato (que naturalmente crecería a la par que la dependencia encargada de la instrucción pública) se combinaron para hacer de ésta una importante y conflictiva organización. Los maestros han tenido en México una función social destacada en diversos momentos históricos. Y aunque el SNTE a menudo ha servido más para contener que para sintetizar y expresar las inquietudes de los maestros, en su interior nunca han dejado de existir grupos que se han opuesto al espíritu colaboracionista o decididamente gobiernista de sus principales dirigentes. La misma fusión ocurrida en 1943 que dio origen al SNTE, permitió que coincidieran dentro de esta agrupación tendencias y prácticas ideológicas y sindicales que, hasta entonces, habían permanecido separadas. Por el gremio al que representa y por su potencial influencia social el SNTE se convirtió, desde su nacimiento, en una organización imprescindible para quienes toman decisiones políticas de carácter nacional en este país.

Otra fase de la nueva política laboral fue la creación del Seguro Social, hacia fines de 1942. A pesar de que este servicio implicaba prestaciones regulares para un amplio sector de trabajadores, la obligación de pagar cuotas provoca desconcierto y descontento. Un grupo de dirigentes aprovecha la falta de definiciones de las grandes centrales en torno a este asunto y ocasiona reacciones de rechazo en algunos sectores de trabajadores. Esta situación se torna crítica y durante 1943 se sucede una serie de motines que culmina con un sangriento enfrentamiento con la fuerza pública en el centro de la ciudad de México, el 20 de julio.

Acontecimientos como éste no implicaban distanciamiento entre el movimiento obrero organizado y el gobierno. Al contrario, se estaban gestando nuevos compromisos. Ya casi al término de la guerra, el 7 de abril de 1945 la CTM y la Confederación de Cámaras Industriales hacen público un "pacto" en el que advierten los peligros que la posguerra podía traer para la economía del país, y señalan la necesidad de que obreros e industriales afronten juntos las tareas que requiere la nueva fase de crecimiento de México. Señalan en el texto que sería conocido como "pacto obrero industrial": "Los industriales y los obreros de México hemos acordado unirnos en esta hora decisiva para los destinos

---

[63] *Ibid.*, p. 314.

de la humanidad y de nuestra patria, con el objeto de pugnar juntos por el logro de la plena autonomía económica de la nación, por el desarrollo económico del país y por la elevación de las condiciones materiales y culturales en que viven las grandes masas de nuestro pueblo. Con estos fines superiores, deseamos renovar, para la etapa de la paz, la alianza patriótica que los mexicanos hemos creado y mantenido durante la guerra, para la defensa de la independencia y de la soberanía de la nación, bajo la política de unidad nacional preconizada por el presidente, general Manuel Ávila Camacho."[64]

En este pacto, los representantes obreros se comprometen a suspender las protestas por el alza de precios y a no exigir reivindicaciones salariales inmediatas. Además se establece una comisión mixta con facultades para suspender cualquier huelga durante diez meses. Tan sólo en la ciudad de México, ese procedimiento se empleó en 164 conflictos.

El "pacto" había sido promovido por la dirección nacional de la CTM, y en primer lugar por Lombardo, con el propósito de reivindicar a esta central como el principal polo del movimiento obrero y para darle mejores posiciones ante el futuro cambio de gobierno. La creación del Consejo Nacional Obrero, aunque encabezado por la CTM, había implicado una disminución en la importancia de esta central al dar cabida en situaciones privilegiadas a centrales de menor membrecía y fuerza como la CROM. A la CTM, a estas alturas, le interesaba poco conservar el Consejo Obrero. Así lo advierte el resto de las centrales que, después de atacar verbalmente a los dirigentes de la CTM, deciden expulsar a ésta del Consejo el 2 de mayo de 1945.[65] El Consejo Obrero, sin la principal central del país, serían entonces un mero membrete que desaparecería por inercia poco después.

Los últimos meses del gobierno de Ávila Camacho registrarían un leve pero significativo incremento en la acción obrera. Al levantarse, aunque parcialmente, la prohibición para realizar suspensiones de trabajo, distintos sectores de asalariados vuelven a ejercer este derecho. En diciembre de 1945, apenas un par de días después de que el gobierno había levantado la incautación de la Compañía de Tranvías de México (impuesta para impedir una huelga varios meses antes) los trabajadores estallan un nuevo movimiento. Lo levantan hasta que el gobierno requisa la empresa y crea otra nueva, después de prometer mejoras en el equipo y en las condiciones laborales. Por su parte, el Sindicato de Trabajadores Petroleros emprende en septiembre de 1946 una serie de huelgas parciales por aumentos de salarios, hasta que la empresa correspondiente acepta firmar un nuevo contrato colectivo de trabajo.

En enero de 1946 el partido en el poder transita por una nueva fase. El PRM realiza su última convención para, el 18 de enero, crear el Partido Revolucionario Institucional. El PRI nace bajo el lema "democracia y justicia social" y elimina de su ideario todas las referencias al socialismo y a las reivindicaciones necesarias de la clase obrera que aparecían en los documentos del PRM. El renovado partido descentraliza algunas de sus funciones y amplía su organización en el interior del país, elimina por razones tácticas al sector militar y admite nuevos núcleos populares.

64 Marco Antonio Alcázar, op. cit., p. 117.
65 Luis Medina, op. cit., p. 334.

Es de sobra conocida la importancia del PRI en el desarrollo del sistema político mexicano. Aquí cabe señalar solamente que la incorporación implícita de la mayor parte de las organizaciones obreras al partido oficial, no sólo ha desempeñado la función de conciliar las expresiones sindicales con el interés del gobierno, ha constituido además, un canal natural para que la participación de la burocracia sindical, que ha experimentado un crecimiento y una consolidación indudables, haya sido más enfática en todos los aspectos de la política nacional. A través del llamado "sector obrero" del PRI, los dirigentes sindicales aseguran cargos de representación lo mismo en las cámaras legislativas que en las gubernaturas de los estados y aun en la dirección de los más pequeños municipios en el interior del país. Hay regiones donde el principal polo de poder político está integrado por una dirección sindical. Por ejemplo, en la zona del estado de Veracruz que comprende las poblaciones de Poza Rica y Minatitlán y en la región de Ciudad Madero en Tamaulipas, el mayor poder político es ejercido por la burocracia que encabeza al Sindicato de Trabajadores Petroleros. Aunque la participación de los sindicatos en el PRI no es forzosa, de acuerdo con sus estatutos y con las leyes del país, en la práctica ocurre que la mayoría de los organismos obreros nacionales están adheridos a este partido y en ocasiones los trabajadores, sin haberse afiliado voluntaria e individualmente, tienen que pagar cuotas regulares. Cabe destacar, empero, que hay sindicatos que han reiterado su independencia orgánica del PRI, por ejemplo el Mexicano de Electricistas.

1947-1951: REPRESIÓN Y "CHARRISMO"

Una de las primeras acciones del nuevo PRI es llevar a la Presidencia del país a Miguel Alemán Valdés, estrechamente identificado con la política de Ávila Camacho. Alemán toma posesión en diciembre de 1946 y de inmediato se enfrenta a los problemas laborales que ocasionaba una fase de gran inflación monetaria y depauperación de los salarios. El sindicato petrolero realiza nuevas huelgas parciales, hasta que el gobierno ordena la ocupación militar de los campos donde esto ocurría y son encarcelados cerca de cincuenta dirigentes obreros. En junio de 1948, más de dos mil mineros son despedidos por realizar una serie de paros en la planta siderúrgica de Altos Hornos de México en Monclova, Coahuila. También son despedidos los dirigentes de la sección Aguascalientes del Sindicato de Trabajadores Ferrocarrileros, que promueven paros por mejores condiciones laborales.

La política económica desarrollada por Ávila Camacho había tendido a estimular el ingreso de inversiones extranjeras y de inversiones privadas nacionales. Para ello se había impulsado una política de estímulos fiscales y arancelarios que llevaron a una creciente participación de la inversión privada en la conformación total del capital nacional. De esta manera se desarrollaba un modelo económico de crecimiento inflacionario, donde las ganancias que resultaban de la entrada de nuevas divisas no se aplicaban en beneficio de los trabajadores sino para reinvertirse en la industria. La producción agrícola tuvo esencialmente la función de apoyar el crecimiento de la industria, dotándola de materias primas, de ingresos adicionales y alimentando a los grandes núcleos de proletarios urbanos que comenzaban a crecer en las principales ciudades del país. En este proceso, que favorecía a la industria y al capital privado, el Estado desempeña un papel fundamental al crear la infraestructura (comunicaciones, energéticos, etc.) que el crecimiento con este esquema requería. Además, el Estado se fue convirtiendo en inversionista directo, con sus propias industrias.

Este ritmo y esa política de desarrollo, resultado de las orientaciones de gobiernos anteriores pero con saldos cada vez más desfavorables para los asalariados, tendría sus costos para el sistema político y tuvo repercusiones inmediatas en la actitud hacia el movimiento obrero. El gobierno hubo de aplacar el descontento de los trabajadores acudiendo a la represión directa pero, sobre todo, reforzando los mecanismos corporativos de control sindical.

Uno de los primeros pasos sería la definitiva reorientación de la CTM, con motivo de la renovación de su comité ejecutivo en 1947. Como en la constitución de la CTM en 1936, ahora se repite el enfrentamiento entre los sectores progresistas, encabezados por candidatos del Partido Comunista, y el ala más conservadora presidida por Fidel Velázquez. El PCM intenta colocar a Luis Gómez Z. en la secretaría general, y el grupo de Fidel propone a su líder Fernando Amilpa. Sin embargo ya no eran los tiempos de 1936, cuando todos los integrantes de la naciente central debían esforzarse por mantener la unidad. Ahora, el grupo de los "cinco lobitos", que era como apodaban a los dirigentes Amilpa, Velázquez, Alfonso Sánchez Madariaga, Jesús Yurén y Luis Quintero, había ampliado su base social tanto con actitudes populistas hacia los sindicatos como con nuevos compromisos con el gobierno. Gracias a ello, consiguen el control absoluto de la CTM. Al verse la desventaja, los sectores que apoyaban a Gómez Z., en primer lugar el sindicato ferrocarrilero y su dirigente Valentín Campa, abandonan la CTM. Debilitadas así las posiciones de izquierda o progresistas, quedan minadas también las bases de Lombardo Toledano, que había apoyado a Fernando Amilpa. Lombardo no puede resistir la disminución, ahora indudable, de su poder y tiene que abandonar poco después la central cuya creación él mismo había encabezado. La CTM, transformada así, elimina todo vestigio de su anterior postura populista. Incluso cambia su lema, que era "por una sociedad sin clases", por la frase "por la emancipación de México". Sus dirigentes estrechan compromisos con la burocracia política y con el partido oficial, y desempeñan una función destacada en la modernización de éste, cuando se transforma en PRI.

Las modificaciones en la CTM, que eran parte de adecuaciones más generales de todo el sistema político mexicano, tienen entre otras consecuencias la formación de nuevos agrupamientos disidentes, aunque de poca fuerza. Vicente Lombardo Toledano forma en 1948 el Partido Popular, con el propósito de reunir a las fuerzas nacionalistas que, dentro y fuera del sindicalismo, le habían apoyado. Sin embargo gran parte de estas fuerzas habían menguado, otras habían cambiado de signo o se encontraban en el partido oficial. Debido a la insistencia de Lombardo en la posibilidad de colaborar, tácticamente, con el gobierno, algunos sectores de la izquierda como los comunistas se niegan a colaborar con el nuevo partido. De esta manera el Partido Popular (que más tarde y hasta la actualidad se llamaría Popular Socialista) queda como una oposición semioficial, a la izquierda del partido de gobierno pero con numerosas coincidencias, especialmente en momentos electorales.

Por su parte, los sindicatos que se habían escindido de la CTM al triunfo de Amilpa, acuerdan formar la Confederación Unitaria del Trabajo (CUT). Ésta, se presentaba como una organización alternativa y tenía posibilidades de convertirse en auténtico rival de la descompuesta CTM. Participaban en la CUT varios de los sindicatos nacionales más combativos: el de ferrocarrileros, el de minero-metalúrgicos y el de petroleros. La CUT había sido ideada por Gómez Z. y Valentín Campa y su congreso constitutivo se anunció para diciembre de 1948.

Pero los proyectos del sector democrático del movimiento obrero, tendrían que enfrentarse a la decisión oficial para exterminarlos. En octubre de 1948 el secretario general del sindicato ferrocarrilero, Jesús Díaz de León, formula una denuncia judicial contra un supuesto fraude de los fondos sindicales. La acusación sorprende a los grupos democráticos del STFRM, especialmente porque no se emplean los cauces sindicales para sancionar el conflicto; Díaz de León solicita la intervención del gobierno. El 13 de ese mes, 28 secciones del sindicato ferrocarrilero acuerdan la destitución del secretario general. Pero al día siguiente, Díaz de León, acompañado por un centenar de policías, toma por asalto las oficinas sindicales en la ciudad de México, con lujo de violencia e iniciando sin saberlo, con esta acción, una amplia fase en la historia del movimiento obrero.

A Jesús Díaz de León le apodaban "El Charro" porque se dedicaba a ese pasatiempo. Como se convirtió en prototipo de la corrupción sindical que se impondría en el ferrocarrilero y otros sindicatos, a este fenómeno se le conoció desde entonces como "charrismo".

El charrismo es una peculiar modalidad de control sindical que se implanta por la fuerza y, habitualmente, en oposición a la voluntad de los trabajadores. Por sus procedimientos agresivos, por su ostentosa antidemocracia, al charrismo se le ha caracterizado con rasgos como los siguientes: "a] por el empleo de las fuerzas armadas del poder público para apoyar una dirección sindical postiza; b] por el uso sistemático de la violencia; c] por la violación permanente de los derechos individuales y colectivos de los trabajadores; d] por el total abandono de los métodos democráticos; e] por la malversación y robo de los fondos sindicales; f] por el tráfico deshonesto de los intereses obreros; g] por la invariable connivencia de los líderes espurios con el gobierno y los capitalistas; h] por la corrupción en todas sus formas..."[66]

Ésos son los aspectos más conocidos del charrismo, que ha sido identificado sobre todo por sus momentos más ominosos. Sin embargo, cabe señalar que la dominación corporativa sobre la gran mayoría de los trabajadores organizados en México no se ha ejercido simplemente a partir de violencia, encarcelamientos y represalias. La permanencia del llamado charrismo no se debe tampoco simplemente a la influencia personal que los dirigentes espurios han conquistado ni a la falta de oposición de los trabajadores. Hay que considerar que los diri-

[66] El charrismo sindical y la insurgencia de los ferroviarios, Confederación Mexicana de Electricistas, México, Editorial Solidaridad, 1958, p. 8

gentes sindicales han conformado una bloque con numerosas fuerzas internas (que se revelan en las posiciones diferentes de uno a otro líder, en las pugnas entre la burocracia sindical nacional y los organismos locales, etc.) y además con relativa autonomía respecto del gobierno. Es decir, si bien el charrismo constituye un instrumento de control del Estado sobre los trabajadores, hay que considerar también que la burocracia sindical tiene su propio peso dentro del sistema político mexicano. Y, además, que ha podido permanecer al frente del movimiento obrero no sólo gracias al empleo de procedimientos compulsivos sino al consenso que, objetivamente, ha logrado en amplios sectores de trabajadores. La administración de prestaciones sociales, el manejo de los contratos colectivos, el empleo de una retórica populista, le han permitido a la burocracia sindical obtener el apoyo tácito de grandes sectores de la clase obrera. Gracias a esta capacidad, los "charros" han mantenido la representación de la mayor parte de los trabajadores organizados en México. Debido a ella, también, en muchas ocasiones han tenido que sostener demandas que rescatan banderas inmediatas y legítimas de los trabajadores. Este doble juego, entre la necesidad de mantener la representación de los trabajadores y el empleo de métodos de fuerza, ha sido una constante en la actitud de la burocracia sindical, desde 1948 hasta nuestros días.

Estos procedimientos de control sindical fueron los que inauguró, por la fuerza, "El Charro" Díaz de León. Después de asaltar los locales sindicales, el líder ferrocarrilero encabezó una enconada campaña contra el sector democrático del STFRM, el cual había orientado muchas de las acciones progresistas del sindicato. El dirigente Valentín Campa, secretario de organización del ferrocarrilero, fue acusado de malversar los fondos sindicales y promover sabotajes a los trenes, aunque resultaron conocidos y posteriormente denunciados los procedimientos empleados para obligar a varios testigos a declarar contra él. Campa es aprehendido en 1949 y permanece encarcelado varios años.[67]

Que se trataba de una ofensiva amplia contra la democracia en todo el movimiento obrero, lo probarían las acciones en otros sindicatos.

En los primeros días de agosto de 1949, policías disfrazados de ferrocarrileros toman por asalto los locales de los tranviarios de la ciudad de México. Poco después, ocurre lo mismo contra los petroleros. En mayo de 1950, en una convención del Sindicato Minero Metalúrgico se impide la entrada a las delegaciones democráticas.[68]

También como resultado del charrismo, fracasan distintos esfuerzos por reorganizar al movimiento obrero. En 1948, Lombardo había propuesto crear la Alianza Obrera Campesina Mexicana, con los sindicatos que aún le seguían y con los miembros de la CUT. Al año siguiente, la CUT rompe con Lombardo debido a la actitud distante que éste llegó a tener respecto del presidente Miguel Alemán. También en 1949, Lombardo forma la Unión General de Obreros y Campesinos de México (UGOCM), que llega a tener influencia sobre todo en el agro.

Una de las formas con que Lombardo busca darle fuerza a la UGOCM, es afiliándola a la Confederación de Trabajadores de América Latina, pero la CTAL

---

67 Mario Gill, *Los ferrocarrileros*, México, Extemporáneos, 1971, pp. 148-151.
68 *Ibid.*, p. 152.

estaba también en decadencia. Al perder sus bases en la CTM, Vicente Lombardo Toledano había dedicado sus esfuerzos a la CTAL, que aún presidía. Sin embargo la Confederación, sin su principal punto de apoyo que era el movimiento obrero mexicano a través de la CTM, poco podía avanzar, especialmente cuando el fin de la guerra mundial había acabado con la necesidad de los pronunciamientos antifascistas. La decadencia de Lombardo fue el ocaso de la CTAL. La CTM había renunciado a ella para adherirse años después a la Organización Regional Interamericana del Trabajo (ORIT), de actitudes proimperialistas.

Otra escandalosa acción del alemanismo contra los trabajadores, fue la experimentada por los mineros de Nueva Rosita, Palau y Cloete, del estado de Coahuila. La "charrificación" del sindicato minero, como ya apuntamos, había comenzado con la imposición de una dirección que no representaba la voluntad mayoritaria de los trabajadores y que en 1950 había comenzado a marginar a las secciones democráticas. La sección 14, integrada por los mineros de las poblaciones citadas, se había distinguido por sus actitudes avanzadas y estalla en septiembre y octubre de 1950 sendas huelgas, en Palau y Nueva Rosita, por el reconocimiento de sus dirigentes locales, respeto a sus contratos colectivos, reinstalación de despedidos y entrega de las cuotas sindicales que la dirección nacional retenía. Esta huelga enfrenta a los mineros no sólo con la dirección del sindicato y con la empresa norteamericana American Smelting and Refining Company (ASARCO), donde laboraban, sino también con el gobierno federal.

Durante tres meses, los mineros resisten amenazas y la suspensión de todos los servicios sociales (médicos, abarrotes, etc.) en su población. El 20 de enero, 5 mil trabajadores junto con 15 mil familiares (que regresarían después a Nueva Rosita) inician una marcha a pie hacia la ciudad de México, como medida extrema ante la falta de respuesta a sus demandas. Casi dos meses dura el recorrido de más de mil 400 kilómetros, que desde entonces es conocido como "la caravana del hambre". El 10 de marzo, los mineros llegan a la ciudad de México y son recibidos por una multitud de cien mil personas. Ante el evidente apoyo popular que tenían, el gobierno confina a los mineros en un campo deportivo. Sin embargo, las muestras de solidaridad, los mítines, los manifiestos en los diarios, seguían sucediéndose. Pero esta solidaridad era, casi siempre, más espontánea que ordenada. Y ante la falta de apoyo en el resto del movimiento obrero, la agresión a uno de sus mítines y la decisión del gobierno por no resolver sus peticiones, los mineros deciden regresar a sus poblaciones el 24 de abril. El gobierno federal había fallado en su contra una solicitud de amparo y, a su vez, el presidente Alemán había dicho el día 12 que consideraba ese asunto, "un caso liquidado". Aunque derrotado, el movimiento de los mineros de Nueva Rosita quedó como ejemplo de tenacidad y combatividad.[69]

En las acciones violentas que se repetían contra trabajadores de los sindicatos industriales más importantes, la burocracia sindical al frente de las principales centrales nada hacía por defender los intereses obreros. Al contrario, se definían con matices de creciente colaboracionismo, los rasgos que la distinguirían por más de un cuarto de siglo. La dirección de la CTM estaba más empeñada en

[69] Daniel Molina A., *La caravana del hambre*, México, El Caballito, 1978, y "1951: Nueva Rosita, entrevista con Manuel Santos", en *Solidaridad*, núm. 184, julio de 1978.

reafirmar sus ligas con la burocracia política, sobre todo ante el cambio presidencial que se avecinaba, que en reivindicar demandas laborales. La muestra más escandalosa de subordinación tuvo lugar cuando, en octubre de 1951, apenas unos cuantos meses después de la represión a la caravana de Nueva Rosita, el comité nacional de la CTM acuerda rendir un homenaje al presidente Miguel Alemán para conferirle el título de "obrero de la patria".

1952-1957: HEGEMONÍA DEL CHARRISMO

Precisamente la hegemonía de la CTM se traduciría en una menor importancia del resto de las centrales obreras. Durante el primer lustro de la década de los cincuenta se registran diferentes intentos de recomposición, alianzas y unificaciones de las más variadas agrupaciones sindicales. En 1951, nace la Federación Revolucionaria de Obreros y Campesinos (FROC). En abril del año siguiente, la Confederación de Obreros y Campesinos de México (COCM), la Confederación Proletaria Nacional (CPN), la Confederación Nacional de Trabajadores (CNT) y la Única de Trabajadores ACUT) acuerdan fusionarse para crear la Confederación Revolucionaria de Obreros y Campesinos (CROC). La FROC se le uniría poco después.[70] La nueva central se afilia al PRI pero mantiene diferencias con la CTM, al grado de entablar diferentes polémicas con la principal organización obrera. Para la CTM, ciertamente, la existencia de una nueva central, aunque no alcanzara su membrecía, constituía motivo de preocupación pues el frente que había podido formar como interlocutor del movimiento obrero ante el resto del Estado y la sociedad, se veía debilitado. Por eso, la CTM propiciaría la creación de nuevas formas de vinculación entre las centrales, siempre supeditadas a ella, que prosperarían en los siguientes años.

El último episodio de la política antiobrera de Alemán tiene lugar el primero de mayo de 1952 cuando, durante la realización del acto para conmemorar el día de los trabajadores, un grupo de obreros y militantes del Partido Comunista Mexicano y del Partido Obrero Campesino (formado por disidentes del PCM y del Partido Popular) es atacado por policías vestidos de civil en el zócalo de la ciudad de México. Ante la agresión, se suscita una airada respuesta popular. Los obreros son perseguidos hasta el Palacio de Bellas Artes, donde permanecen parapetados varias horas. Son detenidas 300 personas y se entabla un juicio contra trece dirigentes, acusados del delito de "disolución social".

En estas condiciones, de represión sotenida y de intentos de recomposición de las burocracias sindicales, tiene lugar el cambio sexenal de gobierno. En diciembre de 1952, toma posesión como presidente de la República Adolfo Ruiz Cortines. La política alemanista había sido de tal manera intransigente, que Ruiz Cortines se vería obligado a atenuar las tensiones sociales que dicho estilo acarreaba. Por eso, adoptaría una mayor flexibilidad. En el campo labo-

---

[70] Marcelo Miquet y José Luis Reyna, "Introducción a la historia de las organizaciones obreras", en *Tres estudios sobre el movimiento obrero en México*, México, El Colegio de México, 1976.

ral, procura sustituir las medidas de fuerza por las transacciones. La existencia de una burocracia sindical más proclive a la negociación inmediata que a la defensa a toda costa de los intereses obreros, favorece esta forma de gobierno. Se ha afirmado que Ruiz Cortines llegó a resolver cerca de 40 mil conflictos laborales mediante "convenios amistosos".[71] Más que la buena disposición del gobierno, influía en esta ausencia de huelgas y de movimientos sindicales más organizados que reclamasen mejores condiciones laborales, la hegemonía del charrismo. Durante este período se inicia una fase de contracción de la economía mexicana, que tendría como consecuencia mayores restricciones salariales.

El crecimiento económico iniciado en 1940, había significado un aumento del producto nacional pero, también, una disminución en la capacidad de compra de los trabajadores. Se trataba de un crecimiento que beneficiaba a unos pocos empresarios, a costa de las grandes masas de asalariados. El papel asumido por el Estado en esta fase resultó decisivo. En virtud de que los ingresos foráneos (por inversión directa o por venta de productos básicos) no alcanzaban a cubrir los gastos necesarios para el crecimiento industrial, el Estado se dedicó a aportar los faltantes. Esto lo hizo a través de concesiones, subsidios y préstamos a los inversionistas privados. Pero sobre todo, a través del financiamiento inflacionario a los programas económicos del propio sector público; es decir, los proyectos económicos estatales se pagaban aumentando la moneda circulante, lo cual se traducía en inevitables aumentos de precios y una disminución real de los salarios. En vez de aumentar los impuestos para gravar los ingresos de quienes ganaban más (los industriales) se obligaba a los trabajadores a asumir el costo del crecimiento. Hacia 1955, los precios aumentaban en un promedio del 10% anual.

Esta situación tenía costos para la estabilidad política y económica. Los costos políticos fueron sorteados mediante el mantenimiento de la subordinación de los trabajadores a través de las direcciones charras, junto con una persistente ideología que combinaba los llamados a la unidad de clases con las exigencias para que los trabajadores se sacrificasen en aras del "interés nacional". Tomando como base los precios de 1954, puede decirse que el costo de la vida se elevó del 21.3 en 1940, al 75.3 para 1950. Se ha estimado que los salarios se redujeron hasta en una tercera parte en el mismo período.[72]

Estas condiciones llevaron al gobierno a efectuar dos devaluaciones del peso, en 1949 y 1954. El valor de la moneda mexicana disminuyó, del cambio de 4.85 a 12.50 pesos por dólar. La disminución más acentuada fue la de 1954. Con esta medida, el gobierno buscaba equilibrar las finanzas nacionales con el sistema monetario internacional, pero para los trabajadores implicaba mayores dificultades, ante el aumento de los precios.

Como resultado de la crisis económica, aun las direcciones sindicales espurias tienen que manifestar su descontento. La mayor parte de las centrales y sindicatos nacionales llaman a una huelga general por aumento de salarios, para el 12 de julio de 1954. El movimiento se pospone cuando el gobierno ofrece tomar medidas que atenúen el alza de los precios. En diferentes ramas y empresas se

---

[71] Vicente Díaz, op. cit., p. 347.
[72] Roger D. Hansen, La política del desarrollo mexicano, México, Siglo XXI, 9a. ed., ed., 1979, p. 99.

otorgan aumentos salariales. Éstos, sin embargo, son muy diferentes de acuerdo con la capacidad de los trabajadores para obtener mayores o menores porcentajes; los aumentos varían entre el 6 y el 30%. Además, el gobierno de Ruiz Cortines inicia la instalación de tiendas oficiales con precios más bajos que en el comercio privado y planes de construcción de vivienda.

Por otro lado, la ya señalada necesidad de recomposiciones y reagrupamientos en el seno de la burocracia sindical, lleva a nuevos pactos y acuerdos. En septiembre de 1953, la CTM, la CROM y la CGT suscriben un documento denominado Pacto de Guadalajara en el que señalan las desventajas que implica la dispersión orgánica del movimiento obrero y anuncian la creación de una central-cúpula que las agrupara a todas ellas y que se denominaría Bloque de Unidad Obrera (BUO).

El BUO tardaría más de un año en constituirse. En 1955, finalmente, se anuncia su creación por la CTM, la CGT, la Federación de Sindicatos de Trabajadores al Servicio del Estado, los sindicatos de ferrocarrileros, telefonistas, mineros y petroleros, la CROM, la Federación de Trabajadores del Distrito Federal, los actores y los textiles. Estaban presentes todos los sindicatos y centrales de importancia, a excepción de la CROC.[73]

El Bloque de Unidad Obrera representaba el intento más importante por cohesionar al movimiento sindical, aunque de ninguna manera constituía un mecanismo eficiente que homogeneizara las actitudes de todas las organizaciones de trabajadores. Dentro de él persistían las centrales y sindicatos que lo habían formado, con sus propias direcciones, programas y esquemas organizativos. Tampoco pudo ser representante cabal del interés de los trabajadores, debido a que, más que una gran central obrera, era un polo de reunión de dirigentes. Sus principales funciones las desempeñó en apoyo del gobierno federal, en particular de la política económica.

La capacidad del BUO para asimilar las demandas de los trabajadores estaría a prueba muy poco después de su constitución. Luego de la recesión económica que tuvo una de sus expresiones en la devaluación, el Estado asumió una política que buscaba a la vez recuperar la bonanza de otras épocas y proseguir el impulso industrial. Flexibilizar el gasto público, dar constantes estímulos a la industria y racionalizar sin restringir los recursos del país, serían las nuevas líneas de crecimiento a partir de, aproximadamente, 1957. Se crearían centenares de nuevas empresas de capital "mixto", esto es, nacional y extranjero, sobre todo norteamericano. Estas medidas conformaban la estrategia que los propios funcionarios mexicanos denominaban como "desarrollo estabilizador", y tenía el propósito de favorecer la acumulación de capital privado, dejando en segundo término la inversión en actividades sociales: "la estructura del gasto estatal estuvo condicionado por las necesidades de las grandes empresas que comandaron el crecimiento industrial, al socializar los gastos de producción que deberían haber abierto los capitalistas. Así, el gasto se dirigió a la inversión pública directamente productiva: energéticos, siderurgia, comunicaciones y transportes. Como contrapartida a ello, se limitó la inversión en el campo y en los llamados

[73] Marcelo Miquet y José Luis Reyna, *op. cit.*

gastos sociales".[74] Se logró mantener el crecimiento económico nacional a un ritmo promedio cercano al 6.5% anual, pero a costa de limitar la creación de servicios para la población, en especial, a costa de restricciones salariales. Por eso, el llamado "desarrollo estabilizador" tuvo altos costos sociales, que se experimentaron desde sus albores.

1958-1962: EMERGENCIA OBRERA

1958 es un año de insurgencia obrera en distintas ramas y sitios del país. Desde los primeros meses, un movimiento por la democratización sindical entre los telegrafistas señala la inquietud que comenzaba a desarrollarse dentro del movimiento obrero por designar direcciones capaces de levantar las demandas reivindicativas de los trabajadores. A las demandas de los telegrafistas, el gobierno contesta con despidos y sanciones económicas.

Pocas semanas después, en abril, un mitin del Movimiento Revolucionario del Magisterio (MRM), corriente democrática del Sindicato Nacional de Trabajadores de la Educación, es disuelto violentamente por la policía. Los profesores reprimidos demandaban aumentos de salarios y reconocimiento de la representación del MRM. Durante varias semanas sostienen una huelga. Cuando se conceden aumentos, el movimiento se suspende, después de haber destacado no sólo por la interrupción de labores en la mayor parte de las escuelas primarias de la ciudad de México sino, también, por las nutridas manifestaciones que se realizaron en su apoyo.

También tienen lugar esfuerzos democráticos entre los trabajadores de las secciones 34 y 35, de la ciudad de México, del sindicato de petroleros. Sin embargo, el movimiento más importante de esta fase es, sin duda, el de los ferrocarrileros.

Durante la revisión de salarios en el Sindicato de Trabajadores Ferrocarrileros de la República Mexicana (STFRM), la dirección nacional de este organismo adopta decisiones sin consultar a los trabajadores. Esta actitud, junto con la existencia de una gran tradición sindical en el gremio, constituye el detonador de un amplio movimiento que se pronuncia primero por mejores aumentos de salarios y más tarde por la depuración del STFRM. Después de varios paros organizados por un comité que encabezaba Demetrio Vallejo, trabajador de la sección de Matías Romero, Oaxaca, el gobierno accede a conceder mejores aumentos salariales. Después, los trabajadores desconocen al comité ejecutivo nacional y obligan a la realización de elecciones extraordinarias para designar una nueva representación.

Entre el 7 y el 22 de agosto, los ferrocarrileros acuden a las urnas para designar representantes nacionales y locales. El resultado da el triunfo por un margen amplísimo a la planilla que encabezaba Demetrio Vallejo sobre la de los

74 José Ayala, "La devaluación, antecedentes económicos y políticos" en *Cuadernos Políticos*, núm. 11, enero-marzo de 1977, p. 36.

charros: se ha afirmado que al suspender el cómputo, había 59 mil votos de los candidatos democráticos, contra 9 de sus contrincantes. Ésta fue, según el propio Vallejo, "la elección más democrática y aplastante que registra la historia sindical de nuestro país".[75]

De esta manera, con una dirección democrática al frente de uno de los sindicatos nacionales más destacados, con la presencia de movimientos insurgentes en gremios como los de petroleros, maestros y telegrafistas, con un elevado índice de huelgas (740 durante 1958, en comparación con 193 del año anterior), concluye el gobierno de Ruiz Cortines. Su sucesor, Adolfo López Mateos, conocía bien los problemas laborales pues había sido secretario del Trabajo. Durante su campaña presidencial, López Mateos promete respetar los derechos de los trabajadores, especialmente el de huelga. Pocos meses habrían de pasar para que se demostrara la imposibilidad de cumplir con tales ofertas. López Mateos resuelve algunos de los conflictos que le hereda el régimen de Ruiz Cortines, desde que toma posesión en diciembre de 1958. Sin embargo, su prueba más difícil, que resolvería por la fuerza, fue el conflicto ferrocarrilero.

Durante los dos primeros meses de 1959, el sindicato ferrocarrilero insiste en la necesidad de revisar el funcionamiento del sistema ferroviario del país, para acabar con el dispendio de recursos que, decía, era causa del mal servicio. Señala también que mejorando la administración podrían aumentarse sin dificultades los salarios de los trabajadores. El STFRM emplaza a huelga para el 25 de febrero, en demanda de prestaciones económicas diversas y aumento de salarios en la empresa Ferrocarriles Nacionales. Los días que preceden a la fecha de la huelga se desarrolla una intensa campaña de prensa que califica como "comunistas" a los dirigentes ferroviarios y que exige al gobierno reprimir el movimiento. Ante esta presión, poco antes de que venza el plazo, los trabajadores aceptan el aumento salarial que les ofrece la empresa, aunque quedan sin ser satisfechas peticiones como las relativas a fondo de ahorro y ayuda para renta.

Apenas resuelto el conflicto en la principal empresa ferroviaria, el STFRM debe emplazar a huelga de nuevo, ahora por aumentos para los trabajadores del Ferrocarril del Pacífico y el Ferrocarril Mexicano. En esta ocasión, las ofertas de las empresas no son satisfactorias. Más aún, se provoca a los trabajadores con el despido de varios dirigentes y una nueva y más intensa campaña en los medios de información que acusaban al STFRM de querer trastornar la vida del país. El 25 de marzo, estalla la huelga en los ferrocarriles Mexicano y del Pacífico y al mismo tiempo se inician paros solidarios en el resto del sistema ferroviario. A causa de su participación en estos paros, centenares de trabajadores de los Ferrocarriles Nacionales son despedidos. El día 28, cuando continuaban las negociaciones entre el sindicato y las autoridades federales, son detenidos los dirigentes Demetrio Vallejo, Hugo Ponce de León y Alejandro Pérez Enríquez. Esa misma noche, tropas del ejército ocupan las instalaciones ferroviarias en todo el país, desalojan por la fuerza a los trabajadores huelguistas y detienen a millares de ellos. La huelga, sin dirección, continúa unos días más

---

[75] Demetrio Vallejo, *Las luchas ferrocarrileras que conmovieron a México*, México, s.e., 1967, p. 32.

pero el golpe que había recibido sería definitivo. Como los ferrocarrileros se niegan a reanudar sus labores en los centros de trabajo ocupados por el ejército, cerca de 9 mil son despedidos.

El movimiento ferrocarrilero, que se había distinguido por su espíritu democrático y por el apoyo popular que había concitado, llegó a tal grado de enfrentamiento con el Estado que, ante sus demandas, el gobierno se decidió por la solución rápida pero costosa que es la represión. Los dirigentes, Vallejo a la cabeza, son sometidos a juicio por delitos que no se les comprueban y permanecen encarcelados, algunos de ellos hasta por once años. En todo el país son perseguidos simpatizantes que trataban de promover acciones en protesta por la represión. En medio de esta confusión, el secretario de organización del sindicato, Gilberto Rojo Robles, llama a los trabajadores a volver a laborar y a conservar la dirección democrática. Sin embargo, poco después él mismo es encarcelado. El 8 de abril, una convención del stfrm convocada sin respetar los estatutos y sin tener la representación de los trabajadores, designa un nuevo comité ejecutivo encabezado por Alfredo A. Fabela. De esta manera, al encarcelamiento de los dirigentes democráticos, seguía la imposición de líderes charros. Las empresas ferroviarias reconocen, junto con el gobierno, a la nueva dirección e inician la contratación de nuevos trabajadores. Se calcula que, en total, perdieron su trabajo cerca de diez mil ferrocarrileros. Algunos fueron jubilados o indemnizados; otros, simplemente echados de su trabajo.

La experiencia ferrocarrilera de 1958-1959 fue, al mismo tiempo, uno de los momentos de mayor movilización y conciencia en un sector del movimiento obrero y de más aguda represión gubernamental.

En la conducción del movimiento tuvo gran influencia la presencia de diversos partidos de izquierda que orientaron al sindicato, a través de dirigentes que militaban en ellos, a asumir posiciones de tal forma intransigentes que eliminaban posibilidades de negociación con el Estado. Distintos comentaristas, entre ellos el propio Demetrio Vallejo, han coincidido en señalar que los partidos de izquierda involucrados en el conflicto (el Partido Popular, el Comunista Mexicano y el Obrero Campesino, este último ya desaparecido) cometieron errores de apreciación que los llevaron a sobreestimar las posibilidades del sindicato.[76] También influyó el aislamiento en que llegó a encontrarse el stfrm, que contaba con poca solidaridad en el resto del movimiento obrero. Apenas los sindicatos electricistas, núcleos de maestros y grupos de estudiantes podían darle un respaldo organizado. La mayor parte de las agrupaciones obreras, presididas por el buo y la ctm, se dedicaron a satanizar el movimiento para debilitarlo y propiciar su derrota, pues veían en los esfuerzos democráticos de los ferrocarrileros una amenaza a su propia existencia, sustentada en los métodos del charrismo.

Al mismo tiempo que entre los ferrocarrileros, en otros sectores tienen lugar intentos de renovación democráticos. En enero de 1959, el Sindicato de Telefonistas de la República Mexicana (strm) emplaza a huelga por aumento de salarios, en contra de la voluntad de su dirección charra. Después de varios paros que realizan los trabajadores y de amenazas del gobierno, se llevan a cabo elecciones generales en el sindicato. Gana la planilla democrática enca-

---

76 Demetrio Vallejo, *op. cit.*, p. 61.

bezada por Agustín Avecia y los charros quedan desplazados. En agosto del mismo año, el STRM acuerda separarse de la CTM, "con el fin de tener un gobierno sindical autónomo e independiente". Estas actitudes insurgentes le valen al sindicato la oposición de la burocracia de las centrales antidemocráticas y de la propia empresa. Varios centenares de trabajadores son despedidos y en la administración del contrato colectivo se producen diversas irregularidades. Para defenderse, el STRM establece un "pacto de ayuda mutua" con el Sindicato Mexicano de Electricistas, que compromete a ambas agrupaciones a realizar acciones de apoyo en sus respectivas revisiones de salarios y contratos colectivos. Ambos sindicatos emplazan a huelga para el 6 de abril de 1960; las demandas electricistas son resueltas pero los telefonistas tienen que estallar su huelga. El gobierno federal dispone entonces una "requisa" de las instalaciones telefónicas es decir, asume la administración de la empresa durante el tiempo que dure el conflicto y por razones de interés público. La requisa se apoya en un artículo de la Ley de Comunicaciones pero se contrapone a las garantías que otros ordenamientos legales, en primer lugar la Constitución Política del país, confieren al derecho de huelga. A pesar de su carácter ilegal, la "requisa" es empleada por el gobierno de López Mateos contra varias huelgas. La de telefonistas se resuelve el 8 de mayo.

En 1961, los telefonistas sostienen otra huelga, por aumentos de salarios. Para detener la actitud avanzada de este sindicato, la empresa y las autoridades laborales preparan un golpe contra la dirección democrática. En 1962, en el transcurso de otra huelga (limitada por la requisa) la Junta Federal de Conciliación y Arbitraje desconoce al secretario general del sindicato, Agustín Velasco Valerdi, pretextando irregularidades —que nunca se demuestran— en las elecciones efectuadas un año antes. Se impone como secretario a Manuel Guzmán Reveles, del grupo que había sido desplazado de la dirección sindical en 1959. Poco después una convención sindical espuria, pero avalada por la Secretaría del Trabajo, destituye al resto de los dirigentes para abrir paso a la conformación de un comité ejecutivo charro.

Los profesores de primaria, por su parte, también sufren represalias cuando defienden la dirección democrática que habían colocado en la sección IX del Sindicato Nacional de Trabajadores de la Educación. Durante varios meses de paros, movilizaciones y protesta en 1960 (el 4 de agosto, en una manifestación, la policía mata a dos estudiantes) el Movimiento Revolucionario del Magisterio que presidía Othón Salazar exige su reconocimiento. No lo consigue, en virtud de la intransigenica oficial.

Puede afirmarse que las acciones por la democracia del movimiento obrero en este período, se realizaron en dos vertientes distintas. Una, la conformaban los movimientos que llegaron a confrontaciones definitivas y desfavorables ante el Estado, como los ferrocarrileros y los maestros. Por la otra, transitaban sindicatos que procuraron mantener su alianza con el régimen pero que además (a diferencia de la mayor parte de las centrales obreras) sostuvieron banderas democráticas y nacionalistas. A la cabeza de esta segunda ruta, estuvieron los electricistas. En septiembre de 1960, el gobierno anuncia la nacionalización de las empresas de energía eléctrica que pertenecían a capital norteamericano. Como resultado de la integración en un solo organismo de las empresas adquiridas por el Estado, los sindicatos de dichas compañías se unifican. De esta manera se constituye en octubre de 1960 el Sindicato de Trabajadores Electricistas de la República Mexicana (STERM), compuesto por la fusión de 52 sindicatos de todo el país que antes habían integrado la Federación Nacional de Trabajadores de la Industria y Comunicaciones Eléctricas (FNTICE). Igual que antes la Federación, el STERM es dirigido por Rafael Galván.

A escasas semanas de haber nacido, el STERM promueve, con otras agrupaciones, la creación de una central obrera, la Central Nacional de Trabajadores que se forma el 4 de diciembre de 1960 y que dice reunir a casi 400 mil miembros. La CNT es integrada, además del STERM, por el Sindicato Mexicano de Electricistas, la CROC, la Federación de Obreros Textiles, la Federación Obrera Revolucionaria, la Unión Linotipográfica y el Sindicato de Telegrafistas. La CNT disiente del control que ejercen el BUO y la CTM sobre el resto del movimiento obrero, defiende las posturas de nacionalización que asume López Mateos y reivindica la independencia orgánica de las agrupaciones sindicales respecto de los patrones y del gobierno. Durante los siguientes años, la CNT constituye una opción diferente a la que presentaba el Bloque de Unidad Obrera. De hecho, el panorama del sindicalismo mexicano, en lo que toca a sus organizaciones, puede ubicarse entre esos dos polos. Los enfrentamientos verbales entre dirigentes de ambas centrales son frecuentes durante la primera mitad de esta década.

La CTM y el BUO criticaban a la nueva CNT porque era un polo distinto dentro del movimiento obrero y porque acababa con el monopolio que en la representación de los trabajadores organizados habían sustentado por varios años. La CNT, aunque de banderas avanzadas, no era tampoco una alternativa de cambio radical para los trabajadores aunque su existencia misma contribuía a minar la influencia de la burocracia sindical tradicional. Es significativo cómo el presidente López Mateos, cuyo gobierno tenía que apoyarse, aunque fuera parcialmente, en esa burocracia, alienta la creación y el desarrollo de la CNT. El presidente asiste a la constitución de la central y mantiene buenas relaciones con sus dirigentes.

También durante 1960 y de acuerdo con el programa de reformas laborales que había iniciado López Mateos, se establece un apartado especial en el artículo 123 de la Constitución Política, que señala las normas generales de las relaciones de trabajo. El nuevo apartado estaba destinado a los trabajadores al servicio del Estado, que hasta entonces habían normado sus relaciones laborales con un Estatuto creado en 1938. Con la creación del apartado "B" del artículo 123, este sector de la clase obrera quedaba separado del resto de los asalariados mexicanos (cuyos derechos son amparados por el apartado "A" de dicho artículo) en una situación de discriminación. El apartado "B" limita los derechos de organización y huelga y margina a estos trabajadores de las organizaciones obreras. Señala que los sindicatos que organicen no pueden pertenecer a otra central que no sea la Federación de Sindicatos de Trabajadores al servicio del Estado. La FSTSE, en la actualidad, reúne a cerca de un millón de trabajadores. Creada en 1938, ha tenido un desarrollo propio, en ocasiones diferente al del resto del movimiento obrero mexicano.

Las medidas antisindicales, combinadas con una política social que buscaba reducir las protestas obreras, continuarían durante el sexenio de López Mateos. En 1961 la policía acaba con una huelga de telegrafistas. Los trabajadores de la aviación, agrupados en sindicatos de pilotos, de sobrecargos y de trabajadores de tierra, realizan varias huelgas cuya eficacia es limitada por las requisas. Entre los petroleros, se evitan brotes disidentes.

Ante este panorama, la situación de la izquierad mexicana era precaria. Después de las represiones a ferrocarrileros y maestros, la incidencia de partidos y agrupaciones avanzadas estaba fuertemente restringida. Durante los primeros años de la década, sólo los actos en solidaridad con la Revolución cubana logran concitar movilizaciones públicas de la izquierda. En 1961 nace el Movimiento de Liberación Nacional (MLN), integrado por intelectuales y partidos políticos progresistas y que en su programa contempla la necesidad de democratizar al movimiento obrero. El MLN constituye por varios años el eje de la izquierda mexicana, aunque con poca fuerza en el conjunto de los sectores sociales del país. Dentro del movimiento obrero, no tiene ninguna presencia.

En noviembre de 1962, entran en vigor varias reformas al artículo 123 constitucional, propuestas por el presidente de la República y que, en un principio, desatan una vigorosa polémica. Las reformas establecieron una reglamentación para el reparto de utilidades que cada empresa debe hacer entre sus trabajadores, señalaron la obligatoriedad y las características del salario mínimo y reglamentaron el trabajo nocturno y el de menores de edad, entre otros aspectos. Inicialmente, los empresarios rechazaron las reformas, alegando que implicarían una grave crisis económica. Pero después señalaron que, bien aplicadas, podrían favorecer la armonía entre el capital y el trabajo, en un esfuerzo que "aleje y ayude a proscribir la lucha de clases". [77]

1963-1970: ESTABILIDAD DE LA BUROCRACIA SINDICAL

En realidad, más que las reformas laborales al 123 (que representaban el cumplimiento de algunas demandas obreras pero que tienen después poca repercusión) es la permanencia y consolidación de la burocracia sindical espuria el pricipal elemento que mantiene la subordinación del movimiento obrero. Durante los dos últimos años del gobierno de López Mateos, se reducen sensiblemente los conflictos laborales: nuevas huelgas en el sector de la aviación (frenadas otra vez con las requisas) y violencia contra los trabajadores que se insubordinaban ante las direcciones obreras tradicionales (como los trabajadores de Petróleos Mexicanos que solicitan puestos de base y son desalojados por el ejército en 1963). La burocracia sindical, por su parte, dedica su atención a la campaña presidencial que desarrolla durante 1964 el candidato del PRI, Gustavo Díaz Ordaz, quien toma posesión el primero de diciembre de ese año. Apenas iniciado el gobierno de Díaz Ordaz, comienza el conflicto laboral de

77 Declaración de la Confederación Patronal de la República Mexicana en *Política*, núm. 64, 15 de diciembre de 1962, pp. 23-24.

los médicos de instituciones públicas. Después del despido de unos doscientos
médicos de hospitales del Distrito Federal que habían exigido mejores condiciones laborales, se desarrolla un amplio movimiento en este gremio, que lleva
a la creación de la Asociación Mexicana de Médicos Residentes e Internos
(AMMRI) y, luego, de la Alianza de Médicos Mexicanos (AMM). Durante los
meses de marzo y abril de 1965, la AMMRI efectúa varios paros y manifestacianes
para demandar la titularidad de la contratación colectiva de los internos y residentes, apoyada por la AMM. La suspensión de servicios en numerosos hospitales
sirve de pretexto para una campaña de prensa contra los médicos sindicalistas.
Las autoridades de los hospitales despiden a centenares de paristas y el gobierno
cierra las vías de negociación. El conflicto se agudiza pues los médicos más
activos mantienen sus demandas, en tanto que las represalias van debilitando
su movimiento. En agosto, los paristas de varios hospitales son desalojados por
la policía y en su informe del primero de septiembre el presidente Díaz Ordaz
ordena a los médicos volver al trabajo, so pena de procesarlos judicialmente
"hasta por homicidio por omisión, asociación delictuosa, abandono del empleo,
resistencia de particulares, falta de prestación de servicios e incitación al delito".

Aparte del movimiento médico en los inicios del sexenio de Díaz Ordaz, pocos
fueron los movimientos sindicales de importancia en este período. Más que
nada, estos años se distinguieron por la negociación previa a las huelgas y la
contención de las demandas obreras y las expresiones democráticas a través
del fortalecimiento de la burocracia sindical. Sin embargo, aun en las centrales
y sindicatos de orientación más conservadora, no dejaron de experimentarse demandas propias de los trabajadores. Las reivindicaciones obreras y los requerimientos de la burocracia sindical fueron, simultáneamente, los dos factores
que decidieron el desarrollo de la política laboral en este sexenio. Ambos estuvieron presentes en el acontecimiento más importante del período: la creación
del Congreso del Trabajo (CT).

Una de las aspiraciones permanentes del movimiento obrero ha sido la creación de una organización que agrupe a todos los sindicatos y centrales del país.
En esta intención han coincidido tanto la burocracia tradicional como los sectores democráticos. Desde los primeros años de la década, se había señalado
este asunto y a pesar de las diferencias que guardaban el BUO y la CNT, hacia
1965 ambas agrupaciones comienzan a coincidir en acciones y declaraciones conjuntas. Desde 1963, dirigentes de estas centrales señalan que la unidad del movimiento obrero no será cabal hasta que exista un solo organismo de todos los
trabajadores. En esta preocupación coincidía también la burocracia política
que gobernaba al país.

De esta manera, el 16 de febrero de 1966 tiene lugar la Asamblea Nacional
Revolucionaria del Proletariado Mexicano, auspiciada por todas las centrales
y sindicatos nacionales y avalada por el gobierno federal. Allí, el Bloque de
Unidad Obrera y la Central Nacional de Trabajadores acuerdan disolverse para
crear una nueva organización que incluyera a sus respectivos integrantes y al
resto de las agrupaciones obreras. Así, el 18 de febrero nace el Congreso del
Trabajo.

Los sectores avanzados, representados especialmente por la CNT y el Sindicato de Trabajadores Electricistas, STERM, estaban de acuerdo en que con la or-

ganización más amplia, sus postulados tendrían mayores repercusiones. Así sucede en un principio. Las bases constitutivas del Congreso del Trabajo están integradas en su mayor parte por proposiciones que hizo la CNT. En su declaración de principios, el CT califica a la Revolución mexicana como "un movimiento popular de izquierda, indivisible y permanente", pugna por la reforma agraria, la educación para todos, una seguridad social integral y señala la vigencia de la lucha de clases, entre otros aspectos.[78] El CT señaló, en su creación, que apenas era un primer paso dentro de un proceso más amplio para modificar toda la estructura del sindicalismo mexicano. Se planteaba la necesidad de profundizar la unidad de los trabajadores, con la creación de sindicatos nacionales de industria y la participación activa de los asalariados en la conducción de éstos.

Para los sectores más conservadores de la burocracia sindical, representados especialmente por la CTM y Fidel Velázquez, la existencia del CT era una oportunidad para afirmar su hegemonía. Aunque uno de los elementos con que el charrismo ha contado siempre para subordinar a los trabajadores es la dispersión organizativa del movimiento obrero —atomizado en millares de pequeños sindicatos y en diferentes centrales y sindicatos nacionales—, la creación del CT le permitiría a esta burocracia contar con un mecanismo de repercusión para sus posiciones, especialmente ante otros sectores del Estado.

El proyecto del Congreso del Trabajo, fundado en postulados progresistas, no se desarrolla como inicialmente se había anunciado. El CT, de hecho, se limita a ser una coalición de dirigentes y no una central obrera. Es un organismo que reúne lo mismo a centrales y confederaciones (como la CTM, la CROC, la CGT, etc.) con miles de afiliados, a sindicatos nacionales de industria con secciones en todo el país (como el petrolero o el minero) y a pequeñas agrupaciones de empresa o locales. El CT, de hecho, permaneció como el cascarón de una estructura que, en contra de sus propósitos iniciales, no se consolida ni se amplía. Sin embargo y a pesar de estas limitaciones, el Congreso del Trabajo ha ejercido la representación del movimiento obrero desde 1966. En muchas ocasiones, por supuesto, no ha sido el interés de los trabajadores sino el de las direcciones tradicionales el que ha prevalecido. Pero en otras, justamente para mantener su capacidad de representación, las organizaciones del CT han hecho pronunciamientos que rescatan demandas obreras.

Durante los últimos años de la década de los sesenta, el CT fue en muchas ocasiones en extremo complaciente con las decisiones del gobierno. Al no proseguir el plan de reestructuración que se había propuesto, el CT se limitaba a formular declaraciones pero no tenía una vida orgánica real. Internamente, en el CT las direcciones sindicales conservadoras fueron desplazando a los sectores democráticos, empleando para ello incluso recursos extralegales. Ante la política de mano dura que el presidente Díaz Ordaz y su gobierno ejercen contra movimientos depuradores dentro del sindicalismo, como los de conductores de camiones en la ciudad de México o trabajadores del sindicato petrolero, el CT se queda callado. Ante la represión contra el movimiento estudiantil de 1968, el Congreso del Trabajo funge como cómplice del gobierno. El 12 de octubre de

---

[78] Congreso del Trabajo, *Constitución, estructura y funcionamiento*, febrero de 1978.

ese año, después de varios meses de intensas movilizaciones de los estudiantes de educación superior en todo el país, son asesinados centenares de asistentes a un mitin en la Plaza de las Tres Culturas. El Congreso del Trabajo, en varias ocasiones, había condenado al movimiento estudiantil y había exigido una política represiva contra él.

Poco después, el CT iniciaría la persecución contra uno de sus organismos integrantes. En 1971, al agudizarse el conflicto gremial entre los electricistas, el CT decide "expulsar" de su seno al STERM, aunque esta medida contravenía los estatutos del Congreso, según los cuales ninguna decisión tiene carácter de obligatoria si no cuenta con la aprobación de todos los integrantes del CT.

1971-1977: INSURGENCIA OBRERA

El proceso de industrialización que con peculiar velocidad se desarrolló en México a partir de 1940, propició un crecimiento general del producto nacional pero acompañado de una objetiva disminución de los salarios. Las mejoras económicas obtenidas en épocas anteriores, se fueron perdiendo. La estrategia del "desarrollo estabilizador" había servido para impulsar las ganancias del capital, sobre todo privado, pero no atenuaba las desigualdades sociales ni los consiguientes reclamos de los trabajadores. La explosión de descontento de 1968, ubicada especialmente en la llamada clase media, había ofrecido un significativo y alarmante indicador de las posibilidades para que la inconformidad social se manifestase en otras capas, en particular en el proletariado. A estas alturas, el Estado y la burocracia política que lo preside, requerían ajustar sus formas de control y sus proyectos de desarrollo. El encargado de emprender este esfuerzo reformista sería Luis Echeverría Álvarez, que gobierna al país entre 1970 y 1976. Este período, en términos de la situación del Estado, estuvo señalado por el esfuerzo gubernamental para promover cambios, enfrentado a la oposición de los sectores más conservadores de la burguesía que no aceptaban la necesidad de tales reformas. Para el movimiento obrero fue una fase de explosiva, heterogénea y notable insurgencia sindical.

Echeverría se propone revitalizar el papel del Estado como árbitro de los problemas sociales. Una de sus primeras medidas, es la creación de la Comisión Nacional Tripartita, en mayo de 1971, organismo de consulta que agrupa a representaciones sindicales, de los patrones y del gobierno. La Tripartita tiene el fin de estudiar y proponer soluciones a problemas de productividad, desempleo, carestía, vivienda y otros, y es el más acabado y funcional ejemplo del estilo corporativo del Estado mexicano (entendiendo por corporativismo la asimilación por sectores de los distintos grupos sociales al Estado). En la Tripartita y otros organismos con este carácter, el Estado manifiesta su tesis de la "conciliación de clases" en aras de la "unidad nacional", que busca armonizar los intereses de los trabajadores con los del resto de la sociedad.

El gobierno de Echeverría desarrolló una amplia política de prestaciones sociales, que buscaba detener los reclamos obreros. Destacan la creación de organismos para la construcción de viviendas, para ofrecer créditos a los trabajadores, la semana de cuarenta horas a los empleados al servicio del Estado y los aumentos de salarios que deben ofrecerse ante la creciente inflación. La mayor parte de estas medidas no tienen el éxito que sus promotores esperaban: en unas ocasiones debido al burocratismo de los organismos que deben impulsarlas, en otras, por la ausencia de capital suficiente o porque no se les destinan todos los recurso necesarios.

La política de ampliación de los servicios sociales para los trabajadores era parte de las reformas económicas que proponía el echeverriísmo. Dentro de este plan, destacaba la intención por incrementar la participación del sector público en el conjunto de la economía. Medidas como los aumentos en las cargas fiscales (aunque de manera muy limitada), el apoyo a la recuperación del poder adquisitivo de los salarios (conseguido sólo en parte), el impulso a programas sociales, la creación de nuevos empleos, etc., tendían a evitar las contradicciones sociales. Pero, también, a lograr mejores condiciones para el desarrollo capitalista, sin alterar las relaciones de poder dentro del sistema mexicano.

El principal obstáculo de esta política estuvo en los enfrentamientos provocados por la iniciativa privada. No porque ésta tuviese un proyecto diametralmente opuesto al de la burocracia política, sino porque el proyecto vigente no ofrecía las tasas de ganancia que el sector empresarial deseaba mantener. Entre 1970 y 1976, se desarrolla "una política económica contradictoria, de freno y aceleración en la que predominó una política monetaria restrictiva. A ello se vino a sumar una crisis profunda del capitalismo a escala mundial".[79] Resultado de esa política y de los enfrentamientos referidos, fue la devaluación de septiembre de 1976, que modificó el cambio de la moneda mexicana de 12.50 a cerca de 22 pesos por dólar.

Ante las restricciones del "desarrollo estabilizador" de los años sesenta, el gobierno de Echeverría proponía un "desarrollo compartido" que sin embargo, por numerosas limitaciones, no era suficiente para satisfacer las demandas de los trabajadores. Éstas se expresan por múltiples vías y abundan las huelgas, las manifestaciones y pronunciamientos públicos, la creación de alianzas al margen de la burocracia sindical y los esfuerzos por llevar la democracia sindical a los organismos carentes de ella y por crear nuevos sindicatos en sectores donde antes éstos no existían.

En diciembre de 1971 y enero de 1972, el Sindicato de Trabajadores Electricistas (STERM) y grupos que lo apoyan, emprenden dos Jornadas por la Democracia Sindical en casi cincuenta ciudades del país. Estos movimientos señalan el inicio de la insurgencia obrera de este período. Alarmado por estos hechos, que tendían a poner en peligro la estabilidad de la burocracia sindical, Fidel Velázquez declara en enero de 1971 que "en la CTM y el movimiento obrero se encontrará siempre todo un ejército dispuesto a la lucha abierta, constitucional o no". Esta insólita declaración, sugería que la burocracia tradicional no respetaría los cauces legales cuando le fueran adversos y era un llamado al gobierno para que detuviera la insurgencia obrera. Sin embargo, las luchas sindicales democráticas prosiguen durante más de cinco años. Fundamentalmente, se des-

79 Carlos Tello, *La política económica en México, 1970-1976*, México, Siglo XXI, 1979, p. 207.

arrollan dos tipos de movimientos contra el charrismo: uno, dentro de las agrupaciones controladas por líderes espurios; el otro, en la creación de sindicatos independientes, fuera de las centrales y organizaciones nacionales.

En el primer tipo se ubica el movimiento de los electricistas del STERM, que en la primera mitad de 1972 combatieron una resolución de la Comisión Federal de Electricidad, que había firmado un contrato único con el Sindicato Nacional de electricistas (SNESCRM) encabezado por charros. El conflicto se resuelve por la vía del compromiso, cuando el presidente Echeverría concierta la unificación de los dos sindicatos en conflicto en una nueva agrupación, el Sindicato Único de Trabajadores Electricistas de la República Mexicana, SUTERM. Los conflictos dentro del SUTERM no tardaron en surgir y los dirigentes tradicionales se opusieron a la solución democrática de los problemas laborales, como en la empresa General Electric, donde los charros defendían los argumentos de los patrones y el grupo democrático (encabezado por Rafael Galván, que había sido secretario general del STERM y ahora presidía la comisión de vigilancia) a los trabajadores. Esta corriente sufre toda clase de ataques y en febrero de 1975, Galván y otros dirigentes son expulsados del SUTERM por un congreso amañado e ilegal. Este hecho desencadena nuevamente las movilizaciones de los electricistas.

Los electricistas llegan a encabezar las manifestaciones independientes más numerosas desde 1968. El 15 de noviembre de 1975, 150 mil personas levantan las banderas de la Tendencia Democrática del SUTERM en una manifestación por la ciudad de México. El 20 de marzo sucede lo mismo en un mitin. Sin embargo las represalias contra estos trabajadores continúan. Cuando la situación se hace intolerable, la Tendencia Democrática emplaza a huelga para el 16 de julio de 1976. Ese día, las instalaciones de la Comisión Federal de Electricidad en todo el país son ocupadas por el ejército. Después de dos semanas se conviene con el gobierno la reinstalación de todos los despedidos, pero este compromiso nunca se cumple completamente. Durante los meses siguientes, los electricistas demandan reinstalaciones, la depuración de su sindicato y que la industria eléctrica funcione con criterios nacionales, a través de todos los medios a su alcance: manifiestos, mítines, alianza con otros sectores insurgentes. En octubre de 1977, un grupo de trabajadores despedidos y sus familias instalan junto a la residencia oficial del presidente de la República un campamento que cinco semanas después es levantado, a la fuerza, por la policía. Después de una tortuosa fase de negociaciones que dura año y medio, se conviene en la realización de jubilaciones, reinstalaciones e indemnizaciones para estos trabajadores, sin que sean satisfechas sus otras demandas. En este movimiento resisten por varios meses trabajadores como los de la Boquilla y Parral en Chihuahua; Mexicali, en Baja California, y San Luis Potosí, que dan ejemplo de entereza y conciencia proletaria. El movimiento de los electricistas se destacó porque no sólo buscaba la solución de demandas inherentes a un solo gremio, ni simplemente económicas. Además, levantaba banderas tales como la depuración y reorganización de todo el movimiento obrero a través de la creación de sindicatos nacionales y la reorientación del Estado mexicano, con fines nacionalistas, antimperialistas y socialistas.

En los esfuerzos por la democracia sindical, también participaron los ferrocarrileros. El dirigente Demetrio Vallejo, excarcelado en los primeros meses del gobierno echeverriísta, forma el Movimiento Sindical Ferrocarrilero (MSF) que durante 1972 promueve la ocupación de locales sindicales en varias ciudades. En algunos casos, estas actitudes dieron lugar a la intervención del ejército, a veces con extrema violencia. En 1973 el MSF participa en las elecciones para comité ejecutivo en el sindicato ferrocarrilero. Durante una intensa campaña, los ferrocarrileros democráticos sufren persecuciones administrativas y violencia física y la burocracia del sindicato impone a uno de los suyos a la cabeza del nuevo comité ejecutivo.

Junto con electricistas y ferrocarrileros, nuevos sectores se suman a la insurgencia sindical. Los trabajadores bancarios, profesionistas como los médicos y los profesores univeristarios y técnicos de diferentes empresas buscan, con resultados diversos, construir organizaciones sindicales democráticas. El caso más importante, por la ubicación de su centro de trabajo y por las repercusiones que tienen en el ámbito nacional, es el de los universitarios. La huelga que sostuvo y el contrato colectivo que consiguió el Sindicato de Trabajadores y Empleados de la Universidad Nacional Autónoma de México, entre noviembre de 1972 y enero de 1973, abrieron la puerta para el surgimiento de organizaciones similares, de trabajadores manuales y administrativos, en otros centros de educación superior del país. Dos años después, los profesores se sumaron a este movimiento al constituir el Sindicato del Personal Académico de la UNAM y luego, en otras universidades, nuevos sindicatos de docentes. Para 1979, existían más de cuarenta organizaciones sindicales en las universidades del país; la mayor parte, agrupadas en una Federación de Sindicatos de Trabajadores Universitarios que había expresado su propósito de formar un sindicato nacional. Un paso importante para ello, fue la unificación de los dos sindicatos que existían en la Universidad Nacional en el Sindicato de Trabajadores (STUNAM), que reúne a personal administrativo y académico. El STUNAM sostuvo entre junio y julio de 1977 una huelga de 19 días durante la cual se realizaron movilizaciones hasta de 200 mil personas y que acabó tras la entrada de la policía a Ciudad Universitaria.

Aparte del nacimiento de nuevos sindicatos, entre 1970 y 1976 se experimentó una generalización de las luchas obreras. Pueden señalarse, por ejemplo, movimientos en sectores de la industria automotriz (Automex, Volkswagen, Nissan); entre los minero-metalúrgicos (Fundidora de Monterrey, Siderúrgica Lázaro Cárdenas, Spicer, Cinsa-Cifunsa); en el sector textil (Rivetex, Ayotla, Nobilis-Lees); en la industria de transformación (Vidrio Plano, Morganite), y en otras ramas de la economía. Todos estos esfuerzos estuvieron señalados por la intención de preservar o conquistar la democracia sindical y, al mismo tiempo, por lograr mejores condiciones laborales. Junto a los nuevos sindicatos, otros buscaron recuperar su tradición democrática como el de telefonistas, que después de 15 años de estar sometido a la corrupción sindical, en 1976 se levantó en un paro nacional que logró la designación de una dirección democrática.

La insurgencia sindical, que brota en forma impetuosa y desordenada, en diferentes áreas económicas y en numerosas poblaciones y centros industriales, careció de un polo que la cohesionara. No faltaron, eso sí, esfuerzos para dotar de banderas comunes al conjunto de los movimientos sindicales democráticos y para cohesionar esta insurgencia. Éste fue interés esencial de los electricistas. En febrero de 1975, los electricistas democráticos aprobaron la Declaración de Guadalajara, que recogía los principales postulados que habían sostenido en otros momentos y que proponía 12 puntos básicos para la acción del movimiento obrero y la reorientación del país:

"1. Democracia e independencia sindical.

2. Reorganización general del movimiento obrero.

3. Sindicalización de todos los asalariados.

4. Aumentos generales de salarios, escala móvil.

5. Lucha a fondo contra la carestía.

6. Defensa, ampliación y perfeccionamiento del sistema de seguridad social.

7. Educación popular y revolucionaria.

8. Vivienda obrera. Congelación de rentas. Municipalización del transporte colectivo. Servicios municipales para todos.

9. Colectivización agraria. Fin del latifundismo, derogación del derecho de amparo a terratenientes. Nacionalización del crédito, del transporte de carga, de la maquinaria agrícola, planificación de la agricultura. Supresión de intermediarios.

10. Expropiación de empresas imperialistas. Monopolio estatal del comercio exterior. Alianza orgánica con todas las naciones productoras que defienden sus materias primas de las garras imperialistas.

11. Intervención obrera en la defensa, reorganización, ampliación, reorientación social, regeneración interna y desarrollo planificado del sector estatal de la economía.

12. Fiscalización obrera."[80]

Al levantar estas demandas y llevarlas a otros sectores, los electricistas buscaron conformar una vanguardia sólida del movimiento obrero. En mayo de 1976 crean el Frente Nacional de Acción Popular, junto con varias docenas de agrupaciones sindicales, campesinas, populares y de estudiantes. El FNAP no tuvo una membrecía obrera amplia y sus principales integrantes eran, junto con los electricistas, trabajadores universitarios y campesinos cañeros. Concebido fundamentalmente para apoyar a la Tendencia Democrática, el FNAP desempeñó su cometido parcialmente y, después de 1977, su actividad fue disminuyendo, hasta desaparecer.

Enfrentada a este auge de la insurgencia obrera, la estrategia de Echeverría sufría contradicciones sintomáticas. Las reformas que promovió no tenían una base popular como, por ejemplo, las del cardenismo. Inicialmente, el gobierno busca disminuir la influencia de la burocracia sindical tradicional al permitir que se mantuvieran los marcos dentro de los cuales actuó la insurgencia obrera y con medidas como la unificación de los electricistas. Pero por otra parte, debido a las múltiples contradicciones y a las presiones que recibía, el gobierno sostiene medidas que fortalecen a los charros; por ejemplo el respaldo a acciones antidemocráticas en gremios como los de ferrocarrileros y electricistas. De esta manera la política económica y de reformas sociales de Echeverría, impulsada en muchas ocasiones con matices y actitudes populistas, sólo se desarrolla a me-

80 Declaración de Guadalajara, México, Movimiento Sindical Revolucionario, 1975.

dias. Su fracaso lo señalan los ajustes de emergencia que se tienen que realizar al final del sexenio, entre los que destaca la devaluación de 1976.

Ésta era la situación del país y del movimiento obrero cuando José López Portillo llegó a la Presidencia de la República, el primero de diciembre de 1976. El nuevo régimen insistió en la necesidad de conciliar los diversos intereses sociales en beneficio de la nación. Esta política se enfrentaría a la beligerancia cada vez mayor de los empresarios, por un lado, y por otro, a los reclamos de los trabajadores. Tal situación se agudizaba en virtud de los compromisos con el imperialismo y las presiones de la iniciativa privada y el ala derecha de la propia burocracia política, que decidían al gobierno a adoptar decisiones antipopulares.

1978-... : CAMBIOS EN EL PAÍS, CAMBIOS EN EL MOVIMIENTO OBRERO

En los últimos años, se ha acentuado la polarización de posiciones ante el Estado mexicano y dentro de él. Surgido, como ya lo apuntamos, de un proceso de masas —la Revolución mexicana— pero con un desarrollo en el cual sus principales acciones han estado orientadas más a favorecer a la burguesía y al capital que a los trabajadores en los que se apoya, el Estado ha sostenido estas contradicciones que a la vez lo definen y lo mantienen en crisis. Durante varias décadas —especialmente a partir de 1940— en el país se definieron proyectos de desarrollo que buscaban impulsar el crecimiento económico en beneficio de los empresarios y sus aliados. Sin embargo, se ha tratado de proyectos que han requerido de la participación, o por lo menos la aceptación, de las organizaciones de trabajadores (encabezadas casi siempre por burocracias poco representativas). Para lograr ese consentimiento, el desarrollo económico ha estado acompañado de concesiones sociales para los trabajadores, limitadas siempre aunque también siempre presentes. Es decir, el Estado no ha dejado de apoyarse en las masas, aunque sea para subordinarlas.

Sin embargo, en los últimos años la capacidad arbitral del Estado y su función hegemónica en los proyectos nacionales han sido cuestionadas por la clase dominante: la burguesía, cada vez con más claridad, ha comenzado a definir y a impulsar sus propios proyectos, que no siempre coinciden con los del Estado. Se trata de programas que tienden a acentuar los rasgos monopolistas de las principales industrias y que llegan a plantear el desplazamiento de la influencia estatal en sectores básicos de la economía. Son proyectos que buscan y propician alianzas con el imperialismo, aun en contra de los márgenes de autonomía y las tradiciones que en este renglón el Estado mexicano ha buscado conservar. Se trata, en fin, de una burguesía en expansión, con requerimientos y propósitos políticos que le permiten pugnar por lograr capacidad de actuación y perspectivas propias. Estas actitudes fueron evidentes en los últimos meses de 1976 cuando, ante el ocaso del gobierno de Echeverría, la burguesía desarrolló una inusitada campaña en contra de las reformas oficiales. También se advirtió en distintos momentos del gobierno de López Portillo.

Ante esta recomposición de los actores sociales que tienen como escenario al sistema político mexicano, el movimiento obrero también ha asumido rasgos distintos. Como consecuencia de estar descansando, entre otros pilares, en el movimiento obrero, la burocracia política ha buscado reafirmar sus alianzas con las organizaciones de trabajadores. La burocracia sindical ha respondido con actitudes más flexibles que en épocas anteriores a los cambios en la vida política del país y se ha colocado en un polo opuesto a los empresarios: han sido frecuentes —más que en otros momentos— las declaraciones antimperialistas y anticapitalistas de los dirigentes obreros tradicionales. Esta actitud ha obedecido también a que, ante la crisis económica, los trabajadores redoblan sus exigencias y la burocracia sindical tiene que recoger algunas de estas demandas. En los últimos años, los reclamos por aumentos salariales y por una reorientación de la economía no han provenido solamente del sindicalismo insurgente, la burocracia sindical, aun la más tradicional, ha levantado estas consignas.

Como parte de esta actitud, la burocracia sindical ha llegado a adherirse a las demandas de sectores insurgentes —que por definición, se le han opuesto. De esta manera, ha apoyado demandas de los trabajadores universitarios y de los trabajadores de la energía nuclear. Estos últimos desarrollaron entre 1977 y 1978 uno de los movimientos más interesantes del sindicalismo mexicano reciente, al oponerse a una iniciativa de ley que, por una parte, permitía la intervención extranjera en el aprovechamiento del uranio (que es un recurso natural que, de acuerdo con la Constitución, forma parte del patrimonio de la nación). Por otro lado, ese proyecto coartaba los derechos sindicales de los trabajadores de este sector. Los miembros del Sindicato Único del Instituto Nacional de Energía Nuclear (pertenecientes a la Tendencia Democrática de Electricistas) desarrollaron una intensa campaña de prensa junto con manifestaciones públicas y con el apoyo de otros sectores y una discusión en todos los niveles, desde las asambleas sindicales hasta la Cámara de Diputados. Tras este proceso, consiguieron detener en buena medida los elementos antinacionales y antisindicales del proyecto de ley sobre energía nuclear.

A pesar de estar compuesta por corrientes que en ocasiones presenta contradicciones entre sí, la burocracia sindical se ha afirmado como el sector más sólido y fuerte del Estado. Los eventuales desgajamientos, el desgaste de una dirección que no tiene cuadros suficientes para renovarse, su desprestigio, la emergencia de nuevos sectores sindicales y la competencia de otros grupos de poder que buscan desplazarla, no han modificado su solidez. Esto no es gratuito. Los líderes charros no se mantienen en la cumbre de la burocracia sindical sólo por el empleo de la corrupción y la antidemocracia. En su éxito, ha contado también la existencia de una compleja estructura sindical que en ocasiones les permite tener un juego democrático. También, la intención del gobierno por preservarlos como instrumento de control y el hecho de que conforman ya un sector con intereses y definiciones propios. Es decir, para entender el funcionamiento y la permanencia del charrismo, hay que atender al funcionamiento del Estado mexicano y a la vasta red de relaciones y fuerzas que se mueven dentro de él. Ya dijimos que a raíz del aumento de las contradicciones que enfrenta el Estado, el movimiento obrero ha debido adoptar actitudes diferentes en los últimos años. Por ejemplo, en octubre de 1978 la buro-

cracia sindical se enfrentó al gobierno cuando éste modificó la situación laboral
de los trabajadores de la empresa Radio Aeronáutica Mexicana al cambiar-
los del apartado "a" al "b" del artículo 123 constitucional. El Congreso del
Trabajo apoyó la huelga de estos controladores aéreos pero el gobierno mantuvo una posición intransigente y casi todos ellos fueron despedidos.

Las demandas de la burocracia sindical han estado articuladas en un programa que se ha desarrollado lentamente, pero con gran difusión publicitaria.
En julio de 1978 tuvo lugar la Primera Asamblea Nacional del Congreso del
Trabajo. En rigor, de acuerdo con los estatutos de esa central, la reunión debió
haberse realizado en 1970, cuatro años después de que surgió el Congreso. Su
importancia no se debió al hecho de que sesionaran juntos los principales dirigentes nacionales y locales del movimiento obrero, sino al proyecto de reformas
económicas y sociales que surgió de ese evento. La mayoría de ellas, fueron
proposiciones de la Confederación de Trabajadores de México e incluyen demandas como la reorientación del sistema productivo, el mejoramiento de los
mecanismos de abasto y comercialización, la nacionalización de sectores básicos
de la economía como el sistema bancario y las industrias alimentaria y farma-
céutica, así como la derogación de disposiciones legales que limitan el ejercicio
de derechos sindicales. Se ha cuestionado mucho la falta de proposiciones precisas para luchar por estas reivindicaciones, que los dirigentes obreros prefieren
mantener en un plan declarativo. A pesar de estas limitaciones, la adopción de
un nuevo discurso por parte de la burocracia sindical es uno de los rasgos que
distinguen al actual movimiento obrero de las posiciones exclusivamente con-
formistas que mantenían sus líderes en otros tiempos. Este programa de reformas es impulsado por los líderes obreros en su tortuosa y peculiar relación con
el resto del Estado mexicano y uno de los principales foros de los que han
dispuesto es la Cámara de Diputados. Allí, la "diputación obrera" del Partido
Revolucionario Institucional se ha singularizado como un bloque específico y
con posiciones en ocasiones distintas a las de otros legisladores del partido oficial. El 30 de octubre de 1979, los diputados obreros del PRI dieron a conocer
un manifiesto a la nación que intitularon "Por una nueva sociedad" y donde
sintetizan su programa de demandas, de corte antimonopólico. Reivindicaciones como éstas no han sido enarboladas por capricho ni por un súbito convencimiento de la necesidad de renovarse. Los dirigentes tradicionales más
lúcidos han advertido el deterioro de la burocracia que encabezan, sobre todo
a raíz de una crisis económica lacerante, cotidiana y cada vez más grave. Los
trabajadores en diversas ramas de actividad han diversificado sus formas de
lucha. La década de los años setenta, de explosiva insurgencia sindical, fue
especialmente aleccionadora para el charrismo, contra el cual se levantaron numerosos movimientos democratizadores. Ante el descontento obrero, los líderes
han elegido una estrategia reformista merced a la cual, sin romper con el gobierno, representan demandas legítimas de los trabajadores.

Al despuntar la década de los ochenta, en efecto, la aguda crisis económica
que están padeciendo los trabajadores mexicanos ha provocado nuevas acciones obreras. Un breve vistazo al movimiento sindical en las principales ramas
de la actividad, nos permite insistir en el nuevo carácter de las demandas y
movilizaciones. La mayor parte de ellas, ha sido contra los "topes" salariales

impuestos por el gobierno federal, como parte de los acuerdos con el Fondo Monetario Internacional. En 1977 la mayor parte de las revisiones salariales tuvieron que ajustarse a un límite del 10%; en 1978 el tope fue del 12%; en 1979 de 13.5%; en 1980 de 21%; en 1981 de 30%, y en 1982 de 25%. En comparación con estos límites, la inflación en esos años fue del 29% (1977), 18% (1978), 19% (1979), 26% (1980), 29% (1981) y 100% (1982).

Sin duda las acciones sindicales más destacadas en los años recientes han sido las protagonizadas por los trabajadores de la enseñanza, en el enorme Sindicato Nacional de Trabajadores de la Educación. El SNTE, con más de 700 mil afiliados, ha sido convulsionado por paros y marchas, por asambleas realizadas a pesar de los dirigentes tradicionales y por un renovador aliento democrático de profesores de educación básica (primaria, especialmente) que han logrado imponer el reconocimiento a varias direcciones locales representativas. Las principales movilizaciones han tenido lugar en Chiapas y Oaxaca (donde existen comités ejecutivos democráticos y reconocidos por la dirección nacional del SNTE) así como en los estados de Hidalgo, Guerrero y el valle de México. Entre 1978 y 1982, además, tuvieron lugar expresiones de maestros democráticos en estados como Sinaloa, Puebla, Morelos, Tabasco y en la ciudad de México. Los profesores democráticos integraron en 1979 la Coordinadora Nacional de Trabajadores de la Educación (CNTE), que da cohesión a sus luchas en todo el país y que funciona como una corriente sindical avanzada en el interior del SNTE. Que necesitan de esa acción unificada es evidente ante las muchas agresiones que han sufrido sus movimientos. En enero de 1981, fue asesinado el profesor Misael Núñez, dirigente del consejo democrático de maestros en el Valle de México. Las demandas de los maestros han sido fundamentalmente económicas (entre otras, el pago de salarios atrasados, que no les habían sido entregados a causa del tortuoso aparato burocrático de la Secretaría de Educación Pública) pero al enfrentarse a la dirección del SNTE se ha fortalecido su disposición a la democracia sindical. Han llevado a cabo "plantones" y, en la ciudad de México, movilizaciones que han llegado a reunir a cerca de cien mil trabajadores, es decir, las marchas obreras democráticas más numerosas de los últimos tiempos en este país.

Con menos cohesión pero también en el marco de un fuerte sindicato nacional con cuya burocracia a menudo se enfrentan, han sido las acciones de los trabajadores minero-metalúrgicos. En las secciones del Sindicato Minero-Metalúrgico, ubicadas en las plantas siderúrgicas más grandes, han abundado huelgas, paros y movilizaciones. Así ha ocurrido en Las Truchas en Michoacán, Aceros Ecatepec y Aceros Planos, en Fundidora de Monterrey y en Altos Hornos de México en Monclova, Coahuila, donde además de mejores salarios los trabajadores han demandado mejores condiciones de seguridad e higiene y reducción de la jornada laboral. También han ocurrido protestas obreras en secciones mineras, como las de Santa Bárbara, Chihuahua, y Nacozari, Sonora, donde después de una huelga de varias semanas, en 1978, los dirigentes fueron encarcelados. Algo similar ocurrió con los dirigentes democráticos en la Fundidora de Monterrey. A pesar de estas represalias, en el Sindicato Minero-Metalúrgico se ha diversificado el esfuerzo por recuperar la combatividad que, hacia los años cuarenta, tuvo esta organización.

Entre electricistas, petroleros y ferrocarrileros, las burocracias sindicales han mantenido su dominación a base de conceder prestaciones y privilegios pero, también, acudiendo a la coerción cuando se enfrentan con grupos disidentes de presencia significativa. La desaparición en 1978 de la Tendencia Democrática del SUTERM, dejó sin punto de referencia los intentos depuradores en el principal sindicato de electricistas. En cambio en el Sindicato Mexicano de Electricistas se ha mantenido un flexible juego de corrientes sindicales que ha permitido que esta organización asuma posiciones y programas progresistas y que, además, en su dirección nacional estén presentes trabajadores democráticos, de diversas posiciones políticas.

Los trabajadores de la industria automotriz han sostenido constantes movimientos, en empresas como Dina-Renault, Industria Automotriz de Cuernavaca, Tremec de Querétaro, Trailmobile, General Motors (donde han ocurrido varias huelgas, una de las cuales duró más de cien días en 1980) y en Volkswagen de Puebla. En esta última planta, los trabajadores habían pertenecido a la Unidad Obrera Independiente (UOI), una peculiar coalición de sindicatos fundada en 1972, de gran beligerancia declarativa, opuesta a los dirigentes charros pero que se ha significado porque a los sindicatos que reúne los mantiene aislados entre sí y separados del resto del movimiento obrero. Con una retórica izquierdista esta coalición se enfrenta, sobre todo, a sindicatos democráticos, cuyas luchas ha combatido frontalmente. Uno de sus principales integrantes era el sindicato de Volkswagen donde los trabajadores llegaron a la huelga, en noviem-universal, resolvieron ratificar a los dirigentes que proponían romper con esa bre de 1981, para obtener la realización de un recuento donde, por votación central.

También pertenecientes a la UOI han sido varios sindicatos de la aviación. Uno de ellos, el Sindicato de Trabajadores de Aeroméxico, abandonó esa central en 1980. Otro de mayores dimensiones, el Nacional de Trabajadores de la Aviación y Similares que reúne, entre otros, a los trabajadores de tierra de la empresa Mexicana de Aviación, ha sostenido varias huelgas contra esa línea aérea.

En la industria hulera, se han registrado prolongados movimientos de huelga en empresas fabricantes de llantas para automóvil, en 1981 y 1982. En varias empresas del ramo de los productos alimenticios industrializados y en la industria químico-farmacéutica, que están prácticamente monopolizados por compañías de capital extranjero, han estallado huelgas de pequeños sindicatos. En la empresa Refrescos Pascual (esa sí de capital nacional aunque privado) los trabajadores se fueron a la huelga por mejores salarios y en demanda de respeto a sus derechos sindicales, en dos ocasiones en 1982. En ambas opurtunidades, las huelgas fueron rotas: una vez por el patrón, que asesinó a dos trabajadores, y la segunda, por la fuerza pública. En la industria textil, la abundancia de pequeñas empresas y talleres se ha traducido en una enorme dispersión sindical a pesar de la cual han estallado huelgas, siempre por salarios, de varias coaliciones gremiales.

Los trabajadores al servicio del Estado, aunque sometidos a una legislación peculiar, han logrado expresar demandas propias en varias ocasiones. Entre ellas, han destacado huelgas en diversas secciones del Sindicato de la Secretaría de Salubridad, donde existe una corriente democrática y, por supuesto, las luchas de los trabajadores de la educación. Hacia 1980, ganó presencia la Federación de Sindicatos de Trabajadores al Servicio de los Gobiernos de los Estados y Municipios que reúne a empleados públicos para quienes no ha existido una legislación laboral definida: no los ampara el apartado "A" ni el "B" del artículo 123 constitucional.

El cumplimiento de la legislación laboral y la derogación de disposiciones de excepción, que afectan a sectores peculiares de trabajadores, ha sido preocupación de movimientos entre telefonistas, universitarios y bancarios. Los primeros, después del triunfo de un comité democrático en 1976, han sostenido varias huelgas: en abril de 1978, en marzo y abril de 1979 (en esa ocasión durante siete días) y en abril de 1980, por dos días. Las demandas han sido siempre el mejoramiento salarial y, eventualmente, de las condiciones de trabajo. Los telefonistas se han enfrentado a la requisa cuya derogación pretenden y que faculta al gobierno para disponer la intervención de las empresas telefónicas obligando, así, a que no se suspendan las labores. Los universitarios formaron en octubre de 1979 su Sindicato Único Nacional (SUNTU) cuya primera tarea fue pugnar por una legislación que reconociera los derechos laborales y sindicales de este sector. Así ocurrió al año siguiente cuando, terminando con una indefinición jurídica que había causado numerosos conflictos, el gobierno federal propuso que los universitarios fueran considerados sujetos de la Ley Federal del Trabajo y del apartado "A", aunque con varias restricciones, entre ellas el impedimento para que su sindicato nacional fuese reconocido legalmente. El SUNTU, desde entonces, funciona como una federación de sindicatos. Éste es uno de los sectores donde han proliferado más las huelgas, especialmente en universidades del interior del país: por lo menos quince huelgas en 1979, doce en 1980, diez en 1981 y diecisiete en 1982. La mayor parte de los sindicatos universitarios democráticos ha ganado su reconocimiento legal, aunque la federación que forman ha tenido dificultades para tener un funcionamiento cotidiano y orgánico.

Los trabajadores bancarios, que son más de 120 mil, habían estado impedidos de formar sindicatos pero a raíz de la nacionalización de los bancos (decretada junto con el control de cambios generalizado el primero de septiembre de 1982 por el presidente José López Portillo), el proceso de organización que algunos grupos habían impulsado desde varios años antes pudo fructificar en la formación de más de veinte organizaciones. Sin embargo, igual que ocurrió con la misma nacionalización de la banca (contra la cual estuvieron no sólo los antiguos banqueros privados sino incluso funcionarios del gobierno) el proceso de sindicación fue prontamente desvirtuado: de inmediato, surgieron sindicatos "blancos", propatronales y creados al margen de la decisión de los trabajadores, en casi todas las instituciones bancarias. El nuevo gobierno decidió, a fines de 1982, reconocer y otorgar registro legal a la mayoría de los sindicatos bancarios antidemocráticos.

Este breve recuento de la situación sindical que prevalecía hasta 1982 en las principales ramas de actividad da cuenta de una constante aunque difícil serie de protestas y acciones obreras contra la carestía y, en ocasiones también, por la depuración o recuperación de los sindicatos para los trabajadores. A pesar de las ilusiones que propició en otras áreas de la sociedad, entre los trabajadores la bonanza que permitió la venta de petróleo mexicano tuvo pocas repercusiones. La inflación, si bien se atemperó, acabó por dispararse hacia principios de la nueva década. Las respuestas sindicales, tal vez incipientes aún, han dado cuenta de esta situación. Las nuevas condiciones de la economía mexicana, en auténtica crisis, están modelando una nueva faz en el sindicalismo de este país. Afectan a la burocracia sindical y también a los sectores insurgentes.

CRISIS Y RESPUESTAS OBRERAS. COLOFÓN

El primero de diciembre de 1982 tomó posesión como presidente de la República Miguel de la Madrid Hurtado. Sus primeras acciones de gobierno buscaron recuperar la confianza de los empresarios, que estaban notoriamente disgustados por la nacionalización bancaria y el control integral de cambios que López Portillo estableció como uno de sus últimos actos de gobierno. Esas medidas recuperaban viejas demandas populares pero la actitud adversa del nuevo régimen impidió (por lo menos en los primeros meses de 1983) consolidarlas. El control cambiario fue parcialmente levantado, y se permitió participación de particulares en el patrimonio del sistema bancario. El gobierno, al mismo tiempo, afirmó su hegemonía en diversos sectores de la economía nacional. Estos cambios y la profunda crisis que hacía previsible un *crecimiento negativo* de la economía para 1983, se desenvolvían en un marco de mayor participación de los sectores más activos de la política mexicana. En las elecciones presidenciales de 1982 estuvieron presentes nuevos partidos políticos, siendo así la contienda electoral más diversificada en la historia reciente de México. El PRI mantuvo su hegemonía pero fue notoria la consolidación de otras opciones políticas. La más importante, dentro de la oposición, ha sido el Partido Acción Nacional de tendencia conservadora, que ganó cerca de la quinta parte de los votos en julio de 1982. Después, se ubicó el Partido Socialista Unificado de México, constituido apenas el año anterior como resultado de la fusión de cinco organizaciones de izquierda, entre las cuales la mayor era el antiguo Partido Comunista Mexicano. Otros grupos de izquierda, el Partido Socialista de los Trabajadores, el Revolucionario de los Trabajadores y el Popular Socialista tienen registro legal como organizaciones políticas, gracias a la reforma electoral que desarrolló el gobierno de López Portillo (una reforma que esos mismos partidos califican como limitada pero que ha permitido el acceso a la política institucional de sectores antaño condenados a la marginalidad). La influencia de estos partidos en el movimiento obrero sigue siendo precaria, aunque cada vez se superan mejor las reticencias a la acción partidaria abierta dentro de los sindicatos.

¿Qué ocurrirá, en esta perspectiva, con los trabajadores mexicanos y sus organizaciones? Ante un movimiento obrero tan complejo, cuyo principal signo distintivo es la heterogeneidad (en estructuras, prácticas, programas e historias sindicales), es difícil formular pronósticos. Sin embargo, la persistencia de la crisis económica y la necesidad de expresión política de la efervescente sociedad mexicana, permiten diagnosticar algunas constantes y dilemas de las agrupaciones sindicales.

Para los próximos años, es previsible una mayor agudización en la eterna contienda que ha existido dentro del movimiento obrero mexicano entre democracia y subordinación, entre el afán corporativista de los dirigentes tradicionales y el ímpetu emancipador de las bases trabajadoras. Creemos que esta contradicción se agudizará no sólo por una esquemática traducción de la lucha de clases sino, también, porque parece impensable un desarrollo del movimiento sindical sin el desarrollo de su autonomía: internamente, al relajarse las tensas relaciones entre dirigentes y trabajadores; externamente al reducirse la tradicional subordinación entre el sindicalismo organizado y el Estado y el partido oficial. Si estos requerimientos no se cumplieran, en el movimiento obrero se extendería el proceso de descomposición que anuncian aquellos sindicatos donde el charrismo es más obtuso y pertinaz (por ejemplo en gremios como los de petroleros y electricistas del SUTERM donde se ha coartado, así sea temporalmente, el desarrollo de la democracia pero a costa de mermar la capacidad de representación de las direcciones y coaccionar la iniciativa política, laboral y profesional de los trabajadores). Y, sobre todo, sin una mayor democracia interna y una más definida autonomía externa del sindicalismo, éste se reduciría a desempeñar el papel de comparsa en el desarrollo del país. El estado, hoy, no necesita coros de apoyadores sino participantes activos. Ésa es la lógica de la reforma política (parcial aún, pero real y efectiva) y sería la explicación, también, para el desarrollo del movimiento sindical, desde la óptica estatal. Un sindicalismo castrado no sirve, en perspectiva, a un régimen que quiera ser capaz de *gobernar*, es decir, de ejercer el poder político para orientar a la sociedad. La otra posibilidad, la de un régimen autoritario y solitario, corporativizador y vertical parece lejana, sin haber desaparecido del panorama actual de México, pero conllevaría inevitablemente una todavía mayor polarización de las relaciones sociales.

Y si desde la perspectiva del poder la modernización del sindicalismo no fuera indispensable, sí lo es —y éste será un impulso fundamental— desde la visión de los trabajadores. El sindicalismo aherrojado demuestra, cada vez más contundentemente, su ineficacia para resolver o siquiera atenuar las demandas laborales. Contra él se han levantado centenares de movimientos en sindicatos de todos los tamaños durante los últimos años. La crisis económica ha conllevado una crisis en la política, sobre todo en el quehacer político en sus niveles más elementales y, en el caso que nos ocupa, en las bases de innumerables sindicatos. Allí donde el líder sindical negocia convenios que los trabajadores desconocen, surgen movimientos por demandas tan elementales como el derecho a la información sobre lo que deciden las direcciones (como sucedió en 1976 en el sindicato de telefonistas o en 1982 en Refrescos Pascual). Allí donde las estructuras sindicales son tan rígidas que no permiten la expresión de los trabajadores, aparecen movimientos que, aparte del cumplimiento de la legalidad interna, destacan demandas como la reorganización gremial (como han hecho varias secciones del Sindicato Nacional de Trabajadores de la Educación). Incluso en sindicatos democráticos, la necesidad de una mayor, más constante y consciente participación de los trabajadores parece presente, como ocurre en el sindicalismo universitario.

En sus diversas organizaciones y corrientes, el sindicalismo está percibiendo esta necesidad de ganar una mayor y más definida presencia política en la vida nacional. Algunas agrupaciones y dirigentes buscan alcanzar este objetivo a través de la conquista de posiciones en cargos de representación política o en el gobierno mismo. Sin embargo no estamos en la época de Morones y Calles y ni siquiera uno o varios ministerios para líderes sindicales (aun en la hipótesis de que fuesen dirigentes representativos) saciarían la necesidad de expresión política que tienen los trabajadores a través de sus sindicatos.

La contienda política, por parte del movimiento obrero, tendrá que traducirse en una lucha, fundamentalmente, de posiciones programáticas. Demandas y programas hay suficientes dentro del sindicalismo, aunque todavía no exista una plataforma capaz de reunirlos a todos (desde los documentos del sindicalismo democrático hasta las resoluciones de la asamblea del Congreso del Trabajo en 1978 o el manifiesto a la nación de los diputados obreros del PRI en 1979, entre otros). Los dirigentes sindicales no pueden deshacerse de los compromisos que han contraído con los trabajadores y con la sociedad al levantar estas demandas. Si lo hicieran no sólo seguirían perdiendo su de por sí limitada credibilidad sino, además, perderían elementos que les sirven para presionar y negociar ante y dentro del Estado. Y está además el empuje del sindicalismo insurgente que se encuentra dentro y fuera del Congreso del Trabajo. Como resultado de sus convicciones políticas y decisiones estratégicas, sindicatos como el de trabajadores nucleares, los de trabajadores universitarios cohesionados en torno al SUNTU y sindicatos más circunspectos pero con una intensa vida interna como el de telefonistas o el Mexicano de Electricistas, tienden a forjar un movimiento obrero capaz de representar, más allá de intereses gremiales específicos, el interés de las mayorías nacionales. Esta aparentemente creciente vocación por el quehacer político sin ambages, puede traducirse en conflictos dentro del propio sindicalismo y en la relación gobierno-sindicatos. Sin duda, influirá en el curso de las disputas entre centrales pertenecientes al Congreso del Trabajo. El mismo desarrollo de las posiciones políticas tendrá que ver con el resultado de la profunda conmoción que provocará la ausencia de Fidel Velázquez al frente de la mayor central obrera. Por otra parte, marcará las diferencias entre agrupamientos colaboracionistas y contestatarios, entre organizaciones tan parecidas en su afán de independencia pero tan disímbolas en prácticas y concepciones como la Unidad Obrera Independiente o los sindicatos universitarios democráticos. Es decir, si nuestras premisas son auténticas, la contienda dentro del movimiento sindical y las relaciones entre éste y el Estado y la sociedad serán cada vez más a partir de posiciones políticas, en demérito de las posiciones personales; serán más en función de principios programáticos y proyectos de nación.

Estas potencialidades del movimiento sindical suponen un gran reto para todas las organizaciones políticas, especialmente para el partido oficial y, de otra parte, para la izquierda organizada. Está por verse aún si el PRI es capaz de autorregenerarse y llevar a su seno la inacabada reforma política, pero, en todo caso, parece indudable que cualquier intento de modernización debiera pasar por remozar las relaciones entre el partido y su "sector obrero" y por procurar que exista una militancia de trabajadores mínimamente creíble. Y tanto para ese partido y el gobierno como para la izquierda, reconocer el nuevo papel del movimiento sindical significaría abandonar la idea de que los sindicatos son meras correas de transmisión o simples organismos donde se nutre el consenso de las organizaciones explícitamente políticas. Esta transformación no es exclusiva de nuestro país. Hace poco tiempo la reconocía el comunista italiano Pietro Ingrao al apuntar que: "...Es indudable que hoy el sindicato —y precisamente por cuanto no se encierra dentro del horizonte de la fábrica y tiene en cuenta esa dimensión del salario y de la fábrica que depende de la sociedad y del Estado— se enfrenta con unas necesidades apremiantes de casas, hospitales, escuelas, transportes, y así sucesivamente. Ocurre así que el sindicato acude a la comuna, a la provincia, a la región o al parlamento y se encuentra con dificultades y a veces con imposibilidades. No creo que el sindicato pueda detenerse ante esto ni tampoco que pueda hacerse ilusiones de remplazar con su mera acción las incapacidades y las dificultades que el poder político expresa en esas instancias. Creo, por el contrario, que debe plantearse un discurso común para elaborar una proposición en la que las fuerzas políticas democráticas no se mantengan estáticas, sino que exijan del sindicato un enfoque conjunto —dentro de la autonomía de sus diferentes papeles— de la lucha política que afronte las limitaciones y las dificultades y elabore los instrumentos y las condiciones, locales y generales, para una salida positiva".[81]

Ocurre así que los sindicatos tienden a ganar más presencia y espacios como resultado de sus propios requerimientos lo cual es, entonces, resultado de las necesidades de la sociedad. Eso, en el México de estos tiempos, podrá significar mayor interés del movimiento sindical (o al menos de sus sectores más activos y representativos) en la definición de las políticas de empleo, vivienda, seguridad social, etc.; mayor beligerancia en el parlamento; proyectos precisos para obtener sitio en los medios de comunicación colectiva; iniciativas para modificar la legislación laboral. En especial, el curso probable de la relación entre el próximo gobierno y los sindicatos tendría que pasar por una más extensa discusión sobre la orientación de la economía mexicana, mucho más allá de las seguramente difíciles pero limitadas negociaciones salariales. Colateralmente a la importancia de manifiestos, proclamas y programas, a partir de problemas inmediatos como las condiciones de seguridad e higiene o a partir de la necesidad de dictaminar sobre la situación financiera de sus patrones, diversos destacamentos sindicales (telefonistas o mineros en el primer caso, refresqueros o automotrices en el segundo) han manifestado un creciente interés por participar en la orientación de las instituciones o empresas donde laboran. En este afán se expresa, en germen, la preocupación de los trabajadores por el conjunto de la economía nacional.

El movimiento sindical de esta manera, con sus iniciativas y sus luchas, con sus procesos y avances internos, puede coadyuvar para un reordenamiento en las relaciones políticas o, en otros términos, para una profundización de la democracia política. El requisito para ello sigue siendo, inevitable y afortunada-

---

[81] Pietro Ingrao, "La nueva frontera del sindicato", en *Las masas y el poder*, México, Grijalbo, 1978.

mente, la extensión de la democracia en el sindicalismo. Aquí podrá desarrollarse un proceso paralelo al del conjunto de la sociedad mexicana: correlativamente (o dialécticamente, si se quiere) igual que el fortalecimiento de la sociedad —y del Estado, en este esquema— requiere del fortalecimiento del sindicalismo, el desarrollo de la sociedad influye en la modernización del movimiento obrero. Se trataría, en términos de Gramsci, de que la existencia de una *sociedad de masas* (fuerte, extendida, organizada, representativa) signifique la posibilidad de crear una *civilización de masas*.

El destino de los movimientos sindicales, sobre todo los más avanzados, depende en buena medida del margen de acción que ganen ante el Estado. Pero, en una relación de mutua influencia, el destino del propio Estado mexicano depende también de su capacidad para seguirse apoyando en los trabajadores organizados o de su decisión para desatender las demandas que éstos presenten. Las definiciones de la burocracia sindical y la consolidación de algunos movimientos sindicales democráticos y con programas avanzados permiten suponer que el movimiento obrero mexicano transita hacia una nueva fase. Una etapa distinta a la de insurgencia obrera de comienzos de la década de los setenta, pero diferente también a las fases de represión y control que han vivido antes los trabajadores mexicanos.

En todo caso, cabe señalar otra vez que la historia y la estructura del Estado mexicano están estrechamente imbricadas con el desarrollo del movimiento obrero, como resulta evidente. No se puede entender a uno sin el otro. Por eso, un panorama más completo de la trayectoria del movimiento obrero en México implicaría mayores referencias al resto del sistema político. No han sido estas páginas sitio para tal tarea. Simplemente citaremos el texto de la Tendencia Democrática de Electricistas (que en su larga trayectoria aprendieron mucho, en carne propia, de los rasgos y actitudes del Estado) que señala que, el mexicano "no es un Estado de la alta burguesía ni, obviamente, es un Estado de las masas populares. En último análisis, es un Estado burgués, pero con vínculos de dependencia respecto de las masas a las que no puede renunciar sin negarse en su forma actual y caer en brazos del imperialismo; para defenderse del imperialismo, se ha enfrentado a las masas y para defenderse de éstas, les ha enfrentado al imperialismo; tal ha sido el secreto de la larga estabilidad que ha terminado. Lo nuevo es que ahora ni el imperialismo acepta el manipuleo porque ha entrado de lleno a la huerta, conoce los frutos buenos y los frutos podridos y tiene representantes suyos con acta de nacionalidad mexicana; ni los obreros ni los campesinos están dispuestos a dejarse amedrentar por un fantasmal imperialismo después de que han conocido al imperialismo en carne y hueso, como no están dispuestos tampoco, a aceptar más la tutela de charros y caciques. Pero ni los obreros ni los campesinos han conseguido aún una organización social y política que materialice su alianza y les permita ofrecerse a la sociedad como poder alternativo. El nudo reaccionario, en cambio, tiene la soldadura de sus poderosos intereses; su drama, y lo que nos permite todavía combatirlo con éxito, es que navega contra la corriente de la historia".[82]

82 Tendencia Democrática de Electricistas, "Disyuntiva ineludible, ¡Con la nación o con el imperialismo!", manifiesto en *Excélsior*, 12 de agosto de 1977, p. 21-A.

Las experiencias recientes de los trabajadores mexicanos señalan que sólo en la medida en que logre construir organizaciones amplias y representativas, la clase obrera podrá tener un papel definitivo en la reorientación del país. Hoy como en 1910, igual que en 1938 o 1958, como en la revolución armada de principios de siglo, en los momentos de las reformas cardenistas o en tiempos de insurgencia sindical, en las luchas obreras están en juego los intereses de diversos núcleos de mexicanos que buscan mejores condiciones de vida pero también está en juego la posibilidad de construir una nación cabalmente democrática, donde los trabajadores mexicanos cumplan el compromiso que tienen con su historia, con la historia del país.

BIBLIO-HEMEROGRAFÍA

Advertencia

Toda selección de textos es, por definición, arbitraria e incompleta. El movimiento obrero mexicano ha tenido comentaristas, documentalistas e historiadores abundantes y diversos pero la mayor parte de los testimonios, recuentos y discusiones en torno al desarrollo sindical en México sigue confinado a publicaciones poco accesibles o agotadas. Ha sido hasta la década de los años setenta, cuando por influencia de la insurgencia obrera en varios sindicatos nacionales y como resultado del interés desarrollado en diversos centros de investigación, especialmente universitarios, que se ha comenzado a sistematizar la abundante historia de los trabajadores mexicanos. En las siguientes páginas ofrecemos una selección de textos que pueden ampliar y mejorar la información y el análisis que hemos procurado hacer en nuestro ensayo. Los textos están agrupados de acuerdo con la cronología que seguimos en esta *Historia* pero al final se mencionan también algunos trabajos sobre temas específicos. Hemos buscado que todas las lecturas sugeridas aquí estén disponibles. Por otro lado, la constante aparición de artículos y libros sobre diversas fases y episodios del sindicalismo mexicano enriquece cualquier relación como ésta pero, casi de inmediato, la hace obsoleta o, al menos, provisional. La selección se elaboró en abril de 1983 y muchos de los textos aquí incluidos no pudieron ser consultados durante la redacción de la *Historia* que antecede a esta biblio-hemerografía.

R.T.D.

A. *Textos panorámicos*

1. Luis Araiza, *Historia del movimiento obrero mexicano*, México, Ediciones Casa del Obrero Mundial, 2a. ed., 1975.
2. Roberto de la Cerda Silva, *El movimiento obrero en México*, México, Instituto de Investigaciones Sociales de la UNAM, 1961.
3. Marjorie Ruth Clark, *La organización obrera en México*, The University of North Carolina Press, 1934. [Publicado en español por Era, México, 1980.]
4. Antonio Gershenson, *El rumbo de México*, México, Ediciones Solidaridad, 1976.

5. Jacinto Huitrón, *Orígenes e historia del movimiento obrero en México*, México, Editores Mexicanos Unidos, 1974.
6. Severo Iglesias, *Sindicalismo y socialismo en México*, México, Grijalbo, 1970.
7. I. Vizgunova, *La situación de la clase obrera en México*, México, Ediciones de Cultura Popular, 1978.

B. *Textos por períodos* (de acuerdo con la periodización que se emplea en este trabajo)

I. Prehistoria del sindicalismo mexicano

—Enrique Florescano *et al.*, *La clase obrera en la historia de México*, vol. I: *De la colonia al imperio*, México, Siglo XXI, 1980.

II. 1860-1906

1. Manuel Díaz Ramírez, *Apuntes sobre el movimiento obrero y campesino de México*, México, Ediciones de Cultura Popular, 1974.
2. Gastón García Cantú, *El socialismo en México. Siglo XIX*, México, Era, 1969.
3. José María González, *Del artesanado al socialismo*, México, Sep/Setentas, 1974.
4. John M. Hart, *Los anarquistas mexicanos, 1860-1900*, México, Sep/Setentas, 1974.
5. Juan Felipe Leal y José Woldenberg, *La clase obrera en la historia de México*, vol. 2: *Del estado liberal a los inicios de la dictadura porfirista*, México, Siglo XXI, 1980.
6. José Woldenberg, *Antecedentes del sindicalismo*, Sep/Ochentas, México, Fondo de Cultura Económica, 1983.

III. 1906-1910

1. Esteban B. Calderón, *Juicio sobre la guerra del yaqui y génesis de la huelga de Cananea*, México, CEHSMO, 1975.
2. Ciro F. Cardoso, Francisco G. Hermosillo y Salvador Hernández, *La clase obrera en la historia de México*, vol. 3: *De la dictadura porfirista a los tiempos libertarios*. México, Siglo XXI, 1980.
3. Heriberto Peña Samaniego, *Río Blanco*, México, CEHSMO, 1975.
4. Esther Shabot Askenazi, *Los trabajadores ferrocarrileros mexicanos 1900-1914*, tesis profesional, Facultad de Ciencias Políticas y Sociales de la UNAM, 1980.
5. Varios autores, *Regeneración, 1900-1918*, México, Era, 1978.

IV. 1910-1917

1. Luis Araiza, *Génesis, significación y mistificación del primero de mayo*, México, CEHSMO, 1977.
2. Jorge Basurto, *El proletariado industrial en México, 1850-1930*, México, Instituto de Investigaciones Sociales de la UNAM, 1975.
3. Barry Carr, *El movimiento obrero y la política en México, 1910-1929*, México, Sep/Setentas, 1976 [hay una edición posterior de Era].
4. Jean Meyer, "Los obreros en la revolución mexicana: los batallones rojos", en

Historia Mexicana, vol. XXI, núm. 1, México, El Colegio de México, julio-septiembre de 1971.

5. Ramón Eduardo Ruiz, *La Revolución mexicana y el movimiento obrero, 1911-1923*, México, Era, 1978.

6. Rosendo Salazar, *Las pugnas de la gleba* y *La Casa del Obrero Mundial/La CTM* (dos tomos), México, Comisión Nacional Editorial del PRI, 1972.

7. Víctor Manuel Sánchez Sánchez, *Surgimiento del sindicalismo electricista, 1914-1917*, México, UNAM, 1978.

V. 1918-1928

1. Guillermina Baena Paz, "La Confederación General de Trabajadores, 1921-1931", en *Revista Mexicana de Ciencias Políticas y Sociales*, núm. 83, México, UNAM, enero-marzo de 1976.

2. Elías Barrios, *El escuadrón de hierro*, México, Ediciones de Cultura Popular, 1978.

3. Pablo González Casanova, *La clase obrera en la historia de México*, vol. 6: *En el primer gobierno constitucional, 1917-1920*, México, Siglo XXI, 1980.

4. Rocío Guadarrama, *Los sindicatos y la política en México: la CROM, 1918-1928*, México, Era, 1981.

5. Vicente Lombardo Toledano, *La libertad sindical en México (1926)*, México, Universidad Obrera, 1974.

VI. 1928-1937

1. Arturo Anguiano, *El Estado y la política obrera del cardenismo*, México, Era, 1975.

2. Arnaldo Córdova, *La clase obrera en la historia de México*, vol. 9: *En una época de crisis, 1928-1934*, México, Siglo XXI, 1980.

3. Arnaldo Córdova, *La política de masas del cardenismo*, México, Era, 1974.

4. Francis R. Chassen de López, *Lombardo Toledano y el movimiento obrero mexicano. 1917-1940*, México, Extemporáneos, 1977.

5. Ignacio Marván Laborde, *Frente popular, alianzas y movimiento obrero en México durante el cardenismo*, tesis profesional, Facultad de Economía, UNAM, 1982.

6. Lorenzo Meyer, *El conflicto social y los gobiernos del maximato*, tomo 13 de la *Historia de la Revolución mexicana*, El Colegio de México, 1978.

7. Anatoli Shulgovski, *México en la encrucijada de su historia*, México, Ediciones de Cultura Popular, 2a. ed., 1972.

VII. 1938-1947

1. Antonio Gershenson, *El movimiento obrero ante el nacionalismo revolucionario, la experiencia cardenista*, México, Ediciones Proletariado y Revolución, 1973.

2. Luis Medina, *Del cardenismo al avilacamachismo*, tomo 18 de la *Historia de la Revolución mexicana*, El Colegio de México, 1978.

3. B. Martha Rivero Torres, "Dos proyectos de industrialización ante la posguerra, 1944-1946", en *Investigación Económica*, núm. 161, vol. XLI, Facultad de Economía, UNAM, julio-septiembre de 1982.

4. S. I. Semionov, "México durante el período de Ávila Camacho", en Varios autores, *Ensayos de historia de México*, México, Ediciones de Cultura Popular, 3a. ed., 1974.

VIII. 1947-1951

1. Mario Gill *et al.*, *La huelga de Nueva Rosita*, México, 1959 [reeditado en 1980 por el Sindicato Único de Trabajadores de la Industria Nuclear].
2. Daniel Molina A., *La caravana del hambre*, México, El Caballito, 1978.

IX. 1952-1957

1. Olga Pellicer de Brody y José Luis Reyna, *El afianzamiento de la estabilidad política*, tomo 22 de la *Historia de la Revolución mexicana*, El Colegio de México, 1978.
2. José Luis Reyna, "El movimiento obrero en el ruizcortinismo: la redefinición del sistema económico y la consolidación política", en *La clase obrera en la historia de México*, vol. 12: *De Adolfo Ruiz Cortines a Adolfo López Mateos, 1952-1964*, México, Siglo XXI, 1981.

X. 1958-1962

1. Antonio Alonso, *El movimiento ferrocarrilero en México, 1958-1959*, México, Era, 1972.
2. Aurora Loyo Brambila, *El movimiento magisterial de 1958 en México*, México, Era, 1980.
3. Raúl Trejo Delarbre, "Los trabajadores y el gobierno de Adolfo López Mateos", en *La clase obrera en la historia de México*, México, vol. 12: *De Adolfo Ruiz Cortines a Adolfo López Mateos*, México, Siglo XXI, 1981.
4. Demetrio Vallejo, *Las luchas ferrocarrileras que conmovieron a México*, México, s.e., 1967.

XI. 1963-1970

1. Ricardo Pozas Horcasitas, "El movimiento médico en México, 1964-1965", en *Cuadernos Políticos*, núm. 11, enero-marzo de 1977.
2. Armando Rendón Corona (coordinador), *Cronología del Congreso del Trabajo, 1966-1978*, México, Instituto de Investigaciones Sociales de la UNAM, 1979, mimeografiado.
3. Armando Rendón y Guillermina Bringas, *El Congreso del Trabajo, una central de líderes, 1966-1978*, México, Instituto de Investigaciones Sociales de la UNAM, 1980, mimeografiado.

XII. 1970-1977

1. Javier Aguilar García, *La política sindical en México: industria del automóvil*, México, Era, 1982.
2. Rocío Luz Cedillo Álvarez, *La Boquilla, Chihuahua, historia de un pueblo electricista*, tesis profesional, Escuela Nacional de Antropología e Historia, 1980.
3. Silvia Gómez Tagle, "Insurgencia y democracia en los sindicatos electricistas" en *Jornadas*, núm. 93, El Colegio de México, 1980.
4. Fabián López Pineda, *STEUNAM. Luchas y conquistas, 1971-1977*, tesis profesional, Facultad de Ciencias Políticas y Sociales de la UNAM, 1983.
5. Victoria Novelo y Augusto Urteaga, *La industria en los magueyales, trabajo y sindicatos en Ciudad Sahagún*, México, Nueva Imagen, 1979.

6. Alberto Pulido Aranda, *50 años de sindicalismo universitario, cronología*, México, Sindicato de Trabajadores de la UNAM, 1982.
7. Revista *Solidaridad, Insurgencia obrera y nacionalismo revolucionario*, México, El Caballito, 1973.
8. Revista *Solidaridad, Solidaridad y el sindicalismo universitario, 1972-1980*, compilación a cargo de José Woldenberg, México, Ediciones Foro Universitario, STUNAM, 1982.
9. Raúl Trejo Delarbre, "Lucha sindical y política: el movimiento en Spicer", en *Cuadernos Políticos*, núm. 8, abril-junio de 1976.
10. Raúl Trejo D., "El movimiento de los electricistas democráticos, 1972-1978", en *Cuadernos Políticos*, núm. 18, octubre-diciembre de 1978.
11. Raúl Trejo D., *Cronología de la insurgencia sindical en México, 1971-1978*, México, Centro de Estudios Políticos, FCPS, UNAM, 1979.
12. Raúl Trejo D., "El movimiento obrero, situación y perspectivas", en Pablo González Casanova y Enrique Florescano (comps.), *México, hoy*, México, Siglo XXI, 1979.
13. Varios autores, *Movimiento obrero, 1970-1980, cronología*, equipo de estudios de la clase obrera en México, Instituto de Investigaciones Económicas, UNAM, 1982, 4 tomos, mimeografiado.
14. Menno Vellinga, *Industrialización, burguesía y clase obrera en México*, México, Siglo XXI, 1979.
15. Francisco Zapata *et al.*, *Las Truchas, acero y sociedad en México*, México, El Colegio de México, 1978.

XIII. 1978-...

1. Manuel Camacho, *La clase obrera en la historia de México*, vol. 15: *El futuro inmediato*, México, Siglo XXI, 1980.
2. Arnaldo Córdova, *La política de masas y el futuro de la izquierda en México*, México, Era, 1979.
3. Alejandro Montoya, "El movimiento obrero en México: 1977-1979", en Varios autores, *1979, ¿La crisis quedó atrás?*, Facultad de Economía de la UNAM, 1980.
4. Alejandro Montoya, "Los trabajadores en 1980", en Varios autores, *Economía petrolizada*, Taller de Coyuntura de la Facultad de Economía, UNAM, 1981.
5. Gerardo Peláez, *Insurgencia magisterial*, México, Debate Ideológico, 1980.
6. Ma. Virginia Poo Gaxiola, *Soberanía nacional y lucha sindical: la industria nuclear y sus trabajadores*, tesis profesional, Facultad de Economía de la UNAM, 1982.
7. Raúl Trejo D. y José Woldenberg, "Los trabajadores ante la crisis", en Varios autores, *Desarrollo y crisis de la economía mexicana* (coordinación de Rolando Cordera), México, Fondo de Cultura Económica, 1981.
8. *Unomásuno, Tres huelgas de telefonistas, hacia un sindicalismo democrático* (compilación de artículos), México, Cuadernos de *Unomásuno*, 1980.

C. *Algunos temas particulares*

I. Historia regional e historiografía

1. Elsa Cecilia Frost *et al.* (comps.), *El trabajo y los trabajadores en la historia de México* (ponencias en la V Reunión de Historiadores Mexicanos y Norteamerica-

nos, Pátzcuaro, 12-15 de octubre de 1977), México, El Colegio de México y The University of Arizona Press, 1979.

2. *Memoria del Primer Coloquio Regional de Historia Obrera* (Jalapa, Veracruz, 5-9 de septiembre de 1977), México, CEHSMO, 1977.

3. *Memoria del Segundo Coloquio Regional de Historia Obrera* (Mérida, Yucatán, 3-7 de septiembre de 1979), México, CEHSMO, 1979, dos tomos.

4. *Memorias del Encuentro sobre Historia del Movimiento Obrero* (Puebla, Puebla, 26-31 de agosto de 1978), Universidad Autónoma de Puebla, 1980, tres tomos.

II. Burocracia sindical

1. Juan Felipe Leal, "Apuntes sobre la burocracia en las agrupaciones sindicales", en *Cuadernos Políticos*, núm. 23, enero-marzo de 1980.

2. Samuel León, "Notas sobre la burocracia sindical mexicana", en *Revista Mexicana de Ciencias Políticas y Sociales*, núm. 82, octubre-diciembre de 1975.

3. Jorge Mejía Prieto, *El poder tras de las gafas. Hacia un análisis del cetemismo y Fidel Velázquez*, México, Diana, 1980.

4. Rafael Ramírez Heredia, *La otra cara del petróleo*, México, Diana, 1979.

5. José Woldenberg, "Sobre la burocracia sindical", en *Nexos*, núm. 34, octubre de 1980.

III. Estructura y organización.

1. Jeffrey Bortz, "Problemas de la medición de la afiliación sindical", en Revista *A* de la División de Ciencias Sociales de la Universidad Autónoma Metropolitana-Atzcapotzalco, núm. 1, septiembre-diciembre de 1980.

2. Juan Felipe Leal y Fernando Talavera, "Organizaciones sindicales obreras mexicanas, 1948-1970, enfoque estadístico", en *Revista Mexicana de Sociología*, año XXXIX, núm. 4, octubre-diciembre de 1977.

3. Juan Felipe Leal y José Woldenberg, "El sindicalismo mexicano, aspectos organizativos", en *Cuadernos Políticos*, núm. 7, enero-marzo de 1976.

4. Francisco Zapata, "Afiliación y organización sindical en México", en José Luis Reyna *et al.*, *Tres estudios sobre el movimiento obrero en México*, *Jornadas*, núm. 80, El Colegio de México, 1976.

5. César Zazueta y Ricardo de la Peña, *Estructura dual y piramidal del sindicalismo mexicano*, México, CENIET, Serie Estudios, núm. 10, 1981.

IV. Periodización

1. Guillermina Baena *et al.*, "Notas sobre la periodización del movimiento obrero", en *Estudios Políticos*, núms. 20-21, octubre de 1979-marzo de 1980.

V. Trabajadores mexicanos en Estados Unidos

1. Juan Gómez-Quiñones y David Maciel, *La clase obrera en la historia de México*, vol. 16: *Al norte del río Bravo (pasado lejano, 1600-1930)*, México, Siglo XXI, 1981.

2. David Maciel, *La clase obrera en la historia de México*, vol. 17: *Al norte del río Bravo (pasado inmediato, 1930-1981)*, México, Siglo XXI, 1981.

3. David Maciel y Patricia Bueno (comps.), *Aztlán: historia del pueblo chicano (1848-1910)*, México, Sep/Setentas, núm. 174, 1975.

VI. Biblio/hemerografías

1. Guillermina Bringas y David Mascareño, *La prensa de los obreros mexicanos*, México, UNAM, 1979.
2. Guillermina Bringas, "Los trabajadores mexicanos durante la década de los setentas. Fuentes para su estudio", en *Iztapalapa*, núm. 5, UAM, julio-diciembre de 1981.
3. Centro de Estudios Históricos del Movimiento Obrero Mexicano, *El movimiento obrero mexicano, Bibliografía*, México, CEHSMO, 1978.
4. Elke Köppen, "Biblio-hemerografía para el estudio de la insurgencia y democratización obrera en México, 1968-1981", en *Investigación Económica*, núm. 161, Facultad de Economía de la UNAM, julio-septiembre de 1982.
5. José Woldenberg, "Características de los estudios sobre clase y movimiento obreros en México: 1970-1978", en *Estudios Políticos*, núm. 16, México, Centro de Estudios Políticos, FCPS, UNAM, octubre-diciembre de 1978.

HISTORIA DEL MOVIMIENTO OBRERO EN CUBA

ALEIDA PLASENCIA MORO

EL SURGIMIENTO DE LA CLASE OBRERA

Para referirse al surgimiento de la clase obrera cubana es necesario responder a la pregunta de cuándo y en qué circunstancias se produce la consolidación del capitalismo en Cuba, pues "en la misma proporción en que se desarrolla la burguesía, es decir, el capital, desarróllase también el proletariado, la clase de los obreros modernos, que no viven sino a condición de encontrar trabajo, y lo encuentran únicamente mientras su trabajo acrecienta el capital".

Esta pregunta no es fácil de responder en forma exacta. Mientras en Europa y los Estados Unidos se afirma el régimen capitalista, en Cuba, como consecuencia de la política económica de España, perdura el monopolio comercial y el sistema esclavista de producción. Pero desde principios del siglo XIX, la pujante vanguardia de los hacendados cubanos lucha por desarrollar el capitalismo. Cuba, país de economía abierta, no podía estar ajena a los cambios, pues éstos eran imprescindibles para su supervivencia económica. A consecuencia de la revolución industrial inglesa y del desarrollo del capitalismo en Europa, se introduce en la industria azucarera la máquina de vapor, nace el ferrocarril, se amplía la comunicación y unión económica entre los territorios anteriormente aislados, se ensancha el mercado internacional para los productos del país y se inicia el desarrollo del capitalismo industrial en Cuba. Como resultado de estas transformaciones, surge el proletariado.

Por otra parte, se agudiza la contradicción existente entre los requerimientos del desarrollo capitalista, de una parte, y de la otra la persistencia de las relaciones de producción esclavistas, inseparablemente vinculadas al coloniaje español. La guerra por la liberación nacional, iniciada en 1868, es el resultado de estas contradicciones; ella acelera la abolición de la esclavitud, que se consuma finalmente en 1886, hecho que, al liquidar el trabajo esclavo, contribuye poderosamente a la integración de la clase obrera cubana, al incrementar en cerca de doscientos mil hombres la fuerza laboral asalariada.

Desde luego que ya existía un proletariado incipiente antes de 1886.

Los efectos de la revolución industrial venían produciéndose desde la segunda década del siglo XIX. La introducción de la máquina de vapor y de la mecanización en los ingenios, por ejemplo, se refleja en la existencia de 45 500 trabajadores libres en la industria azucarera en 1862. Los cambios introducidos en la industria tabacalera, por otra parte, incrementan el número de asalariados en la misma. Además, desde mucho antes existían ramas económicas con características artesanales, donde desarrollaban sus tareas miles de trabajadores asalariados: zapateros, panaderos, carpinteros, etc. Podemos afirmar, sin embargo, que el movimiento obrero cubano pasó a una fase superior después de la abolición de la esclavitud.

Las transformaciones socioeconómicas en las principales industrias del país

El desarrollo técnico en la industria azucarera se produce paulatinamente. Sus efectos son acelerados a partir de la segunda mitad del siglo XIX, como se puede apreciar por los siguientes datos: en 1827, sólo un 2.5% de los ingenios utilizaban máquinas de vapor para moler sus cañas; en 1846 la cifra ascendía a un 19%, y en 1861 a un 70.7%. La tecnificación y la concentración de la industria son efectos directos de la revolución industrial.

El proceso de concentración se acelera después de la guerra del 68, como se observa en las siguientes cifras: en 1846 existían 1 442 ingenios en la isla; en 1877, 1 190, y en 1899 solamente 400. Este desarrollo crea las condiciones objetivas para la desaparición de la esclavitud, la cual frena el avance tecnológico obstaculizando sus requerimientos de mano de obra calificada.

En la industria tabacalera, la segunda del país, las transformaciones capitalistas se producen con más intensidad en los aspectos organizativos que en el plano tecnológico. Esta característica se debe a las formas de producción artesanal del tabaco habano o puro, el cual se había ganado el mercado internacional mediante la calidad del procesamiento manual del producto. Las condiciones requeridas para el desarrollo de la industria tabacalera sobre bases capitalistas, se dan a partir de dos importantes medidas: la abolición del estanco del tabaco en 1817, que libera el cultivo, la venta y la exportación de toda clase de tabaco, y la disposición de la Superintendencia de Haciendo de 25 de enero de 1827, la cual derogaba los impuestos y contribuciones sobre la fabricación del mismo. Estas medidas rompen con el tradicional monopolio del tabaco y coinciden con la creciente demanda del mismo en el mercado exterior. La industria, que en sus inicios se abastecía de pequeños talleres donde trabajaban unos pocos artesanos y de los productos elaborados mediante trabajo doméstico, va a ir concentrándose en talleres medianos, primero, y en grandes fábricas, a partir de 1840. La mano de obra doméstica, integrada básicamente por presos y niños asilados, va a ser sustituida por trabajadores asalariados, los cuales se concentran en un mismo local bajo la supervisión de un capataz. La elaboración del tabaco se especializa de acuerdo con los gustos de los consumidores y surgen las "marcas" de tabaco, utilizadas por las grandes fábricas para distinguir sus productos. Ya desde fines de la década del 40, se denomina "marquistas" a los grandes fabricantes de tabaco.

El proceso de concentración en la industria de tabacos o puros se puede apreciar si consideramos que en 1836 existían en la isla 306 tabaquerías, que empleaban unos 2 152 obreros, para un promedio de 7 obreros por fábrica, mientras que en 1861, las 516 tabaquerías existentes ocupaban a 15 128 operarios, para un promedio de 29 por fábrica. En este último año, ya en La Habana hay un número de grandes fábricas que concentran entre 100 y 300 obreros. Es válido señalar que en el interior de la isla predominan los chinchales y la producción artesanal.

Un proceso semejante se produce en las cigarrerías o fábricas de cigarrillos, con la diferencia de que en éstas se introduce la máquina de vapor en la década del 60, y en 1888 la máquina torcedora de cigarrillos, que elaboraba mil unidades por minuto. En la década del 60 ya había cigarrerías que empleaban de 25 a 50 operarios. En 1861, estaban inscritas 38 cigarrerías con un total de 2 300 empleados entre mano de obra asalariada y doméstica. Si calculamos que en 1836 sólo funcionaban 21 cigarrerías con un total de 46 obreros, podemos apreciar cómo el reflejo del desarrollo capitalista es evidente también en este sector.

Surgimiento de las primeras organizaciones obreras. Los gremios

El desarrollo de las fuerzas productivas forzosamente agudizó las contradicciones de clases en la sociedad cubana. La explotación capitalista se suma a la explotación colonial y los obreros empiezan a tomar conciencia de la necesidad de organizarse para protegerse. En Cuba, las primeras organizaciones surgen entre el proletariado tabacalero urbano, y no en la industria fundamental del país: la azucarera. Esto se explica por las propias condiciones de nuestra principal industria, donde imperan relaciones esclavistas de producción y no existen nexos de comunicación entre los trabajadores de los distintos ingenios, verdaderos centros aislados y protegidos militarmente contra las rebeliones de los esclavos.

Después de 1886, a pesar de aumentar cuantitativamente el proletariado agrícola con gran parte de los 200 000 esclavos liberados, las propias condiciones de la industria dificultan su organización, la cual no se logra hasta la tercera década del siglo xx.

A la organización sindical de los tabaqueros contribuyeron distintos factores. La concentración de obreros bajo un mismo techo —muchos de ellos antiguos artesanos libres sometidos a la explotación— fue uno de ellos.

Desde luego, el factor determinante era la explotación brutal a que eran sometidos los obreros, característica del sistema capitalista.

Como bien señala Fabio Grobart: "La situación de los obreros cubanos en aquella época era, pues, de total desamparo. No había ninguna ley que pusiera límites a la explotación de los capitalistas, ávidos de ganancias. Ellos contaban, para reprimir cualquier reclamación de los obreros, con el apoyo de todo el aparato represivo del régimen colonial, desde el Capitán General y los tribunales de justicia, hasta el último policía al servicio de la metrópoli española. Las jornadas de trabajo eran de 12, 14 y hasta 16 horas; los salarios, tanto por tiempo como a destajo, eran miserables, y los abusos de los patronos —la falta de respeto a los obreros, las vejaciones contra su dignidad humana, etc.—, no tenía límites. Las mayores víctimas de esta explotación despiadada eran los aprendices, particularmente en las tabaquerías; ellos podían ser azotados, metidos en el cepo y sometidos a otros castigos brutales por parte de los patronos."

A estas circunstancias se suman situaciones específicas que contribuyen a acelerar el proceso de organización sindical. A partir de la crisis de 1857, que agravó al extremo la situación económica en la isla, los artesanos organizaron sociedades de socorros mutuos por barrios para auxiliarse mutuamente. Estas organizaciones se concentraban en los barrios donde vivían los obreros tabaqueros, los del Arsenal y los matarifes.

Estas sociedades, bajo la advocación religiosa e inscritas legalmente, no agrupaban a obreros blancos y obreros negros, ya que unos y otros tenían que mantenerse separados dentro de una sociedad donde existía la esclavitud del negro. Sin embargo, cumplieron su papel al demostrar las ventajas de la solidaridad y la organización en caso de necesidades materiales: enfermedad, desempleo, muerte, etc. Esta experiencia fue útil para las formas organizativas posteriores. En la década del 60, ya los obreros avanzaron hacia formas de organización de carácter clasista. Promotor de estas ideas fue el obrero tabaquero de origen español Saturnino Martínez, a quien se adjudica la fundación del primer gremio organizado: la Asociación de Tabaqueros, en 1866.

No es casual, como ya señalamos, que las primeras agrupaciones por oficios, los gremios, surjan entre los obreros tabaqueros. La concentración capitalista en esta industria, primera en que se agrupan bajo un mismo techo grandes núcleos de hombres explotados, es factor primordial.

La inestabilidad de las exportaciones de tabaco y la insostenible coyuntura económica colonial que culminará en 1868 en la guerra por la liberación nacional, son factores que aceleran la toma de conciencia del proletariado tabacalero. Las condiciones existentes hacen viable que la masa tabacalera no organizada y con mentalidad artesanal comience a integrarse y a luchar por sus comunes intereses frente a la explotación de los fabricantes de tabaco. Así surgen las primeras organizaciones por oficio y se realizan las primeras acciones independientes, a partir de 1865.

En 1865 este movimiento, como todos los que se inician, se limita a defender a los obreros contra las medidas explotadoras de sus patronos. En agosto de ese año, cerca de 400 operarios de dos de las más grandes fábricas de tabacos, Hijas de Cabañas y Carvajal y El Fígaro abandonaron sus mesas de trabajo en protesta por la rebaja de jornales. Los huelguistas obtuvieron el apoyo de los tabaqueros de las restantes fábricas. Esta acción —la primera de ese tipo de que hay noticias— constituyó una experiencia doblemente valiosa, en cuanto expresión combativa y porque manifestaba los nexos de solidaridad entre los obreros.

La agitación obrera se reflejó en la institución de un órgano de prensa para los obreros: La Aurora (1865-1868), fundado y dirigido por Saturnino Martínez.

Saturnino Martínez, tabaquero asturiano, por su mayor ilustración y por la actividad desarrollada al frente del primer periódico, puede ser considerado el más destacado dirigente de esta etapa inicial del movimiento obrero. Reformista consecuente, en lo político y lo social, Martínez luchaba por los intereses de los trabajadores dentro del ámbito de la conciliación de clases. Las ideas que él divulgaba entre los trabajadores eran las de la burguesía naciente en su lucha contra el feudalismo, las de la Ilustración y las del cooperativismo europeo. *La Aurora* luchaba contra las pésimas condiciones de vida y trabajo de los obreros, pero les ofrecía como medio para mejorar su situación la elevación de su nivel cultural y la apelación a los sentimientos humanitarios de los capitalistas. Así, este periódico hacía intensa campaña por la educación de los obreros, mediante escuelas nocturnas y la asistencia a la biblioteca de la Sociedad Económica de Amigos del País, y fue centro propulsor de la lectura en los talleres de tabaquerías, que se inició en la fábrica El Fígaro y continuaría como tradición histórica del proletariado cubano hasta nuestros días.

La actividad propagandística a favor de las cooperativas de producción y consumo no tuvo éxito y éstas no enraizaron en Cuba. A pesar de que Saturnino Martínez y sus socios en la empresa de *La Aurora* manifestaron posiciones utópicas, éstas eran objetivamente explicables; todavía ellos no eran capaces de comprender el carácter de las contradicciones de clase de la sociedad burguesa, y que la relación entre la industrial y el obrero era "puramente económica", por lo cual no era posible la conciliación de clases.

Pero a pesar de sus limitaciones, el gobierno colonial y la reacción patronal consideraban peligrosas estas ideas; las lecturas en las tabaquerías fueron prohibidas por subversivas y el propio Martínez, años después, a pesar de su fidelidad a España, sufrió pena de deportación.

La guerra de 1868 y el movimiento obrero

Durante la guerra se reprimió al máximo la agitación obrera, en virtud del decreto de 12 de febrero de 1869, que consideraba a las huelgas como delito de infidencia. Pero al agravarse las ya difíciles condiciones de vida de los obreros, éstos acuden a las huelgas y cierran filas contra los patronos.

El movimiento organizativo continúa, aunque lentamente, en la región occidental, territorio no afectado directamente por la conflagración. En La Habana se constituyeron dos nuevos gremios de la industria tabacalera: el Gremio de Rezagadores, en 1872, y el de Despalilladores, en 1875.

A fines de 1878, los tabaqueros se reorganizaron en el Gremio de Obreros del Ramo de Tabaquerías, bajo la dirección de Saturnino Martínez. Este paso organizativo fue tomado como pretexto por los patronos para crear la llamada Unión de Fabricantes de Tabacos, en 1882. El Gremio libró importantes batallas frente a la organización patronal durante los años siguientes; pero en su seno se produjo una lucha de tendencias entre los reformistas, dirigidos por Saturnino Martínez, y los anarquistas, liderados por Enrique Roig San Martín, que culminó en la disolución del Gremio y la salida de Martínez de la actividad gremial, en 1887.

Al finalizar la guerra, se había creado la Junta Central de Artesanos, presidida por el dirigente tabaquero de origen asturiano Valeriano Rodríguez, que venía a ser una especie de cuerpo director de los gremios que agrupaba. En ella se reunieron organizaciones independientes de diversos sectores: panaderos, sastres, albañiles, tipógrafos, carretoneros, cocheros, etcétera.

Pero la guerra de 1868-1870 trajo consecuencias muy importantes para la clase obrera no sólo en el plano organizativo. Las transformaciones socioeconómicas que la conflagración aceleró tuvieron inmediata repercusión en la estructura de clases de la sociedad cubana. La abolición de la esclavitud —proceso que duró de 1878 a 1886— y la consolidación del capitalismo incidieron directamente en el desarrollo cuantitativo y cualitativo del proletariado. Como ha expresado Fabio Grobart: "Fue sólo después de la primera guerra de independencia, en la cual participan grandes masas de campesinos y artesanos, integradas mayoritariamente por negros y mulatos libres y por esclavos que conquistaban así su liberación, que se fue consolidando la nación cubana, se abolió la esclavitud, y el movimiento obrero, iniciado en 1865, pasó a una fase superior de desarrollo."

El incremento numérico del proletariado y la agudización de la explotación capitalista aceleraron la formación de una más definida conciencia clasista. Por otra parte, las condiciones de vida y de trabajo se agravaron como consecuencia de la devastación producida por la Guerra de los Diez Años y de la política arancelaria de los Estados Unidos, que ya era nuestra metrópoli económica en el período 1878-1895.

Además, otros factores externos van a contribuir al ascenso ideológico del movimiento obrero. Miles de inmigrantes españoles, en gran parte obreros, llegaron a la isla huyendo de la miseria o de la persecución, tras participar en las grandes huelgas del período, dirigidas por los anarquistas. Estos exiliados trajeron a Cuba sus ideas, las cuales permearon y dominaron posteriormente las luchas obreras cubanas.

Las ideas anarquistas comenzaron a divulgarse en Cuba en la década del 80. Entre los factores que favorecieron la propagación de esta ideología se pueden considerar: el escaso desarrollo capitalista; la creciente proletarización de las capas medias a consecuencia de las crisis de 1857 y 1866 y por los efectos de la guerra; la inmigración de obreros españoles en el período, ya mencionada, y la difusión de propaganda procedente de España.

Los primeros grupos anarquistas parecen haberse constituido hacia 1882. Por estos años un grupo de obreros cubanos, ganados por las ideas anarquistas, se enfrentaron a las ideas de conciliación de clases preconizadas por los reformistas, bajo la dirección de Saturnino Martínez. Desde las propias filas del Gremio de Tabaqueros y el periódico *El Obrero*, que se publicaba en 1883, el reformismo fue combatido como posición que frenaba al movimiento obrero, cohibido "por un gremio que les atara a los pies del capital".

Estas palabras de quien fuera principal ideólogo de los anarquistas cubanos y el más destacado dirigente obrero del período, Enrique Roig San Martín, reflejaban las ideas de lucha de clases de que eran portadores los anarquistas. Precisamente, ésta es su contribución principal al ascenso del movimiento obrero cubano: la difusión del concepto de la lucha de clases y el de la contradicción irreconciliable entre capital y trabajo, proletariado y burguesía.

Enrique Roig San Martín y el periódico fundado por él en 1887, *El Productor*, difundieron la necesidad de los obreros de organizarse y luchar contra la burguesía explotadora. Esta actividad se concretó en el intento de conducir a la organización de una federación regional, a semejanza de la española y en una dirección efectiva del movimiento huelguístico del período especialmente de las grandes huelgas tabacaleras entre 1887 y 1889. Así se convirtió el anarquismo en corriente ideológica predominante.

Bajo la dirección de los anarquistas, se reorganiza en 1885 la Junta Central de Artesanos, con un reglamento que declaraba que sus objetivos fundamentales eran: asociar a los trabajadores no organizados; procurar el desarrollo y unificación de las colectividades obreras, y "la defensa de los intereses económicosociales de los trabajadores de la isla de Cuba y la federación definitiva de éstos".

Además de los numerosos gremios creados, con lo cual en la década del 80 ya casi todos los sectores estuvieron organizados por oficios, debemos mencionar dos organizaciones de los tabaqueros surgidas como resultado de las pugnas entre reformistas y anarquistas en la segunda mitad de 1888: la Unión Obrera, organización reformista, conciliatoria, y la Alianza Obrera, orientada por los anarquistas y combativa defensora de la lucha de clases, las cuales tuvieron una breve duración.

No debemos dejar de citar al Círculo de Trabajadores de La Habana, constituido en enero de 1885, pues aunque era una organización con objetivos fundamentalmente culturales, desempeñó un papel importante en el período. Se creó bajo la orientación de los anarquistas, con Enrique Messonier —uno de los principales dirigentes de esta tendencia— como secretario, y fue utilizado para divulgar esta ideología.

Como hemos podido apreciar, el control de las organizaciones obreras fue pasando, a partir de 1885, a dirigentes de ideología anarquista que imprimieron sus concepciones básicas a las mismas. En 1887, ya se realizan una serie de reuniones de los gremios para tratar de constituir una federación obrera regional, a semejanza de la anarquista Federación Regional Española. Algunos autores han calificado a este conjunto de reuniones como congreso obrero.

A pesar de la combatividad del grupo anarquista, liderado por Roig San Martín hasta su muerte, en 1889, él mismo contribuyó a sembrar conceptos falsos que crearon serios obstáculos al desarrollo del movimiento obrero y de la conciencia de clase del proletariado. Nos referimos, específicamente, al apoliticismo y al nihilismo nacional.

El apoliticismo, cuya esencia era la negación de toda acción política y de la necesidad de un partido político de la clase obrera, reducía la lucha del proletariado al logro de su bienestar económico, al "economicismo", rechazando el objetivo básico de la toma del poder por la clase obrera.

El nihilismo nacional, basado en un falso antagonismo entre patriotismo e internacionalismo, era particularmente nocivo a fines del siglo pasado en Cuba, cuando la nación pugnaba por derrocar el yugo colonial de España. Durante varios años, los más destacados líderes obreros anarquistas dentro de la isla se pronunciaron contra la participación de los trabajadores en las luchas por la liberación nacional, planteando que el interés de los obreros era únicamente el de la lucha contra las clases explotadoras, independientemente de la nacionalidad.

No obstante, el proletariado cubano rechazó definitivamente esas ideas falsas y se incorporó a la lucha liberadora. En ese proceso, desempeñaron un importante papel los obreros cubanos emigrados en Estados Unidos, particularmente en Tampa y Cayo Hueso. La prédica de José Martí, el ideólogo y dirigente de la guerra emancipadora, encontró en el proletariado cubano un terreno fértil. Y nuestro primer marxista, Carlos Baliño, dirigente obrero y cercano colaborador de Martí, dio una contribución decisiva a que los obreros comprendieran la necesidad de luchar por la independencia nacional primero, no sólo en interés de la nación cubana, sino también por sus propios intereses de clase.

El Congreso Obrero de 1892

Una buena muestra de los avances del proletariado cubano, tanto en relación con su organización y sus luchas como en cuanto a su comprensión del problema nacional, lo fue el Congreso Obrero celebrado en La Habana en enero de 1892.

Al evento asistieron 74 delegados que representaban a distintas organizaciones obreras de la isla, y en él se discutieron asuntos de tanta importancia como la organización que debían tener los obreros, la necesidad de que se implantara la jornada máxima de 8 horas y las formas de lucha que debían adoptarse para lograr esa reivindicación, así como la posición del proletariado ante la discriminación del negro y ante la lucha por la independencia nacional.

Tras largas e intensa discusiones, el Congreso acordó, entre otras cosas, luchar por la jornada de 8 horas a través de la huelga general; organizar a los obreros de cada población de la isla en secciones por oficios o profesiones, las que integrarían una sociedad general en cada pueblo, el conjunto de cuyas sociedades formaría la Federación de Trabajadores de Cuba. Consecuentes con los principios del anarquismo, acordaron que cada sección tuviera plena autonomía dentro de la sociedad general de que formara parte.

Expresión de la creciente madurez del proletariado fue el hecho de que se abordara el problema de la discriminación del negro, adoptándose acuerdos de combate contra ese grave mal.

Particular importancia tuvo el acuerdo sobre la posición que debía adoptar el movimiento obrero ante el problema nacional. El Congreso declaró que "la clase trabajadora no se emancipará hasta tanto no abrace las ideas del socialismo revolucionario"; pero también declaró que "la introducción de estas ideas en la masa trabajadora de Cuba no viene, no puede venir a ser un obstáculo para el triunfo de las aspiraciones de emancipación de este pueblo, por cuanto sería absurdo que el hombre que aspira a su libertad individual se opusiera a la libertad colectiva de un pueblo, aunque la libertad a que ese pueblo aspire sea esa libertad relativa que consiste en emanciparse de la tutela de otro pueblo".

Como respuesta a este acuerdo, las autoridades coloniales clausuraron abruptamente el Congreso y desataron la represión contra los más destacados dirigentes obreros.

Como se ve, el Congreso obrero de 1892 constituyó un importante paso de avance del movimiento obrero cubano.

Primero de Mayo e internacionalismo proletario

No obstante los efectos negativos de los falsos conceptos sobre la política y la patria, en la época en que aún el marxismo no había penetrado en el proletariado de la isla y cuando estaban muy extendidas las ideas de conciliación de clases, los líderes obreros anarquistas contribuyeron a impulsar el movimiento obrero cubano por los caminos de la lucha de clases y a desarrollar el internacionalismo proletario entre los obreros. Las fechas del proletariado mundial fueron divulgadas por la prensa y conmemoradas por los obreros cubanos. Cada 18 de marzo, por ejemplo, *El Productor* recordaba la Comuna de París. Este periódico dirigió una campaña de solidaridad con los obreros de Chicago procesados y posteriormente condenados con motivo de los hechos de Haymarket, del 4 de mayo de 1886. Se creó un Comité de Auxilio, encargado de recolectar fondos para los enjuiciados, el cual citó a una asamblea, el 8 de noviembre de 1887, a la que asistieron más de dos mil trabajadores y en la que se solicitó el indulto de los condenados. Consumada la sentencia de cinco de los procesados se mantuvo la campaña y se efectuó un acto de develación de un óleo de los ajusticiados en el local del Círculo de Trabajadores, al conmemorarse un mes de los hechos, el 11 de diciembre de 1887. Intentos conmemorativos en los aniversarios siguientes fueron impedidos por las autoridades españolas.

Para demostrar el carácter internacional asumido por las luchas obreras basta señalar que Cuba fue de los primeros países en celebrar el 1º de mayo, en 1890, en respuesta al acuerdo del congreso constituyente de la II Internacional, de efectuar grandes manifestaciones en demanda de la jornada de 8 horas ese día adoptado sobre la base de un llamamiento de la Federación Americana del Trabajo.

Los obreros cubanos se solidarizaron con esta jornada, identificados con los obreros de todo el mundo y en protesta por las condiciones de explotación a que estaban sometidos, agravadas en ese año por la política económica proteccionista de los Estados Unidos, principal mercado para nuestros productos.

El 1º de mayo de 1890, más de 3 000 trabajadores desfilaron desde el Campo de Marte, hasta el Skating Ring en el centro de la ciudad de La Habana, donde más de 15 oradores se expresaron a favor de la jornada de 8 horas y denunciaron las condiciones de miseria y abusos que sufrían los obreros. Se reiteró la necesidad de la unidad y la solidaridad de todos los trabajadores; sin que faltaran los planteamientos anarquistas, ideas sustentadas por los principales organizadores del acto. Es importante señalar que en este acto se denunció la discriminación racial, al reclamarse la igualdad de derechos entre negros y blancos.

Esta jornada estuvo acompañada de numerosas huelgas. Más de 20 movimientos huelguísticos se plantearon en mayo de 1890, en apoyo a esta actividad.

El 1 de mayo de 1890 marcó un momento importante en las luchas obreras cubanas. Su celebración "fue de mucha importancia en la formación ulterior de la conciencia de clase de los trabajadores y constituyó un gran estímulo a su organización y unidad y a sus luchas posteriores. Pero su significación principal consistió en que la joven clase obrera cubana dio una muestra de que ya empezaba a comprender que ella formaba parte del ejército internacional del proletariado, que su suerte estaba vinculada a la suerte de los trabajadores de todo el mundo".

El ascenso del movimiento obrero en el período se expresa en el incremento continuo del número de huelgas, en la combatividad y organización de las mismas, en su carácter colectivo y en las demandas planteadas. Los gremios, la Junta Central de Artesanos y el Círculo de Trabajadores se fortalecieron. El 1 de mayo de 1891 se celebró combativamente, y sirvió de preludio a la celebración del primer congreso de colectividades obreras —ya citado— en enero de 1892.

El "impetuoso ataque de los obreros", como lo llamara ya en 1887 la Unión de Fabricantes de Tabacos, no podía dejar de ser observado con preocupación por las autoridades coloniales. En 1890 se intensificó la represión contra los trabajadores, especialmente después del 1 de mayo y la ola de huelgas que le acompañaron. Fueron suspendidos la Alianza Obrera y *El Productor*; los redactores de este periódico fueron encausados y el mismo dejó de publicarse.

En 1892, las declaraciones del Congreso Obrero iniciaron una nueva etapa. Las reuniones obreras se prohibieron y las organizaciones pasaron a actuar clandestinamente. El Círculo de Trabajadores fue allanado, y la Junta Central de Artesanos, que había cambiado su nombre por el de Junta Central de Trabajadores fue clausurada. A partir de 1892, se persiguió a los obreros, más que por sus actividades clasistas, por su actividad posible a favor de la independencia nacional.

En febrero de 1893 se fundó la Sociedad General de Trabajadores, también bajo la dirección de los anarquistas, que mantuvo su actividad, dentro de las condiciones de represión existentes, hasta terminada la guerra del 95.

El movimiento obrero durante la guerra del 95

El 24 de febrero de 1895 se inició la llamada guerra del 95, parte del proceso de liberación nacional. En esta lucha, marcada por la acción política y organizativa y el patriotismo revolucionario de José Martí, fue fundamental la contribución económica y política del proletariado cubano en la emigración.

En general, podemos afirmar que los obreros cubanos se incorporaron a la guerra, con su importante apoyo desde la emigración y mediante el apoyo moral y la numerosa incorporación individual en la isla.

Muchos de sus dirigentes sumaron sus esfuerzos a la lucha por la liberación nacional. Enrique Messonier, desde la emigración, luchó activamente en la recaudación de fondos para sostener la guerra. Enrique Creci murió en los campos de Cuba por la causa nacional. Pero el ejemplo más significativo de comprensión de la necesidad de priorizar los esfuerzos por la liberación del coloniaje español, es la actitud del luchador obrero de ideas marxistas Carlos Baliño, quien apoyó decididamente a Martí, organizó clubes revolucionarios, participó en la fundación del Partido Revolucionario Cubano y agitó a los obreros emigrados a participar en la guerra necesaria, a la vez que propagaba las ideas marxistas.

En la isla, la represión se ensañó con los obreros y sus organizaciones. Además, la guerra creó escisiones entre obreros cubanos y españoles, y aunque se mantuvieron las luchas por demandas económicas, debido al agravamiento de las condiciones de vida de los trabajadores, se produjo un retroceso en el desarrollo del movimiento obrero. Entre los principales factores de este retroceso se encuentran: el estado de guerra existente; la represión violenta de toda actividad, reuniones, prensa, etc., y el resquebrajamiento de la unidad obrera y la crisis de sus organizaciones, cuyos principales dirigentes o bien se incorporaron a la lucha, o emigraron o se retiraron. Así, la Sociedad General de Trabajadores, aunque mantuvo sus actividades, asumió una actitud favorable al régimen autonomista implantado en Cuba a partir del 1 de enero de 1898, lo cual la enfrentó a los obreros independentistas y a los españolistas a la vez. Esta actitud vacilante liquidó a la Sociedad, la que se disolvió al terminar la guerra y cesar la dominación española en la isla el 1 de enero de 1899. El imperialismo norteamericano, pues, no encontró una fuerza obrera pujante y organizada al iniciar su penetración directa en el suelo cubano.

La penetración imperialista y sus efectos en el movimiento obrero cubano

La guerra del 95, pese a los esfuerzos, la sangre y los sacrificios de todo un pueblo no culminó en el logro del programa martiano de plena liberación nacional. El poderoso vecino del norte arrebató la victoria a nuestro pueblo haciendo realidad los temores de José Martí. Después de fallidos intentos con España para adquirir la isla de Cuba, los Estados Unidos llevaron a efecto la autoagresión del acorazado "Maine", de la cual acusaron a España como pretexto para intervenir en la guerra cubana por la liberación nacional. Dicha intervención originó la que es considerada como la primera guerra imperialista. Mediante el Tratado de París, España abandonó la isla el 1 de enero de 1899, y ocupó su lugar el llamado gobierno interventor norteamericano. Durante los cuatro años de este gobierno —a pesar de las manifestaciones populares en contra— se crearon las bases para convertir a Cuba en semicolonia de los Estados Unidos, mediante la edición de un apéndice —la llamada Enmienda Platt— a la Constitución cubana de 1901. Este apéndice legalizaba el derecho de los Estados Unidos a intervenir en nuestros asuntos cuando lo estimase conveniente.

El condicionamiento político posibilitó la dependencia económica por medio de tratados que deformaron aún más nuestra estructura y nos condenaron al subdesarrollo. En este marco se desarrollaron las distintas clases sociales. Para sojuzgar al país y lograr imponer sus intereses económicos, el imperialismo se apoyó en los latifundistas, la gran burguesía azucarera y la gran burguesía comercial importadora. Estas tres fuerzas sociales constituyeron la oligarquía dominante, cuyos intereses estaban estrechamente ligados al imperialismo, y por tanto fueron el instrumento idóneo en su tarea neocolonizadora. El dominio imperialista y el gobierno de esta oligarquía antinacional, impidieron el desarrollo económico normal del país y mantuvieron a la clase obrera y a las masas trabajadoras en general en condiciones inhumanas de vida y de trabajo.

Jornadas de 10-12 horas, desempleo, salarios miserables, carencia de legislación social, pagos en moneda devaluada, discriminación nacional y racial, fueron lacras coloniales que se consolidaron con la semicolonia. El gobierno de la intervención, desde sus primeros momentos, a la vez que creaba los mecanismos de dependencia política, daba pasos firmes para mantener sometido al movimiento obrero y garantizar así las inversiones de capital norteamericano en la isla. Para disponer de fuerza de trabajo abundante y barata, el gobierno interventor mantuvo las condiciones anteriores a la guerra y utilizó la represión y la amenaza de no entregar Cuba a los cubanos para liquidar las manifestaciones obreras. Las autoridades cubanas fueron un instrumento dócil en el cumplimiento de este objetivo. La penetración precipitada de capital norteamericano no debía encontrar un obstáculo en la actividad proletaria.

Para impedir la unidad de la clase obrera, las empresas practicaban la discriminación contra los trabajadores nativos, particularmente con los negros, y favorecían a los trabajadores españoles. Así, los trabajos mejor remunerados eran desempeñados por españoles, y por excepción, por cubanos blancos. Por otra parte, el obrero agrícola sufrió con mayor intensidad la explotación que se reflejó en las extenuantes jornadas de trabajo, el tiempo muerto y el pago en vales y fichas, en lugar de dinero en efectivo.

El proletariado cubano al finalizar la dominación española. Organización y luchas hasta 1906

Los efectos de la guerra fueron desastrosos para la clase obrera y las capas populares en general. Estos sectores sufrieron mermas numerosas de vidas humanas, principalmente de niños, viejos y mujeres, víctimas de la reconcentración decretada por el gobernador español Valeriano Weyler, que concentró la población campesina en los poblados. Los daños materiales fueron cualitativa y cuantitativamente importantes. La producción azucarera se redujo a una cuarta parte; la cosecha de tabaco disminuyó de 560 000 a 88 000 quintales y la industria ganadera sufrió una afectación de más de 2 000 000 de cabezas de ganado. La desolación y la miseria de los campos arrasados se agravó con las consecuencias del bloqueo impuesto por los norteamericanos al declararle la guerra a España.

Como resultado de los efectos materiales del conflicto bélico, en 1899 se habían reducido notablemente las industrias de las ciudades, quedando algunas en los sectores tabacaleros, del calzado, de la madera, del alcohol y otras. En los campos, los insurrectos y los pacíficos vagaban o sembraban para subsistir.

La desocupación era tan alta como nunca lo había sido. La abundancia de brazos y la falta de empleo iban acompañadas de la intensificación de la explotación.

La clase obrera, por otra parte, carecía de organizaciones de clase capaces de dirigir sus luchas.

Como se dijo, la Sociedad General de Trabajadores se había disuelto y las organizaciones gremiales desaparecieron durante la guerra, víctimas de la represión. Solamente tres gremios de la industria tabacalera sobrevivieron a la persecución, pero su funcionamiento era precario. De ahí que las autoridades norteamericanas, en un informe sobre el movimiento obrero, expresaran que existía muy poca organización y muy poco espíritu de clase entre las masas trabajadoras.

Pero con la llegada de los obreros emigrados procedentes de la Florida, experimentados en la lucha sindical, la situación comenzó a cambiar. Estos cubanos recién llegados habían colaborado con Martí en su empresa de libertar a la patria, y cuando regresaron a la misma muchos de ellos no encontraron trabajo, debido a las consecuencias de la guerra, y fundamentalmente, por la limitación del acceso de nativos a los puestos mejor remunerados de la industria tabacalera. Su actividad se dirigiría hacia la reconstrucción de las organizaciones obreras.

Un emigrado, intelectual revolucionario, Diego Vicente Tejera, intentó fundar partidos obreros en 1899 y 1900: el Partido Socialista Cubano y el Partido Popular, respectivamente. Pero estos intentos fracasaron debido a la oposición que encontró en numerosos jefes del Ejército Libertador y otras influyentes personalidades, así como a la limitación de su programa basado en las posiciones utópicas de su fundador. No obstante, hay que descartar en Tejera su convicción de la necesidad de que los obreros tuvieran su propio partido, y sus posiciones en contra de la Enmienda Platt, por la democracia y la justicia social.

Desde el propio primer mes de la intervención, en enero de 1899, se habían iniciado huelgas en demanda de mejores salarios y condiciones laborales y por la disminución del horario de trabajo. Pero estas acciones eran espontáneas y carecían de organización. Inmediatamente comenzaron a crearse gremios, pero aislados y centrados en los talleres. Entre 1899 y 1907 se inscribieron en el Registro del Gobierno Superior Civil 136 gremios en La Habana, 43 en Matanzas, 48 en Santa Clara y 40 en Oriente. También se crearon en el período 6 cooperativas obreras, 2 centros de artesanos, un grupo de asociaciones de oficios varios y la Liga General de Trabajadores Cubanos.

Esta última organización nació oficialmente el 8 de septiembre de 1899, bajo la dirección de un comité presidido por el antiguo anarquista Enrique Messonier, e integrado por Ambrosio Borges, Francisco Cabal Flores, José Rivas y Ramón Rivera, todos recién llegados de la emigración. Aunque algunos de sus miembros participarían posteriormente en las primeras organizaciones socialistas, los objetivos de la Liga eran muy limitados: crear una organización obrera que centralizara a los gremios y remediara la inferioridad laboral que sufrían los obreros cubanos frente a los españoles.

La Liga reclamó demandas de carácter económico-social y patriótico y logró tener cierta influencia en el movimiento obrero entre 1899 y 1903, desempeñando un papel importante en algunas huelgas, y específicamente en la huelga de los albañiles en 1899 y en la de los aprendices en 1902. Además, desde su periódico *Alerta* entre 1902 y 1903, la Liga, bajo la dirección de José Rivas, se pronunció contra la Enmienda Platt y abogó por la necesidad de un cambio social como único medio de resolver los problemas del país.

La primera huelga general durante la intervención, la huelga de los obreros de la construcción por la jornada de 8 horas, se mantuvo durante un mes, del

20 de agosto a fines de septiembre de 1899, pero terminó en el fracaso en virtud de la violenta represión desatada contra los huelguistas. Se destacaron en este sentido las declaraciones del gobernador militar de La Habana, William Ludlow, cuyo contenido amenazador fue, además, ejemplo del desprecio con que las autoridades yanquis consideraban a los obreros cubanos. La advertencia de que si se paralizaban las actividades, este "paso fatal" haría "retroceder el ejercicio de la libertad y el disfrute de los derechos individuales durante tiempo indefinido", y la prisión posterior de los principales dirigentes, liquidaron la huelga. La actitud claudicante de los dirigentes de los albañiles y de Messonier, presidente de la Liga, contribuyeron a que esta organización perdiera a la mayor parte de sus miembros y no volviera a recuperar su fuerza hasta que, instaurada la seudo-República, movilizara a los trabajadores en la llamada huelga de los aprendices.

No casualmente, esta huelga republicana, escenificada por los tabaqueros que reclamaban el derecho de los niños cubanos a ingresar como aprendices en las fábricas, terminó también en el fracaso ante el fantasma de una nueva intervención yanqui. Tal parecía que en la semicolonia los obreros debían soportar la explotación y la discriminación nacional, para no molestar a los poderosos intereses norteamericanos.

El proletariado cubano, entre el 4 y el 8 de noviembre fue a la huelga general en el sector tabacalero, mediante un movimiento profundamente patriótico, por el cese de la discriminación de los cubanos. Esta huelga fue ferozmente reprimida, y por último frenada por la mediación de veteranos de la independencia que, esgrimiendo la posible utilización del artículo 3 de la Enmienda Platt, recabaron de los obreros la vuelta a la normalidad. A partir de 1902, en reiteradas ocasiones y en defensa de sus propios intereses y los del imperialismo, la oligarquía antinacional solicitó la tranquilidad de los trabajadores para evitar la intervención yanqui.

La huelga de los aprendices cerró un período de intensas huelgas, durante el cual el ascenso del movimiento obrero se percibe en los numerosos gremios organizados, en la lucha por integrar una organización que grupase a los gremios, en la solidaridad entre las organizaciones en huelga, en la combatividad y duración de estos movimientos.

En los años sucesivos, debido a la represión y la amenaza constante de intervención fracasaron movimientos importantes y las luchas de los obreros fueron adquiriendo cada vez un carácter más agudo.

La segunda intervención norteamericana entre 1906 y 1909 extremó las medidas antiobreras, a lo cual respondieron los trabajadores con 28 huelgas que incorporaron a 35 000 obreros a la lucha. Casi todas se perdieron, a excepción de la llamada huelga de la moneda, que reclamaba el pago en moneda norteamericana ya que la moneda española estaba devaluada. La huelga se sostuvo durante 144 días, del 20 de febrero al 20 de julio de 1907, en las fábricas de tabacos pertenecientes al trust norteamericano e inglés. Este movimiento se ganó por la firmeza y combatividad de los obreros y por la actitud pasiva del gobernador Charles Magoon, quien no quiso intervenir en la misma ya que la demanda de los obreros —el pago de sus salarios en moneda norteamericana— favorecía los intereses de Estados Unidos. Un intento por afianzar un organismo unitario llamado Comité Federativo, surgido como resultado de la huelga de la moneda, fracasó al perderse las huelgas posteriores que dirigiera. Luchas reivindicativas importantes como la de los ferroviarios, dirigida por los Obreros Unidos de los Ferrocarriles de la Isla de Cuba y el Comité Federativo —que se mantuvo entre el 28 de septiembre de 1907 y mediados de enero de 1908—, las de los tabaqueros en 1908 y otras, se perdieron a causa de la represión y la utilización de rompehuelgas.

Las luchas del proletariado se agudizaron durante el gobierno de José Miguel Gómez (1909-1913), debido al incremento de la explotación, en años de intensificación de la penetración económica norteamericana. Entre 1909 y 1913 se produjeron numerosas huelgas, fundamentalmente por reivindicaciones económicas y sociales (jornada de 8 horas, aumento de salarios, mejores condiciones de trabajo, contra la discriminación del nativo, etc.), que en algunos casos se acompañaron de demandas políticas, tales como la libertad de los obreros presos y el cese de la represión.

Entre éstas tuvo especial relevancia la huelga del alcantarillado en 1911, protagonizada por 1 500 obreros de la construcción, que reclamaban la jornada de 8 horas, mejora de las condiciones de trabajo, aumento salarial y pago en moneda norteamericana. Esta huelga, a pesar de su combatividad, fracasó por la utilización de rompehuelgas.

Debe destacarse en estos años el movimiento huelguístico azucarero de Niquero, Campechuela y Media Luna, en la antigua provincia de Oriente, que tuvo lugar en enero-febrero de 1912, bajo la dirección del Partido Socialista de Manzanillo. Más de 1 000 obreros participaron en estas huelgas, en demanda de la jornada de 8 horas, aumentos salariales y otras reivindicaciones. El movimiento fue liquidado mediante feroz represión, dirigida personalmente por el secretario de Gobernación Gerardo Machado, ante la preocupación gubernamental por una huelga que afectaba directamente las propiedades azucareras norteamericanas y ponía en crisis a la principal industria del país.

El recrudecimiento de la actividad huelguística, la extensión de las luchas al sector azucarero, el crecimiento del espíritu solidario entre los obreros y la evidente experiencia que iba adquiriendo el proletariado, motivaron el reforzamiento de la represión gubernamental y la aparición de nuevos métodos antiobreros. Entre éstos se destacan la expulsión de los obreros extranjeros y la utilización de organizaciones amarillas y de rompehuelgas.

La lucha de clases se intensificó, aunque en vísperas de la primera guerra mundial y de la Revolución de Octubre, el movimiento obrero cubano presentaba todavía dos debilidades fundamentales: 1] carecía de un partido político de clase propio que, orientado por la teoría marxista, fuese capaz de dirigir las luchas del proletariado; 2] carecía de una dirección sindical unida y centralizada, capaz de agrupar bajo un programa común de reivindicaciones a las numerosas organizaciones obreras existentes en el país y de cambiar la ineficiente estructura gremial por una adecuada estructura sindical. Estos males, más el hecho de que el control de las organizaciones estuviera en manos de los reformistas y anarquistas, impedía que las luchas rompieran su estrecho marco economicista y que creciera sustancialmente el nivel de conciencia de la clase obrera. Estas debilidades eran aprovechadas por las empresas extranjeras, los patronos y la oligarquía dominante para despojar a los obreros de sus derechos democráticos y ejercer sobre ellos la más brutal represión.

En respuesta a la reacción, al final del período se comenzaron a reorganizar los gremios, surgieron nuevas organizaciones como la Asociación de Tipógrafos, se destacaron dirigentes más maduros como Alfredo López, Alejandro Barreiro y José Peña Vilaboa, y se prepararon las fuerzas para abordar una fase superior, a partir de la Gran Revolución Socialista de Octubre.

LAS PRIMERAS ORGANIZACIONES SOCIALISTAS

El socialismo como corriente ideológica del movimiento obrero cubano no tuvo influencia efectiva en las luchas obreras hasta después de la Revolución de Octubre. La difusión de las ideas marxistas en Cuba no se puede separar de la actividad del emigrado revolucionario cubano Carlos Baliño, a quien ya nos hemos referido. Baliño regresó a Cuba en 1902. En 1903, en unión de otros compañeros procedentes de la emigración, fundó el Club de Propaganda Socialista, con el objetivo de divulgar las ideas marxistas.

En 1904, un grupo de trabajadores de ideas socialistas fundó el Partido Obrero, con un programa de reivindicaciones inmediatas. Baliño colaboró con este partido y con su órgano de prensa, *La Voz Obrera*; pero, a la vez, trató de que el mismo incorporara a su programa los principios básicos del marxismo. Esto se logró en 1905, al aceptar el Partido Obrero unas bases fundamentales en las que se planteaba la necesidad de la toma del poder político por la clase obrera, de la socialización de los medios de producción y la creación de una sociedad sin clases.

El Club de Propaganda Socialista se unió entonces al Partido Obrero, dando origen al Partido Obrero Socialista, que comenzó a organizarse en numerosas localidades del país.

En 1906, el Partido Obrero Socialista se fusionó en la Agrupación Socialista Internacional, integrada por socialistas españoles, recién llegados de la península. El Partido Socialista de Cuba (PSC), a pesar de contar con dos órganos de prensa y locales en diversos lugares del país donde se constituyeron núcleos socialistas, no fue capaz de ejercer su influencia entre las masas obreras. Desconocedor de los problemas fundamentales de nuestro país, ese partido asumió una posición pasiva ante el problema fundamental de Cuba, la lucha por su total independencia, y no se preocupó consecuentemente por las necesidades urgentes y específicas de los trabajadores cubanos.

A pesar de que Carlos Baliño no compartió las posiciones negativas del PSC y defendió el derecho de los trabajadores nativos a luchar contra la discriminación que sufrían en el trabajo, y de que Agustín Martín Veloz, "Martinillo" —quien dirigiera importantes luchas obreras en la región de Manzanillo, en Oriente— diera un carácter clasista y combativo al Partido Socialista de Manzanillo, en general el PSC se mantuvo desvinculado de las masas, a semejanza de otros partidos de la II Internacional, a la cual estaba afiliado. A partir de 1912, el PSC, permeado por el reformismo directamente importado de Europa, deja de existir prácticamente. No se tiene noticias del resurgimiento de organizaciones socialistas de carácter marxista hasta 1917, principalmente después de la gran Revolución Socialista de Octubre en Rusia.

El movimiento obrero cubano durante la primera guerra mundial

El 20 de mayo de 1913 ocupó la Presidencia de la República el general Mario García Menocal, caracterizado promotor de los intereses norteamericanos en Cuba y caudillo del Partido Conservador. En ese año, la producción azucarera sobrepasó las posibilidades del mercado externo, lo cual coincidió con el descenso de los precios del azúcar y la depresión económica mundial de 1913. La crisis se reflejó en Cuba intensamente al descender el precio del azúcar, en julio de 1914, a 1.93 centavos, el más bajo desde 1902. Al estallar la guerra se agravó la situación económica al afectarse la exportación azucarera, y se reactivaron las luchas obreras.

El presidente Menocal ensayó inicialmente una política demagógica, con el intento de acallar la creciente actividad de los sectores proletarios, que se reflejó en su mensaje del 3 de noviembre de 1913, donde expresaba su propósito de atender las necesidades de los trabajadores al mismo tiempo que procuraba allegar el apoyo de ciertos elementos que contribuyeran a su aspiración de neutralizar el movimiento obrero. Así, en diciembre de 1913, Menocal creó la Comisión de Asuntos Sociales, en la Secretaría de Justicia, presidida por el Secretario de la misma, Cristóbal de la Guardia, anunciada como antecedente para constituir la Secretaría del Trabajo. Los miembros de la Comisión eran tres, y además se incluían cuatro delegados obreros.

Casi de inmediato se organizó, bajo la presidencia del Dr. Juan Antiga, la Asociación Cubana para la Protección Legal del Trabajo "tendiente a que los poderes públicos dicten leyes y resoluciones que protejan a las clases trabajadoras". En la vicepresidencia de esta organización se designó a Pedro Roca, dirigente reformista de los estibadores, quien debía presidir la Comisión organizadora de un congreso obrero con apoyo oficial. La convocatoria de este congreso encontró la oposición frontal de los anarcosindicalistas, debido al carácter oficial del evento.

El mismo se efectuó del 28 al 30 de agosto de 1914, gracias a la subvención concedida por el ayuntamiento y el poder legislativo, que aportaron 17 000 pesos en conjunto. Su celebración se produjo en un momento desafortunado: la guerra iniciada el mes anterior había afectado de inmediato la industria tabacalera, al parar numerosas fábricas por la suspensión de las ventas de tabaco al mercado inglés. Miles de obreros de esta industria quedaron sin trabajo, y un comité de auxilio creado con este motivo, organizó la llamada manifestación del hambre, que desfiló ordenadamente por las calles de La Habana, el mismo día de la inauguración del congreso.

Se agudizaron los ataques de varias organizaciones obreras y sus órganos de prensa contra el llamado Congreso Obrero, y Alfredo López, dirigente anarcosindicalista de los tipógrafos, demandó que se suspendiera y se otorgasen los 17 000 pesos concedidos al mismo a los obreros desplazados por el cierre de las fábricas de tabaco. Pero el propio evento, en su desarrollo, probó a Menocal que aun los participantes en el Congreso rebasaron en muchos casos el marco conciliatorio, al plantear los problemas y las demandas de los obreros. El Congreso no cumplió los objetivos de engañar a los obreros, paralizar sus luchas y sumarlos al carro de la política burguesa, por lo que Menocal cambió pronto sus procedimientos demagógicos por la más intensa represión.

El incremento de la actividad huelguística, especialmente en las zonas azucareras, sirvió de pretexto al presidente para demostrar su incondicionalidad al imperialismo y a los intereses capitalistas. La represión política, la expulsión de obreros extranjeros, la utilización de rompehuelgas, la promoción de falsas organizaciones obreras, el secuestro e ilegalización de los órganos obreros e incluso la eliminación física, fueron recursos aplicados con intensidad. Mario García Menocal recibió el apelativo de "Mayoral de Chaparra", refiriéndose a sus actividades como administrador de los intereses norteamericanos en el central de ese nombre.

Aunque Cuba, siguiendo dócilmente la política norteamericana, no declaró la guerra a la Entente hasta abril de 1917, los efectos de la guerra y la perturbación del comercio agravaron las condiciones de vida y de trabajo de la clase obrera. Su principal tarea durante la misma fue producir azúcar para los aliados a un precio fijo de 4.6 centavos la libra. Para velar por el cumplimiento de las responsabilidades impuestas a Cuba, el gobierno norteamericano creó mecanismos supervisores, los cuales contribuyeron a incrementar la especulación y a mostrar nuevamente la dependencia del país respecto a Estados Unidos.

Podríamos señalar como efectos directos de la guerra sobre las masas populares: 1] la disminución de los artículos de consumo, con el consiguiente aumento de sus precios; 2] la paralización de la producción, por falta de mercado, de renglones económicos tan importantes como el tabaco; 3] la especulación con los artículos de primera necesidad; 4] el incremento de costo de la vida en un 100%, mientras que la elevación de los salarios no pasó de un 30%; 5] la utilización de la guerra como pretexto para reprimir a los trabajadores que reclamaban mejoras; 6] la adopción de medidas para neutralizar a la clase obrera. Además, se aprovechó la situación para proveer de mano de obra más barata y fácil de explotar a las empresas azucareras, mediante la apertura legalizada de la inmigración de braceros antillanos, con el pretexto de producir más azúcar para la guerra.

Durante el conflicto bélico, la penetración imperialista se consolidó. Baste sólo un ejemplo: en 1916 se creó la compañía norteamericana Cuban Cane, con un capital de 50 millones de dólares, la adquisición de 17 centrales y un área de 10 000 caballerías de tierra (143 000 ha).

Ante el recrudecimiento de la explotación, los obreros lucharon por el mejoramiento de las condiciones de vida; aumento de salarios; rebaja del costo de la vida, principalmente de los artículos de primera necesidad; protección de los obreros nativos y cese de la inmigración de braceros antillanos, que depreciaba los jornales de los obreros cubanos, y jornada de ocho horas. En ese período se plantearon también demandas de tipo político contra el servicio militar obligatorio, por la liberación de los obreros presos y contra la represión menocalista, sobre todo a partir de 1918.

Las formas de lucha adoptadas por los obreros fueron intensas y variadas: cientos de huelgas parciales, huelgas generales, sabotajes, boicots, comisiones de estaca, las cuales demuestran el incremento de la lucha de clases en el período.

De 1917 a 1918, el movimiento huelguístico entró en una fase superior, al estallar una ola de huelga generalizada prácticamente a todas las ramas de la inindustria y a todo el país. Más de 220 huelgas parciales y generales se registraron en el período de 1917-1920. Esta alza en la actividad del proletariado coincidió, y no casualmente, con la revolución de octubre, que tuvo gran repercusión en Cuba y que inició el gran viraje cualitativo en la historia del desarrollo del movimiento obrero cubano.

En 1917 los anarcosindicalistas predominaban en las organizaciones obreras, cuyos principales dirigentes sustentaban esta ideología. Alfredo López, líder anarcosindicalista de los tipógrafos, se destacaba como luchador por la organización y unidad de los obreros y desempeñó un importante papel en la constitución del Sindicato General de Obreros de la Industria Fabril, organización que rompió con la vieja e ineficiente estructura gremial que impedía los contactos estrechos entre los trabajadores de un mismo centro y los debilitaba frente a la patronal. Aunque en esa época comenzaba a distinguirse Alejandro Barreiro, dirigente de los cigarreros, que en 1918 militaba con Carlos Baliño y José Peña Vilaboa (dirigente del gremio de pintores) en la Agrupación Socialista de La Habana, en este período el movimiento obrero va a estar dominado por los anarquistas. El reformismo controlaba todavía a gremios importantes, como el de los tabaqueros, dirigido por José Bravo, y ya empezaban a servir como instrumentos del gobierno algunos líderes obreros como Juan Arévalo y Luis Fabregat, posteriormente verdaderos agentes policiacos al servicio de la burguesía.

La intensa lucha llevada cabo por los obreros azucareros es otro hecho que refleja la creciente maduración del movimiento obrero, especialmente a partir de 1915. En febrero de ese año, en la región de Cruces, se dio a la publicidad un manifiesto firmado por Fernando Iglesias y otros dirigentes azucareros de la zona, convocando a una huelga por la jornada de 8 horas y por un aumento salarial de un 25%. Este movimiento no cristalizó al ser apresado Iglesias. En ese mismo mes se declararon en huelga varios ingenios y colonias de la zona de Guantánamo, en la región oriental. Esta acción estaba dirigida por el gremio de obreros azucareros del central Soledad, propiedad de la compañía norteamericana Guantánamo Sugar, el cual reclamaba aumentos salariales para los obreros agrícolas e industriales, reconocimiento de la organización obrera y supresión del pago en vales y fichas. Esta huelga fue prácticamente aplastada por la represión y el terror; y hasta el cónsul norteamericano organizó un grupo armado para actuar contra los obreros. Resultados semejantes tuvo la huelga azucarera de Santa Clara, en 1917, la cual paralizó hasta 50 ingenios de la zona, a partir del 1 de octubre. La amenaza de la intervención yanqui, combinada con la fuerza represiva gubernamental, hizo fracasar el movimiento.

El proceso de radicalización de las luchas obreras se refleja en la multiplicación de las huelgas azucareras, que afectaban directamente a los intereses norteamericanos, y cuya represión brutal demuestra el carácter antinacional y antiobrero del bloque burgués-latifundista en el poder, gendarme protector de los intereses económicos de los norteamericanos contra los intereses del pueblo.

Menocal intentó justificar la represión mediante una campaña de la prensa burguesa que denunciaba la existencia de una conspiración anarquista contra la paz pública. Así se justificaba la prisión y expulsión de los obreros españoles acusados de anarquistas, a principios de 1915. La prensa obrera anarquista fue ilegalizada y la policía y el ejército intensificaron la persecución y represión de las actividades obreras.

En resumen, los efectos de la primera guerra mundial repercutieron desfavorablemente sobre las condiciones de vida de los trabajadores, provocando un auge de las luchas de los obreros y un avance apreciable en su conciencia de clase.

La transformación cualitativa se producirá mediante el impulso acelerador de la Revolución Socialista de Octubre.

Reflejo de la Revolución de Octubre en Cuba

El triunfo de la revolución socialista en Rusia, bajo la dirección del Partido Bolchevique y su genial dirigente V. I. Lenin, en noviembre de 1917, tuvo una extraordinaria repercusión en Cuba.

El vivo ejemplo de la primera revolución en la cual el proletariado toma el poder político y construye el socialismo, así como la penetración de las ideas leninistas, constituyeron un factor acelerador del movimiento obrero cubano, cargado de las experiencias de una cruenta lucha contra la burguesía antinacional y el capital extranjero.

El triunfo de las ideas marxistas-leninistas demostró que el socialismo no era una utopía, y se confirmó la posibilidad de aplicarlo a la realidad cubana, mediante la unión indisoluble del combate por la frustrada liberación nacional con la lucha de clases.

Por ello es que Fabio Grobart señala: "Solamente después de 1917, cuando las geniales ideas de Lenin penetran con fuerza a través de la Revolución Socialista en Octubre y, desde 1919, también a través de la Internacional Comunista, en el mundo y en Cuba, es que comienza a porducirse un despertar de la conciencia democrática y antimperialista en los sectores más progresistas de los intelectuales y estudiantes, y un viraje en el movimiento obrero cubano. A consecuencia de ello, la bandera internacionalista de lucha por una sociedad socialista comienza a entrelazarse de un modo inseparable con la bandera patriótica de Martí y Maceo de combate por la completa independencia nacional. El portador firme de estas banderas es el proletariado revolucionario que, sin distingos de ideología, manifiesta su adhesión entusiasta y de firme apoyo al primer Estado obrero y campesino en la historia."

Por otra parte, la experiencia rusa dio un golpe contundente a las posiciones apolíticas y contrarias a la dictadura del proletariado de los anarquistas, al demostrar cómo bajo la dirección de un partido vanguardia de la clase obrera, ésta podía liquidar la explotación burguesa.

A partir de 1917 comenzó un proceso de penetración creciente de la ideología marxista-leninista en la dirección del movimiento obrero cubano, que se concretó en la fundación del primer partido marxista-leninista en 1925 y en la influencia decisiva de los comunistas en la primera central sindical desde su creación en 1925, pero particularmente a partir de 1926-1927.

Ante el ejemplo elocuente de la revolución de octubre y la adecuada aplicación de las ideas y métodos leninistas a la situación cubana, la influencia anarquista fue desapareciendo del movimiento obrero cubano. Dirigentes anarquistas, como Alfredo López, apoyaron la causa justa de Octubre e incluso ayudaron a conducir la lucha de clases como la entendía Lenin como lucha económica, política e ideológica. Pero esta contradicción dentro del anarquismo contribuyó a darle el golpe final. No era posible apoyar la Revolución rusa y negar, al mismo tiempo, la lucha política. Por esto podemos hablar de un viraje en el movimiento obrero cubano, pues se rompió con las viejas posiciones anarquistas sobre el problema nacional, la acción política y otros problemas fundamentales, y se eliminaron las dos grandes debilidades que lastraban el desarrollo del proletariado como clase madura: la falta del partido de vanguardia y de una central sindical unitaria.

A pesar de la versión distorsionadora del hecho por la prensa burguesa, la clase obrera supo percibir inmediatamente la relevancia de la Revolución rusa y recibió con júbilo la noticia. Los estudiantes e intelectuales progresistas también asumieron posiciones de apoyo y defensa de la Revolución. La oligarquía dominante lanzó una ofensiva propagandística contra los acontecimientos de octubre y las medidas tomadas por el gobierno revolucionario. En el vocabulario oficial, los obreros combativos dejaron de ser llamados "anarquistas", para denominarlos "bolcheviques", lo cual es en sí un indicio de la fuerza con que penetraron las ideas revolucionarias entre las filas obreras.

El 1º de mayo de 1919, el proletariado cubano celebró la fiesta de los trabajadores mediante un acto de masas en el teatro Payret, en el cual oradores de todas las tendencias expresaron su solidaridad con la gran Revolución Socialista de Octubre y el pueblo ruso. En él se aprobó unánimemente exigir a las potencias europeas el cese de la agresión a Rusia. De la importancia de la actividad dan cuenta los numerosos "policías secretos" enviados por el gobierno a la misma, y el proceso seguido a dirigentes que allí se manifestaron, acusándoseles de incitar a la rebelión. En estas y otras causas posteriores se reiteraba la acusación a los procesados de ser elementos leninistas y bolcheviques.

A partir de entonces, el movimiento obrero cubano no dejó de manifestar nunca su solidaridad con el primer Estado proletario del mundo. El Congreso Obrero de 1920 —del que se hablará más adelante—, que los elementos reformistas querían utilizar para respaldar a la proimperialista Confederación Obrera Panamericana (COPA), no sólo rechazó ese intento sino que, en lugar de eso, acordó enviar un cálido mensaje de simpatía y solidaridad a la Rusia soviética, a la cual consideró como "faro de luz, como ejemplo, guía y estímulo para las maltratadas muchedumbres obreras ansiosas de redención y de justicia".

En numerosos periódicos obreros se informaba, durante esos años, la verdad sobre lo que ocurría en el país soviético y se reflejaban las campañas solidarias que organizaban la Agrupación Socialista de La Habana, la Federación Obrera de La Habana y otras organizaciones obreras. Incluso se realizaban colectas que, teniendo en cuenta el desempleo y la miseria de las masas y la intensidad de la propaganda enemiga, tuvieron una extraordinaria importancia. Citemos, a manera de ejemplo, tres cheques que sumaban $3 000.00, enviados a nombre de Lenin para ayudar al pueblo soviético contra la guerra civil y la intervención imperialista.

Pero no sólo los obreros. También importantes sectores del estudiantado y la intelectualidad se sumaron al esfuerzo solidario. Así, el primer Congreso Nacional de Estudiantes en 1923, tomó varios acuerdos de adhesión a la URSS, condenando la intervención extranjera y reclamando del gobierno cubano el establecimiento de relaciones con el gobierno ruso.

Otro ejemplo de simpatía y solidaridad con la URSS se dio en Regla —villa situada junto a La Habana, en la bahía con una fuerte población obrera—, con motivo de la muerte de Lenin. El mismo día del sepelio del gran líder del proletariado mundial, el alcalde de esa villa convocó a un acto, durante el cual se paralizaron todas las actividades por unos minutos y se plantó en una colina un olivo en señal de homenaje al guía de la Revolución rusa. Allí hablaron representantes de las organizaciones obreras y estudiantiles. Así se estableció la tradición proletaria de asistir todos los años a conmemorar cada Primero de Mayo, en peregrinación a dicha colina, que a partir de entonces llevó el nombre de Colina Lenin.

AVANCES EN LA ORGANIZACIÓN Y CONCIENCIA DE CLASE DE LOS OBREROS. LOS PASOS QUE CONDUCEN A LA FUNDACIÓN DE LA PRIMERA CENTRAL SINDICAL EN 1925

El 22 de noviembre de 1918, el agregado militar de la legación norteamericana en La Habana, Mr. Bock, en informe oficial decía que en Cuba existían unos 403 sindicatos, los cuales no tenían dirección conjunta, sino que se ponían de acuerdo ante situaciones determinadas y daba a conocer una lista de los principales líderes obreros, obtenida a través del servicio secreto cubano. Entre los dirigentes más conocidos mencionaba al anarcosindicalista Antonio Penichet, al socialista Alejandro Barreiro y a los reformistas Juan Arévalo, Gervasio Sierra y José Bravo. El funcionario yanqui informaba que las demandas planteadas eran básicamente originadas en el aumento del costo de la vida.

En esos momentos, como el propio Bock reconoce, ya las huelgas empezaban a ganar en amplitud y organización, y eran dirigidas por los Comités Circunstanciales de Huelga, integrados por líderes de las distintas organizaciones. Estos comités funcionaron exitosamente en la huelga de la bahía habanera de noviembre de 1918, que terminó con el logro de las demandas planteadas, y en la huelga ferroviaria de Camagüey, en noviembre-diciembre de ese año, que fue apoyada por una huelga general de simpatía que el 10 de diciembre paralizó las actividades vitales de la capital.

Ya en esos momentos, junto al incremento de las luchas obreras, se daban importantes paso de carácter organizativo. Se aspiraba, además, a organizar los sindicatos en federaciones, para fortalecer el movimiento obrero y consolidarlo en una central única de trabajadores. Así, entre 1918 y 1921 se crearon federaciones y gremios amplios, que abarcaban miles de obreros. Se constituyeron, además del Sindicato de la Industria Fabril, creado en 1917 bajo la dirección de los anarcosindicalistas, las siguientes organizaciones: la Federación de la Bahía de La Habana, que abarcaba a 5 430 portuarios; la Federación de la Sociedad de Torcedores de las provincias de La Habana y Pinar del Río, bajo el liderazgo del reformista José Bravo; la Federación Sindical de Obreros de los Ingenios, y la Federación Obrera de La Habana, promotora de los congresos que condujeron a la fundación de la primera central sindical.

Entre los fuertes gremios fundados estaban el Gremio de Obreros de los Ferrocarriles Unidos Oeste, que contaba con más de 20 000 miembros al constituirse en 1918; el Gremio de Linotipistas, la Unión de Fotograbadores de Cuba, y otros más.

Estas nuevas organizaciones, independientemente de la posición ideológica de sus dirigentes, realizaron una activa lucha por el logro de las demandas económicas fundamentales del proletariado y participaron en acciones que demandaban la libertad de los cientos de obreros presos y expulsados, contra la intervención de los *marines* norteamericanos en la represión de las huelgas, como en el caso de las del puerto, ferrocarriles y azucareras, y contra la política antiobrera del presidente Menocal.

Desde luego, surgieron también en el período falsos partidos obreros al servicio de los intereses explotadores, como el Partido Socialista Obrero, el Partido Federal Obrero y el Partido Socialista Radical, con los cuales Francisco Domenech, Luis Fabregat y Juan Arévalo trataban de engañar a los obreros con un falso lenguaje socialista, que nunca logró confundir a las grandes masas proletarias, cada vez con mayor conciencia de clase.

Los elementos reformistas de la American Federation of Labor continuaban sus esfuerzos por atraerse al movimiento obrero cubano, y recabaron la asistencia de delegados cubanos a la convención de la Confederación Obrera Panamericana, que debía efectuarse en México el 12 de julio de 1920. El presidente de la Federación de Torcedores de las Provincias de La Habana y Pinar del Río, José Bravo, cumpliendo un acuerdo del congreso de esa Federación, efectuado en La Habana del 17 al 19 de marzo, convocó a "todas lar organizaciones de obreros y de empleados de Cuba para que envíen sus delegados, dos por cada gremio o agrupación con sus correspondientes credenciales, para la celebración de un Congreso Nacional de Trabajadores". Este primer congreso obrero se efectuó del 14 al 16 de abril de 1920, en el centro obrero de Egido 2, con la presencia de 120 delegados, que representaban a 102 organizaciones obreras del país. Los objetivos del congreso según la convocatoria eran: discutir el mejor modo de resolver la carestía de la vida y el envío de una delegación al congreso de la copa en México.

Desde el primer momento se produjo en el congreso un enfrentamiento entre los reformistas, de una parte, y los sindicalistas y socialistas de la otra, en cuanto al envío de delegados al congreso de la copa y en cuanto a la táctica a seguir, lo cual se manifestó a lo largo del evento en continuos choques ideológicos. Los acuerdos obtenidos respaldaron los criterios sostenidos por Alfredo López, Alejandro Barreiro y demás dirigentes partidarios de la unidad obrera, de la revolución de octubre y del rechazo al sindicalismo amarillo. Debido al peso de los reformistas y la necesidad de mantener la unidad, las resoluciones aprobadas tuvieron un carácter economicista, aunque se reconocía la necesidad de un cambio total del sistema económico para hallar solución a la "misérrima condición de las clases proletarias". Ciertas resoluciones fueron particularmente importantes, como la adoptada, a propuesta de los tipógrafos, para dar los pasos organizativos hacia la formación de una central sindical cubana; y la que, en lugar del envío de delegados a la COPA, expresaba la solidaridad con la Rusia soviética.

Este congreso, aunque se centraba en el problema de la carestía de la vida, insostenible para los obreros, en momentos en que el alza de los precios del azúcar había llevado al país a la llamada "danza de los millones" —que significó grandes ganancias para la burguesía y elevación de los precios sin la consiguiente elevación de los salarios para el proletariado—, tuvo gran trascendencia posterior por los acuerdos tendientes a la unidad y por la definición a favor de la Revolución de Octubre y contra el sindicalismo amarillo engendrado por el imperialismo.

Además, el evento señala el papel determinante de Alfredo López como principal dirigente del obrerismo cubano y el predominio de las ideas unitarias en el movimiento obrero cubano.

El gobierno supo valorar la trascendencia del congreso y desató una intensa persecución contra sus principales participantes. Así, fueron encarcelados y condenados a 90 días de prisión Marcelo Salinas y Antonio Penichet, acusados de hacer circular en el congreso una hoja suelta que firmaba la Sección Comunista de Cuba de la III Internacional. Poco después fue encausado Alfredo López por terrorismo.

Esta situación dilató el cumplimiento del acuerdo del congreso de nombrar una comisión de delegados por las seis provincias encargada de constituir las federaciones locales, las que a su vez, constituirían la Confederación Nacional.

La primera federación en organizarse, la de La Habana, celebró su primera junta de delegados el 26 de noviembre de 1920 pero no comenzó a funcionar hasta el 4 de octubre de 1921, fecha en que fue aprobado su reglamento por el Gobierno Provincial. La Federación Obrera de La Habana estaba integrada por quince colectividades obreras de distintas tendencias, aunque en la junta organizadora inicial se acordó marginar a la Federación de Bahía, controlada por elementos pro patronales, "por su conocida actuación impura y perjudicial para las clases trabajadoras".

La Federación de Torcedores y el gremio de Despalilladoras acordaron no ingresar todavía en la federación local. Decisión que refleja la pugna entre los reformistas y el grupo anarcosindicalista. Es necesario señalar que la Federación Obrera de La Habana contó con la oposición del sector antiunitario de los anarcosindicalistas.

A partir de 1921, el anarcosindicalismo se dividió entre los que acusaban a la república socialista de los soviets de autoritaria y dictatorial y la atacaban, especialmente a través del periódico *Tierra*, y los que se solidarizaban con la causa de Octubre. Alfredo López, firme defensor de la Revolución de Octubre y el Estado soviético, era atacado ferozmente por los anarcosindicalistas antisoviéticos. En esos momentos, el grupo socialista de Carlos Baliño, Alejandro Barreiro y José Peña Vilaboa colaboró estrechamente con López en el esfuerzo unitario. Esto explica la integración en la dirigencia de la Federación Obrera de La Habana, de José Peña Vilaboa, socialista, obrero pintor, como secretario general, y Alejandro Barreiro, socialista, obrero cigarrero, como secretario financiero. Vilaboa fue sustituido poco después, a causa de su enfermedad, por Alfredo López, quien era el vicesecretario general.

El artículo 1 del reglamento de la organización estipulaba que pertenecerían a la Federación todas las sociedades obreras que sustentaran como principios: la lucha de clases, acción directa y rechazaran colectivamente la acción electoral, o sea que se mantenían los principios anarquistas básicos, entre ellos el apoliticismo, arraigado tan profundamente entre los obreros cubanos desde el siglo XIX. También se rechazaba a aquellos delegados ligados a los patronos o que militasen en los partidos políticos burgueses.

Aunque el artículo citado limitaba la actividad de la Federación a la lucha económica, dicha organización desempeñó un papel importante en las acciones por una forma superior de organización sindical, al actuar como promotora de la Confederación Nacional Obrera de Cuba, fundada más tarde, en 1925.

Además, la Federación Obrera de La Habana mantuvo una posición combativa contra la conciliación reformista.

LA CRISIS ECONÓMICA DE 1921-1922 COMO ELEMENTO ACELERADOR DE LAS LUCHAS OBRERAS Y DE LA CONCIENCIA NACIONAL

En los momentos en que la clase obrera daba firmes pasos organizativos, iba a producirse la crisis económica que suele llamarse en Cuba "las vacas flacas", que se inició con el *crack* bancario de 1920-1921 y que puso en manos de la banca norteamericana el control financiero del país. La bancarrota económica posterior a la llamada "danza de los millones" agravó extraordinariamente las condiciones de vida de la clase obrera, de los campesinos y de las capas medias de la población. Se rebajaron los salarios, creció el desempleo y un gran número de campesinos perdieron sus tierras. Las medidas asumidas ante la crisis por el presidente Mario García Menocal y su sucesor Alfredo Zayas (1921-1925), respondían a las orientaciones del gobierno de Washington, reforzaban el dominio imperialista sobre Cuba y, por lo tanto, iban contra los intereses del país. Al presidente Zayas le fue impuesta la fiscalización de un representante especial de Estados Unidos, Enoch H. Crowder, con el pretexto de garantizar que Cuba pagara las deudas contraídas y las que contraería con la banca norteamericana. De hecho, Crowder dirigió los pasos políticos del gobierno cubano, a la vez que impuso a éste un nuevo empréstito de cincuenta millones de pesos, concertado con la casa J. P. Morgan, que acentuó la dependencia económica de Cuba respecto a los Estados Unidos.

Esta forma directa de intervención en un medio influido por las ideas luminosas de la Revolución de Octubre, acrecentó las luchas de los distintos secto-

res del pueblo y especialmente de los estudiantes e intelectuales progresistas, en los cuales desempeña un papel principal el dirigente estudiantil, y después destacado comunista, Julio Antonio Mella.

Las actividades más importantes desarrolladas en esos años de crisis bajo la dirección de Mella fueron la realización del Congreso Nacional de Estudiantes en 1923, la lucha por la restitución del derecho de Cuba a Isla de Pinos, que revela un carácter eminentemente patriótico y antiimperialista, y la fundación de la Liga Antiimperialista de Cuba. En el Congreso de Estudiantes se lograron los históricos acuerdos de luchar por la reforma universitaria; protestar por el aislamiento a que era sometida la Rusia nueva y reclamar su reconocimiento por el gobierno de Cuba; rechazar la Enmienda Platt y la intromisión del imperialismo en los asuntos de Cuba, y expresar los deseos de unir a los estudiantes y los obreros "mediante el intercambio de ideas e intereses, con el fin de preparar la transformación del actual sistema económico, político y social, sobre la base de la más absoluta justicia". La Universidad Popular José Martí, escuela para obreros, creada por acuerdo del Congreso de Estudiantes, reforzó el nexo entre los estudiantes de izquierda liderados por Mella y la clase obrera. Mella fue acercándose cada vez más a los obreros, a cuya causa definitivamente se abrazó, convencido de que el proletariado habría de ser la clase dirigente de la revolución. En 1924 el destacado líder estudiantil dio un paso decisivo: ingresó en la Agrupación Comunista de La Habana, se adhirió para siempre a la ideología marxista-leninista.

La crisis de 1921-1922, la corrupción política y administrativa y el total sometimiento al imperialismo, fueron males contra los que combatió enérgicamente la clase obrera, rebasando los marcos de la lucha económica. La rebeldía del proletariado se reflejó en las grandes huelgas azucareras de 1922 a 1924, las cuales afectaron a los grandes centrales de Camagüey y Oriente —en su mayoría norteamericanos— y el resto de los ingenios en todo el país.

El movimiento huelguístico más importante del sector azucarero fue el de 1924, que se extendió por más de 30 centrales, desde la provincia de La Habana hasta la de Oriente. Los azucareros reclamaban aumentos salariales, disminución de la jornada de trabajo, prohibición del pago en vales y fichas, cese del tráfico de braceros antillanos, derecho de sindicalización y cese de la represión. Los huelguistas contaron con el apoyo de otros sectores. Enrique Varona, presidente del sindicato ferroviario La Unión, de Morón, fue uno de los más destacados dirigentes de esta huelga. Pese a que ésta fue respaldada por los ferroviarios de Camagüey, los portuarios de La Habana y la Federación Obrera de La Habana, la brutal represión de la misma por batallones del ejército condujeron a su derrota.

El saldo de estas huelgas demostró la debilidad del movimiento obrero en nuestra principal industria, que no contaba con ninguna organización ni con líderes sindicales capaces de dirigir sus luchas, aunque éstas se caracterizaron por su combatividad y el gran número de participantes.

En esos años se produjeron huelgas muy importantes en el sector ferroviario, en el cual se dieron decisivos pasos organizativos, al constituirse en febrero de 1924, en Camagüey, la Hermandad Ferroviaria de Cuba; después se creó la delegación número 2 de esta organización en La Habana. Los ferroviarios realizaron una huelga victoriosa por el reconocimiento de su organización. Pero la administración violó los acuerdos y los obreros declararon otra huelga, que duró del 28 de mayo al 18 de junio de 1924. Ésta fue llamada "huelga de los 21 días", la que terminó con el logro de las dos demandas fundamentales: aumentos salariales y reconocimiento por la empresa de la organización obrera. En esta acción, en la que participó Enrique Varona al frente de la Unión del Ferrocarril del Norte de Cuba, y recibió el apoyo solidario de Alfredo López y la Federación Obrera de La Habana, se lograron neutralizar las tácticas de conciliación de Juan Arévalo, aunque éste logró posteriormente el control de la Hermandad Ferroviaria.

Otra combativa huelga del período, la dirigida contra la Compañía Cervecera Polar, fue sostenida durante más de tres años bajo la dirección del Sindicato General de la Industria Fabril, con el apoyo de la Federación Obrera de La Habana y de numerosos gremios de todo el país. Los obreros reclamaban la firma del convenio de trabajo por la mencionada empresa y rechazaban las rebajas de salarios dictadas por la misma. En esos años, el Sindicato Fabril dirigió varias huelgas combativas, lo cual le valió la suspensión gubernamental, en septiembre de 1925.

Distintos sectores, como los cigarreros, sostuvieron numerosas y prolongadas huelgas, las que recibieron el apoyo solidario de otras organizaciones. La combatividad, la organización, el número y la solidaridad de los movimientos del período reflejan un salto cualitativo en las acciones del proletariado.

La creación de la CNOC

En el transcurso de las luchas citadas, los obreros iban ganando en experiencia, no sólo en lo que se refiere a sus acciones sino también en el plano organizativo. Ya en 1925 las distintas organizaciones obreras habían realizado la unidad desde la base, y bajo la dirección de Alfredo López, la Federación Obrera de La Habana, en una reunión plenaria en diciembre de 1924, había convocado al Congreso Nacional, que se celebró en Cienfuegos, entre el 15 y 19 de febrero de 1925. Este Congreso acordó constituir una central sindical que abarcara a todos los obreros del país y nombró una comisión para preparar un próximo congreso constitutivo de la Confederación Nacional Obrera de Cuba (CNOC). Este evento se efectuó en Camagüey, entre el 2 y el 6 de agosto de ese mismo año.

Al congreso asistieron 160 delegados en representación de 82 organizaciones, y se adhirieron al mismo 46 organizaciones más, todas las cuales representaban a la mayoría de los trabajadores cubanos, a excepción de los azucareros (los más numerosos), debido a la carencia de organización de ese sector. La única delegación azucarera fue la de los obreros de los centrales Chaparra y Delicias, organizados en la Unión de Trabajadores de la industria azucarera de Puerto Padre. El propio Congreso estaba consciente de esta debilidad cuando encargó al comité ejecutivo confederal la tarea de lograr la organización de la Federación Nacional de la Industria Azucarera y Agrícola.

El punto central del evento fue el proyecto de reglamento de la central sindical, y no la discusión de un programa de reinvindicaciones. Sin embargo, durante el transcurso del mismo se hicieron proposiciones, recogidas en acuerdos a favor de la jornada de ocho horas en la industria y el comercio, de la protección a la mujer y al niño en el trabajo, por el descanso dominical para los dependientes de café, en solidaridad con los obreros presos, etc. Independientemente del hecho en sí de darle a la clase obrera su primera central sindical, el Tercer Congreso Obrero Nacional refleja logros muy positivos. El más destacado es su carácter unitario, a pesar de las diferentes corrientes ideológicas representadas en el mismo: la anarcosindicalista (predominante), la reformista y la comunista. Además, todos los acuerdos se basaban en los principios de la lucha de clases y la solidaridad internacional de los trabajadores. Este espíritu del Congreso, como expresa Fabio Grobart, se refleja en tres decisiones tomadas: "1] Que en sus estatutos se declare —como efectivamente se hace en su artículo 20— que no se reconocen prejuicios de ninguna clase entre los obreros, teniendo todos iguales derechos y deberes, no pudiendo pertenecer a la Confederación Nacional Obrera de Cuba ninguna organización que mantenga en su seno, disimulada o visiblemente, prejuicios de raza, nacionalidad o cualquiera otra que tienda a dividir a los trabajadores en superiores e inferiores. 2] Que la cnoc invite a un congreso a todas las organizaciones del continente americano, con el fin de constituir una federación o confederación de todos los trabajadores de América. 3] Que se luche contra las guerras y se salude a todos los pueblos que combaten contra el imperialismo."

No obstante superar una debilidad fundamental del movimiento obrero cubano (la falta de una central unitaria de carácter clasista), la inmadurez del mismo se reflejó en las posiciones apolíticas asumidas por el Congreso al plantear que podrían pertenecer a la cnoc "todos los organismos obreros de resistencia que sustenten como principios la lucha de clases, la acción directa, no interviniendo colectivamente en asuntos electorales", lo cual negaba hasta la posibilidad de admitir la constitución de partidos políticos obreros. Esta actitud explicada por el predominio de los anarcosindicalistas en el congreso, y por el hecho de que otros muchos líderes obreros, partiendo de un justo sentimiento popular de rechazo a la "politiquería" como mal nacional, rechazaban equivocadamente todo tipo de política. Independientemente de estas deficiencias y de la cnoc fue un punto culminante en el proceso de ascenso del movimiento sindical iniciado en 1917.

La fundación del primer partido marxista-leninista

El proceso de profundización y radicalización de la década de los veinte y la influencia renovadora de la Revolución de Octubre produjo la revitalización, sobre bases distintas, de las organizaciones socialistas. En abril de 1917, Carlos Baliño reaparece en la escena política, y a partir de entonces, su nombre, junto con los de otros compañeros, se encontrará en las actividades de las agrupaciones socialistas.

El 12 y el 13 de noviembre de 1918, en plena efervescencia de la huelga de la bahía de La Habana, circuló un manifiesto de la Agrupación Socialista de La Habana, firmado por Alejandro Barreiro, como presidente, y José Peña Vilaboa, como secretario, que es importante no sólo por su contenido clasista, sino porque denota una nueva etapa en la Agrupación Socialista, tras varios años de silencio. Además, los cargos principales de la organización estaban ocupados por dirigentes obreros de reconocido prestigio entre las masas, lo cual señala un cambio importante en la composición de la misma. Barreiro, dirigente de la Unión Obrera y Cigarrera de Cuba, y Peña Vilaboa, quien presidía el Gremio de Pintores, Decoradores y Tapiceros, asistieron en abril de 1920 al Congreso Obrero, y posteriormente al congreso constituyente de la CNOC. Baliño, con sus 72 años, participó en el Congreso de los Torcedores, en 1920 y se preocupó por contribuir a la unificación de los gremios, ofreciendo todo su apoyo y el de la Agrupación a Alfredo López y a la federación local.

Este grupo socialista se identificó inmediatamente con las ideas leninistas y con la III Internacional. Entre 1921 y 1922, el periódico obrero *Justicia* reprodujo trabajos de Lenin, críticas a la II Internacional y artículos sobre el avance de la Revolución en Rusia. En 1922, Baliño fundó el periódico *Espartaco*, destinado a difundir los hechos de la Revolución rusa y los materiales leninistas. El 15 de octubre de 1921, la Agrupación Socialista de La Habana, presidida por Carlos Baliño, publicó un manifiesto a los obreros reclamando su solidaridad con la Rusia comunista.

La tarea más importante realizada por los socialistas en esta nueva etapa fue la lucha por la fundación de un partido comunista y su incorporación a la III Internacional. Al recuperar su actividad la Agrupación Socialista de La Habana, Baliño libró una verdadera batalla dentro de su seno, con el apoyo de nuevos miembros procedentes del movimiento obrero, contra los elementos reformistas que seguían a la II Internacional. El 16 de julio de 1922, la Agrupación Socialista de La Habana, bajo la dirección de Baliño, acordó condenar a la Internacional Socialista y adherirse a los principios de la Internacional leninista. El 11 de agosto, Carlos Baliño y cuatro compañeros más firman un manifiesto en el que informan, a nombre de la Agrupación, que ésta sigue totalmente el camino leninista: "Estimando —dice— que las 21 condiciones que definen la táctica de la III Internacional son capaces, por sus previsoras medidas, de evitar que elementos espurios se introduzcan en las filas comunistas para desviar la orientación consciente y honrada del movimiento socialista internacional, retardando el triunfo de las huestes revolucionarias que siguen los postulados de la doctrina marxista (la Agrupación) acordó encauzar su propaganda, dirigir su acción e imprimir en su luchas, sin mistificar sofisticadamente su contenido, según lo dispuesto en las 21 condiciones aprobadas en Moscú."

Pero la Agrupación Socialista, por su propia composición heterogénea, no podría realizar las tareas planteadas. El 18 de marzo de 1923, los marxistas revolucionarios, con Baliño al frente, fundaron la Agrupación Comunista de La Habana, centro integrador de la primera vanguardia marxista-leninista, propulsora de la formación de otras agrupaciones comunistas locales.

La Agrupación Comunista de La Habana, cuyo secretario general era el dirigente obrero José Peña Vilaboa, y Carlos Baliño subsecretario general, fundó en 1924 su propio órgano de prensa, *Lucha de clases*, que desarrolló una intensa labor propagandística. La correcta táctica, seguida por la organización aseguró su rápida consolidación. Desde sus inicios, la Agrupación luchó dentro de las filas obreras, por las reivindicaciones y la unidad del proletariado. Los comunistas participaron activamente en el congreso de constitución de la CNOC y brindaron su más firme apoyo a Alfredo López. Al tomar esa posición, se orientaban por los planteamientos leninistas hechos en el II Congreso de la Internacional Comunista, en julio de 1921, sobre la necesidad del frente único del proletariado y de la unidad de la clase obrera como tareas de los comunistas.

La labor desarrollada por las agrupaciones y grupos comunistas hizo posible que éstos se reunieran en su primer congreso, el 16 y 17 de agosto de 1925.

Al congreso acudió un grupo de delegados en representación de las agrupaciones comunistas de La Habana, Guanabacoa, San Antonio de los Baños y Manzanillo, los cuales, incluyendo a los invitados, no pasaban de 17. Otras agrupaciones del interior de la isla no pudieron participar. Entre los presentes se encontraba Enrique Flores Magón, enviado del Partido Comunista Mexicano, quien desempeñó un papel de mucha importancia en la organización y desarrollo del evento.

El acuerdo fundamental del congreso fue la fundación del Partido Comunista de Cuba, de acuerdo con la concepción leninista del partido de nuevo tipo. En él se eligió el comité central, integrado por nueve miembros, entre los que se encontraban cinco obreros, tres de los cuales eran dirigentes sindicales de mucho prestigio: Alejandro Barreiro, dirigente de la Unión de Cigarreros y secretario financiero de la Federación Obrera de La Habana; Miguel Valdés, secretario del Centro Obrero y dirigente del Sindicato de Tabaqueros de San Antonio de los Baños, y José Peña Vilaboa, dirigente del Gremio de Pintores, Decoradores y Tapiceros, quien fuera primer secretario general de la Federación Obrera de La Habana. Además, componían el comité central un maestro, un empleado público, un periodista y un estudiante. El maestro José Miguel Pérez, nacido en España, fue elegido secretario general. Carlos Baliño, el viejo y consecuente luchador marxista, y el joven líder comunista Julio Antonio Mella, fueron las figuras principales del evento.

En el momento de constituirse el primer partido marxista-leninista, la casi totalidad de sus fundadores, así como los miembros de las agrupaciones —de las cuales la más numerosa era la de La Habana, integrada por 27 miembros—, no eran marxistas formados, conocedores del marxismo-leninismo, sino más bien marxistas de corazón, como señala Fabio Grobart. Por ello, y por la falta de experiencia de organizaciones anteriores, el partido recién fundado no estaba en condiciones todavía de elaborar un programa, de fijar las etapas de la revolución en Cuba, de analizar el papel de las distintas clases sociales y, mucho menos, de definir la estrategia y la táctica a seguir en cada una de estas etapas. No es hasta 1936, que el partido marxista-lenista, que había pasado por la experiencia de la revolución popular y del movimiento comunista internacional, pudo elaborar su programa. Por tanto, el congreso se limitó a adoptar un programa concreto de reivindicaciones para los obreros y campesinos, que los vinculara a sus luchas, y además se planteó la necesidad de trabajar en los sindicatos y otras organizaciones de masas, organizar a los campesinos y prestarle atención a la mujer y a la juventud.

Como medio de realizar un trabajo activo dentro de la realidad cubana, se acordó que el Partido participara en la lucha política, como una forma de divulgar su programa y llevarlo a las masas. Esta decisión fue de extraordinaria importancia, pues rompía con el tradicional apoliticismo anarquista, fuertemente arraigado en importantes sectores obreros, y significaba la adopción de la táctica leninista reflejada en las 21 condiciones de ingreso a la III Internacional, a la cual el partido había acordado solicitar su incorporación como sección cubana.

En el momento de su fundación, al primer partido marxista-leninista le esperaba una tarea muy difícil. El nivel ideológico de la clase obrera era muy bajo. La doctrina marxista era conocida por muy pocos trabajadores y aún no suficientemente. La conciencia antimperialista no había profundizado en las grandes masas; la actividad de la Liga Antimperialista fundada por Mella, Baliño, Barreiro y otros dirigentes de izquierda, apenas se iniciaba. La tarea que esperaba a la decidida vanguardia marxista era muy dura. Como señala Fabio Grobart: "Lo que esperaba, pues, al Partido Comunista recién nacido era el trabajo sumamente difícil de pioneros, tanto en el campo de la formación de una conciencia nacional y de clase mediante la divulgación de las ideas marxistas-leninistas y de su aplicación a las condiciones históricas y concretas de Cuba, como en el de la organización y unificación de los trabajadores y de todo el pueblo en la lucha por hacer realidad los ideales emancipadores de Martí y Lenin."

La tarea a cumplir, a pesar de las dificultades y la represión, sería cumplida. El proletariado cubano contaba ya con su partido de vanguardia.

A partir de entonces, el Partido encaminaría su lucha hacia dos objetivos fundamentales: el logro de la plena independencia nacional de Cuba y la emancipación del proletariado y demás clases y sectores oprimidos. Como expresó Fidel Castro en su informe central ante el Primer Congreso del Partido Comunista de Cuba en 1975: "A la tarea de liberar a la nación de la dominación imperialista, se unía insoslayablemente ahora la de liquidar la explotación del hombre por el hombre en el seno de nuestra sociedad. Ambos objetivos eran ya parte inseparable de nuestro proceso histórico, puesto que el sistema capitalista, que desde el exterior nos oprimía como nación, en el interior nos oprimía y nos explotaba como trabajadores, y las fuerzas sociales que podían liberar al país internamente de la opresión, es decir, los propios trabajadores, eran las únicas fuerzas que en el plano externo nos podían ayudar contra la potencia imperialista que oprimía a la nación. Haber comprendido esto fue, a nuestro juicio, el mayor mérito de Baliño y Mella cuando fundaron, con un puñado de hombres, el primer partido marxista-leninista de Cuba en 1925."

La fundación del Partido Comunista de Cuba marcó, pues, el inicio de una nueva etapa no sólo para el movimiento obrero cubano, sino también para la historia de las luchas antimperialistas y democráticas de nuestro pueblo.

LA OFENSIVA MACHADISTA CONTRA EL MOVIMIENTO OBRERO Y LOS DERECHOS DEMOCRÁTICOS

Gerardo Machado y Morales, candidato del Partido Liberal, asumió la Presidencia de la República el 20 de mayo de 1925.

Su elección había sido acogida con beneplácito por los gobernantes norteamericanos, ya que el mismo reunía condiciones apreciadas por el imperialismo. Era un hombre de "mano dura", lo cual había demostrado tres lustros atrás como secretario de Gobernación, en cuyo cargo se había distinguido por las brutales represiones de las huelgas de los obreros del alcantarillado de La Habana, de los azucareros de Manzanillo, de los ferroviarios de Sagua la Grande y otras. Además, Machado mantenía estrechas relaciones con los grupos financieros yanquis que actuaban en Cuba, sobre todo con la casa Morgan y el National City Bank, los cuales apoyaron económicamente su campaña, en unión de los intereses locales de la oligarquía antinacional. El nuevo presidente era, pues, una figura idónea para el imperialismo, que esperaba que Machado liquidara la agitación creciente de las masas.

Debemos señalar que, por otra parte, Machado logró captar un número de votos provenientes de ciertos sectores que, sin ser simpatizantes suyos, preferían apoyarlo a él y no al candidato conservador Mario G. Menocal.

También ganó los votos de muchos que se dejaron engañar por su programa demagógico.

Por eso se afirma que Machado contó con cierta base social en los primeros años de su gobierno. Todavía no había un estado de conciencia que permitiera entender a las mayorías que el programa de "regeneración" de Machado era pura demagogia y que éste no era más que un instrumento del imperialismo norteamericano al servicio de cuyos intereses estaba entregado; a pesar de que Julio Antonio Mella, antes de la toma de posesión, había definido en un artículo el verdadero carácter del nuevo mandatario, al que calificaba de "Mussolini tropical" y alertaba al pueblo de Cuba a hacer frente a esta amenaza.

Durante los primeros meses de su gobierno, el presidente se propuso cumplir la promesa hecha durante su visita a los Estados Unidos, antes de asumir el poder, de que garantizaría los intereses económicos yanquis y que no habría durante su mandato ninguna huelga que durase más de veinticuatro horas.

Para asegurar el cumplimiento de su promesa, Machado empleó la persecución más feroz, la expulsión del país, la prisión y el asesinato de los dirigentes obreros, la clausura de sus principales organizaciones y otras medidas represivas. Estos medios violentos y la debilidad de las organizaciones recién creadas y del movimiento obrero en general, le permitieron a Machado tomar la ofensiva, tratar de levantar una central amarilla, la Federación Cubana del Trabajo, y lograr el apoyo de algunos dirigentes sindicales como Juan Arévalo y Luis Fabregat.

Apenas constituidas la Conferencia Nacional Obrera de Cuba (CNOC) y el Partido Comunista, Machado se lanzó contra ellas. En septiembre de 1925, se inició el primer proceso contra los comunistas, acusados de un "delito de conspiración para la sedición", en el que fueron involucrados los miembros del comité central. José Miguel Pérez, su secretario general, fue expulsado del país, a pesar de tener formada una familia cubana. Julio Antonio Mella fue expulsado de la universidad de La Habana, posteriormente apresado por infracción de la ley de explosivos y después de una huelga de hambre que conmocionó a la nación, tuvo que abandonar el país para salvar la vida. Baliño moría en 1926, sujeto a proceso judicial. José Peña Vilaboa, gravemente enfermo, murió poco después. En 1927, al incoarse una nueva causa contra los comunistas, que incluía a los redactores del órgano no oficial del Partido, el periódico *Justicia,* el gobierno clausuró la Universidad Popular José Martí. Esta persecución alcanzó también a elementos de izquierda, caracterizados antimperialistas, entre los que se encontraba Rubén Martínez Villena. Éste, desde la clínica médica donde estaba recluido —y preso—, ingresó en el Partido Comunista de Cuba, en el que iría a ocupar posteriormente el puesto dejado por Mella.

La persecución contra los comunistas era una parte de la intensa represión contra el movimiento obrero. En septiembre de 1925, se ilegalizó al Sindicato de la Industria Fabril y se persiguió como elementos peligrosos a los dirigentes de la Federación Obrera de La Habana y de la recién fundada CNOC. En ese mismo mes, comenzó una serie de asesinatos de dirigentes obreros, con la eliminación del dirigente ferroviario de Morón y principal figura de las huelgas azucareras de 1924, Enrique Varona. En julio del año siguiente, las fuerzas represivas secuestraron y asesinaron a Alfredo López, dirigente máximo de los obreros; al que seguirían otras muertes más. Decenas de dirigentes fueron expulsados como extranjeros indeseables, y se reprimieron las huelgas por la fuerza. Sólo subsistieron las organizaciones amarillas que regenteaba el traidor Arévalo. La CNOC quedó momentáneamente acéfala, ya que la dirigencia anarquista abandonó sus posiciones y, en general, el movimiento obrero pasó a la defensiva.

Pero a partir de 1927, el trabajo del partido marxista-leninista, revitalizado con la presencia de Rubén Martínez Villena y por la adecuada línea desarrollada por los comunistas en defensa de las demandas de la clase obrera, comenzó un lento proceso de recuperación, que culminó en 1930 con la huelga general del 20 de marzo, que inició una etapa superior del movimiento obrero cubano.

En los momentos en que la CNOC había sido prácticamente destruida, el Partido Comunista se dio la tarea de reconstruir el movimiento sindical, penetrando en las industrias, en los centros de trabajo, luchando directamente con los trabajadores por sus reivindicaciones económicas más inmediatas. Desde luego que la lucha por las demandas inmediatas de los obreros no era para los comunistas un objetivo en sí mismo, como lo era para los anarquistas y los reformistas, sino un medio de preparar el camino para la consecución del objetivo final: la toma del poder político. Esta labor revitalizó la CNOC, se reconstruyeron y crearon nuevas organizaciones y se realizaron algunas huelgas. Este trabajo reorganizativo iba acompañado de la educación política de los trabajadores, que se dirigía a elevar la conciencia de clase del proletariado y a alertarlos sobre la necesidad de la lucha contra el imperialismo.

Las condiciones de lucha eran difíciles, pero la labor del trabajo partidista fue fructificando. De 1927 a 1930 las acciones obreras se incrementaron. En 1928, ya era evidente también el avance organizativo dentro de las filas del Partido. En enero de este año el Partido desplegó una activa propaganda contra la VI Conferencia Panamericana, que se reunió en La Habana, como regalo de Machado al imperialismo.

En la tarea de distribución de propaganda contra la Conferencia fueron apresados y brutalmente asesinados dos militantes del Partido: Claudio Bauzón y Noske Yalob, los dos primeros mártires comunistas. Ante la brutal represión no se detuvo el trabajo; por e lcontrario, se denunciaron los atropellos del gobierno y se incrementó la actividad ideológica mediante la publicación de manifiestos y proclamas y a través de los órganos de opinión partidista.

A fines de 1929, la CNOC funcionaba bajo la dirección efectiva de Rubén Martínez Villena, quien fungía como su asesor legal y con un comité ejecutivo integrado por combativos dirigentes obreros. En septiembre de 1929, ya la organización era capaz de plantearse un programa de reivindicaciones, cuya tarea fundamental era la de unificar en un solo frente a todo el movimiento sindical del país. Este programa recogía las necesidades concretas de todos los sectores, y sirvió como punto de partida de la unidad organizativa y de acción de los sindicatos de las diferentes tendencias ideológicas. El documento rechazaba "los intentos de los que quieren arrastrar el proletariado de Cuba detrás de la organización conservadora de la aristocracia obrera de los Estados Unidos, la American Federation of Labor, de su instrumento continental, la COPA, y de su instrumento en Cuba, la Federación Cubana del Trabajo". El proletariado cubano cerró filas en torno a este programa, elaborado por los comunistas, encabezados por Rubén Martínez Villena, que desempeñó un papel decisivo en el auge del movimiento huelguístico y en la movilización de los miles de desocupados, a partir del último trimestre de 1929.

Pero la tarea del Partido tuvo un alcance mucho mayor, consecuente con la línea leninista y las condiciones específicas de Cuba. Como expresa Fabio Grobart: "Para el Partido Comunista la lucha por esas demandas persiguió no sólo el fin justo de defender a los trabajadores contra la inicua explotación patronal, sino también de ir liquidando entre ellos la apatía que los embargaba y de crear la confianza en sus propias fuerzas; de despertar en ellos los sentimientos de protesta contra los crímenes de Machado y desarrollar los de solidaridad con sus hermanos de clase dentro y fuera del país y, particularmente con la Unión Soviética, único Estado obrero y campesino entonces; en una palabra, elevar su conciencia antimperialista y de clase. Todo ello, con el objetivo de poder llevar a la clase obrera más tarde a una lucha revolucionaria destinada a derrocar el régimen machadista y, con él, todo el sistema semicolonial y semifeudal que Cuba padecía, como primera etapa del combate por el socialismo..."

El Partido Comunista se proponía, como fue formulado en el manifiesto del comité central redactado por Martínez Villena, y publicado el 10 de enero de 1930, "despertar a las masas obreras y campesinas e ir al frente de ellas a la revolución obrera y campesina contra la dictadura machadista y contra su amo, el imperialismo yanqui..."

La huelga general de marzo 20 de 1930 demostró que se habían logrado resultados cualitativamente importantes mediante el trabajo del Partido Comunista y la CNOC, y que el proletariado cubano ya empezaba a manifestarse como una fuerza revolucionaria independiente, que había rebasado las ideas economicistas y apolíticas, y que era capaz de cumplimentar las aspiraciones plasmadas en el manifiesto del 10 de enero. Esta huelga general se produjo en condiciones muy difíciles para el país, a causa de la crisis económica de 1929, que había hecho descender el precio del azúcar a sus niveles más bajos en los últimos veinte años. Sus efectos se hicieron sentir mediante las rebajas salariales y la elevación del número de desocupados, y en el agravamiento de la miseria de los sectores más explotados.

Esta situación coincidió con la reorganización de la CNOC y los sindicatos y el incremento de la conciencia del proletariado, que se reflejaba en las demandas de carácter político: libertad de los presos políticos, derechos de reunión, organización y huelga, libertad de palabra y prensa y utilización de consignas contra el régimen y el imperialismo y en apoyo a la lucha revolucionaria internacional y a la Unión Soviética. En enero 10 de 1929, el asesinato de Mella en México por sicarios de Machado contribuyó no poco a conmocionar la conciencia del proletariado cubano.

Ante el auge del movimiento obrero Machado se decidió a ilegalizar la CNOC. Ésta había mantenido su carácter legal, en momentos en que estaba prácticamente destruida, pero ante su pujante reaparición, ahora con más fuerza, como organización unitaria de la clase obrera, se decretó su clausura, así como la de la Federación Obrera de La Habana, también fortalecida. El pretexto utilizado fue la adhesión de la CNOC a la proposición de la Confederación Sindical Latinoamericana (CSLA) —fundada en contraposición a la Confederación Obrera Panamericana (COPA)— de declarar el 20 de marzo de 1930 como día de lucha por las demandas de los desocupados en América Latina.

En medio de la crisis económica, cuando diariamente aumentaba el número de los sin trabajo y en momentos en que la CNOC se había convertido en la más firme y eficaz defensora del proletariado, su ilegalización provocó una ola general de repudio e indignación en toda la isla. El Partido y la CNOC evaluaron el grado de agitación de los obreros cubanos y convocaron a una huelga general para el 20 de marzo, uniendo los dos objetivos de lucha: contra la clausura de la central sindical y en solidaridad con la jornada latinoamericana de lucha por las demandas de los desocupados.

Las principales demandas planteadas por los huelguistas eran: revocación del decreto que ilegalizaba la CNOC y la Federación Obrera de La Habana; libertad de los obreros presos; cese de la intervención de los policías en los sindicatos; subsidio o trabajo para los desocupados, y como consigna que señalaba el avance cualitativo de las luchas obreras: "Abajo la tiranía machadista."

El aparato represivo de Machado fue incapaz de detener la huelga, iniciada oficialmente por Rubén Martínez Villena el 19 de marzo, a las 12 de la noche, en el centro obrero, ante los ojos de la policía. Durante 24 horas, más de 200 000 obreros de todo el país pararon la producción. La paralización fue total en ciudades tan importantes como La Habana y Manzanillo. Esta gran movilización de masas cambió el carácter de la lucha contra Machado e inició una nueva etapa, de 1930 a 1933, durante la cual el movimiento obrero cubano tomó la ofensiva y logró derrocar el régimen mediante la huelga general revolucionaria de agosto de 1933. Las combativas manifestaciones del 1º de mayo de 1930, durante las cuales hubo muertos y heridos entre los obreros, constituyeron otra demostración evidente del cambio de calidad producido en el proletariado. La clase obrera había iniciado la ofensiva.

A partir de este momento comenzó la crisis política del machadato. Un hecho político inmediato a los acontecimientos del 20 de marzo y el 1 de mayo, fue el resurgimiento estudiantil universitario acallado por la represión y la traición profesoral desde que en 1927 el Directorio Estudiantil Universitario luchara contra la prórroga de poderes. La integración del Directorio Estudiantil Universitario de 1930, que se enfrentó a la tiranía en la manifestación del 30 de septiembre, en la que participó igualmente la clase obrera, constituyó un paso importante en la lucha contra Machado, al incorporar a la misma a la pequeña burguesía. Poco a poco se fue ampliando el frente de lucha a otros sectores de la burguesía. Ya desde 1927 se había organizado un partido burgués-terrateniente, el Partido Unión Nacionalista, bajo la dirección del liberal Carlos Mendieta, descontento con la permanencia de Machado en el poder.

A partir de 1930 se ampliaron los grupos opositores de la burguesía y en 1931 se constituyó el ABC, organización terrorista y profascista surgida entre los elementos de derecha de la pequeña burguesía. Estos sectores opositores no rebasaron los marcos del antimachadismo, y en 1932 integraron, con el enviado norteamericano Sumner Welles, un frente de colaboración —la llamada "Mediación"— para buscar una salida a la crisis política sin que se alterara el estatus semicolonial.

El Partido Comunista realizó una intensa lucha ideológica contra las posiciones de estos grupos que limitaban las aspiraciones de la lucha política a la sustitución de Machado. De ahí la polémica de Rubén Martínez Villena, que desenmascarara el carácter reaccionario del ABC, y la intensa propaganda por la necesidad de realizar la revolución agraria y antimperialista.

A partir de 1930 el partido marxista se planteó como tarea inaplazable la de organizar a los obreros de los ingenios y plantaciones. El trabajo de organización sindical de los azucareros comenzó en 1931, con la formulación por la CNOC de un programa de reivindicaciones para los obreros de esta industria, elaborado como resultado de una investigación en tres centrales de la provincia de La Habana y cuyos puntos fundamentales eran aumento de salarios, jornada de 8 horas y derecho de huelga y organización.

La labor abnegada de numerosos militantes del Partido Comunista y de la Liga Juvenil Comunista, que organizaron a los obreros de los ingenios y plantaciones, hizo posible la creación en 1932, de la Comisión Pro Organización del Sindicato de Obreros de la Industria Azucarera, la cual logró promover un intenso movimiento helguístico en los centrales y celebrar en Santa Clara, durante los días 26 y 27 de ese año, la primera conferencia de los obreros de esa industria. En esta reunión se constituyó prácticamente el Sindicato Nacional de Obreros de la Industria Azucarera (SNOIA), primera organización nacional de los trabajadores azucareros en Cuba, que había sido aspiración principal del movimiento obrero cubano desde el congreso de 1920.

Esta nueva organización, a pesar de surgir en la clandestinidad y en el momento de más intensa represión machadista, logró dirigir un movimiento huelguístico que, al iniciarse la zafra de 1933, paralizó las laborales en 25 ingenios y cerca de cien plantaciones y colonias. El movimiento pro demandas económicas contempladas en el programa del SNOIA para toda la industria azucarera revistió, además, un carácter profundamente político y revolucionario, al manifestarse contra Machado y el imperialismo. El reglamento del SNOIA llamaba a los obreros a organizar comités de huelga, piquetes de huelga, comités de auxilio y grupos de autodefensa, para garantizar su carácter unitario y evitar la acción de las fuerzas represivas y los rompehuelgas.

Entre las reivindicaciones fundamentales se planteaban: un salario mínimo de cincuenta centavos por el corte de 100 arrobas de caña, y de cuarenta a setenta centavos por el tiro de esa misma cantidad de caña; jornal mínimo de un peso veinte centavos diarios para los peones de ingenio; jornada de 8 horas de trabajo; establecimiento de tres turnos diarios de trabajo; un día completo de descanso semanal, y abolición del pago en vales y fichas.

La crisis capitalista de 1929-1933 afectó a todo el país, y sus efectos se agravaron con la errónea política económica del gobierno, quien tomó medidas de carácter restrictivo en la producción azucarera, lo cual se reflejó directamente en la disminución de los días de zafra. En 1926 operaban 176 ingenios y en 1933 solamente 135; en el período de 1929 a 1933 el valor total de la zafra se redujo de 199 a 43 millones de pesos. El plan Chadbourne, compromiso restrictivo con los intereses yanquis, fue continuamente denunciado por los obreros, que sufrieron sus fatales consecuencias: rebajas de salarios, no pago o atraso en el pago de los jornales, desocupación. Hacia 1933 se calcula que había en el país aproximadamente un millón de desocupados, en una población de cerca de tres millones de habitantes.

En esta situación cada vez más aguda, se inició el gran movimiento de los obreros azucareros durante la zafra de 1933. En febrero de ese año se produjo la toma por los obreros del central Nazábal, en Las Villas, quienes constituyeron una milicia armada que sostuvo el dominio sobre el central, hasta que la administración les concedió sus demandas. Las luchas de los obreros azucareros se extendieron a la mayoría de los centrales en toda la isla. Las zonas donde la combatividad alcanzó más alto grado fueron las de Las Villas, donde los azucareros lograron la paralización de regiones completas y la movilización de otros sectores obreros, e incluso se organizaron ligas campesinas. En la región de Manzanillo, en el oriente de Cuba, se produjeron numerosas huelgas en los principales ingenios, extendidas y combinadas con acciones de otros sectores.

En las ciudades, los obreros también realizaban huelgas, marchas de hambre y mítines, demandando, junto con sus reivindicaciones económicas, el cese de la represión y la caída de Machado. En medio de esta explosiva situación, surgió la gestión mediadora del imperialismo, empeñado en evitar la consumación de la revolución agraria y antimperialista, hacia la cual orientaba el Partido Comunista como primera etapa de la revolución. Esta etapa estaba destinada a liberar a Cuba del yugo imperialista, liquidar el latifundio y repartir la tierra entre los campesinos, eliminar las supervivencias feudales en el campo, lograr el cumplimiento de la jornada de 8 horas y otras medidas destinadas a elevar el nivel de vida de los obreros; liquidar la discriminación racial, de la mujer y de la juventud, e instaurar un régimen de amplia democracia popular, bajo un gobierno de obreros y campesinos. Desde luego, los sectores de la oposición burguesa se unieron al mediador Summer Welles para reclamar el cese de las acciones contra Machado, sobre la base de lograr una "solución" constitucional, al abrigo de la fraudulenta Constitución de 1928. Solamente el Directorio Estudiantil Universitario (DEU) y el Partido Comunista se opusieron frontalmente a la tal injerencia.

Pero ya el sentimiento antimperialista y el odio hacia el régimen había cobrado demasiada fuerza. En julio de 1933, los trabajadores de los ómnibus de La Habana iniciaron una huelga que desencadenó toda una serie de paros de los distintos sectores, hasta culminar en los primeros días de agosto, en la huelga general revolucionaria que ocasionó la caída del gobierno. Machado fue sustituido "legalmente", mediante maniobras del representante norteamericano, por un presidente dócil a sus manejos, Carlos Manuel de Céspedes, quien contaba con el apoyo del bloque burgués-terrateniente. Sin embargo, el empuje revolucionario daría al traste, tres semanas después, con el nuevo gobierno, instalando el 4 de septiembre en el poder a una conjunción heterogénea de fuerzas que encabezaba el dirigente nacional reformista Ramón Grau San Martín.

El Partido Comunista, siguiendo la línea trazada, trató de darle un contenido agrario y antimperialista a la revolución y formuló sus posiciones en el pleno efectuado del 29 de agosto al 1 de septiembre de 1933. En este pleno se acordó, además, encabezar la propaganda con la consigna de luchar "Por un gobierno de obreros y campesinos". En cuanto a la forma que debía revestir ese gobierno, como la única experiencia anterior era la de la Revolución rusa, conocida y aceptada por todo el movimiento comunista internacional, se calificó este gobierno como "soviético" y se orientó la creación de "soviets" en aquellos lugares o municipios donde el gobierno hubiera quedado acéfalo. En algunos lugares, el movimiento huelguístico en los centrales culminó en la ocupación de los mismos por los trabajadores, deseosos de establecer en ellos el poder político obrero.

Entre agosto y septiembre el número de obreros en huelga abarcaba a más de 200 000, solamente en el sector azucarero. En septiembre, los obreros se adueñaron de 36 centrales que producían el 30% del azúcar cubano. En muchos de estos centrales se ocuparon las tierras y los ferrocarriles, y hasta poblaciones vecinas, y se constituyeron grupos de autodefensa. Así, en varios de ellos se instauraron los llamados soviets, siguiendo las instrucciones del Partido sobre la necesidad de organizar este tipo de control obrero donde esto fuera posible, agrupando en torno a los mismos a toda la población trabajadora.

El origen de los soviets de los centrales Mabay, Jaronú, Santa Lucía, Senado y otros, está estrechamente enraizado en las grandes huelgas azucareras del período y se organizaron en momentos en que el resquebrajamiento del aparato represivo por el derrocamiento de Machado y la huida o castigo de sus esbirros permitía a los obreros tomar la ofensiva temporalmente. Estas luchas culminaron por lo general en la obtención de las demandas, y al lograrse éstas, se puso fin a la huelga y al control de los centrales tomados por los obreros.

El alto grado de conciencia de clase y la combatividad el proletariado cubano se demostró en la huelga general revolucionaria que provocó la caída de Machado y en las intensas luchas del período. La CNOC, que había sido prácticamente liquidada en 1926, contaba en 1933 con una membrecía de 400 000 trabajadores organizados. El Partido Comunista, fundado por un grupo pequeño de marxistas, contaba con más de 5 000 miembros, y otros tantos la Liga Juvenil Comunista. En su mayoría los comunistas eran de extracción proletaria y muchos de ellos dirigentes respetados de las organizaciones sindicales.

Sin embargo, la clase obrera y su vanguardia marxista-leninista no estaban todavía en condiciones de asegurar el triunfo del programa de la revolución agraria y antimperialista, realizado por un gobierno de obreros y campesinos. Una serie de factores objetivos y subjetivos impidieron que el programa de la revolución popular triunfase. Aunque la consigna de un gobierno obrero y campesino era justa, las condiciones no favorecían, en el período de agosto de 1933 a mayo de 1935, el establecimiento de un gobierno de ese tipo. En el orden interno, los esfuerzos del Partido fueron obstaculizados por la resistencia del imperialismo y el bloqueo antinacional integrado por la burguesía latifundista, la industrial azucarera y la burguesía comercial importadora. El imperialismo ni siquiera reconoció al gobierno nacional-reformista de Ramón Grau San Martín y bloqueó las costas de Cuba con 32 cruceros dispuestos a desembarcar en cualquier momento.

Por otra parte, como señala Fabio Grobart: "...grandes sectores de la población, particularmente la pequeña burguesía urbana, la mayoría de los estudiantes y el grueso del campesinado, no habían sido ganados aún para las posiciones políticas del Partido y se agrupaban en torno a Grau San Martín, que propiciaba la conciliación con el imperialismo o en torno a Antonio Guiteras, de posiciones nacional-revolucionarias. La mayor parte de estas masas se encontraba todavía bajo la influencia ideológica de la burguesía que propagaba el concepto del fatalismo geográfico, según el cual en Cuba no podía triunfar la revolución sin haber triunfado previamente en los Estados Unidos. Hay que tener en cuenta, además, que en los años 1933-34, la Unión Soviética, que era el único Estado socialista en el globo, aún no estaba en condiciones de prestar a la revolución cubana la ayuda efectiva que, junto con el campo socialista, nos presta hoy en día. Tampoco se encontraba todavía a la altura que la revolución cubana requería, la solidaridad internacional de los trabajadores y pueblos de los países capitalistas y coloniales y, particularmente, de América Latina".

En esas condiciones, era necesario integrar un frente único, nacional, patriótico y antimperialista que agrupara no sólo a las masas sino a la dirección de los partidos y organizaciones de masa revolucionarias, de los comunistas, auténticos, sindicatos obreros, guiteristas, estudiantes, ligas campesinas, etcétera.

La consigna de un gobierno soviético de obreros y campesinos, dadas las condiciones existentes, obstaculizaba la formación de este frente único antimperialista, por el carácter clasista de algunos de los aspectos de su programa. Las condiciones concretas de amenaza de invasión norteamericana, reclamaban un gobierno nacional-revolucionario, patriótico y antimperialista, con un programa de liberación nacional, que ejecutara la realización de las reivindicaciones sociales, económicas y políticas inmediatas de las masas populares.

El gobierno creado a partir de la insurrección victoriosa de los sargentos y soldados del ejército del 4 de septiembre, como hemos dicho, tenía una composición heterogénea. De una parte, adoptó posiciones de carácter nacionalista, con ciertas proyecciones antimperialistas, determinadas por la presencia en el mismo —como secretario de Gobernación—, del líder revolucionario Antonio Guiteras. De otra parte, al frente del ejército actuaba Fulgencio Batista, quien rápidamente se alineó con el imperialismo y la oligarquía antinacional. Grau

San Martín, al mismo tiempo que intentaba aparecer ante el pueblo como nacionalista y antimperialista, trataba de obtener el apoyo del imperialismo, que se negaba a reconocerlo y amenazaba con la intervención. En esa étapa, gracias a las grandes luchas del pueblo, que encontraron eco en la gestión de Antonio Guiteras, se firman decretos estableciendo la jornada de 8 horas, el salario mínimo, la nacionalización del trabajo, la rebaja de las tarifas de gas y electricidad, la intervención de la Compañía Cubana de Electricidad —empresa norteamericana—, la concesión de la autonomía universitaria y otras. Al mismo tiempo, Batista desencadenaba una política de persecución y represión de los obreros y sus organizaciones, la cual el Partido atribuyó al gobierno en su conjunto, al que atacó sin distinguir entre las distintas corrientes dentro del mismo.

No era posible, pues, establecer en estas condiciones un frente amplio antimperialista en momentos en que las fuerzas que podrían integrarlo se enfrentaban abiertamente. Así, mientras el partido orientaba al proletariado a la abierta lucha de clases, Guiteras recababa de los obreros la no participación en huelgas, como un medio de tratar de afirmar la posición del gobierno y lograr la realización de la zafra de 1933-1934.

En las condiciones imperantes, al Partido le era muy difícil comprender la verdadera intención de Guiteras de llevar al gobierno hacia posiciones antimperialistas y revolucionarias. La represión de las huelgas azucareras por las fuerzas militares se realizó en forma brutal. En septiembre 29 el ejército masacró a la población durante el entierro de las cenizas de Julio Antonio Mella. Se afectuaron arrestos de los dirigentes obreros, asaltos y quemas de los locales de la CNOC, de distintos sindicatos, de la Liga Antimperialista y de Defensa Obrero Internacional, organización destinada a socorrer a los obreros presos y sus familiares. Los crímenes y persecuciones contra los obreros, por otra parte, no fueron desautorizados por el gobierno, y esto contribuyó a ratificar el criterio de los comunistas acerca de su carácter reacionario.

En 1934, el PC hizo un profundo examen crítico y autocrítico de su línea, que condujo a un viraje total de su estrategia y táctica, a partir del sexto pleno de su comité central. Sin embargo, todos los esfuerzos del partido por establecer un frente único con las demás organizaciones revolucionarias, generalmente fracasaron por los fuertes prejuicios anticomunistas existentes en las mismas, y especialmente, en el partido que dirigía Grau San Martín.

EL IV CONGRESO OBRERO DE UNIDAD SINDICAL

En diciembre de 1933, en momentos en que el gobierno de Grau apenas podía sostenerse debido a la triple oposición del imperialismo, la derecha y la izquierda revolucionaria, la CNOC convocaba a su IV Congreso. Éste fue autorizado por el gobierno y se efectuó entre el 12 y el 15 de enero de 1934.

En el IV Congreso de Unidad Sindical se analizó la problemática sindical cubana, se reestructuró la Confederación Nacional Obrera de Cuba y se señalaron los lineamientos a seguir, bajo la orientación del Partido Comunista de Cuba. El evento demostró la voluntad de unidad y la fortaleza del movimiento obrero cubano, en momentos en que había surgido un grupo trotskista denominado Partido Bolchevique Leninista que había logrado controlar la Federación Obrera de La Habana y que en unión de otros elementos reformistas y anarquistas intentaba dividir el movimiento obrero en todo el país. Al evento asistieron más de 2 400 delegados, quienes discutieron en el orden del día: situación actual; análisis de las luchas y tareas del movimiento sindical revolucionario; luchas y organización de los desocupados; tareas de la CNOC en relación con la zafra; tareas de organización, y elección del comité ejecutivo de la CNOC. En la sesión de inauguración intervinieron Francisco Calderío (Blas Roca), quien a nombre del Partido Comunista saludó a los trabajadores, y César Vilar, secretario general de la CNOC.

En las distintas sesiones se aprobaron resoluciones caracterizadas por su proyección revolucionaria, en las cuales se abordaron todos los problemas fundamentales del movimiento sindical y sus tareas y se analizó la situación de los desocupados, los trabajadores negros, los jóvenes obreros y todas las cuestiones de interés para los trabajadores. Una de las resoluciones aprobadas acordó saludar a la Internacional Sindical Roja, cuyas orientaciones habían ayudado a la CNOC a convertirse en una verdadera organización de masas, y se adhirió en principio a la misma. También se acordó la adhesión definitiva de la CNOC a la Confederación Sindical Latinoamericana (CSLA). El Congreso aprobó los estatuto de la CNOC y eligió como secretario general a César Vilar, destacado dirigente obrero del Sindicato Regional de Manzanillo, quien ya fungía como tal. En el comité ejecutivo confederal, en representación del Sindicato de Torcedores de La Habana, fue designado Lázaro Peña.

El encuentro combinó sus sesiones con las de una Conferencia Nacional Juvenil Obrera. Además, el 15 y 16 de enero, a continuación del Congreso, los delegados de 103 ingenios azucareros efectuaron la III Conferencia Nacional de Obreros de la Industria Azucarera, la cual acordó medidas organizativas y un programa de demandas y tareas para la zafra.

El IV Congreso Nacional Obrero de Unidad Sindical marcó un importante momento de avance en las luchas del proletariado, en el cual se demostró el alto nivel político y organizativo alcanzado. En él la clase obrera cubana presentó un frente único contra la explotación imperialista y patronal.

El 16 de enero, los delegados al Congreso recibieron la noticia de la muerte de Rubén Martínez Villena, inspirador y alma del mismo, al que dedicó sus últimos esfuerzos de dirigente revolucionario.

Un día antes se había producido el derrocamiento del gobierno de Grau-Guiteras, mediante un golpe de Estado reaccionario y proimperialista.

El día 18 se efectuó una asamblea de políticos de los partidos burgueses que designó a Carlos Mendieta presidente de la República. En realidad, el poder había sido tomado por la alianza de Fulgencio Batista con el embajador norteamericano Jefferson Caffery. Al nuevo aparato se le dio el pomposo nombre de "gobierno de concentración nacional".

La reacción en el poder se propuso como objetivo inmediato liquidar la ola de huelgas de los ingenios, colonias agrícolas, fábricas y hasta los sectores estatales. Desde luego, el primer paso era garantizar la zafra azucarera y salvaguardar los intereses de las grandes compañías norteamericanas. Ese mismo día 18, el buró nacional del SNOIA hizo un llamado a la "huelga general política contra la dictadura militar, la reacción y por el derrocamiento del yugo de la explotación y de la opresión".

Para reprimir el movimiento, Batista recurrió a los métodos más brutales: asaltos a los sindicatos, utilización de las fuerzas del ejército y la guardia rural para masacrar a los obreros, detención de los principales dirigentes del proletariado, establecimiento de la pena de muerte o cadena perpetua para los acusados de sabotear la zafra y prometió a sus amos imperialistas que "habría zafra o habría sangre". Con el fin de liquidar las huelgas, el gobierno envió cientos de soldados a Oriente, bajo la dirección del propio ayudante de Mendieta, Ulsiceno Franco Granero. El central Preston, de la United Fruit Company fue escenario de los crímenes cometidos para reprimirlas. Pero los 200 soldados que ocuparon este central y las masacres contra los obreros no pudieron detener el movimiento huelguístico. A pesar del terror, la represión y la promulgación de decretos fascistas que intentaban impedir la democracia sindical y frenar toda manifestación popular, la ola de huelgas se extendió a todos los sectores.

La huelga de marzo de 1935

El tradicional desfile del 1º de mayo de 1934, a pesar de haber sido autorizado, fue atacado con rifles y otras armas por la fuerza pública, dejando un saldo de 3 muertos y más de 30 heridos. En respuesta a la represión, se intensificaron las huelgas, las concentraciones populares y otras acciones de protesta. En la lucha contra el gobierno reaccionario participaron activamente el Partido Comunista y Antonio Guiteras, quien dirigía una organización nacional revolucionaria, la Joven Cuba. Ambas organizaciones realizaron una combativa acción contra una manifestación de carácter fascista organizada por el ABC, el 17 de junio de 1934, la que fracasó ante la combativa actitud del pueblo que acudió masivamente a repudiarla. Un paro obrero respaldó esta acción de rechazo popular al grupo fascista.

La creciente agitación de las masas y la ola de huelgas importantes en sectores como comunicaciones y los servicios municipales, que corrían por cuenta del Estado, eran factores que ayudaban a preparar las condiciones necesarias para la huelga general revolucionaria.

Como un ensayo puede considerarse el llamamiento del Partido Comunista de Cuba a la huelga general, el 5 de octubre de 1934, que planteaba como consignas centrales: la lucha contra el terror, por el seguro de los desocupados, en apoyo de los obreros telefónicos y portuarios en huelga y de las luchas campesinas y por la derogación del Tratado de Reciprocidad Comercial, firmado con el gobierno de Washington, que nos condenaba aún más al subdesarrollo. Con esta huelga, los comunistas intentaban que el movimiento obrero pasara a la ofensiva contra las clases dominantes y su dictadura militar, la cual daba un paso más en el camino de la represión con el establecimiento de los Tribunales de Urgencia, destinados a reprimir sin los trámites legales de los tribunales ordinarios, las actividades revolucionarias. Aunque la capacidad de movilización de las masas se probó en la huelga de octubre, ésta no tuvo toda la amplitud programada. Sin embargo, cumplió su objetivo como experiencia previa para acciones posteriores.

La huelga general revolucionaria se fue gestando hasta su realización en marzo de 1935. Entre el 7 y el 13 de ese mes, se desencadenó aunque sin la preparación necesaria, el más grande movimiento de masas llevado a cabo después del derrocamiento del régimen machadista, en rechazo contra la dictadura de Batista-Mendieta y contra la injerencia yanqui, personificada en el embajador Jefferson Caffery. Este movimiento popular se inició con una cadena de huelgas parciales de los estudiantes, los maestros y profesores, trabajadores azucareros y de otros sectores económicos. En La Habana, la huelga general política duró 72 horas, al cabo de las cuales fue ahogada por la más salvaje represión, debido a la falta de unidad y a las condiciones de indefensión de un pueblo desarmado frente a un ejército brutal.

Tanto el Partido Comunista y la CNOC como Antonio Guiteras se habían opuesto a la realización de la huelga general política sin la preparación adecuada. Guiteras solicitaba se pospusiera la misma hasta que su organización, la Joven Cuba, pudiese adquirir las armas necesarias y prepararse para la lucha armada contra Batista. El Partido no se encontraba todavía preparado para la lucha armada, aunque ya había comenzado a organizar grupos armados de "autodefensa".

Por otra parte, los comunistas consideraban que la victoria de la huelga dependía también de la unidad de acción de todas las fuerzas revolucionarias contra Batista y el imperialismo; pero a pesar de los llamamientos hechos a otros partidos y grupos de oposición para integrar un frente único, no habían encontrado apoyo. En esos momentos el Partido había rebasado algunas posiciones sectarias anteriores y llamaba a derrocar a la dictadura e instaurar un gobierno revolucionario, popular y antimperialista. Para ello era necesario el frente único de las fuerzas revolucionarias, pero éste no se había logrado en marzo de 1935. No obstante, ante el estallido de la huelga, los comunistas y Guiteras entendieron que, pese a la falta de preparación había que secundarla, y se lanzaron a la lucha junto a los trabajadores. Pero ni siquiera así pudieron salvar la huelga de la derrota, la que significó un duro golpe para el movimiento obrero y revolucionario, para todo el pueblo. Dentro del proceso histórico cubano, este hecho señala la derrota de la revolución popular iniciada en 1933.

El bloque reaccionario se afianzó en el poder, llevando a un grado mucho más alto el terror y la represión. Las medidas antipopulares y antiobreras impuestas por la fuerza pública estaban respaldadas por una legislación "emergente", destinada a paralizar la actividad popular y legalizar jurídicamente el terror. Desde febrero de 1934, cuando se promulgó el decreto-ley núm. 3 que prácticamente prohibía las huelgas, se habían limitado legalmente las actividades sindicales mediante sucesivas disposiciones jurídicas que tuvieron su máxima expresión en la ya mencionada creación de los Tribunales de Urgencia, en septiembre de 1934.

Otros decretos garantizaban a los patronos la libre contratación y favorecían a las organizaciones amarillas y a los rompehuelgas. Los sindicatos fueron ilegalizados y se prohibió a los dirigentes de las organizaciones disueltas, por un período de dos años, participar en los cargos ejecutivo de las que fueran aceptadas oficialmente.

Esta legislación represiva se aplicó con el mayor rigor al producirse la huelga de marzo de 1935 y además se adicionaron nuevas medidas, legales e ilegales. Durante la huelga, se suspendió la ley constitucional, promulgada por el propio gobierno; el ejército asumió todos los poderes, se decretó el estado de guerra, se restableció la pena de muerte y se dispuso la constitución de consejos sumarísimos para juzgar los "delitos contra el orden público". José Eleuterio Pedraza, que fue designado jefe de la policía de La Habana para reprimir la huelga con poderes absolutos, utilizó el ejército para lograr sus objetivos.

Una vez liquidado el movimiento, la persecución se centró sobre los trabajadores. Miles de maestros y profesores fueron cesados. Se promulgaron leyes disponiendo el cese de las actividades docentes y la clausura de los centros de la enseñanza secundaria. Se tomó militarmente la Universidad de La Habana, y se decretó el cese de la autonomía universitaria. En las fábricas importantes se situaron "observadores militares", y se despidió a cientos de obreros y empleados públicos. Miles de trabajadores fueron conducidos a las cárceles y juzgados por tribunales militares. Los sindicatos fueron asaltados y disueltos, y sus fondos "legalmente" incautados. La estructura de todas las organizaciones obreras, incluso las reformistas, se destruyó prácticamente y la CNOC se desvertebró. Los principales dirigentes del Partido Comunista y la CNOC fueron apresados o pasaron a la ilegalidad.

Antonio Guiteras se mantuvo en la clandestinidad, ferozmente perseguido. Desde la ilegalidad, el dirigente de la Joven Cuba trazó un plan para salir del país y regresar con una expedición que desencadenara la insurrección armada. Para realizar este proyecto, intentó embarcarse desde el Morrillo en Matanzas pero, denunciado por un traidor, fue asesinado cobardemente por órdenes de Batista, en unión del combatiente internacionalista venezolano Carlos Aponte, el 8 de mayo de 1935.

Frente a la derrota del movimiento popular, la mayoría de los dirigentes de la oposición no asumieron la valiente actitud de Guiteras y marcharon al exilio. Carlos Prío, Rubén de León y otros dirigentes del Partido Revolucionario Cubano (Auténtico) fundado en 1934 bajo el liderazgo de Grau San Martín, a pesar de su trayectoria anterior de líderes del Directorio Estudiantil Universitario marcharon hacia Miami, a unirse con el ex presidente. Los líderes del ABC que habían sido desplazados del gobierno y fueron de los principales impulsores de la huelga, abandonaron también a los miembros de su organización.

Además del Partido Comunista, sólo Joven Cuba y algunos grupos aislados se mantenían en el país en lucha contra el terror, pero en forma dispersa y sin una línea común de acción. El Partido Comunista insistió fuertemente en la formación de un frente único popular y antimperialista, para luchar contra la reacción. Esta gestión, iniciada desde febrero de 1935, se consideró de vital necesidad al fracasar la huelga. Al hacer el análisis de esta derrota el Partido señaló la desunión de las fuerzas revolucionarias como causa fundamental de la misma y se planteó como centro de su actividad la lucha por el establecimiento de un frente único de todas las fuerzas revolucionarias y antimperialistas. Entre las múltiples actividades realizadas ante las demás organizaciones de oposición, el Partido gestionó una entrevista personal con Grau, que éste no concedió, a pesar de que Blas Roca, secretario general de la organización, fue a Miami a reunirse con él. El anticomunismo de Grau impidió la aglutinación de las distintas fuerzas populares en un solo frente de lucha.

El VI Pleno del Partido Comunista de Cuba, efectuado el 21 y el 22 de octubre de 1935, partiendo de las condiciones concretas de Cuba en esos momentos, y bajo la orientación del histórico VII Congreso de la Internacional Comunista, fijó un programa de acción para todos los revolucionarios y para todo el pueblo, en esa etapa que se definió como de liberación nacional. La tarea más inmediata y grande, señalaba Blas Roca en su informe, era "el establecimiento del más amplio frente único popular de lucha, antimperialista".

Esta lucha por el frente popular incluía a todos los sectores sociales progresistas y sus organizaciones capaces de marchar conjuntamente en defensa de la democracia, la soberanía nacional, la libertad de los presos políticos y sociales y en la lucha por la derogación de los Tribunales de Urgencia y los decretos represivos.

El VI Pleno orientó la realización del trabajo sindical, en medio de las condiciones de represión. De acuerdo con estas circunstancias, señaló la necesidad de aprovechar las escasas posibilidades legales para movilizar las masas y reagrupar sus fuerzas. Para que la clase obrera pudiera desempeñar su papel fundamental, era preciso reestructurar el movimiento sindical, para lo cual se fijaron como tareas fundamentales de este movimiento: la reorganización de los sindicatos destruidos y organización de otros en sectores donde no los hubiese; unificación de los trabajadores de todas las tendencias, mediante la fusión de organizaciones paralelas a todos los niveles; lograr, mediante la elección de dirigentes sindicales no conocidos como revolucionarios, el reconocimiento legal de las organizaciones por la Secretaría del Trabajo, y la creación de condiciones para reagrupar a todos los obreros en una central sindical única, sobre la base de una plataforma contra la ofensiva patronal, de garantía de la independencia de clase de las organizaciones obreras y de la democracia sindical.

Por otra parte, teniendo en cuenta la tradicional discriminación del trabajador nativo y la utilización de obreros de otros países en condiciones de superexplotación, el VI Pleno había expresado el reconocimiento de la justeza de la ley de nacionalización del trabajo, promulgada por Guiteras —que estipulaba que el 50% de los puestos de trabajo tenían que ser cubiertos por cubanos—, al mismo tiempo que abogaba por la unidad entre los trabajadores de diversas nacionalidades.

En 1936, el Partido Comunista, desde la ilegalidad, planteó la lucha por cuatro consignas, las que originaron importantes movilizaciones de masas; asamblea constituyente libre y soberana; amnistía para todos los presos políticos y sociales y regreso de los exiliados; restablecimiento de los derechos democráticos, y solución del problema universitario con el respeto a la autonomía.

Luchas obreras en 1937-1939

El fortalecimiento interno del movimiento popular y la lenta pero firme recuperación del movimiento obrero, así como factores de carácter externo, contribuyeron a que Batista, ligado hasta entonces a los grupos más reaccionarios que se aglutinaban alrededor del *Diario de la Marina,* fuese cambiando sus posiciones y comenzara a dar ciertos pasos hacia la salida democrática de la situación existente.

La creciente contradicción entre el imperialismo norteamericano y la Alemania hitleriana se reflejaba en una política de enfrentamiento al fascismo por parte del gobierno norteamericano y de defensa de las posiciones de la democracia burguesa en América Latina, como medio de combatir a los elementos profascistas. Por otra parte, se desarrollaba una fuerte corriente antifascista mundial y se promovía por las fuerzas progresistas la política de los frentes únicos en respuesta a la apelación de Dimitrov en el VII Congreso de la Internacional Comunista.

Batista, servidor de los Estados Unidos, no pudo seguir alineándose con elementos profascistas y empezó a hacer concesiones políticas a las fuerzas revolucionarias, en un cambio tan rápido de actitud que resultó sorpresivo para sus aliados de la reacción.

A partir de la sublevación militar fascista de Franco contra la República española, con el apoyo de los gobiernos fascistas de Italia y Alemania, en Cuba se manifestó un intenso movimiento de solidaridad con el pueblo español. Este movimiento abarcó las más diversas formas de ayuda material, política y moral. Pero la más alta expresión del mismo fue la participación directa de alrededor de mil cubanos que defendieron en tierra española, con las armas en la mano, la causa democrática y antifascista de ese pueblo hermano.

La campaña en favor de la República española, que reunió junto a los comunistas a numerosas fuerzas revolucionarias, progresistas y antifascistas, contribuyó poderosamente a movilizar al pueblo cubano en favor de sus propios derechos democráticos. Los altos multitudinarios y demás actividades masivas sirvieron para ir aglutinando al pueblo y demostrar a la reacción la capacidad organizativa y la combatividad de las masas.

De gran trascendencia fue también el movimiento de solidaridad con el pueblo mexicano y el apoyo a las medidas nacionalistas, democráticas y progresistas del gobierno encabezado por el general Lázaro Cárdenas, particularmente la nacionalización del petróleo. El movimiento obrero cubano desplegó una poderosa campaña en favor de esas medidas. Su prensa propagó sistemáticamente la justeza de las mismas y denunció con vehemencia las campañas imperialistas y las conjuras de los elementos reaccionarios dentro de México contra el gobierno del general Cárdenas.

Los trabajadores de nuestro país propusieron al gobierno cubano que comprara el petróleo que necesitábamos a México, para ayudarlo a vencer el bloqueo imperialista decretado contra él. Se crearon comités de Amigos del Pueblo de México y se realizaron colectas para ayudar a México a pagar la indemnización a las compañías petroleras expropiadas. Un ejemplo de esas movilizaciones fue la grandiosa concentración del 12 de junio de 1938 en el estadio "La

Polar", en La Habana, a la que asistieron más de 100 000 personas, pagando sus entradas. Lo recaudado por este concepto se envió como ayuda al pueblo mexicano. Movilizaciones solidarias como ésta, dijo Blas Roca en 1938, "no solamente han despertado una simpatía y un entusiasmo enorme en las masas, sino que también han influido en la actuación de las capas dirigentes del país".

Estas campañas internacionalistas se unían a las luchas que se desplegaban en el país por las libertades y derechos democráticos, como la que se realizó por la amnistía de los presos políticos. Desde junio de 1935 se había constituido el Comité Nacional de Amnistía, integrado por organizaciones de todas las tendencias, menos los machadistas, unidas para luchar por la liberación de todos los presos políticos y sociales. La campaña desarrollada por este Comité, ampliamente respaldada por las masas, logró la amnistía en 1937, lo que fue un gran éxito de carácter popular.

Otras campañas nacionales e internacionales demostraron la creciente recuperación del movimiento revolucionario y popular y contribuyeron a que Batista, quien aspiraba a la dirección oficial del gobierno, se alejara de las posiciones reaccionarias. Este cambio táctico se refleja en el abandono del apoyo a Franco, aprobación de la ley de amnistía, regreso de los exiliados políticos, autorización para celebrar actos de masas, abandono del llamado plan de desarrollo económico y social, apertura de las vías políticas, etc. En el aspecto político, esta posición se manifiesta en la legalización del Partido Comunista y las demás organizaciones de oposición, y fundamentalmente en la convocatoria a una asamblea constituyente.

A fines de 1937 se inicia también una nueva etapa de reorganización del movimiento sindical, durante la cual surgió la unidad orgánica de los sindicatos, que culminó en enero de 1939 con la fundación de la Confederación de Trabajadores de Cuba, dirigida por el destacado líder obrero comunista Lázaro Peña.

El auge del movimiento obrero se producía en momentos en que el centro de la actividad del movimiento popular y revolucionario, en el plano internacional, pasaba a ser la lucha contra el nazifascismo. Esta situación, y el hecho de que Batista dejara de ser el centro de la reacción y propiciara una salida democrática, originó la decisión del Partido de apoyar las medidas democráticas del gobierno y aprovechar la coyuntura favorable a la organización y movilización de las masas.

Desde los primeros meses de 1937 los dirigentes obreros, muchos de ellos cuadros jóvenes procedentes de las filas del Partido Comunista, como Lázaro Peña, Jesús Menéndez y José María Pérez, se habían lanzado a la lucha abierta por lograr la legalidad del movimiento obrero, a pesar del mantenimiento de la represión y de los intentos de crear una central progubernamental. Esta lucha fue ganada por la decisión de las filas obreras, y el primer paso en favor de la unificación se dio en La Habana, en el acto del 1º de mayo de 1937, actividad organizada por un comité de frente único que agrupaba obreros de todas las tendencias. Este acto fue una patente manifestación de organización y combatividad, después de años de represión.

El Comité Pro Primero de Mayo se integró en Comité de Unificación Obrera de la Provincia de La Habana, mediante la adición de importantes sectores. Se aprobó un programa de lucha y la convocatoria para celebrar el congreso provincial, en el que se constituyó la Federación de Trabajadores de la Provincia de La Habana, en marzo de 1938. Ésta surgió con un ejecutivo unitario cuyo secretario general era el comunista José María Pérez, dirigente del Sindicato de Obreros y Empleados de Ómnibus Aliados, organización que conjuntamente con otras del sector del transporte había desempeñado un papel fundamental en la organización del 1o. de mayo.

El programa de reivindicaciones de la Federación de Trabajadores de La Habana planteaba: derecho a la huelga; libre organización sindical; derogación de los decretos-leyes que restringían los derechos de organización; inamovilidad obrera como garantía del derecho al trabajo; seguro social para los empleados; igualdad de condiciones de vida y de trabajo para los sectores discriminados (las mujeres, los jóvenes, los negros). Recogía, además, consignas de carácter nacional: por la inmediata convocatoria a la asamblea constituyente y por una constitución nacional que consagrara los principios democráticos y los derechos fundamentales de la clase obrera.

La Federación de Trabajadores de La Habana desempeñó un importante papel en el proceso de unificación, al integrar la primera organización de clase independiente en el mismo centro de la reacción, la capital de la República. El camino seguido por los trabajadores de La Habana sirvió de ejemplo al proletariado de todo el país. Ya en septiembre de 1938 se contaba con 736 organizaciones de base en la isla, agrupadas en varias federaciones.

La lucha por la unidad obrera se ganaba inexorablemente. Sólo la rechazaba el pequeño grupo trotskista, bajo la dirección del renegado Sandalio Junto y de Eusebio Mujal, los cuales se concentraban en la Comisión Obrera Nacional (CON) del Partido Revolucionario Cubano (PRC), de Ramón Gran San Martín.

La unidad se expresó en la lucha común por las reivindicaciones económicas y sociales fundamentales, por los derechos democráticos de la clase y de todo el pueblo, por la defensa de la soberanía y de la economía nacional, por el enfrentamiento al fascismo y a la guerra.

A partir de un programa básico de unidad, e independientemente de que unos sindicatos siguieron siendo dirigidos por los reformistas y otros por los comunistas,* surgió una nueva caracterización de las organizaciones en unitarias y antiunitarias, lo que reflejaba las posiciones fundamentales de la clase obrera. La corriente unitaria, con un programa y una acción común, condujo al movimiento sindical a una gran victoria, con la constitución de una fuerte central sindical: la Confederación de Trabajadores de Cuba (CTC).

Esta etapa de ascenso del movimiento obrero ha sido caracterizada en la Plataforma Programática del Partido Comunista de Cuba, con estas palabras: "A los duros golpes recibidos por el movimiento revolucionario siguió un período de grandes luchas populares, influidas favorablemente por la coyuntura inter-

* Los reformistas controlaban los siguientes sectores: ferroviario, marítimo y portuario, en todo el país, y tenían algún peso en el sector gastronómico y en algunos gremios en la rama del tabaco y el transporte urbano, que también estaban influidos por los revolucionarios. Los comunistas ejercían fundamentalmente su influencia en sectores tales como la industria azucarera, la química, la alimentaria, la de la aguja, la textil y gran parte de la tabacalera. El grupo trotskista de la Comisión Obrera Nacional (CON), antiunitaria, tenía cierta penetración en los Ómnibus Aliados y predominaba en el Sindicato Gastronómico, en el comercio de La Habana y en la Delegación núm. 10 (Guantánamo) de la Hermandad Ferroviaria.

nacional sobre la cual se cernía la inminente agresión del nazifascismo y por la movilización de todas las fuerzas progresistas del mundo en defensa de la República española. Esta situación y estas luchas de nuestro pueblo condujeron a la conquista de la libertad de los presos políticos, la legalización del Partido Comunista y demás organizaciones de oposición y a la convocatoria de una asamblea constituyente en la que fue aprobada la Constitución de 1940, con un articulado de carácter progresista y avanzando para su tiempo, debido a la presión popular y a la combativa participación de los delegados comunistas. Se inicia de esa forma una etapa en que el centro de la actividad del movimiento popular y revolucionario, a escala internacional, pasa a ser la lucha contra el nazifascismo en ascenso. Durante esta etapa, surge la unidad orgánica en los sindicatos y la Confederación de Trabajadores de Cuba, dirigida desde el primer momento por Lázaro Peña; se desarrolla un poderoso movimiento obrero, y crecen la influencia y las filas del partido marxista-leninista."

LA FUNDACIÓN DE LA CTC, INICIO DE UNA NUEVA ETAPA

El Congreso de constitución de la Confederación de Trabajadores de América Latina (CTAL), celebrado en México en septiembre de 1938, contribuyó poderosamente a la fundación de la CTC. Este congreso continental se proponía lograr la unificación del movimiento sindical latinoamericano en una sola central y promover la unidad del movimiento obrero en cada país y en el plano internacional. En el encuentro participaron las centrales sindicales y delegaciones obreras de América Latina que se pronunciaban a favor de un frente obrero unido. Por Cuba participó una delegación unitaria integrada por dirigentes comunistas y reformistas del movimiento obrero cubano, integrada por Ramón Granados, de la Federación de Trabajadores de la Provincia de La Habana; Lázaro Peña, de la Federación Nacional Tabacalera; Enrique D. Azpiazu y Juan Arévalo, de la Federación Obrera Marítima Nacional; Avelino Fonseca y Francisco Malpica, de la Hermandad Ferroviaria de Cuba; Ángel Cofiño, de la Federación Sindical de Plantas Eléctricas, Gas y Agua; Alfredo Padrón, de la Unión de Trabajadores del Puerto de La Habana; Pedro Pérez Crespo, de la Unión de Dependientes del Ramo del Tabaco; Teresa García, del Gremio de Despalilladoras; Carlos Fernández R., de la Federación Nacional de Transporte; Manuel Suárez, de la Federación Azucarera de Matanzas, y Luis Almuiñas, de la Asociación de la Prensa Obrera de Cuba.

Los delegados cubanos firmaron allí el llamado pacto de unidad, por el que se comprometían ante los representantes de la Confederación de Trabajadores de México a constituir la central sindical cubana y a estrechar las relaciones con otras organizaciones obreras del continente americano, de acuerdo con los postulados de la CTAL, "combatiendo con decisión y energía toda amenaza al sistema democrático de gobierno y todo intento de establecimiento, no importa el lugar de la tierra en que éste ocurra, del régimen fascista, enemigo implacable de las libertades populares".

De regreso a Cuba se realizaron los preparativos para efectuar el congreso constitutivo de la organización central, cuya convocatoria y temario se dieron a conocer a fines de diciembre de 1938, por el comité organizador presidido por Lázaro Peña. El temario abordaba los siguientes puntos: 1] Mejoramiento y cumplimiento de la legislación social vigente; 2] Problemas de unidad de acción; 3] Constitución de una organización que agrupara a todos los trabajadores de Cuba; 4] Problemas generales de organización; 5] Medidas de interés popular y nacional; 6] Reclamaciones especiales de auxilio de sectores discriminados (trabajadores, negros, mujeres, jóvenes); 7] Posición del proletariado ante la asamblea constituyente; 8] La lucha contra la guerra y el fascismo y deberes de solidaridad internacional, y 9] Fórmulas y medidas prácticas que aseguren la cultura en general y la educación del proletariado en el espíritu propio de su clase.

El congreso se efectuó del 23 al 28 de enero de 1939, y a él asistieron 1 500 delegados de todo el país, en representación de 780 organizaciones, a las cuales estaban afiliados unos 645 000 trabajadores. Como resultado de la discusión del orden del día propuesto se aprobaron importantes resoluciones, la principal de las cuales fue la constitución de la Confederación de Trabajadores de Cuba (CTC), culminación de toda una etapa de trabajo desarrollado por los obreros unitarios bajo la dirección de los comunistas. Por primera vez se lograba la completa unidad sindical, bajo la dirigencia de un secretario general comunista, Lázaro Peña, y con un fuerte comité ejecutivo sindical integrado por representantes de las distintas corrientes. En esta directiva no participó la organización obrera del Partido Revolucionario Cubano (Auténtico), la CON, opuesta a toda relación con los comunistas. En la secretaría de organización se eligió a Juan Arévalo, quien, no obstante su trayectoria como reformista, dirigía al importante sector de los obreros marítimos y se había comprometido a aceptar los principios acordados. Su presencia en el ejecutivo de la CTC es una muestra de la amplitud de ésta.

Al romper con viejos y estrechos criterios e integrar en una sola fuerza a los trabajadores, se logró por primera vez la "unidad" consciente, que no oculta las diferencias sostenidas, sino que se basa en ellas, para abolirlas en la acción cotidiana y por la acción de la unidad", según expresara Lázaro Peña en su discurso inaugural.

Desde el punto de vista organizativo, el congreso dio vida a una fuerte organización sindical estructurada de abajo a arriba.

Acuerdos principales del congreso fueron también la lucha por la jornada de 8 horas; por salarios mínimos de $1.20 para el sector agrícola y $1.50 para el industrial no especializado; derogación del decreto núm. 3 y otros de carácter represivo; cumplimiento de la ley Arteaga (que proscribía el pago de salarios en vales o fichas en los centrales azucareros); descanso retribuido; retiro obrero; medidas contra el desempleo; mejoras a los campesinos; defensa de la industria nacional, y por la inmediata convocatoria a la asamblea constituyente.

Aunque la CTC no fue reconocida oficialmente hasta 1943, las nuevas condiciones forzaron al gobierno a aceptar su vigencia no sólo entre los trabajadores sino en la vida nacional. La unidad consciente que guiaba a la clase obrera garantizó que ésta pudiera desempeñar su papel como clase más avanzada de toda la sociedad, y con la CTC al frente participara activamente en las grandes luchas posteriores por sus reivindicaciones económicas y en defensa de los derechos democráticos de todo el pueblo.

Constitución de la Federación Nacional Obrera Azucarera (FNOA)

Una vez constituida, la CTC se dio a la tarea de organizar y unificar las organizaciones sindicales. Paso fundamental en esta tarea fue la celebración del Primer Congreso Nacional Azucarero, en Camagüey, el 21 de octubre de 1939, durante el cual se fundó la Federación Nacional de Obreros Azucareros. A esta reunión asistieron 113 delegados, representativos de 78 sindicatos de centrales y colonias de todas las provincias y dirigentes de la CTC y de la Federación de Trabajadores de la Provincia de Camagüey. El ejecutivo electo de la organización azucarera estaba integrado por representantes de todas las provincias y tendencias con Antonio Oviedo, dirigente del central Mercedita, de tendencia reformista, como secretario general, y Jesús Menéndez, dirigente de la Federación de Trabajadores de Santa Clara, comunista, como vicesecretario general.

Los principales acuerdos de los azucareros se concentraron en un programa de lucha y reivindicaciones que, bajo la dirección sindical de Jesús Menéndez, se logró íntegramente. El programa incluía la confección de un convenio de trabajo general para todos los ingenios, que recogía las demandas básicas de los trabajadores azucareros, entre las que se destacaban: aumento de los salarios en un 25%; reposición de los desplazados; organización de sindicatos de ingenios donde no estaban creados, etc. La organización unitaria del sector económico básico del país constituyó un paso de extraordinaria importancia en el fortalecimiento del movimiento obrero cubano. La FNOA, con un programa de acción común y dentro de los principios de la lucha de clases, obtuvo las mayores ventajas para el más explotado sector del proletariado cubano, a partir de su fundación.

El papel desarrollado por esta organización no fue casual. A la combatividad del proletariado azucarero se añadía el papel de un dirigente de primera línea, Jesús Menéndez, formado en la gran escuela que era el Partido Comunista y con todo el apoyo de éste.

La fundación de la CTC y de la FNOA daba a la clase obrera instrumentos poderosos para la lucha por sus reivindicaciones de clase y por los objetivos históricos de nuestro pueblo.

LA SEGUNDA GUERRA MUNDIAL Y EL MOVIMIENTO OBRERO CUBANO. LA CONSTITUCIÓN DE 1940

En las condiciones de impetuoso ascenso del movimiento obrero cubano, se produce un hecho que ha de tener hondas repercusiones en todo el mundo y también, desde luego, en nuestro país. En septiembre de 1939 se inició la segunda guerra mundial con la invasión de Polonia por la Alemania nazi.

Estados Unidos no entró en el conflicto hasta diciembre de 1941, y el gobierno de Cuba, subordinado a la política norteamericana, mantuvo en esos dos años una posición de neutralidad oficial.

Los sectores reacionarios y proimperialistas de Cuba aprovecharon esta coyuntura para crear un clima belicista que les permitiera detener el auge del movimiento obrero. Con el pretexto de defender el hemisferio occidental contra los "regímenes totalitarios", entre los que incluían no sólo a los estados fascistas sino también a la URSS, desataron una intensa campaña antisoviética y anticomunista, exigieron que se implantara el servicio militar obligatorio y que se pusiera al país en estado de guerra.

La clase obrera y su partido respondieron adecuadamente a esa campaña reaccionaria. A la vez que llamaban a la unidad combativa contra el fascismo y propugnaban medidas sustanciales para la preparación de nuestro pueblo y la reorganización de la economía nacional, denunciaron el carácter imperialista de la guerra —como lucha de potencias por un nuevo reparto del mundo—, se pronunciaron contra el servicio militar obligatorio y por mantener a Cuba fuera de la conflagración.

En este clima de lucha entre las fuerzas populares y las reaccionarias, se prepararon las elecciones para celebrar la convención constituyente.

La convocatoria a la Asamblea Constituyente fue una victoria del movimiento obrero y popular, como también lo fueron las elecciones para delegados a dicha asamblea, celebradas en noviembre de 1939. El partido de los marxistas-leninistas cubanos, Unión Revolucionaria Comunista, que participaba por primera vez legalmente en un proceso electoral, obtuvo el quinto lugar entre los 10 partidos contendientes, con unos 98 000 sufragios (casi el 10% del total de los votos emitidos), y la elección de seis delegados.

Entre el 9 de febrero y el 8 de junio de 1940 sesionó la Asamblea Constituyente, la que el 9 de julio promulgó la carta constitucional. Ésta entraría en vigor el 10 de octubre del propio año.

La CTC había elaborado una exposición de 23 puntos, que recogía las reivindicaciones fundamentales de los trabajadores y de las masas populares en general. Pese a la composición heterogénea de la Asamblea, la gestión de los seis delegados comunistas, respaldados por una poderosa movilización de masas y con el apoyo de otros delegados que mantuvieron en varios aspectos posiciones progresistas, logró imprimir un carácter democrático y avanzado para su época a la Constitución de 1940.

Este carácter se expresa en algunos preceptos en que se consagran los principios de soberanía, derechos sociales y libertades políticas. Por ejemplo, en el artículo 20 se proclama que todos los cubanos son iguales ante la ley y se declara ilegal toda discriminación por motivo de sexo, raza, color o clase y cualquiera otra lesiva a la dignidad humana, y el artículo 90 proscribe el latifundio.

La mayor parte de estas disposiciones se burlaron, con el pretexto de que exigían la promulgación de leyes complementarias. Pero otras que no requerían reglamentación se pusieron en práctica, como la jornada de 8 horas, el descanso retribuido, el pago de días festivos, el salario mínimo, el derecho a la sindicalización, seguros por accidentes, pago de la licencia por maternidad, pago de salario igual por trabajo igual, pago de 48 horas por trabajo de 44 horas a la semana, etc. Esos logros se debieron a que, tan pronto se promulgó la nueva ley constitucional, la CTC y sus organizaciones se lanzaron a la lucha por el cumplimiento de sus reivindicaciones, alcanzando numerosas conquistas no conocidas anteriormente por la clase obrera.

La lucha de los trabajadores por la aplicación de los preceptos progresistas de la Constitución

Con el pretexto de las dificultades creadas por la guerra, y tratando de echar estas dificultades sobre las espaldas del pueblo, los patrones se negaban a aplicar los preceptos constitucionales que beneficiaban a los trabajadores. Se inició una campaña reaccionaria calificando a la constitución de sovietizante y afirmando que el cumplimiento de sus disposiciones conduciría a la ruina del país.

La resistencia patronal fue vencida poco a poco, mediante la lucha tenaz de los obreros bajo la dirección de Unión Revolucionaria Comunista, la CTC y los sindicatos. Así se logró imponer la jornada de 44 horas con el pago de 48 en una de las más importantes fábricas de cigarros, Regalías el Cuño, y en la llamada Compañía de Electricidad, lo que contribuyó a resquebrajar la resistencia de otras empresas.

En el sector azucarero, los patronos se negaron con particular tozudez a obedecer la constitución. El 25 de octubre de 1940, la Asociación de Hacendados, organización que agrupaba a los dueños de ingenios, distribuyó una circular en la que advertía a sus asociados que no concedieran ninguna de las reivindicaciones sociales, ya que la industria azucarera, por las peculiaridades de su forma de trabajo, se encontraba excluida del cumplimiento de las disposiciones constitucionales. La FNOA respondió exhortando a los obreros azucareros a luchar en defensa de sus derechos, los cuales logró hacer valer mediante combativas huelgas y otras acciones.

La CTC, además de dirigir las acciones combativas de los obreros, desplegó una seria batalla legal por el cumplimiento de la constitución y por la aprobación de leyes complementarias. En represalia, los organismos patronales desarrollaron una campaña contra el reconocimiento jurídico de la CTC, y a través de sus órganos de prensa exhortaban a los obreros a hacer variar la línea política de esta organización, expulsar a los dirigentes comunistas y crear otra central sindical más moderada.

El proletariado cubano defendió a la CTC y a sus prestigiosos dirigentes, los que salieron de esa batalla más fuertes, con mayor prestigio y actividad aún. Una demostración de ese apoyo proletario a la línea unitaria y combativa de la CTC, fue el II Congreso de la CTC, efectuado del 12 al 16 de diciembre de 1940. En dicho evento fue reelegido Lázaro Peña como secretario general de la central sindical, siendo aplastado el grupo divisionista de la comisión obrera del Partido Revolucionario Cubano, que hizo todo lo posible por escindir a la CTC. Ante los intentos divisionistas, el congreso planteó como objetivo fundamental la defensa de la unidad de los trabajadores. Además, se adoptaron importantes acuerdos sobre la lucha por las leyes complementarias de la constitución, los problemas de la mujer y la juventud, la crisis económica y las consecuencias de la guerra, etc. El congreso reafirmó la posición del movimiento obrero contra la guerra imperialista y el servicio militar obligatorio.

El 22 de junio de 1941, la Alemania nazi agredió a la URSS sin previa declaración de guerra. Con ello, Hitler perseguía el objetivo de aniquilar al Estado obrero y campesino, baluarte de la paz y el socialismo, principal obstáculo para la realización de los planes de dominación mundial del imperialismo alemán.

La entrada de la Unión Soviética en la guerra significó un cambio radical en el carácter de la misma. Si hasta ese momento los objetivos de los dos grupos de potencias capitalistas rivales daban a la conflagración, en lo fundamental, un carácter imperialista, a partir de junio de 1941 el objetivo principal de la lucha dejó de ser el de realizar un nuevo reparto del mundo, y la misma tomó un carácter de guerra liberadora, antifascista. La defensa o la reconquista de la independencia nacional, que había dado la tónica particular a la lucha librada por numerosos pueblos europeos contra la invasión fascista, pasó a ser entonces la tónica general del conflicto.

Al atacar a la URSS, Hitler esperaba que los ingleses paralizaran la guerra contra Alemania y se le unieran para destruir el Estado proletario, teniendo en cuenta que en Inglaterra —al igual que en Francia y Estados Unidos— existían fuerzas que abogaban por firmar la paz con el Eje Roma-Berlín-Tokio. Pero tanto en Inglaterra como en el resto del mundo, la situación había cambiado y las potencias occidentales se vieron obligadas a hacer causa común con la Unión Soviética, a la que antes habían querido aplastar. Por ello, en lugar del bloque antisoviético que Hitler planeaba, se impuso la unidad de acción de ingleses, franceses, norteamericanos, etc., con los pueblos soviéticos. Se firmó el Pacto de Ayuda Mutua entre los gobiernos de Inglaterra y la URSS, y los Estados Unidos declararon su decisión de ayudar a la derrota del nazismo. Además, la URSS estableció relaciones diplomáticas con los gobiernos en el exilio de Checoslovaquia, Polonia y otros países ocupados.

Todo ello constituyó el inicio del gran frente mundial contra el fascismo que habían reclamado durante largos años la Unión Soviética y el movimiento comunista y obrero internacional.

El ataque de Japón a la armada norteamericana en Pearl Harbor, Filipinas, el 7 de diciembre del propio año, con la consiguiente entrada de los Estados Unidos en la guerra, impulsó aún más la integración de la coalición antihitleriana, aun cuando ni este último país ni Inglaterra dieron ayuda a la Unión Soviética en los primeros meses de la guerra, que fueron los más difíciles.

La guerra se convirtió en una tremenda conflagración mundial. De un lado se hallaban los estados fascistas de Alemania, Italia y Japón, o sea, los enemigos más odiados y peligrosos que habían tenido las libertades y el progreso humano; del otro lado, el frente que abarcaba no sólo a los pueblos, sino a naciones enteras que, aun siendo opuestos al régimen político y social existente en la URSS, se aliaron a ésta para luchar contra el fascismo, en defensa de sus intereses nacionales.

El cambio de carácter de la guerra originó también un cambio en las posiciones de las diferentes clases y capas de la población cubana ante el conflicto bélico.

En primer lugar, la alevosa agresión desencadenada por Hitler sobre la Unión Soviética despertó la indignación de las masas trabajadoras y de todas las fuerzas progresistas del país. Si hasta ese momento los intereses de los trabajadores y del pueblo reclamaban que Cuba se mantuviera fuera de la guerra, a partir de junio de 1941 nuestro primer deber internacionalista —y a la vez patriótico— pasó a ser el de ayudar con todas nuestras fuerzas a las naciones que sostenían la guerra contra el Eje, en particular a la Unión Soviética.

Breves horas después de haber invadido las tropas nazis el territorio soviético, la Unión Revolucionaria Comunista declaró que este ataque injusto, no provocado, variaba totalmente el cuadro de la situación internacional, ya que se trataba de una agresión al país del socialismo, a la revolución, a los trabajadores de todo el mundo, y llamó a la solidaridad con los combatientes soviéticos.

La Confederación de Trabajadores de Cuba, por su parte, declaró que la agresión del fascismo alemán a la Unión Soviética equivalía al surgimiento de una nueva guerra contrarrevolucionaria contra el país del socialismo, baluarte de la liberación de los trabajadores de todo el mundo.

"La guerra que los imperialistas nazis han desatado contra su pueblo y contra todos los pueblos —expresó el comité ejecutivo de la central sindical— con su agresión, ahora contra la Unión Soviética, obliga a todos los trabajadores a manifestar no sólo sus simpatías con el país del socialismo, sino también su disposición de luchar con entusiasmo y decisión por la causa que todos abrazamos —por estimarlo un deber de todos los hombres honrados del mundo— y de ayudarle a resultar victoriosa en la defensa de su territorio, del progreso y del futuro de la humanidad que simboliza, frente a la invasión de la esclavitud, la degradación y barbarie que el fascismo significa."

El movimiento obrero cubano adoptó una firme posición de apoyo moral y material a la Unión Soviética y demás países que combatían al fascismo. En todo el país, el proletariado respondió sin demora al llamado del Partido y de la CTC. Centenares de comités de ayuda fueron creados en las provincias y municipios, los cuales organizaban manifestaciones de solidaridad con la URSS y en demanda del establecimiento de relaciones diplomáticas y comerciales con dicho país. En muchas fábricas, talleres y sindicatos, los obreros comenzaron a recaudar fondos para los soldados soviéticos.

El congreso obrero azucarero celebrado en Cruces el 6 de julio, aprobó, por iniciativa de Jesús Menéndez, una moción de solidaridad con el pueblo soviético, en la cual los obreros azucareros expresaron una enérgica repulsa contra los invasores nazis y tomaron la decisión de enviar un barco cargado de azúcar a la URSS. El día 27 del propio mes, después de un desfile de solidaridad antifascista que culminó en un gran mitin en el Parque Central, en La Habana, los trabajadores adoptaron como consigna del proletariado nacional: "40 mil sacos de azúcar y un millón de tabacos para la Unión Soviética", la que fue ampliamente cumplida. A partir de esa fecha, miles de obreros tabaqueros, cuando llegaban al taller, dedicaban a ese fin el primer tabaco que torcían. Los trabajadores azucareros donaron un día de salario en la zafra de 1942 para contribuir al cumplimiento de dicha consigna. Los trabajadores portuarios, encabezados por Arcelio Iglesias —destacado dirigente obrero comunista— cargaron con trabajo voluntario los barcos soviéticos "Voljov" y "Kashistroi", que tocaron en esos años los puertos de Matanzas y La Habana para trasladar el aporte de los trabajadores cubanos al primer país socialista del mundo.

La CTC hizo también una calurosa exhortación a la inscripción en el servicio militar obligatorio y a la incorporación de las mujeres en el servicio femenino para la defensa civil, y desarrolló a través de sus federaciones y sindicatos una activa vigilancia y denuncia de los elementos falangistas y otros agentes de Hitler y Franco.

Por otra parte, el comité Cuba contra la Guerra Imperialista, que presidía Lázaro Peña, convocó a todas las instituciones sociales y políticas, a las personalidades de todos los campos de la actividad nacional, sin distingos políticos ni religiosos, para crear una amplia organización antifascista. El 9 de julio de 1941 quedó constituido en La Habana el Frente Nacional Antifascista (FNA), que se extendió rápidamente a las demás provincias.

La política asumida por la CTC ante el cambio de carácter de la guerra generó un ataque directo y sostenido por parte de los elementos nucleados en la Comisión Obrera Nacional (CON) del PRC y por parte de los sectores patronales.

La ofensiva dirigida por Eusebio Mujal se concretó en el III Congreso de la CTC, efectuado en diciembre de 1942, al que acudieron los delegados de la CON, con objetivos divisionistas. Los mujalistas se presentaron al encuentro con credenciales de organizaciones en muchos casos inexistentes, 50 de las cuales fueron rechazadas por la comisión de credenciales. Otros 50 delegados fueron aceptados, los que intervinieron en contra de la política seguida por la CTC y expusieron criterios antiunitarios; pero se marcharon ante la oposición de la mayoría.

El congreso se manifestó en favor de la unidad de los trabajadores, y respaldó a la CTC. En el evento se reafirmó la consigna de "Todo para ganar la guerra", y se ratificó la política de evitar en todo lo posible las huelgas y otras acciones que pudieran afectar la producción. El evento se manifestó a favor de transformar la economía nacional sobre bases de guerra y propuso medidas para lograrlo.

Repercusión de la guerra en las condiciones de vida de los trabajadores. Reacción del movimiento obrero

La conciencia de clase del proletariado cubano se reflejaba en la comprensión de la necesidad de supeditar sus reivindicaciones a la lucha contra el nazifascismo, pues los efectos del conflicto bélico afectaron grandemente sus condiciones de vida.

Durante la guerra se incrementó en más de un 50% el costo de la vida, debido a las dificultades del transporte de mercancías, la escasez y la especulación. Los ataques de los submarinos alemanes casi paralizaron el trasiego comercial, tanto en lo relativo a la importación como a la exportación. En septiembre de 1942 el azúcar destinado al consumo norteamericano no había podido ser conducido a su destino. Las exportaciones de tabaco y frutas fueron seriamente afectadas por la falta de transporte, y principalmente por la pérdida de los mercados europeos. Las dificultades de conducción impidieron la entrada de artículos de primera necesidad, materia prima y piezas de repuesto para las fábricas. La escasez de combustible repercutió en el transporte interno y paralizó las fábricas.

La clase obrera fue afectada por la desocupación, los desplazamientos y los despidos, resultado de la paralización de actividades productivas. Las condiciones de vida empeoraron al encarecerse extraordinariamente los artículos de primera necesidad, pues aunque se creó un organismo estatal que reguló los precios de abastecimiento y el gobierno limitó las ganancias de las empresas comerciales, en la práctica el agio y la especulación no se liquidaron.

La CTC y la FNOA, a pesar de la orientación de no realizar huelgas, libraron continuas y victoriosas luchas por aumentos salariales para neutralizar el alza del costo de la vida.

Los patronos intentaron descargar el peso de la crisis sobre los obreros, y en los casos en que el tribunal de arbitraje no pudo solucionar las demandas de los trabajadores, éstos acudieron a la huelga hasta que sus reclamaciones fueren aceptadas por la patronal, como ocurrió en las minas de Matahambre.

La combatividad de los trabajadores y su organización unitaria logró la suspensión de los desalojos campesinos, en 1943, en momentos en que los latifundistas intensificaban la expulsión de los campesinos de las tierras, con el objeto de dedicarlas a productos más rentables.

Se ganó la lucha por la extensión de las leyes sociales estipuladas en la constitución a los obreros agrícolas, mediante decretos gubernamentales. También se obtuvieron subsidios para los trabajadores marítimos desempleados durante la guerra por el cierre de algunos puertos y las limitaciones del transporte.

Ante las dificultades económicas originadas por el conflicto, la CTC mantuvo una lucha constante en defensa de la clase obrera que logró neutralizar en parte los efectos de la crisis.

En definitiva, durante el período de la guerra se habían logrado importantes conquistas obreras, tanto de carácter económico y social, como en cuanto a los aspectos organizativo y político de la clase obrera. El fortalecimiento organizativo de la CTC se puede comprender al observar que si en 1939 cotizaban a la misma 282 sindicatos y 23 648 obreros, en 1944 esas cifras ascendían a 871 sindicatos con 161 316 trabajadores.

En la misma forma ascendente se había ido desarrollando el destacamento de vanguardia de la clase obrera y el pueblo, que desde 1944 adoptó el nombre de Partido Socialista Popular. Si en las primeras elecciones en que participó legalmente, en 1939, alcanzó 90 000 votos, en las de 1946 llegó a casi 200 000. Tenía una combativa representación en el Congreso de la República y en los ayuntamientos, y había elegido un alcalde comunista en Manzanillo (Oriente) y otro en Yaguajay (Las Villas). Además, no era posible juzgar la influencia del Partido sólo por el número de votos que recibía y de candidatos que elegía, pues su poder movilizador era mucho mayor que el que podía esperarse de una organización de su tamaño.

Gracias a la acción del Partido y de la CTC, en los años de la guerra los trabajadores y el pueblo habían ganado importantes batallas contra los elementos falangistas y pronazis, contra la patronal reaccionaria y los monopolios extranjeros. Aparte del clima de respeto a las libertades democráticas y a la organización política y sindical de los trabajdores —el máximo respeto que podía alcanzarse bajo una democracia burguesa—, gracias a las luchas obreras la legislación social había establecido el derecho de los obreros a la huelga, la jornada máxima de 8 horas, la semana de 44 horas de trabajo con pago de 48, el descanso retribuido de un mes cada año, el cobro de los días de fiesta y de duelo nacionales —que no se trabajaban—, la obligatoriedad de que los patronos concertaran con sus obreros contratos colectivos de trabajo, el que no se cesara a nadie sin expediente previo, el cobro de seguros sociales en un número cada vez mayor de sectores, etcétera.

Una muestra del incremento de los ingresos de los trabajadores son los logros de los obreros azucareros, particularmente los del sector agrícola, que habían sido siempre los peor remunerados. Entre 1940 y 1945, el aumento de salarios fue de un 105% para los obreros industriales del azúcar y de un 155% para los agrícolas.

Los obreros portuarios, así como otros sectores laborales, habían mejorado notablemente también sus condiciones de trabajo, sus ingresos, etcétera.

Desde luego que ninguna de las leyes beneficiosas para los obreros se cumplía a cabalidad ni espontáneamente. Para ello era necesario librar un combate tras otro contra los patronos reaccionarios y sus leguleyos, contra la guardia rural, e incluso contra la inexperiencia y falta de organización de masas de obreros en varias regiones de la isla. Pero, aun así, se arrancaron decenas de millones de pesos a las clases explotadoras, se mejoró la situación de miseria —incluso de indigencia— de decenas de miles de obreros, y la lucha por la promulgación o por el cumplimiento de leyes complementarias de la constitución y de numerosas medidas progresistas, fue un factor que ayudó a desarrollar la organización y a fortalecer la unidad del proletariado.

El cambio de la situación política en Cuba en junio de 1944 y sus consecuencias para el movimiento obrero

En 1944 asumió la Presidencia de la República Ramón Grau San Martín, elegido por una mayoría popular que confiaba en que el nuevo gobierno adoptaría medidas progresistas frente al agio y la especulación, la inmoralidad administrativa y otros males de la república burguesa. Muchos pensaban que se repetirían a partir de 1944 medidas progresistas como las que había dictado el propio Grau —si bien bajo la presión popular y la posición revolucionaria de Antonio Guiteras— durante su anterior gobierno en 1933-1934.

Pese a sus posiciones anticomunistas y de rechazo a la dirección unitaria de la CTC, reiteradas a raíz de su ascenso al poder, Grau se vio obligado, en los primeros tiempos de su mandato, a mantener buenas relaciones con la central obrera y abstenerse de tomar medidas contra el Partido Socialista Popular. Se lo impedía, fundamentalmente, la autoridad y fortaleza que había alcanzado el movimiento obrero y comunista, el hecho de que aún no había fianlizado la guerra mundial ni se había desatado la ofensiva imperialista contra los comunistas, y, además, la oposición de importantes fuerzas políticas nacionales contra Grau y el partido gobernante.

De ahí que, a fines de julio de 1944, el nuevo presidente, después de una entrevista con el secretario general de la CTC, se expresara públicamente a favor de la unidad obrera, a pesar de las aspiraciones de Mujal y el grupo de la CON de controlar la central sindical. Ante la presión de Grau, la CON participó en el IV Congreso de la CTC, y contribuyó así a lograr la unidad completa de todos los obreros.

El IV Congreso de la CTC fue inaugurado por el presidente Grau San Martín el 10 de diciembre de 1944. En éste, a pesar de los esfuerzos de los auténticos, fue reelecto Lázaro Peña como secretario general. Este congreso demostró el respaldo de los trabajadores a la dirección de Lázaro Peña y a la política de la organización.

En el congreso se discutieron fundamentalmente los problemas de la economía en las condiciones de guerra y la unidad de los trabajadores.

Los grandes logros obreros en la industria azucarera

En los últimos meses de la guerra y después de su terminación, en mayo de 1945, los Estados Unidos, despojados de sus otros proveedores azucareros, necesitaban del azúcar cubano. La circunstancia favoreció la concesión por parte del gobierno Grau San Martín de toda una serie de demandas reclamadas por la Federación Nacional de Trabajadores Azucareros (FNTA), organización que abarcaba a todos los trabajadores de la industria y que sustituyera a la FNOA en 1945. Jesús Menéndez, dirigente comunista de la federación, lideró la ofensiva por un aumento de salarios y por la participación de los obreros en la mayor ganancia de las zafras.

Al iniciarse la zafra de 1945, el presidente Grau promulgó el decreto 117, que regulaba el régimen salarial de la industria azucarera. Por él se establecía un ingreso adicional, el llamado diferencial azucarero. De acuerdo con la nueva reglamentación, los salarios de los trabajadores serían sistemáticamente aumentados en una proporción de 0.5% por cada punto o centésima de centavo en que se elevara el precio del azúcar.

La CTC dirigió entonces una intensa campaña en demanda del pago del diferencial, en la cual tuvo Menéndez destacada actuación en Cuba y los Estados Unidos.

En noviembre de 1945, una representación extraoficial de los trabajadores cubanos, integrada por Menéndez y otro delegado, y asesorada por Jacinto Torras, logró entrevistarse en Washington con las autoridades azucareras norteamericanas. Como resultado de esa gestión, se designó oficialmente una comisión obrera para la negociación de la zafra de 1946. Por presión de Menéndez, quien presidía esta comisión, el secretario de Agricultura norteamericano y los representantes de los Estados Unidos aceptaron la inclusión de la llamada cláusula de garantía en el convenio azucarero cubano-norteamericano. Por esta cláusula se determinaba un aumento en el precio del azúcar en la proporción en que se elevara el precio de los artículos y productos esenciales que Cuba compraba a los Estados Unidos, tales como arroz, aceite, harina de trigo, manteca, maquinarias, etc. Este último precio era medido alternativamente por el índice oficial del costo de vida o el del costo de los alimentos en Estados Unidos, tomándose el que resultara más beneficioso para Cuba.

En diciembre de 1946, la campaña por el pago del diferencial culminó con el anticipo de 25 millones de pesos a los trabajadores azucareros, con cargo a la cláusula de garantía. La habilidad del dirigente azucarero, la movilización de las masas trabajadoras unidas y organizadas y las circunstancias internacionales de déficit azucarero, hicieron posible el logro de una de las mayores conquistas del obrerismo cubano.

La participación de los obreros en las ventas de zafras y el pago del diferencial eran dos conquistas de la clase obrera que preocupaban grandemente tanto a los hacendados azucareros como a las grandes compañías norteamericanas. Además, los azucareros habían logrado aumentos salariales que sobrepasaban los mil millones de pesos bajo la dirección de la FNTA.

Estos logros se unían a los obtenidos por la clase en su conjunto: descanso retribuido, aumentos salariales, jornada de 8 horas, extensión de las leyes sociales a los trabajadores agrícolas, etc. Además, la organización sindical prácticamente impedía el despido injustificado de los trabajadores, a los cuales respaldaba la legislación.

Ya Cuba se había convertido en campo no favorable a la intervención para el imperialismo —según propias declaraciones— debido al fortalecimiento y organización de su movimiento obrero. Era necesario desvertebrar la unidad de los trabajadores para poder restituirlos a su anterior condición de explotación. Circunstancias nacionales e internacionales iban a favorecer el inicio de la ofensiva contra la organización sindical cubana.

El gobierno de Grau, a pesar de su anticomunismo, no se había enfrentado al partido de los comunistas ni a la CTC, por su inestabilidad en el poder. Debido a ello y a la necesidad de surtir de azúcar al mercado norteamericano, concedió el diferencial azucarero y otras demandas obreras. Mientras tanto, el presidente sustituyó las figuras ligadas a Batista de la dirección del ejército y fue afianzándose en el poder mediante el soborno político con fondos del Estado.

A partir de 1946, el presidente Grau tuvo en sus manos el aparato estatal. Por otra parte, había variado la posición del imperialismo respecto a la táctica a seguir frente a las demandas populares. La segunda guerra mundial había terminado con la derrota del nazismo y se comenzaban a restablecer las relaciones comerciales. El nuevo presidente de los Estados Unidos, Harry S. Truman, inició la llamada política de "guerra fría", que se manifestó en el chantaje nuclear, la ofensiva contra el movimiento obrero y popular, la "caza de brujas", el auspicio de golpes de Estado reaccionarios, etc. En Cuba, los gobiernos de los auténticos Grau y Prío fueron dóciles instrumentos del imperialismo, y se prestaron a ser los ejecutores de la entrega del movimiento sindical cubano a los monopolios norteamericanos.

La nueva orientación del gobierno de Grau se hizo evidente a principios de 1947, después de una visita del nuevo jefe del ejército, Genovevo Pérez, a los Estados Unidos. Poco después de este contacto, se inició, en un clima internacional de "guerra fría", la acción programada contra la dirigencia unitaria en la central sindical. El V Congreso de la CTC debía efectuarse en abril de 1947, y Grau debía impedir que un comunista fuera elegido secretario general de la CTC, o exponerse a caer en desgracia con el presidente Truman.

La ofensiva se inició desde febrero de 1947, cuando en un acto de la Comisión Obrera Nacional del PRC, el primer mandatario de la nación expresó que la CTC no necesitaba ir a buscar ninguna ideología extraña y "que debía sustraerse de manos extranjeras el máximo organismo de los trabajadores". Ésta era una referencia clarísima a la filiación marxista-leninista del máximo dirigente sindical, Lázaro Peña, y constituía un subrepticio veto a su reelección. El dirigente de los azucareros, Jesús Menéndez, en abril 16, en vísperas del V Congreso, denunció la campaña que se avecinaba y sus objetivos al declarar a la prensa: "Las grandes empresas extranjeras, utilizando a sus servidores colocados en algunos sindicatos, están financiando la campaña reaccionaria del anticomunismo, siendo sus principales portavoces los dirigentes de la llamada Comisión Obrera del PRC, Eusebio Mujal y Francisco Aguirre. Como se sabe, esta campaña no persigue otros fines que no sean el de desunir los sindicatos, romper la CTC y la FNTA, haciendo que vayan a la cárcel los mejores defensores de los trabajadores, para de este modo no tener que cumplir ninguna ley social ni aumentar los salarios ni permitir que participemos los trabajadores en negociaciones de las ventas de las zafras ni dar los diferenciales del mayor precio del azúcar durante todo el año..."

Eusebio Mujal planteaba, en la práctica, la constitución de una segunda central sindical, ya que el proceso eleccionario en los sindicatos aseguraba la reelección de Lázaro Peña. En el último instante se creó la candidatura "transaccional" de Ángel Cofiño, líder de los trabajadores eléctricos, quien presidía una fracción aparentemente imparcial, el Comité Obrero Nacional Independiente (CONI), el cual se manifestaba por el apoliticismo dentro de la CTC. En realidad, se trataba de quitar a la CTC su carácter de organización revolucionaria de clase, bajo el pretexto del apoliticismo, para entregarla posteriormente a la pandilla mujalista.

El 3 de abril, a tres días del encuentro sindical, el local del PSP en la calle Carlos III era víctima de un atentado nocturno. El día 5 se produjo el ataque de un grupo armado del PRC al local del Sindicato de la Aguja, donde la CTC entregaba credenciales para el congreso a los azucareros villareños. Posteriormente, la policía ocupó el local de la CTC y detuvo a un grupo de dirigentes sindicales. El clima de inseguridad culminó en la suspensión del congeso por el ministro de Gobernación.

El 1º de mayo hubo un entusiasta desfile, con la presencia del presidente Grau, ante el cual los trabajadores esgrimían y coreaban la consigna de "Unidad, CTC". En presencia del primer mandatario se anunció la celebración del V Congreso, del 4 al 9 de mayo.

EL V CONGRESO DE LA CTC

La convocatoria para el congreso efectuada en el Palacio de los Trabajadores no fue vetada por el gobierno. Se efectuó con la participación de 1 403 delegados en representación de 900 organizaciones sindicales, la inmensa mayoría de las 1 200 existentes en el país. No asistieron los sindicatos controlados por la CON y el CONI. El congreso ratificó vigorosamente su decisión de unidad y reeligió a Lázaro Peña como secretario general. A pesar de la utilización del soborno, mediante la otorgación de prebendas y dinero por parte del gobierno y de las pandillas armadas a su servicio, el grupo de Mujal no pudo impedir que las masas seleccionaran a los dirigentes unitarios.

La reacción oficial no se hizo esperar. Los dirigentes de la CON apelaron contra la legalidad del congreso y efectuaron otro, convocado bajo los auspicios del Ministerio del Trabajo, del 6 al 8 de julio de 1947, en el teatro Radio Cine, y con la presencia del presidente Grau. Bajo la consigna de "Hagamos una CTC cubana", los delegados eligieron a Ángel Cofiño secretario general. Quedaban así, de hecho, constituidas dos centrales sindicales, y al Ministerio del Trabajo le tocaba decidir cuál era la verdadera.

El 3 de agosto, el jefe de la policía desalojaba a los dirigentes elegidos democráticamente del Palacio de los Trabajadores, construido con fondos obreros, con el pretexto de que no se había fallado todavía con respecto a la legalidad de la dirigencia sindical electa en mayo.

En septiembre, las pandillas mujalistas asaltaron numerosos sindicatos democráticos, como preludio al reconocimiento oficial de la central fabricada por la CON de Mujal y el CONI de Cofiño que se produjo en el mes de octubre. Como la masa obrera —comunista o no— no respondía a los falsos líderes impuestos, hubo que desalojar por la fuerza a los obreros unitarios de los sindicatos.

Con la anulación del V Congreso unitario y la legalización del divisionista, se inició una ofensiva antiobrera con el propósito de desvertebrar el fuerte movimiento sindical dirigido por los comunistas. Así se utilizaron dos vías para ejercer el control sobre el movimiento obrero y eliminarlo como fuerza política independiente: la subvención gubernamental a las fuerzas divisionistas, mediante el otorgamiento de fondos del llamado inciso K, del presupuesto del Ministerio de Educación, y el apoyo legal otorgado por el ministro del Trabajo, Carlos Prío Socarrás.

La destitución de los dirigentes unitarios y el desalojo de los sindicatos fue una batalla en la cual la clase obrera luchó con verdadero heroísmo.

Esta ofensiva, que logró mantener dividido durante varios años al movimiento sindical, se manifestó en todas las formas. Además del asalto físico a los sindicatos, los mujalistas se adueñaron de las Cajas de Retiro Obrero, mediante la destitución por decreto de sus directivas y la designación de elementos divisionistas, quienes utilizaron sus fondos para su enriquecimiento personal. Ante la negativa de los obreros a cotizar a la CTC oficialista, bautizada por el pueblo como "CTK", por el acápite económico que la sostenía, se decretó la "cuota sindical obligatoria". Se clausuraron los medios de difusión obrera: la emisora Mil Diez, del

PSP, mediante su ocupación violenta; el periódico *Hoy*, órgano también del PSP.

Durante esa ofensiva, fueron asesinados destacados dirigentes obreros y campesinos. El 22 de enero de 1948, fue ultimado por la espalda el líder azucarero Jesús Menéndez. El 12 de octubre de ese año se eliminó al también dirigente comunista de los trabajadores marítimos Aracelio Iglesias. Otros muchos dirigentes proletarios de diversa militancia cayeron también en la lucha por la unidad del movimiento obrero. Pero la clase obrera no se dejó intimidar, mantuvo su defensa de las organizaciones y las directivas unitarias.

La reacción contra el divisionismo se manifestó mediante mítines, paros de corta duración y manifestaciones populares; en la defensa de los locales sindicales; en el pago voluntario de la cuota sindical a la CTC unitaria, y en la lucha en el campo organizativo.

El apoyo de las masas permitió que la CTC unitaria mantuviera sus funciones como central sindical de los trabajadores cubanos, a pesar de las disposiciones oficiales en contra que la ilegalizaban, y se trasladó al local del Sindicato de Torcedores, primero, y después, ante un nuevo desalojo, al del Sindicato de Barberos. En el caso de los sindicatos cuyas directivas electas se pasaron a las filas divisionistas, se orientó la constitución de comités de lucha, que actuaban dentro de las organizaciones con el objetivo de orientar a las masas en la lucha por las justas demandas y contra la directiva divisionista. Los comités tenían una estructura semejante a la de la directiva sindical, aunque con menos cargos, y agrupaban en torno a ella a todos los obreros dispuestos a luchar por los verdaderos intereses de los trabajadores, sin atender a su posición política. El primer comité de lucha se constituyó dentro del Sindicato Provincial de Trabajadores Telefónicos, cuyos dirigentes, elegidos por sus nexos con Cofiño, se habían pasado a la CTC oficialista. La constitución de estos organismso de lucha se extendió a otros sectores y centros de trabajo y desempeñaron un importante papel en la batalla del movimiento obrero contra la ofensiva del imperialismo, el gobierno, la patronal y sus agentes en el movimiento sindical oficial.

El período que se extendió desde el V Congreso hasta el VI Congreso de la CTC, en 1949, se caracterizó por la combatividad desplegada por los obreros para mantener el aparato sindical unitario, en medio de la más brutal represión. Durante estos años la CTC unitaria no deja de desempeñar su papel en defensa de los intereses de la clase obrera y de las masas populares.

La CTC unitaria al frente de las luchas en defensa de la economía cubana, de la soberanía nacional y del nivel de vida de los trabajadores

La ofensiva del imperialismo contra la economía nacional no se hizo esperar. El dócil gobierno de Grau había renunciado a la cláusula de garantía, pero además se amenazaba con la reducción de la cuota azucarera. Por otra parte, nuestra industria nacional hacía crisis ante la invasión de productos norteamericanos a precios de *dumping* y la paralización o reducción de algunas exportaciones. La crisis se reflejó en la industria tabacalera, la segunda del país; en la industria minera; en la metalúrgica; en la del vidrio y del cartón; en la industria de caramelos, y en otras, con la secuela de miles de desocupados por el cierre de las fábricas y la quiebra de los pequeños productores. Esta situación afectó toda la vida nacional, y fue agravada por la política imperialista de obtener el mayor provecho de sus inversiones, promoviendo la rebaja de los costos de producción y de los salarios. Así se inició un proceso de modernización de la industria y el transporte, de acuerdo con los intereses monopolistas, y de aplicación de sistemas intensivos de trabajo, particularmente en los centrales azucareros. Estos propósitos se concretaron en la mecanización del torcido del tabaco, y en el "intensivismo" en la industria azucarera, métodos que provocaron grandes luchas obreras en respuesta. La crisis del desempleo, la disminución de los salarios y la política de sumisión y de corrupción política y administrativa del gobierno, fueron activamente combatidos por los dirigentes obreros unitarios, que apoyaron el plan esbozado por el partido de los comunistas cubanos, el Partido Socialista Popular, llamado Plan Cubano contra la Crisis, que recogía el programa de luchas contra la ofensiva económica imperialista y de protección a la economía nacional.

Durante esos años y hasta 1952, los dirigentes unitarios se pusieron al frente de las grandes luchas de los obreros azucareros contra la rebaja de salarios, contra el intensivismo, contra la cuota sindical obligatoria, o sea, de las luchas obreras y populares y en defensa de la economía popular. Entre 1947 y 1952, la situación internacional, y específicamente la guerra de intervención norteamericana en Corea, se reflejó en el alza del precio del azúcar y en un aumento de la demanda del producto, lo cual permitió la estabilización de las zafras. No obstante, la FNTA mujalista, aliada al gobierno y a los intereses imperialistas, apoyó las rebajas de los salarios de los azucareros y el no pago del diferencial. En respuesta se produjeron intensas luchas de masas, orientadas por los dirigentes unitarios, que lograron el mantenimiento de los salarios al mismo nivel en las zafras de 1948 y 1950. En 1951, los obreros azucareros desarrollaron un fuerte movimiento por un incremento salarial de un 20%, de acuerdo con el aumento del precio del azúcar, pero esta demanda fue vendida por los dirigentes mujalistas a cambio de que el gobierno estableciera un descuento de un 1% de los salarios para la CTC oficialista, la llamada cuota sindical obligatoria. Esta erogación, contra la cual lucharon activamente los obreros cubanos, sirvió de fuente de enriquecimiento personal a Mujal y su camarilla.

Otra importante batalla librada por los obreros azucareros fue la lucha por el pago de la "superproducción", exceso de productos creado por ciertos elementos de modernización en gran parte de los centrales azucareros y la correspondiente intensificación del trabajo. El intensivismo representó más de 80 millones de pesos en salarios no percibidos por los obreros, que engrosaron los fondos de las empresas azucareras, y por cuyo pago se realizaron combativas acciones. Éstas obligaron al gobierno a decretar el pago de la superproducción a los trabajadores, pero esta medida fue lograda solamente en aquellos centrales donde las luchas fueron dirigidas por los obreros unitarios, ya que los dirigentes "cetekarios" retuvieron parte de las cantidades que debían ser abonadas a los trabajadores.

Otras luchas importantes de los azucareros, como la emprendida contra la cuota sindical obligatoria, demostraron que, aunque la masa obtuviera sus demandas, la traición de los dirigentes cetekarios limitaba sus logros.

Otras luchas obreras importantes fueron lideradas por los elementos unitarios: contra los desvíos de los embarques de azúcar de sus puertos tradicionales, los embarques de azúcar a granel, la utilización indiscriminada de *ferries* y *sea-trains*; contra la mecanización de la producción del tabaco torcido para consumo nacional y otras.

La crisis interna de la CTC oficialista. El VI Congreso bajo la dirección de Mujal

Dentro de la CTC oficialista se produjo, desde los primeros momentos, una intensa pugna entre tres tendencias que aspiraban a controlar y obtener las mayores ventajas económicas de la traidora connivencia con el gobierno, la patronal y el imperialismo. Eusebio Mujal, apoyado por el dinero gubernamental y como dirigente de la facción más numerosa y agresiva, la Comisión Obrera Nacional (CON), se impuso sobre los pistoleros de Acción Revolucionaria Guiteras, liderados por Marco Antonio Hirigoyen, y sobre el grupo del secretario transaccional de la CTK, Ángel Cofiño. Así, en el VI Congreso obrero oficialista, efectuado del 27 al 29 de abril de 1949, Mujal obtuvo su máxima aspiración: la secretaría general de la organización, cargo que mantuvo hasta el triunfo de la Revolución, el 1 de enero de 1959. En este congreso se redistribuyeron las posiciones en la dirección de la CTC oficialista entre los elementos oportunistas, atendiendo no a los intereses de los trabajadores, sino a la actividad realizada por los distintos grupos para convertir el movimiento sindical en un instrumento del gobierno, la patronal y el imperialismo. El informe central reconoció tácitamente el apoyo de las camarillas gangsteriles y del Ministerio del Trabajo en la imposición de las directivas sindicales y manifestó la adhesión de la dirección mujalista al informe rendido por técnicos norteamericanos del Chase National Bank, que negaba al estado crítico de la economía cubana y que atribuía la situación del país a la "falta de espíritu de empresa".

De este Congreso surgió fortalecida la tendencia encabezada por Mujal. Se iniciaba abiertamente la etapa del mujalismo, la peor forma del reformismo oportunista que liquidó la unidad obrera y la democracia sindical y entronizó en la dirección de la CTC a elementos corruptos al servicio del capital, los cuales desfalcaron las cajas de retiros y se enriquecieron a costa de los trabajadores. Eusebio Mujal y su camarilla demostraron su incondicionalidad al imperialismo y su oportunismo al apoyar en 1952 a Fulgencio Batista en su golpe artero contra el pueblo de Cuba que lo situó en el poder. A partir de 1952, el mujalismo se consolidó con el apoyo de la tiranía y llegó a su mayor grado de corrupción al convertirse en cómplice activo de la más sangrienta dictadura antipopular.

LA APLICACIÓN DE UNA NUEVA LÍNEA DE LA CTC UNITARIA A PARTIR DE SU VI CONGRESO

Entre el 8 y el 10 de abril de 1949 se reunieron los delegados unitarios de la clase obrera para celebrar el VI Congreso de la CTC. Los 1 113 delegados habían sido elegido democráticamente de acuerdo con las posibilidades de cada lugar y sector. Las reuniones se efectuaron en diversos locales, para evadir a las fuerzas represivas gubernamentales y a las pandillas gangsteriles. El informe central elaborado por Lázaro Peña hizo un balance de la labor desarrollada durante los dos años de represión y señaló los aciertos y las debilidades de la línea seguida.

Sobre la base de la experiencia de este período, y atendiendo tanto a las condiciones existentes en 1948 como a la ofensiva desatada contra la economía nacional y los trabajadores, el congreso se planteó como principal tarea de la CTC, de los sindicatos y de todos los obreros unitarios, la movilización directa de las masas para lograr la unidad de acción de la clase obrera en la lucha por sus reivindicaciones. La consigna del congreso reflejaba esta nueva línea: "Hacia las masas. Hacia la unidad estrecha de los unitarios y cetekarios de base para detener la ofensiva patronal, para salvar la economía cubana, para mantener los salarios y las conquistas, para combatir la guerra y la crisis."

El evento ratificó el carácter unitario de la CTC, en respuesta a las acusaciones hechas por los mujalistas de que ésta estaba al servicio de los comunistas, y se afirmó que la CTC era la organización de todos los trabajadores, al servicio de todos los trabajadores, sin distinción de raza, ideología ni militancia.

En consecución de los objetivos trazados se orientó la lucha por la unidad: los sindicatos unitarios y los comités de lucha y unidad debían ponerse en contacto con los trabajadores engañados o confundidos por la CTK y movilizarlos para la realización de acciones conjuntas contra la ofensiva patronal y en demanda de sus reivindicaciones.

El VI Congreso estableció las bases para la reconstrucción de la unidad sindical, cuyos puntos fundamentales eran la defensa intransigente de los intereses de los trabajadores frente a la explotación patronal, la completa independencia del movimiento sindical, la democracia sindical interna y ninguna discriminación política, racial o ideológica de los sindicatos.

El cumplimiento de la línea trazada por el VI Congreso dio lugar a importantes acciones contra la CTK y por el logro de las demandas obreras. A fines de 1949 ya era evidente que se iniciaba un proceso de recuperación.

La CTC unitaria pasa a trabajar dentro de los sindicatos cetekarios

En la lucha por la unidad, y para cumplir cabalmente la táctica de trabajar directamente con las masas, a principios de 1951 se orientó para ciertos sectores el ingreso de los trabajadores unitarios en el sindicato oficial, como ocurrió, por ejemplo, en Ómnibus Aliados, donde los matones habían controlado el sindicato. Meses después se habían disuelto numerosas secciones y sindicatos unitarios para ingresar en los correspondientes sindicatos oficiales. Este paso se dio como una necesidad para lograr la reunificación de los trabajadores, la mayor parte de los cuales se encontraban dentro de los sindicatos cetekarios.

La represión fascista, la posición de directivas sindicales por la fuerza, la toma violenta de los sindicatos y sus locales, y el reconocimiento por el gobierno de los sindicatos oficiales como los únicos facultados para dialogar con los patronos, fueron causas objetivas que forzaron a los trabajadores a afiliarse a los sindicatos mujalistas. Por otra parte, muchos obreros fueron confundidos: algunos pensaban que por su carácter oficialista sólo la CTK podía lograr el cumplimiento de sus reivindicaciones; otros se dejaron confundir por la campaña anticomunista contra la directiva unitaria.

La situación del movimiento obrero requería, pues, un fortalecimiento del trabajo ideológico dentro de las propias filas de los sindicatos cetekarios. Esta actividad, orientada por los comunistas y los dirigentes unitarios, se reflejó en forma positiva en el crecimiento de la unidad obrera y el repudio a las directivas mujalistas.

Manifestación concreta de lo correcto de esta línea fue la elección de delegados unitarios al VII Congreso de la CTC oficial, efectuado del 28 al 31 de mayo de 1951. La mayoría de éstos fueron rechazados por la comisión de credenciales, pero algunos lograron participar en el evento. El más destacado de ellos, Miguel Quintero, levantó la voz del movimiento obrero unitario contra los asesinatos de dirigentes obreros, el asalto a los sindicatos y la imposición de las directivas por decreto; contra el sometimiento al imperialismo y en defensa de las demandas de los trabajadores; en defensa de la paz y contra el envío de cubanos a pelear contra el pueblo coreano. Desde luego, esta voz fue aislada y acallada en un congreso en que la gran mayoría de los delegados habían sido designados desde arriba por la directiva mujalista. De este congreso salieron acuerdos gratos al imperialismo, como fueron el de pedir la ilegalización del partido de los comunistas, el PSP, y prohibir el uso del nombre y de las insignias de la CTC a la central obrera unitaria.

Durante el período, el movimiento obrero unitario mantuvo junto a la lucha por la unidad, la democratización y las demandas de la clase, una intensa actividad en defensa de importantes objetivos de todo el pueblo y de carácter internacional. Así, se desarrollaron campañas en defensa de la economía nacional; contra el antipopular empréstito gestionado por el gobierno de Prío; contra el envío de cubanos a pelear en Corea, y a favor de la política de paz preconizada por el movimiento obrero y comunista internacional.

EL GOLPE MILITAR Y REACCIONARIO DEL 10 DE MARZO DE 1952

La mediatización del imperialismo y la corrupción administrativa de los gobiernos auténticos se reflejaban en toda la vida nacional y concitaron en tal forma la reacción popular, que el partido en el poder estaba condenado a la derrota en las elecciones generales a efectuarse en junio de 1952. La posible victoria del candidato del Partido del Pueblo Cubano (Ortodoxo), quien contaba con el apoyo de las mayorías, aunque no hacía prever un cambio social revolucionario, sí suponía la erradicación total del autenticismo y abría nuevas perspectivas de lucha. Ni el imperialismo ni la reacción nacional estaban dispuestos a permitir este cambio por la vía democrática. Así se gestó la confabulación entre el imperialismo y la oligarquía burgués-latifundista, que aprovechando las ambiciones de poder de Fulgencio Batista y su influencia dentro de las fuerzas armadas, originó el golpe militar reaccionario que liquidó el orden constitucional.

El "cuartelazo", auspiciado por el gobierno norteamericano y la reacción, dio lugar a un gobierno plegado incondicionalmente a las fuerzas que lo sustentaron.

La repulsa popular al gobierno de fuerza de Batista fue inmediata; pero éste contó a su favor con el sometimiento de los partidos tradicionales, subordinados a las posiciones del imperialismo y con las difíciles condiciones en que desarrollaban su acción el movimiento obrero revolucionario y la vanguardia comunista.

Eusebio Mujal, después de una momentánea aprobación de una huelga general contra Batista, se puso al servicio incondicional del mismo. El nuevo régimen reforzaría la política de división del movimiento obrero, la represión y la violación de los derechos democráticos de los trabajadores. Mujal y su camarilla, entregados totalmente al imperialismo y la reacción, servirían al gobierno de facto y, a cambio de su incondicionalidad, se enriquecieron aún más a costa del sudor de los trabajadores.

Las masas obreras y sus dirigentes unitarios se alzaron contra la traición y el oportunismo de los mujalistas. Los trabajadores de las distintas tendencias políticas condenaron el golpe de Estado y se manifestaron contra los oportunistas de la CTK. Este repudio se manifestó mediante huelgas de los distintos sectores, y el agrupamiento en torno a los elementos revolucionarios. Pero la debilidad de las filas obreras impedía las acciones vigorosas y frenaba sus posibilidades de lucha.

Desde el principio se manifestó el agravamiento de los problemas existentes en el país, como producto del cuartelazo. Como se caracterizan en la Plataforma Programática del Partido Comunista de Cuba: "El golpe mermó aún más la independencia y soberanía de Cuba; abrió en mayor medida las puertas del país a los monopolios yanquis; aunó los intereses de los latifundistas cubanos y extranjeros; incrementó la explotación de los obreros, campesinos pequeños y medios, empleados modestos, pequeños comerciantes, etc.; agravó el problema del desempleo crónico de los trabajadores propició el aumento de las ganancias de las grandes empresas burgués-latifundistas a costa del nivel de vida de las masas; derrochó las divisas de nuestro país; aplastó las pocas libertades democráticas existentes antes del 10 de marzo; continuó la senda de corrupción y vicio de los gobiernos anteriores, llevando a cabo el saqueo bandidesco del tesoro público, el desfalco de las cajas de retiro de los trabajadores, la corrupción política y de toda índole; desencadenó la más brutal y sanguinaria ola de terror que recuerde la historia de Cuba."

La política represiva sobre el movimiento obrero se concretó en el asalto de los talleres de *Hoy*, órgano de los comunistas, en las detenciones de dirigentes comunistas y unitarios, en los ataques directos contra las actividades obreras y específicamente contra el desfile del 1º de mayo. Esta política contra las masas, contrastaba con la política oficial de protección a la directiva mujalista, sostenida por la fuerza en el control absoluto de la CTC.

De acuerdo con el llamado Plan Truslow, propuesto por una comisión económica norteamericana para convertir a Cuba en un lugar atractivo para los inversionistas norteamericanos, Batista se propuso eliminar las conquistas sociales obtenidas por los obreros, disminuir los salarios e incrementar las condiciones de explotación. Las rebajas salariales y las cesantías masivas de los trabajadores se produjeron con la anuencia de los jerarcas de la CTC, sobornados mediante la concesión de la cuota sindical obligatoria, los fondos procedentes de las cajas de retiros obreros, de maternidad, etcétera.

El VIII Congreso de la CTC, efectuado del 3 al 6 de mayo de 1953, reeligió a Mujal como secretario general. Durante ese evento, la directiva mujalista se vio forzada a utilizar procedimientos antidemocráticos en forma abierta, para neutralizar la influencia de unos 40 delegados unitarios de distintas filiaciones políticas, entre los cuales había algunos comunistas. La presencia de estos delegados era el resultado de la táctica de penetración en los sindicatos cetekarios A pesar de que la mayoría de los representantes de las organizaciones obreras presentes habían sido designados a espaldas de las masas, las intervenciones de los unitarios fueron atendidas y en algunos casos acogidas con simpatía por los congresistas. Así, algunas de sus proposiciones referentes a problemas de salarios, desocupación, política fiscal, y otras que eran demandas económicas fundamentales de la clase obrera fueron aprobadas. Desde luego, Mujal logró que los dirigentes comprometidos con su política antiobrera acordaran afiliar la CTC a las organizaciones obreras internacionales auspiciadas por el imperialismo: la Organización Regional Interamericana de Trabajadores (ORIT) y la Confederación Internacional de Organizaciones Sindicales Libres (CIOSL).

EL ASALTO AL CUARTEL MONCADA Y LOS TRABAJADORES

El 26 de julio de 1953, el Cuartel Moncada fue atacado por un grupo de jóvenes revolucionarios bajo la dirección de Fidel Castro, lo que inició una nueva etapa, la última del proceso revolucionario cubano por la liberación nacional. Ante la gravedad de la situación del país, este grupo se proponía promover la movilización de todo el pueblo frente al régimen de Batista y todo lo que él representaba. Fidel Castro se proponía desencadenar la insurrección popular armada como la forma más alta de la lucha de masas. El asalto a los cuarteles de Santiago de Cuba y Bayamo fue un revés táctico que devino en victoria estratégica en la ya histórica autodefensa de Fidel Castro conocida por *La historia me absolverá*. Éste esbozó genialmente el programa popular y democrático del movimiento revolucionario que guiaría la lucha y se realizaría plenamente durante los dos primeros años de la Revolución en el poder. Ya en ese momento, Fidel Castro sustentaba los principios ideológicos que le permit'an comprender que no bastaba con expulsar al régimen batistiano del poder, sino que era necesaria la transformación total del sistema social existente y que los que debían realizar este cambio eran las clases explotadas. Los problemas de la clase obrera y de todo el pueblo son recogidos en el programa del Moncada, así como la forma práctica en que la Revolución los resolverá.

Como primer momento del inicio del proceso que instalaría a la clase obrera en el poder en Cuba, el asalto al Cuartel Moncada constituye un jalón importante en la historia del movimiento obrero cubano.

Esta acción revolucionaria obligó a Batista a manifestarse tal y como era; un instrumento del imperialismo y de la reacción, y en su afán por detener el proceso revolucionario, inició una sangrienta represión del movimiento revolucionario y popular.

Parte de esta política violenta de mantenimiento del poder fue la acción represiva contra el movimiento obrero unitario. En esta labor, Mujal y sus agentes desempeñaron un activo papel. Los primeros pasos de esta actividad se orientaron a despojar de sus derechos sindicales a los comunistas y otros militantes revolucionarios. Así, en junio de 1954, con el pretexto de los peligros del comunismo, el comité ejecutivo de la CTC, presidido por Mujal, acordó, entre otras medidas, que no se admitiera a los comunistas como delegados a los congresos nacionales de federaciones y de la CTC y que expulsaran a éstos de los cargos de dirección sindical en todos los niveles.

Frente a la política represiva y divisionista del movimiento obrero, los obreros unitarios, bajo la dirección de los comunistas, se orientaban hacia la unidad orgánica de los trabajadores y la alianza con los sectores opuestos al imperialismo. Para lograr estos objetivos se crearon los Comités de Defensa de las Demandas, integrados por obreros de todas las tendencias en los centros de trabajo.

Los Comités de Defensa de las Demandas (CDD)

Los comités no tenían como objetivo sustituir al sindicato, sino velar porque éste funcionara como una organización clasista y no se plegara a los intereses de la patronal.

Los comités se constituían directamente por los trabajadores en asambleas y reuniones y se integraban por obreros de todas las filiaciones. Su forma de organización era muy sencilla y debía garantizar su operatividad entre las masas. Funcionaban en la propia fábrica y se reunían en cualquier lugar. Su objetivo fundamental era movilizar a los obreros a la lucha de clases y servir de contrapeso a la política entreguista del mujalismo.

Estos organismos probaron su eficacia en las luchas obreras del período, como la huelga general de zapateros de Manzanillo en febrero de 1955, las huelgas azucareras de ese año y otras más. En el desarrollo de las propias luchas contra la ofensiva patronal-imperialista y el servilismo de la dirección mujalista, se fue ampliando el marco de actuación de los comités. Así surgió el Comité de Demandas de la Provincia de La Habana, creado ante la pasividad de la Federación de Trabajadores de la Provincia, con fines de promover la unidad de las acciones y llevar adelante las reivindicaciones de los trabajadores.

Este proceso de desarrollo de los Comités de Defensa se concretó en febrero de 1956 en una conferencia nacional con la asistencia de más de 100 delegados en representación de unas 500 organizaciones sindicales de todo el país. En este encuentro se constituyó el Comité Nacional por la Defensa de las Demandas Obreras y por la Democratización de la CTC, integrado por 25 miembros de diversas tendencias, que fungió como centro de las luchas desarrolladas por este movimiento.

Durante el período, y hasta el triunfo de la Revolución en 1959, los Comités de Demandas desempeñaron un importante papel en las luchas obreras contra la ofensiva patronal y por las reivindicaciones económicas. Estas batallas, incluso las de carácter económico, al afectar la estabilidad del régimen, tuvieron un efecto político y contribuyeron a la crisis final del batistato.

LAS GRANDES LUCHAS OBRERAS

Numerosos sectores fueron a la huelga en esos años a pesar de la oposición antiobrera de las directivas mujalistas. Lugar destacado en esta actividad ocuparon los obreros azucareros, que se manifestaron en contra de la política restrictiva de las zafras, contra el intensivismo, contra la congelación de los salarios y otras medidas con las cuales se pretendía arrancarles sus conquistas y facilitar la obtención de mayores ganancias para las empresas. El movimiento cualitativamente más importante del período se desarrolló precisamente en este sector, en diciembre de 1955, en demanda del pago del diferencial que no se había abonado en años anteriores. De acuerdo con el alza del precio del azúcar, los azucareros tenían derecho al pago de un 7.5% aproximadamente, lo cual reclamaron con tal energía que forzaron a las directivas mujalistas a declarar la huelga. Pero Mujal tramitó con el gobierno un decreto otorgando el pago de un 2.77% y dio por finalizada la acción. Los CDD y otros organismos de frente único denunciaron la componenda e iniciaron un gran movimiento de masas en demanda del diferencial y otras reivindicaciones fundamentales. Como la zafra no había comenzado, los azucareros recabaron el apoyo de otros sectores, con el objetivo de paralizar la vida económica de las poblaciones cercanas a los centrales, en apoyo a los huelguistas. Decenas de poblaciones secundaron el movimiento en toda la isla, especialmente en las grandes zonas azucareras, en las tres provincias orientales. La Federación Estudiantil Universitaria apoyó el movimiento con la presencia de sus dirigentes en las zonas en huelga. Esta acción devino en un gran hecho de masas, que no logró el éxito completo principalmente por la falta de una dirección central y de una perspectiva en cuanto a los objetivos de lucha. El saldo represivo fue de cientos de detenidos, dos muertos y numerosos heridos. A pesar de los esfuerzos frenadores de las directivas mujalistas, los obreros mantenían la lucha, enarbolando las consignas de "Abajo Mujal" y "Abajo Batista". El gobierno no podía permitir que la huelga deviniera en una huelga general política y promulgó un decreto concediendo el pago de un diferencial de 4.02% sobre los jornales para los obreros industriales y de un 3.63% para los obreros agrícolas azucareros.

Esta concesión y los métodos violentos utilizados para detener la huelga determinaron que los dirigentes de las organizaciones oficiales que habían actuado en favor de la huelga en contra de la directiva mujalista, orientaran a los obreros al regreso al trabajo. Los Comités de Defensa de las Demandas sostenían que debía mantenerse el paro laboral hasta lograr todas las demandas, pero no se les permitió participar en la reunión en la cual se decidió el cese del movimiento.

La huelga azucarera de 1955 demostró un gran potencial revolucionario en las masas que lograron movilizarse en contra de las dirigencias obreras mujalistas, e incluso incorporar al movimiento a dirigentes oficiales, los cuales fueron expulsados de sus cargos por la camarilla mujalista.

Este movimiento y la huelga bancaria de julio-septiembre de 1955, reprimida también violentamente, fueron acciones de gran pujanza, que demostraron la radicalización de sectores importantes del movimiento obrero, rebelados ya contra la dirigencia mujalista y la tiranía batistiana. El movimiento obrero cubano estaba listo para desarrollar acciones decisivas.

El desembarco del Granma y el inicio de la insurrección armada. Cambio cualitativo en las luchas de masas

El 2 de diciembre de 1956 arribó a las costas de Oriente el yate "Granma" con 82 expedicionarios dispuestos a cumplir la promesa de Fidel Castro de iniciar la lucha armada en ese año. A pesar de las numerosas fuerzas enviadas para detener el desembarco y de la cruenta persecución, un grupo de doce hombres con Fidel Castro al frente logró subir a la Sierra Maestra e iniciar la lucha insurreccional que derribó la tiranía batistiana el 1 de enero de 1959.

Este hecho tuvo una influencia decisiva en el movimiento de masas a lo largo y ancho de toda la isla.

En esos momentos, las condiciones de vida y de trabajo de la clase obrera cubana se habían agravado por la intensificación de la ofensiva patronal que era promovida por el gobierno y secundada por la dirección sindical mujalista, que abiertamente declaraba su mediatización. La CTC mujalista, en los años más intensos de represión de la tiranía, se convirtió en un instrumento más del terror gubernamental.

El alza del costo de la vida, la disminución del salario real por el encarecimiento de los precios, el intensivismo y la mecanización se añadieron a la ya crítica situación.

La radicalización de la lucha de masas, reflejada en las huelgas de 1955 y la pérdida del control de los sindicatos mujalistas, motivó la intensificación del control fascista de los sindicatos. El mujalismo fue incrementando el terror, en la medida en que, a raíz del inicio de la lucha insurreccional, el movimiento obrero se incorporaba cada vez más a la lucha política contra la tiranía.

Las fuerzas populares cerraron filas contra la dictadura batistiana, cada vez más sangrienta, y el movimiento obrero participó en la vanguardia de esta lucha definitiva por la liberación. A partir de 1956, se crearon secciones obreras de las organizaciones opositoras en los centros de trabajo. Así se constituyeron la Sección Abrera del Movimiento 26 de Julio, del Partido Revolucionario Cubano (Auténtico) y, en 1957, el Directorio Obrero Revolucionario. Los Comités de Defensa de las Demandas, las secciones constituidas y otros organismos de frente único impulsaron la movilización proletaria contra el gobierno.

En condiciones de absoluta represión de la democracia sindical y de la práctica eliminación de la libertad de acción sindical, la lucha de los trabajadores derivó en una lucha francamente política contra la dictadura, el terror y el mujalismo.

La solidaridad obrera con la lucha insurreccional se manifestó no solamente a través de las acciones combativas. El proletariado contribuyó materialmente a la lucha y además tuvo una participación directa en la misma mediante la incorporación de muchos de sus dirigentes y de obreros de fila al Ejército Rebelde y a la lucha en las ciudades. La lucha de todo el pueblo se fue nucleando en torno a Fidel Castro y el Ejército Rebelde, que siguieron una política de integración de todas las fuerzas revolucionarias con un programa basado en la unidad democrática y popular. El movimiento obrero unitario y el partido de los comunistas, que mantenían desde los primeros momentos una vigorosa lucha revolucionaria, apoyaron el programa de la Sierra.

A partir de la segunda mitad de 1957 se desarrollaron movimientos huelguísticos que expresaron el nuevo carácter político y la radicalización de las luchas de masas. En agosto de ese año se desarrolló una extraordinaria huelga espontánea popular que comenzó en Santiago de Cuba y se extendió al resto de la provincia oriental. Esta acción tuvo su origen en el asesinato del jefe de acción del Movimiento 26 de Julio y heroico dirigente santiaguero Frank País, por los esbirros batistianos, el 30 de julio de 1957. Al día siguiente del sepelio, que constituyó una multitudinaria y silenciosa protesta de todo un pueblo, la ciudad amaneció muerta; todos los sectores, incluso los comercios, se sumaron al paro. Esta huelga fue una acción directa de carácter político contra los asesinatos, la represión y el terror; fue un gran golpe popular contra la tiranía.

El gobierno lanzó contra los huelguistas a sus fuerzas represivas y a los rompehuelgas mujalistas, pero no pudo determinar la extensión del movimiento, que llegó hasta las otras provincias, y no cesó en algunas poblaciones hasta el día 7, en que comenzaron a reanudarse las actividades por propia decisión de los huelguistas.

Esta heroica batalla demostró a la clase obrera cubana sus verdaderas posibilidades y, a partir de la misma, la dirección del Movimiento 26 de Julio se planteó como un paso próximo la organización de la huelga general política como golpe decisivo contra el régimen. La idea de la huelga general como culminación de la lucha insurreccional estuvo presente desde la elaboración de la estrategia revolucionaria por Fidel Castro y su movimiento. El fortalecimiento de la lucha en la Sierra, y la experiencia victoriosa de agosto de 1957, reforzaron la idea de la huelga general política.

El 12 de marzo de 1958, en un manifiesto firmado por Fidel Castro y Faustino Pérez, como dirigente del Movimiento 26 de Julio en el llano, se acordó la preparación de la huelga, considerando el evidente resquebrajamiento de la dictadura, la maduración de la conciencia nacional y la participación beligerante de todos los sectores del país contra la dictadura que indicaban que la lucha había entrado en su etapa final. En el documento se recogían 22 acuerdos aprobados por la dirección nacional del Movimiento 26 de Julio, uno de los cuales señalaba que "la estratégia del golpe decisivo se basa en la huelga general revolucionaria secundada por la acción armada". A la decisión de efectuar la huelga se sumaron los esfuerzos realizados para iniciarla. En este documento, se planteaba la intensificación de la acción revolucionaria hasta desembocar en la huelga en un momento culminante.

Después de la gran acción de agosto de 1957, la dirección del Movimiento 26 de Julio había ordenado que todas las secciones obreras de esta organización se integraran en el Frente Obrero Nacional (FON), con el objetivo de preparar la huelga. El 22 de febrero Fidel hizo un llamamiento a los trabajadores, cualquiera que fuese su militancia política o revolucionaria, a integrar los comités de huelga en los centros de trabajo, aclarando que el FON no era un organismo sectario, sino un instrumento ideado para aunar y dirigir a los obreros en la lucha contra la dictadura. Por otra parte, ya el Comité Nacional por la Defensa de las Demandas y por la Democratización de la CTC se había dirigido a las organizaciones obreras oposicionistas en favor de la unidad de acción necesaria para ir a la huelga general.

La huelga general del 9 de abril de 1958

En febrero de 1958, ante las victorias del Ejército Rebelde y la amenaza de la huelga general política, la dictadura suspendió nuevamente las garantías constitucionales, decretó la censura de prensa e intensificó las medidas represivas. En este marco, cada vez más tenso, se dio la orden de inicio de la huelga general, a las 11 de la mañana del 9 de abril de 1958. La misma tuvo gran envergadura en numerosos lugares de Las Villas, especialmente en Sagua la Grande, cuya ciudad fue tomada por las milicias del 26 de Julio durante más de 48 horas. En Camagüey y Oriente, se caracterizó por la realización de algunas importantes acciones. Pero en La Habana, centro de la reacción donde se concentraban las fuerzas represivas, las acciones fracasaron ante la brutal represión. En esta ciudad, las milicias del 26 de Julio iniciaron la huelga con acciones comando, la más importante de las cuales, el asalto a la armería de Mercaderes y Lamparilla, fracasó con el saldo de varios combatientes muertos. La brutal represión costó la vida a más de 25 combatientes en la propia provincia de La Habana.

El fracaso del heroico movimiento fue valorado por la dirección del Movimiento 26 de Julio como una batalla perdida, pero no como la pérdida de la guerra. Los errores de organización cometidos sirvieron de experiencia para la restructuración del Frente Único de los Obreros contra la tiranía para lograr la adecuada coordinación entre todas las organizaciones obreras. Por otra parte, la actitud heroica de los huelguistas y la sangre derramada fue un estímulo más para la lucha. El gobierno de Batista creyó erróneamente que se había dado un golpe mortal a la revolución al aplastar la huelga y decidió realizar una acción ofensiva decisiva contra las fuerzas rebeldes. Más de 10 000 hombres se lanzaron contra el Ejército Rebelde en mayo de 1958, los cuales fueron derrotados y expulsados del territorio montañoso en 76 días.

Tras la derrota total de la ofensiva batistiana, el Ejército Rebelde fortaleció sus filas y su armamento e inició a su vez la ofensiva final. Dos columnas al mando de los comandantes Ernesto Che Guevara y Camilo Cienfuegos, bajaron de las montañas y comenzaron la invasión de los territorios hacia occidente. En la segunda quincena de octubre, ambos comandantes estaban en la provincia de Las Villas, cuyas ciudades comenzaron a caer en manos del Ejército Rebelde. En Oriente se abrieron nuevos frentes revolucionarios y se prepararon acciones contra las ciudades.

El movimiento obrero daba pasos organizativos seguros para lograr la unidad de acción con vistas a la huelga general política final. En octubre de 1958 ya se habían logrado puntos de vista comunes entre las distintas organizaciones. En la reunión efectuada en La Habana el 10 de noviembre se creó el Frente Obrero Nacional Unido (FONU), integrado por representantes de la Sección Obrera del Movimiento 26 de Julio, la Sección Funcional de Trabajadores de la Ortodoxia (Histórica), el Comité Nacional por la Defensa de las Demandas Obreras y la Democratización de la CTC y la Sección Obrera del Directorio Revolucionario 13 de Marzo. Se creaba así el instrumento que realizó una efectiva labor en la organización de la huelga popular del 1 de enero de 1959, que consolidó el triunfo revolucionario.

Los objetivos fundamentales del FONU eran: unir las luchas del proletariado con la lucha por la liberación nacional; liquidar el mujalismo, y por lo tanto, restablecer la democracia sindical, y crear comités de huelgas que prepararon las condiciones para la huelga general revolucionaria.

La constitución de esta organización fue un importante salto cualitativo en el movimiento obrero, al lograr la unidad de los distintos sectores representativos de las masas trabajadoras y facilitar la incorporación de las mismas a la tarea fundamental inmediata: la lucha por el derrocamiento de la tiranía batistiana.

El movimiento obrero en territorio liberado

El Ejército Rebelde —como parte de su propia actividad— siguió una política de restablecimiento de los derechos democráticos y de cumplimiento del programa de la Revolución en los territorios liberados. Así como en el Segundo Frente Oriental, a cuyo frente se hallaba el comandante Raúl Castro, se crearon mecanismos de atención a la población, también se prestó atención especial al movimiento obrero y campesino. El 21 de septiembre de 1958, en Soledad de Mayarí Arriba, se efectuó un congerso campesino, con delegados elegidos democráticamente.

En cuanto al movimiento obrero, el Ejército Rebelde liquidó las organizaciones mujalistas y restableció la democracia sindical en los territorios ocupados en donde hubo posibilidades para hacerlo.

El 8 de diciembre de 1958 en el Segundo Frente Oriental Frank País se celebró el Congreso Obrero en Armas, organizado por el Buró Obrero del Segundo Frente, en el que participaron destacados dirigentes obreros de distintas tendencias, entre las que se encontraban el dirigente del Movimiento 26 de Julio, Ñico Torres, y el dirigente comunista de los azucareros Ursinio Rojas. A este encuentro acudieron representantes obreros de distintas regiones orientales y delegados de 15 centrales azucareros. El congreso se realizó bajo el bombardeo de la aviación batistiana, y además tuvo que expulsar del mismo a elementos mujalistas y trotskistas, que intentaron sembrar el divisionismo al oponerse a la presencia de los comunistas en el evento.

En el congreso se discutieron como problemas fundamentales: la unidad del movimiento obrero, el papel de la clase obrera en la lucha contra la tiranía y la organización de la huelga general revolucionaria. Como resultado del congreso, se procedió a la expulsión de los mujalistas de los sindicatos y a reorganizar las secciones sindicales sobre bases democráticas en territorio liberado. Además, se afirmó el apoyo de la clase obrera al Ejército Rebelde en su lucha contra la tiranía.

Ejemplo de la política del Ejército Rebelde de llevar la revolución a los territorios liberados es la tarea desarrollada por la columna invasora de Camilo Cienfuegos en el norte de Las Villas contra el mujalismo y por la democracia sindical. Camilo organizó una comisión obrera de la columna, encargada de poner en práctica las directrices dadas para celebrar elecciones libres en los sindicatos, destituir las directivas mujalistas impuestas a los trabajadores, elaborar el pliego de demandas de los trabajadores y constituir en la base un fuerte movimiento obrero, que se convirtiera en un factor determinante en la lucha contra Batista.

Estas instrucciones se cumplieron, se organizaron democráticamente las directivas de los centrales azucareros en la zona y se efectuaron combativas plenarias de los obreros del sector azucarero.

El éxito de este proceso de democratización sindical, creó las condiciones para la celebración de la Primera Conferencia de Trabajadores Azucareros, en el pueblo liberado de General Carrillo, provincia de Las Villas, durante los días 20 y 21 de diciembre de 1958. El evento fue convocado por el FONU para analizar el problema del diferencial azucarero de 1958 y las demandas a plantear para la zafra; la situación organizativa de los sindicatos azucareros y la FNTA; el establecimiento de un programa obrero en el territorio libre, y la ayuda del movimiento obrero al Ejército Rebelde.

Asistieron unos 80 delegados elegidos democráticamente desde la base y más de 700 trabajadores participaron en el mismo, bajo consignas que reflejaban la aspiración común de luchar contra el mujalismo y contra la tiranía, por una Cuba libre y democrática.

La lucha por la liberación nacional y social confluía en una sola vertiente. La huelga general revolucionaria sería la expresión concreta de esta unidad.

La huelga general de enero y el triunfo de la Revolución

Ante la caída de numerosas ciudades en Las Villas y Oriente y el sitio de Santa

Clara y Santiago de Cuba, Batista y sus colaboradores huyeron del país el 31 de diciembre de 1958. Las maniobras tradicionales del imperialismo intentaron transmitir el poder a una junta de gobierno encabezada por el magistrado más antiguo del Tribunal Supremo de Justicia y el general Eulogio Cantillo. Éste fue más tarde sustituido por el coronel Ramón Barquín, quien, aunque había conspirado contra Batista, era hombre de confianza del gobierno norteamericano. Esta treta fue destruida por Fidel Castro, quien la denunció rápidamente ante el pueblo, llamando a toda la nación, especialmente a los trabajadores, a que se prepararan para la huelga general a fin de contrarrestar cualquier intento de golpe contrarrevolucionario.

De inmediato, Fidel ordenó que se dirigieran hacia La Habana las columnas de Camilo y Che, que se encontraban en Las Villas. Confirmada la huida de Batista y la constitución de la Junta de Gobierno, el comandante en jefe del Ejército Rebelde se dirigió nuevamente al pueblo el mismo día primero, convocándolo para la huelga general con el objetivo de garantizar la victoria revolucionaria. La alocución orientaba la toma de los sindicatos mujalistas y la organización de los obreros para comenzar la huelga el día 2. Ese mismo día se celebró un multitudinario mitin obrero en apoyo a la huelga en el Parque Central de La Habana, convocado por el FONU, en el cual participaron todas las organizaciones obreras, revolucionarias y opositoras.

La huelga paralizó todas las actividades, excepto aquellas indispensables, hasta la llegada de Camilo y Che a la capital y el paso del poder al Gobierno Provisional Revolucionario, el 4 de enero. Sólo entonces se comenzaron a reanudar los servicios, y el día 5 terminó la huelga con una completa victoria. En su intervención ante el pueblo, al entrar triunfalmente en La Habana el 8 de enero, Fidel Castro expresaba: "La huelga general fue un factor decisivo en la derrota de la tiranía." La clase obrera, nuevamente unida, con la huelga general revolucionaria demostró su carácter de fuerza vanguardia del proceso revolucionario y su disposición para desempeñar, en alianza con el campesinado y las capas medias, el papel dirigente de la sociedad en las nuevas condiciones históricas.

EL MOVIMIENTO OBRERO A PARTIR DEL TRIUNFO DE LA REVOLUCIÓN

El triunfo de la Revolución significó un cambio trascendental para el movimiento obrero cubano. El proletariado dejaba de ser una clase explotada y relegada, para convertirse, en alianza con el campesinado y las capas medias urbanas, en la clase dirigente de la sociedad. A ella le correspondía el papel principal en el cumplimiento de las grandes tareas que se planteaba la Revolución: plasmar en medidas prácticas la plena independencia nacional y los derechos democráticos; librarse a sí misma de la explotación capitalista y realizar la emancipación definitiva de todos los demás oprimidos y explotados; llevar a cabo, en fin, la transformación socialista de la sociedad cubana.

Se comprenderá, pues, que la historia del movimiento obrero cubano en estos 22 años de Revolución victoriosa tiene tales dimensiones, que es imposible escribirla en el reducido marco de un trabajo como éste. Por consiguiente, nos limitaremos a exponer algunos aspectos fundamentales de este período.

Para realizar adecuadamente su papel como fuerza rectora de la sociedad, la clase obrera tenía que resolver previamente muchos problemas heredados de la república burguesa: erradicar totalmente el mujalismo, con su secuela de divisionismo, imposiciones, claudicación ante la ideología burguesa y pequeño-burguesa, etc.; restablecer la democracia sindical y lograr la sólida unidad política e ideológica de los trabajadores en sus organizaciones de clase; liquidar algunos rezagos de economicismo en sus propias filas. Y a esos fines se encaminarían los primeros pasos de la dirección de la Revolución, siguiendo la política iniciada por el Ejército Rebelde desde 1958 en las zonas liberadas.

El 1º de enero de 1959 y durante la huelga general revolucionaria, los más altos dirigentes mujalistas abandonaron sus cargos en la CTC y los sindicatos: unos se exiliaron y huyeron del país, como Eusebio Mujal; pero la mayor parte de los dirigentes intermedios y de base se retiraron simplemente a sus casas. Las directivas de los sindicatos fueron sustituidas por nuevas directivas provisionales.

No obstante, numerosos mujalistas, protegidos por elementos de derecha dentro del movimiento revolucionario, lograron mantener posiciones de dirección incluso en esas nuevas directivas de las organizaciones obreras. Hubo que librar, pues, una ardua batalla para desenmascarar y expulsar de sus cargos a esos falsos líderes, corrompidos política, ideológica y moralmente. Y aún mayor hubo de ser la lucha por desterrar las prácticas y los métodos antidemocráticos y las posiciones divisionistas que caracterizaban al mujalismo.

Una de las principales armas que esgrimieron esos elementos y demás enemigos de la Revolución desde el primer instante, fue el anticomunismo. Se pretendía excluir a los comunistas cubanos, forjadores del movimiento obrero unitario y revolucionario, de toda participación en la reorganización de la CTC y los sindicatos. Contra estas posiciones divisionistas se alzó de inmediato, como lo había hecho durante la lucha contra la tiranía, el jefe de la Revolución, Fidel Castro. El día 8 de enero, al entrar en la ciudad de La Habana, advirtió: "Los divisionistas y los que ignoran el poder del pueblo deben ser combatidos."

Puede decirse que la lucha por erradicar el mujalismo y porque las masas trabajadoras adquirieran plena conciencia de su nueva responsabilidad histórica constituyó, junto a la gran tarea de defender la Revolución y hacerla avanzar, el centro de la actividad específica del movimiento sindical en los primeros dos años de Revolución victoriosa.

A comienzos de enero, se encargó de la dirección de la CTC un comité coordinador en el que estuvieron representadas diferentes organizaciones obreras que combatieron a la tiranía: la Sección Obrera del Movimiento Revolucionario 26 de Julio, el Comité Nacional de Defensa de las Demandas Obreras (dirigido por el Partido Socialista Popular), la Sección Obrera del Directorio Revolucionario 13 de Marzo, la Sección Funcional de la Ortodoxia Histórica y un sector de obreros del Partido Revolucionario Cubano (Auténtico), todos los cuales se agrupaban en el Frente Obrero Nacional Unido (FONU).

El 16 de enero, la Sección Obrera del Movimiento Revolucionario 26 de

Julio nombró de su seno, con carácter provisional, un comité de dirección de la CTC, y el día 20 del propio mes, el Consejo de Ministros reconoció oficialmente, por la Ley núm. 22, a dicho comité de dirección. En mayo se efectuaron las elecciones en unos 1 600 sindicatos, y del 22 al 24 del mismo mes se celebró el congreso de la Federación Nacional de Trabajadores Azucareros (FNTA), comenzando así los congresos nacionales de las 33 federaciones obreras existentes.

Al finalizar estos eventos se realizó —el 12 y el 13 de septiembre— el XXIV Consejo Nacional de la CTC, en el que se acordó convocar al X Congreso de dicha central sindical. Este consejo nacional dio la tónica del nivel de conciencia política del proletariado, pues en el mismo privó, por encima de las aspiraciones particulares de uno u otro sector, el interés supremo de clase que se materializó en los acuerdos de defensa y consolidación de la Revolución. Se acordó suspender huelgas y otras acciones que pudieran afectar la marcha del proceso revolucionario; se reiteró la consigna de "Revolución primero, elecciones después", lanzada desde meses atrás para ripostar ciertas campañas interesadas en detener el proceso revolucionario. En el discurso resumen de ese evento, Fidel Castro trazó importantes orientaciones sobre el papel de los trabajadores en la solución de los problemas de la economía nacional.

Al mismo tiempo que se llevaba a cabo este proceso reorganizativo, la clase obrera respaldaba masiva y entusiastamente las trascendentales leyes y medidas que adoptaba el gobierno revolucionario.

Ya el 9 de enero, el FONU había hecho un llamamiento a todos los trabajadores pidiendo la creación de brigadas de trabajo voluntario para realizar reparaciones en las industrias, plantaciones y caminos de la isla, y exhortando a la unidad de clase y a la unidad de todo el pueblo alrededor de la dirección revolucionaria.

El 21 de enero, tres semanas después del triunfo de la Revolución, el proletariado se movilizó masivamente en la que se llamó "Operación verdad", destinada a denunciar y rechazar la campaña que el imperialismo y la reacción internacional iniciaron contra Cuba con motivo del fusilamiento de los criminales de la tiranía, la confiscación de los bienes a los malversadores del tesoro público y otras medidas revolucionarias.

Decisivo fue también el respaldo del movimiento obrero cubano a la Ley de Reforma Agraria, firmada el 17 de mayo, que había sido una demanda constante no sólo de los campesinos trabajadores sino también del proletariado durante la república burgués-latifundista. A través de la CTC, las federaciones y los sindicatos, los trabajadores cubanos aportaron millones de pesos para la adquisición de tractores y de otros equipos e implementos agrícolas con destino a la aplicación de la reforma agraria. El papel desempeñado por el proletariado en la aplicación de esta ley, contribuyó de un modo decisivo a fortalecer aún más la alianza obrero-campesina que se había forjado a lo largo de la república mediatizada y particularmente a través de los combates en el llano y en las montañas contra la tiranía batistiana, bajo la dirección de Fidel.

Para citar un solo ejemplo más del respaldo decisivo de la clase obrera a la Revolución, recordaremos la decisión de los trabajadores cubanos de integrar, desde el momento que comenzaron las agresiones y provocaciones del imperialismo, milicias armadas para defender la Revolución, así como el aporte de millones de pesos en ese mismo año de 1959 para la compra de armas y aviones con el mismo fin.

La CTC realizó su Primer Congreso Nacional del 18 al 22 de noviembre de 1959. A este evento asistieron más de 3 000 delegados, en representación de los sindicatos de todo el país, así como cientos de invitados nacionales y extranjeros. Presidieron el acto de apertura los comandantes Fidel y Raúl Castro, y otros dirigentes de la Revolución.

Siendo éste el primer congreso que realizaba la CTC después de la victoria, el mismo se convocaba con el fin de tomar los acuerdos necesarios para fortalecer la democracia sindical, erradicar definitivamente el mujalismo y fijar la posición del movimiento obrero ante la Organización Regional Interamericana de Trabajadores (ORIT) y la Confederación Internacional de Organizaciones Sindicales Libres (CIOSL), organizaciones antiunitarias, a las que estaba afiliada la CTC bajo el dominio de Mujal.

Teniendo en cuenta el papel decisivo del proletariado en la consolidación y el avance de la Revolución, el congreso centró sus debates y decisiones en los problemas vitales de lograr la unidad monolítica de la clase obrera y de dar un vigoroso impulso al desarrollo económico del país, con el objetivo de acabar con la desocupación masiva y elevar el nivel de vida de los trabajadores. Por último, el congreso debía elegir una dirección de la CTC capaz de garantizar el cumplimiento de esas y otras tareas vitales.

El espíritu unitario, democrático y revolucionario que había prevalecido en la elección de los delegados al congreso, presidió también los dos discursos históricos de Fidel en ese evento, cuyos pronunciamientos fueron decisivos para la unidad, la erradicación del mujalismo y la adopción de las demás decisiones en el congreso.

El evento expresó su más decidido apoyo a la Revolución y a las leyes revolucionarias, así como la disposición combativa del movimiento obrero frente al imperialismo y la contrarrevolución interna. Acordó crear las milicias obreras para apoyar la acción del Ejército Rebelde; renunciar a las huelgas y demás acciones obreras que pudieran afectar la producción; apoyar el Plan de Desarrollo Industrial del gobierno, y pedir a todos los trabajadores que contribuyeran con el 4% de sus salarios al desarrollo de dicho plan.

El congreso acordó erradicar definitivamente del movimiento sindical al mujalismo y sus prácticas y métodos nefastos, suprimir la cuota sindical obligatoria, desafiliar a la CTC de la ORIT y la CIOSL, a la vez que mantener relaciones fraternales de solidaridad con las centrales obreras democráticas y los sindicatos de América Latina y de todo el mundo.

No obstante el espíritu unitario y los acuerdos revolucionarios mencionados, la nefasta presencia del divisionismo anticomunista que habían dejado los ocho años de gobierno de Grau San Martín y Prío Socarrás, la tiranía de Batista y la camarilla mujalista, aún ejercía cierta influencia. Los elementos derechistas, algunos de los cuales se cobijaban bajo la bandera del Movimiento 26 de Julio, lograron que en la candidatura para la nueva dirección de la CTC no fueran incluidos representantes de todas las corrientes unitarias. Es por ello que dicha candidatura no fue aprobada por unanimidad, sino con la abstención de un número de delegados que declararon que la candidatura propuesta no respondía a las necesidades de unidad que la situación de la Revolución reclamaba, ni a la insistencia tan vigorosa del compañero Fidel Castro en sus intervenciones ante el congreso.

En su intervención del 21 de noviembre, Fidel condenó y desenmascaró el divisionismo contrarrevolucionario "capaz de esgrimir la misma bandera del 26 de Julio para clavarle una estocada en el corazón a la Revolución"; explicó la histórica significación del glorioso movimiento fundado por él; llamó a forjar la unidad más estrecha de todos los obreros revolucionarios, independientemente de las organizaciones de donde provenían, y señaló las grandes tareas que correspondían al proletariado cubano y a sus organizaciones en el proceso revolucionario.

Este discurso, en el cual Fidel subrayó que "los destinos de la Revolución y de la patria están en manos de la clase obrera", contribuyó decisivamente a que el movimiento sindical se encauzara definitivamente por el camino de la unidad, sobre la base de la ideología y las tareas históricas y concretas de la Revolución.

En enero de 1960, aplicando los acuerdos del X Congreso de la CTC, comenzaron a realizarse asambleas obreras en todo el país, en las que los trabajadores acordaban, dentro del mayor entusiasmo, aportar el 4% de sus salarios para la industrialización, crear las milicias obreras y erradicar de sus filas al mujalismo y a los mujalistas.

El proceso de erradicación del mujalismo comenzó a realizarse a todo lo largo y ancho del país. Una muestra elocuente de la forma en que el mismo se realizaba fue el Segundo Congreso de los Obreros de la Construcción, que tuvo lugar en La Habana del 27 al 30 de mayo de 1960.

El congreso se había suspendido en dos ocasiones anteriores, a fin de no dar el más mínimo pretexto a los elementos divisionistas y mujalistas que, previendo su segura derrota, trataban de evitarla intrigando acerca de supuestos procedimientos antidemocráticos en el período eleccionario. Cuando por fin se efectuó el evento en mayo, con un esplandoroso triunfo unitario, sus ejemplares normas democráticas permitieron a Fidel Castro presentarlo, frente a los detractores de la Revolución, como "uno de los congresos obreros más emocionantes de cuantos hemos tenido hasta ahora".

El evento constituyó una aplastante derrota de los elementos mujalistas y de derecha que aún quedaban no sólo en ese sindicato sino también en la dirección de la CTC.

Durante este año de 1960, y hasta fines de 1961, en que se celebra el XI Congreso de la CTC, se producen radicales transformaciones en la vida económica, política y social, la más importante de las cuales es la culminación de la fase democrática, popular y nacional-liberadora de la Revolución y el tránsito a la fase de la construcción socialista.

Tras las importantes medidas revolucionarias adoptadas en 1959, entre las cuales se destacan en toda su importancia histórica la realización de la primera reforma agraria y la destrucción del aparato estatal antiguo de la oligarquía latifundista y la gran burguesía y su sustitución por un aparato estatal nuevo del pueblo trabajador, el proceso revolucionario cubano avanza aceleradamente. Son nacionalizados los monopolios que controlan las refinerías de petróleo, los 36 centrales azucareros norteamericanos, las compañías de teléfonos y electricidad, la banca extranjera, así como todas las demás empresas norteamericanas en Cuba y 382 grandes empresas de capital nacional.

El 15 de octubre de 1960, Fidel Castro pudo anunciar ante el pueblo que el programa de la primera etapa de la Revolución, el programa del Moncada, se había cumplido en lo esencial; y seis meses después, el 16 de abril de 1961, en medio de una épica lucha antimperialista, al enterrar a las víctimas de los bombardeos de aviones mercenarios proclamar que la Revolución pasaba a la etapa socialista. Por consiguiente, las masas de trabajadores y estudiantes que en los días posteriores —17, 18 y 19 de abril— se enfrentaron heroicamente a las fuerzas mercenarias en Playa Girón —organizadas, entrenadas, armadas y protegidas por el gobierno de Estados Unidos—, pelearon y vencieron defendiendo conscientemente la causa del Estado obrero y campesino, la causa del socialismo.

La proclamación del carácter socialista de la Revolución creaba las condiciones necesarias para culminar el proceso de unidad que se estaba forjando entre las principales fuerzas revolucionarias tanto en la lucha por el derrocamiento de Batista como en los primeros años de la Revolución, y constituir el partido marxista-leninista que adoptó un poco más tarde su nombre actual de Partido Comunista de Cuba. Al mismo tiempo, se planteaba al movimiento sindical, de manera perentoria, la consolidación de su unidad, así como nuevos pasos tanto en los aspectos político y organizativo como en la índole de las tareas realizadas.

El paso de la Revolución a su etapa socialista exigió también ciertos cambios organizativos en el movimiento sindical. El 1 de agosto de 1961, el Consejo de Ministros del gobierno revolucionario aprobaba la Ley núm. 962 de organización sindical, atendiendo a los requerimientos de la CTC y de sus colectividades obreras. Se fundamentaba esa ley en las "transformaciones económico-sociales producidas y caracterizadas, fundamentalmente, por la conversión en propiedad nacionalizada o de todo el pueblo de más del 75% del potencial industrial y una porción considerable (41%) de las tierras cultivables", lo que requería una organización sindical que se apoyara en los centros de trabajo y unidades administrativas correspondientes.

Además, dicha ley era indispensable ante la situación de dispersión y anarquía de la legislación existente en materia de organización sindical, que correspondía a una época ya superada, y ante la multiplicidad de organizaciones de diferentes oficios y profesiones en un mismo centro, lo que dificultaba el esfuerzo colectivo que exigía el país.

El Ministerio del Trabajo complementó la citada ley de organización sindical con una resolución que reestructuraba el movimiento sindical sobre la base de una sección sindical en cada centro de trabajo y un sindicato nacional en cada rama laboral o industrial. Desde octubre se operó un proceso de asambleas generales en todos los centros para elegir los comités de secciones sindicales y los delegados al congreso nacional del sindicato de cada rama o industria. La sindicalización era voluntaria.

Estos congresos nacionales de los sindicatos se efectuaron en La Habana los días 22, 23 y 24 de noviembre, y en ellos fueron elegidos los comités dirigentes de los mismos, así como los delegados de éstos para el XI Congreso de la CTC.

Hasta entonces, la CTC tenía 33 federaciones nacionales; después de la reorganización de 1961, quedaron integrados 25 sindicatos nacionales, correspondientes a los siguientes sectores: azucarero, agrícola, administración pública, artes y espectáculos, alimentación y ganadería, bancos y seguros, construcción, industria del calzado y pieles, comercio, energía eléctrica y electrónica, enseñanza, ferroviario, gráfico y papelero, gastronómico, marítimo y portuario, metalúrgico, medicina, minería, madera y forestales, industria petrolera y química, industria textil, transporte terrestre, industria tabacalera, telefónicos y de telecomunicaciones y transporte aéreo.

Habiendo limpiado sus filas de los elementos mujalistas y adoptado una estructura más adecuada con las transformaciones económico-sociales ocurridas en el país, el movimiento sindical podía desempeñar con mayor efectividad su importante papel en la etapa de la construcción del socialismo.

Desde luego que aún fue necesario luchar contra algunas confusiones que surgieron acerca del nuevo papel de los sindicatos. Hubo quienes pensaron que, habiendo sido el objetivo principal de estas organizaciones la lucha contra las injusticias del sistema capitalista y por la elevación del nivel de vida de los trabajadores, ya no eran necesarias en las condiciones de la clase obrera en el poder, por cuanto ya no existían clases explotadoras, la producción estaba en manos de los trabajadores y éstos constituían el dueño colectivo de todos los bienes de la sociedad.

Los que así pensaban no comprendían que, precisamente por ese cambio trascendental en la vida económica, social y política de nuestro pueblo, el papel de los sindicatos, en lugar de disminuir, aumentaba considerablemente. Al convertirse el proletariado en clase dirigente de la sociedad, su esfera de acción se ampliaba a todos los órdenes de la vida de la nación, y debía estar a la altura de las nuevas tareas. Desde luego que podían darse casos de trabajadores afectados por el incumplimiento de tales o cuales leyes revolucionarias, o por incomprensión o maltrato de una administración, o por la utilización de métodos burocráticos, casos en los que el sindicato debía ocuparse de defender los intereses del trabajador afectado. Pero la función fundamental del sindicato no era ya ésa, sino una que afectaba los intereses vitales de toda la sociedad: la lucha por el aumento de la producción y de la productividad, con el fin de poder satisfacer cada vez más y mejor las necesidades económicas y sociales, y elevar sin cesar el nivel cultural de los trabajadores en el proceso histórico de la construcción de la sociedad sin clases.

Nadie mejor que los sindicatos para hacer comprender a los trabajadores su papel en la nueva sociedad socialista, libre ya de toda opresión extranjera, de la cual ellos son los dueños y gobernantes.

De ahí la importante función educativa del sindicato para liquidar los rezagos del pasado capitalista en la mente de los trabajadores, para fomentar el espíritu colectivista y contribuir a la elevación del nivel político, ideológico y cultural de las masas, para enfrentarse mediante la crítica y la autocrítica, con lo mal hecho, los errores y las deficiencias, para así avanzar con más rapidez y eficacia hacia el socialismo y el comunismo.

Estos criterios, inherentes al movimiento sindical en la etapa de construcción del socialismo, sirvieron de base a las intervenciones y acuerdos del XI Congreso de la CTC, realizado en La Habana del 26 al 28 de noviembre de 1961. En ese evento se pasó revista a las grandes conquistas de la clase obrera y la Revolución, se trazaron las tareas del movimiento sindical y se eligió una nueva dirección de la CTC, encabezada por el viejo y querido líder obrero Lázaro Peña.

Al igual que los congresos de las federaciones de industria, el XI Congreso de la CTC dio una atención principal a los problemas relacionados con la producción y la productividad del trabajo, al cumplimiento y sobrecumplimiento de las metas del plan económico para 1962, a la organización de la emulación socialista en los centros de trabajo, a estimular la iniciativa y la inventiva de los trabajadores, a reducir los costos de producción y garantizar la rentabilidad de las empresas, etc. El congreso subrayó que únicamente actuando sobre estas bases se podía lograr el mejoramiento continuo del nivel de vida de los trabajadores y satisfacer sus crecientes necesidades materiales y culturales.

El triunfo de esa orientación revolucionaria sobre las concepciones estrechas y oportunistas del economicismo enquistadas en algunos sectores políticamente atrasados de los obreros, era imprescindible si se quería asegurar el avance de la construcción socialista. Tanto por las características de un país subdesarrollado que necesitaba grandes inversiones para diversificar y desarrollar su industria y su agricultura, como por el criminal bloqueo económico impuesto a Cuba por el imperialismo norteamericano, se imponía la necesidad de que los obreros comprendiesen que tanto esas inversiones como las enormes sumas que la Revolución gasta para asegurar los servicios gratuitos de salud y educación y los seguros sociales de todo el pueblo, demandan de los trabajadores un espíritu de ahorro y la disposición de renunciar transitoriamente a ciertas ventajas secundarias que habían conquistado en el pasado, con el objetivo de sacar a Cuba del estado de miseria, desocupación, falta de viviendas, hospitales, escuelas, etcétera.

Esta comprensión permitió que el XI Congreso adoptara de un modo unánime y entusiasta esa línea general.

Siguiendo esa misma orientación, también los congresos de las federaciones de industria habían considerado la necesidad de revisar los viejos contratos de trabajo, que no correspondían a las exigencias de la nueva situación en que los trabajadores eran los dueños del país y algunas de cuyas cláusulas frenaban el proceso productivo.

Uno de los acuerdos tomados en este sentido fue el que establece que en todas las industrias y labores, con excepción de las insalubres y peligrosas, o donde el trabajo resultara penoso o agotador, los trabajadores laboraran efectivamente la jornada de ocho horas.

Al clausurar el XI Congreso, Fidel Castro expresó: "Hoy la clase piensa en el obrero que trabaja y en el obrero que no trabaja —o no trabajaba. Piensa en el obrero que tiene más bajos ingresos. Y lo que ha hecho la clase obrera es ampliar las fronteras de los intereses que defiende. Dejó de ser sindicato solo, y sindicato débil, para constituir la gran clase obrera poderosa al frente del país, para lograr conquistas —es decir: elevación del estándar de vida, de condiciones de vida, elevación material y cultural de toda la clase—, como si toda la clase y toda la nación fueran el gran sindicato nacional que comprendiera a todos los obreros."

Este congreso constituyó un gran paso de avance en el desarrollo del movimiento obrero cubano en las nuevas condiciones históricas. La clase obrera fue el apoyo cada vez más sólido de la Revolución en el cumplimiento de sus grandes tareas: en la realización —desde 1961— de las históricas "zafras del pueblo" y en las demás tareas productivas, en las que participaban cada año voluntariamente, sin recibir pago alguno, cientos de miles de trabajadores; en la gran obra de la industrialización y de llevar la revolución técnica a la agricultura; en la organización de la defensa del país frente a las amenazas del imperialismo y la contrarrevolución; en la realización de la segunda reforma agraria, que nacionalizó la tierra de los burgueses rurales, convertidos en una activa fuerza enemiga de la Revolución; en la gran campaña que liquidó el analfabetismo en Cuba, con la elevación permanente de la escolaridad en el pueblo.

En el mismo espíritu, una importante actividad de la CTC y de los sindicatos a partir de 1961 fue la organización y desarrollo de la emulación socialista, motor impulsor de la producción y la productividad del trabajo. Un año después, son seleccionados, sobre la base de esa emulación, los primeros Héroes Nacionales del Trabajo.

La lucha porque los sindicatos supieran desempeñar su importante papel en la construcción del socialismo, fue la tónica que guió la labor de la CTC en esos años. Sin embargo, esa batalla no sería fácil, como analizaremos posteriormente.

En 1966, del 25 al 29 de agosto, se realizó el XII Congreso de la central sindical, en una etapa en que la Revolución dedicaba su principal esfuerzo al desarrollo agrícola del país. Teniendo en cuenta eso, uno de los acuerdos principales del evento fue el de apoyar la formación de las brigadas agrícolas y de que también la CTC y los sindicatos dedicaran su mejor esfuerzo al agro cubano. En el congreso fueron presentados 200 dirigentes sindicales que se incorporarían de inmediato, durante dos años, a las labores agrícolas en diferentes lugares del país.

Entre otros acuerdos, el congreso decidió reducir a un mínimo el número de cuadros profesionales del movimiento sindical, dar un nuevo impulso a la emulación socialista y a la lucha por la calidad y el ahorro.

El congreso fue una expresión de la conciencia internacionalista de la clase obrera cubana. Así, se adoptaron resoluciones de solidaridad con el heroico pueblo vietnamita; de apoyo a la lucha de los pueblos de América Latina contra el imperialismo, particularmente con los de Guatemala, Venezuela, Colombia y Perú; de apoyo a la lucha de los negros de Estados Unidos contra la opresión y la discriminación racial; de apoyo a la lucha de la clase obrera y los movimientos populares de Europa, Asia y África. Además, se acordó enviar una carta abierta a los obreros norteamericanos, en la que se denunciaba la guerra de agresión de Estados Unidos contra el pueblo vietnamita y el bloqueo impuesto contra nuestro país.

Después de celebrado el XII Congreso, y en cumplimiento de sus acuerdos, la CTC y los sindicatos se volcaron masivamente hacia la producción agrícola, y particularmente a la lucha por una zafra de 10 millones de toneladas de azúcar en 1979, la cual, de lograrse, superaría en unos tres millones de toneladas a la mayor zafra azucarera de toda la historia de Cuba (la de 1952). En esa ardua labor se escribieron hermosas páginas de esfuerzos abnegados de los trabajadores, de la juventud, de las mujeres y de todo el pueblo.

Sin embargo, a pesar de haber alcanzado la zafra más grande en la historia de Cuba, no se pudo lograr el objetivo propuesto de los 10 millones de toneladas. En el profundo análisis de las razones que impidieron el logro de ese objetivo, se revela la existencia de algunos fenómenos negativos. En el noble afán de superar rápidamente el atraso económico del país en el camino hacia la sociedad socialista, se cometieron algunos errores de idealismo, que se manifestaron en la sobrestimación de las posibilidades reales (objetivas y subjetivas) para lograr en un tiempo breve un objetivo tan alto.

Dentro de ese análisis se consideró también como fenómeno negativo cierta tendencia a subestimar el papel de los sindicatos. Esto se manifestó en cierto descuido en la atención al movimiento obrero. En esos años los trabajadores más destacados en el cumplimiento de sus tareas se fueron agrupando en lo que se llamó Movimiento de Avanzada, el cual se formaba un tanto al margen de los sindicatos y, en la práctica, éstos iban pasando a un segundo plano con respecto a dicho movimiento.

Pero ya a comienzos de 1970, la dirección de la Revolución se dio cuenta del debilitamiento del movimiento sindical y comenzó a tomar las medidas indispensables para superarlo. En su discurso del 28 de septiembre de ese año, el compañero Fidel Castro expresó: "En estos momentos estamos enfrascados en un gran esfuerzo para desarrollar al máximo nuestras organizaciones obreras. ¿Por qué? Porque infortunadamente las organizaciones obreras en estos últimos dos años se habían quedado rezagadas...

"Se produjo un poco de manera inconsciente, se produjo un poco de manera espontánea, se produjo como resultado de ciertos idealismos. Y, de esta forma, pues, también, al crear una organización que nosotros no dudamos que tiene importancia, que es la organización de los obreros de avanzada, se descuidó el movimiento obrero en general. Si además de eso se produjeron ciertos fenómenos, de cierta identificación del Partido y administración, eso complicó la situación.

"Desde que se planteó, sin embargo, la necesidad de vigorizar el movimiento obrero, en los últimos meses —junio, julio, agosto y septiembre—, se han dado una serie de pasos importantísimos. Y nosotros no dudamos que de esta coyuntura y de estas dificultades saldrá más fuerte que nunca nuestro movimiento obrero, más fuerte y más democrático que nunca. Es decir, será muy fuerte porque será muy democrático. Y de las masas obreras surgirán incontables valores revolucionarios, es decir, incontables cuadros para el movimiento obrero."

En efecto, desde 1970, y a partir de los categóricos planteamientos de Fidel Castro, quien animó con su participación personal muchas asambleas de producción y otras actividades obreras, comenzó un proceso de superación de las debilidades padecidas, de discusión de los problemas cardinales del movimiento sindical y de reestructuración y reorganización de los sindicatos nacionales y de las secciones sindicales, en el que desempeñó un papel de extraordinaria importancia el veterano dirigente obrero y comunista Lázaro Peña.

Los días 11 y 12 de septiembre de 1970 se efectuó el V Consejo Nacional de la CTC, el cual, en el espíritu de revitalización y dinamismo con que se recuperaban las organizaciones obreras, acordó, entre otras cosas importantes, convocar a elecciones sindicales en todos los centros laborales del país, las que se efectuaron meses después con extraordinario entusiasmo de las masas. En más de 37 000 secciones sindicales existentes, fueron propuestos como dirigentes sindicales casi 263 000 trabajadores, resultando elegidos 164 367 de ellos. El tema del XIII Congreso presidió todas las actividades de las organizaciones obreras y se creó la "Orden XIII Congreso de la CTC".

De las discusiones iniciadas a partir de 1970, surgieron las tesis que servirían de base al congreso, y de acuerdo con el propósito de construir un poderoso movimiento obrero, fuerte y democrático, dichas tesis fueron discutidas y aprobadas en asambleas de trabajadores de todo el país. Tales asambleas constituyeron verdaderos parlamentos obreros, que se caracterizaron por el debate amplio y profundo, crítico y autocrítico, y el estricto respeto a todas las opiniones, cualesquiera que ellas fueran, sobre todos los problemas.

En esas discusiones participaron 1 504 150 trabajadores, que constituyen la inmensa mayoría de los obreros organizados. Se pronunció a favor de las tesis alrededor del 98% de los participantes, votó en contra el 0.7% y se abstuvo el 1.3%. Cerca de 20 000 trabajadores (alrededor del 1.4%) propusieron modificaciones a dichas tesis.

El XIII Congreso de la CTC se efectuó del 11 al 15 de noviembre de 1973, con la asistencia de 2 196 delegados que representaban a 2 065 000 trabajadores de todas las ramas laborales. El evento contó con la presencia permanente del compañero Fidel Castro, primer secretario del comité central del Partido Comunista de Cuba y primer ministro del Gobierno Revolucionario; del Dr. Osvaldo Dorticós Torrado, presidente de la República, y de todos los miembros del buró político y del secretariado del comité central del Partido. Participaron también del gran evento, ministros y directores de organismos nacionales del gobierno, héroes del trabajo y máximos dirigentes de todas las organizaciones de masas, jóvenes y veteranos del movimiento sindical, mujeres y hombres de todas las regiones del país. Asistieron como invitados cerca de 70 delegaciones de países de todos los continentes, encabezadas por el secretario general de la Federación Sindical Mundial, las que pusieron de manifiesto la solidaridad de los trabajadores de todo el mundo con el movimiento sindical cubano. Entre los invitados se hallaban también el presidente del consejo central de los sindicatos soviéticos y miembro del buró político del PCUS, así como delegados de los sindicatos de los hermanos países socialistas; luchadores sindicales de América Latina, África y Asia, de Estados Unidos y otros países.

Después de amplias discusiones, se adoptaron importantes resoluciones y acuerdos sobre los temas tratados. Entre ellos:

* Insistir en la tarea fundamental del movimiento sindical: la lucha por el incremento constante de la productividad del trabajo.

* Contribuir a que se establezca y se cumpla la mejor y más efectiva organización del trabajo y los salarios, sobre la base del principio: "de cada cual según su capacidad, a cada cual según la cantidad y calidad de su trabajo".

* Pedir la promulgación de una ley que norme las asambleas regulares de pro-

ducción y servicios y que determine la forma y contenido de la participación de los dirigentes sindicales en los consejos de dirección de las unidades laborales y en las demás instancias.

* Aprobar un nuevo reglamento para la organización, desarrollo y control de la emulación socialista.

* Ir a la creación progresiva de las comisiones sindicales juveniles como uno de los medios a través de los cuales los jóvenes trabajadores canalicen sus iniciativas y tareas, de acuerdo con las características propias de sus edades, en el seno del colectivo obrero.

* Tomar todas las medidas necesarias para aumentar la preparación militar de los trabajadores.

* Pedir a todas las organizaciones obreras que analicen las condiciones de sus centros laborales en cuanto a protección e higiene del trabajo y velen por el cumplimiento de las disposiciones vigentes en esa esfera.

* Crear la Asociación Nacional de Innovadores y Racionalizadores y dar todo el apoyo a las actividades y tareas que ésta planifique.

* Garantizar que se elabore, instrumente y desarrolle el sistema de preparación de los dirigentes sindicales, que comprende la formación teórica marxista-leninista, la superación en los aspectos propios del trabajo sindical, así como la elevación de los niveles culturales.

* Contribuir al acceso pleno y digno de las mujeres a todo tipo de trabajo, por ser éste un derecho y un deber que les confiere la sociedad socialista.

* Pedir la promulgación de una nueva ley de seguridad social por la que, entre otras numerosas innovaciones, se premie la permanencia en la actividad laboral de aquelos trabajadores que hayan cumplido la edad mínima de jubilación y el período del servicio necesario para el retiro provejez, concediéndoles, en la cuantía de las prestaciones que reciban cuando se jubilen, un incremento mayor por los años que en lo sucesivo laboren.

* Continuar fortaleciendo el plan vocacional de los trabajadores.

* Editar un periódico y una revista como órganos de la CTC.

* Apoyar activamente las tareas del sistema nacional de educación.

* Continuar desarrollando el trabajo voluntario gratuito en beneficio de la sociedad, como medio eficaz de cumplir las tareas que se requieren para acelerar el desarrollo económico y social de Cuba y, a la vez, proponer una serie de medidas que contribuyan a la mejor organización y a los mejores resultados de ese trabajo.

* Expresar la más activa solidaridad con el pueblo de Chile y con todos los pueblos que luchan contra el colonialismo, el neocolonialismo, el imperialismo y demás formas de opresión y explotación en el mundo entero.

También se aprobó un nuevo reglamento para la organización, desarrollo y control de la emulación socialista, y se adoptaron otros acuerdos relacionados con el desarrollo del deporte y las actividades artísticas y culturales de masas, sobre una política única de capacitación técnica de los trabajadores, etcétera.

El congreso aprobó, además, los nuevos estatutos de la CTC; y eligió un nuevo comité nacional encabezado por Lázaro Peña.

El XIII Congreso de la CTC constituye, por las orientaciones elaboradas para el movimiento sindical y por los acuerdos tomados, un evento de trascendental importancia en el camino hacia el socialismo, para que el movimiento obrero desempeñara cabalmente su alta responsabilidad histórica en las tareas que enfrentaba e iba a enfrentar la Revolución en esos años.

Al clausurar el evento, Fidel Castro expresó: "Se ha dicho, con razón, que este XIII Congreso de nuestros trabajadores será histórico. Y en este Congreso se ha expresado esencialmente el nivel de conciencia política y revolucionaria de nuestros trabajadores.

"Aquí se han discutido —y a lo largo de este proceso que dio lugar al Congreso— cuestiones profundas, importantes, decisivas, para nuestro proceso revolucionario.

"Lo primero que resalta es el espíritu democrático que presidió todo el trabajo de este Congreso obrero, fieles al propósito de desarrollar un movimiento sindical poderoso y profundamente democrático.

"Las cuestiones discutidas en las tesis tocan muy de cerca puntos esenciales del proceso ideológico y político de nuestra Revolución; pero las decisiones que aquí se han tomado, aunque expresan, como señaló el compañero Lázaro Peña en su informe, el criterio de la dirección política del país y el criterio de nuestros trabajadores, no fueron establecidas en virtud de una decisión del Partido, sino que han sido ampliamente discutidas en el seno de nuestros trabajadores. No se impone un punto de vista; se discute con los trabajadores. No se adoptan medidas por decreto, no importa cuán justas o cuán acertadas puedan ser determinadas medidas. Las decisiones fundamentales que afectan a la vida de nuestro pueblo tienen que ser discutidas con el pueblo, y esencialmente con los trabajadores."

Con gran entusiasmo se dieron las masas trabajadoras y sus organizaciones sindicales al cumplimiento de los acuerdos del XIII Congreso. En medio de este entusiasmo, en marzo de 1974, a cuatro meses escasos de haber concluido el gran evento, la clase obrera y todo nuestro pueblo trabajador y revolucionario recibieron un sensible golpe: la muerte de Lázaro Peña.

En ocasión de ese infausto acontecimiento, el compañero Fidel Castro expresó: "El Partido ha perdido un dirigente respetado y querido por las masas; el movimiento obrero cubano, su más esforzado paladín; la organización sindical mundial, uno de sus cuadros más sabios, maduros, reconocidos y respetados; los trabajadores cubanos, un padre; la Revolución, un baluarte; la patria, un hijo esclarecido."

Ante los cuadros de la CTC y los sindicatos, muchos de ellos jóvenes, se planteaba la gran responsabilidad de llevar adelante las nuevas y trascendentales tareas del movimiento obrero. A ellos les aconsejaba Fidel en el discurso citado anteriormente: mantener en sus filas la unidad estrecha, forjada por Lázaro Peña; ceñirse a los principios de la dirección colectiva y practicar con absoluta honestidad y rigor revolucionario la crítica y la autocrítica; aplicar correctamente los acuerdos del congreso obrero; hacerlo todo teniendo como objetivo fundamental la elevación de la eficiencia de nuestra economía, y, sobre todo, el desarrollo de la conciencia política, revolucionaria y comunista de los trabajadores.

En ese espíritu acometieron su trabajo los cuadros de la CTC y los sindicatos, bajo la dirección del compañero Roberto Veiga, quien ocupó la secretaría general de la CTC, en sustitución de Lázaro Peña.

En medio de la febril actividad sindical, se efectuó en La Habana, en diciembre de 1975, un acontecimiento de excepcional relevancia: el Primer Congreso del Partido Comunista de Cuba. Entre los vitales problemas sobre los cuales discutió y tomó acuerdos el congreso, figuraron los lineamientos para el primer plan quinquenal de desarrollo económico y social del país, el proyecto de una nueva división político-administrativa y la adopción de una nueva constitución de la República.

Los trabajadores cubanos tomaron parte activa en las discusiones masivas que se llevaron a cabo en todo el país alrededor de estos proyectos, y cuando, a partir de 1976 —después de aprobados los mismos por la Asamblea Nacional del Poder Popular y votada en referéndum popular la constitución socialista— comenzaron a aplicarse dichos acuerdos, el movimiento obrero fue factor decisivo de su realización.

Así, al efectuarse el XIV Congreso de la CTC en noviembre de 1978, se había avanzado por el camino que trazaron el XIII Congreso de la central sindical y el Primer Congreso del Partido, y la clase obrera se encontraba en mejores condiciones para incrementar, cuantitativa y cualitativamente, su aporte al desarrollo del país.

A fin de que se tenga una idea adecuada de la situación actual del movimiento sindical cubano, finalizaremos nuestro trabajo con un balance de la actividad y los logros alcanzados por el mismo en el último quinquenio, de 1975 a 1980.

A tono con los acuerdos del XIV Congreso, se constatan avances logrados por los sindicatos en el fortalecimiento de su vida interna; en el perfeccionamiento de la estructura sindical; en la superación política, cultural y técnica de los trabajadores; en el impulso a la emulación socialista; en el ejercicio de los derechos de los trabajadores; en la disciplina del trabajo; en la realización de actividades tales como la vinculación del salario al rendimiento, la zafra azucarera, el movimiento de innovadores y racionalizadores, las misiones internacionalistas, así como en su contribución en general al desarrollo económico, político y social de Cuba.

La estructura y métodos de trabajo de la organización obrera se proyectan hacia la atención que requieren las organizaciones de base para mejorar su funcionamiento y contribuir a una mayor vinculación de los organismos superiores con la base. Se desarrolla la conciencia de la importancia y la necesidad de mantener e incrementar esta atención en lo adelante.

En 1980 se cumplió el vigésimo aniversario de la participación masiva, de carácter voluntario, de la clase obrera en las zafras del pueblo. Se han movilizado como promedio, en cada año del último quinquenio, 44 146 macheteros voluntarios, habiéndose cumplido en la última zafra el plan de corte en un 110%.

A partir de 1977, el movimiento sindical ha venido celebrando los "domingos rojos" —jornadas extraordinarias de trabajo voluntario— en homenaje a los aniversarios de la Revolución de Octubre y otros acontecimientos de importancia. Se han llevado a cabo 5 de ellos, en los que se ha movilizado para el trabajo voluntario, sin pago, a más de 8 069 000 trabajadores. El último domingo rojo, dedicado a saludar el 63º aniversario de Octubre y el II Congreso del Partido, ha sido el mayor, con 1 710 000 participantes.

Los trabajadores y dirigentes sindicales han tenido una activa participación en la implantación del Sistema de Dirección y Planificación de la Economía. En materia de capacitación económica, el movimiento sindical cuenta en la actualidad con 30 cuadros economistas y otros tantos cursan esos estudios. En la Escuela Nacional y las Provinciales de Dirección de la Economía se han graduado más de 300 cuadros en los distintos niveles que se imparten en ellas, y más de 400 000 trabajadores han recibido conferencias sobre esta especialidad.

En este período, el movimiento sindical continuó participando en el proceso de discusión y proyección de los planes de la economía nacional. En la discusión del plan de 1980 participaron más de 1 425 000 trabajadores. Se plantea que esta actividad deba continuar desarrollándose y perfeccionándose consecuentemente.

En 1976 se constituyó la Asociación Nacional de Innovadores y Racionalizadores. Esta organización, dirigida por el movimiento sindical, cuenta ya con más de 33 000 miembros, los cuale han realizado ya 14 872 innovacione con un logro económico de 127 228 000 pesos. En la situación del bloqueo económico que sufre Cuba, los innovadores y racionalizadores desempeñan un papel muy importante para evitar que se paralice la producción, para ahorrar materias primas y otros recursos, etcétera.

Durante este período se fijaron importantes objetivos para fortalecer e impulsar la emulación socialista, concretándose sus índices emulativos a aquellos aspectos vinculados directamente con las tareas de carácter económico y al fortalecimiento de la disciplina laboral. Se han incrementado en más de 232 000 los trabajadores que participan actualmente en la emulación individual con relación al período anterior, así como los que integran el movimiento de los distintos sectores de la economía.

En el período analizado, 178 trabajadores han obtenido la condecoración de héroes nacionales del trabajo, y en 1980 se impuso la medalla "Jesús Menéndez", otorgada por el Consejo de Estado, a 34 trabajadores destacados. Más de 19 580 unidades emulativas ostentan actualmente la honrosa condición de Centros Moncadistas.

El comité nacional de la CTC se planteó como objetivo saludar el II Congreso del Partido, que se efectuó a fines de 1980, con la actualización de 500 000 normas de trabajo, extender la vinculación del salario a la norma de un millón de trabajadores y el pago por primas a 500 000. Estas metas fueron sobrecumplidas.

Uno de los logros fundamentales alcanzados por el movimiento sindical en este período está relacionado con la superación cultural y técnica de los trabajadores. Se culminó exitosamente la batalla por el sexto grado. Desde el curso 1974-1975, en que se inició este esfuerzo, hasta fines de 1980, los graduados de sexto grado rebasaron los 900 000. Baste decir, para valorar justamente la grandeza histórica de esta tarea, que en los doce años anteriores al curso 1974-1975 solamente se habían graduado de sexto grado algo más de medio millón de adultos. En la mitad del tiempo, esta cantidad se ha duplicado. Desde el triunfo de la Revolución, se ha graduado de sexto grado un total de 1 397 636 hombres y mujeres laboriosos de nuestro país.

Inspirado en este éxito, el movimiento sindical enfrenta ahora la batalla por el noveno grado, que se convertirá sin duda en otra victoria educacional de nuestros trabajadores. Ella servirá de base para un mayor desarrollo técnico y productivo del país. El movimiento sindical se propone arribar a 1985 con no menos de 700 000 graduados en este nivel.

Las escuelas sindicales de todas las instancias, y en primer lugar la escuela nacional de cuadros de la CTC, "Lázaro Peña", han posibilitado que, en el quinquenio, 34 567 cuadros sindicales hayan cursado sus estudios, y que se le hayan impartido conocimientos sindicales y políticos a 414 sindicalistas de América Latina, el Caribe y África.

Ha avanzado el Movimiento de Trabajadores Aficionados al Arte en sus distintas manifestaciones, así como la práctica del deporte. Se han celebrado tres festivales de aficionados con participación de más de 181 000 trabajadores.

En el deporte se ha logrado la participación de un promedio de 900 mil trabajadores por año en el calendario del Instituto Nacional de Deportes, Educación Física y Recreación (INDER), y se incrementó la participación en los Juegos Deportivos de los Trabajadores, de 620 934 en 1976 a más de 1 589 000 trabajadores en 1980.

El movimiento sindical ha venido trabajando intensamente por el cumplimiento de los acuerdos adoptados para fortalecer la disciplina laboral. Es alentador lo que ha venido logrando en este terreno, con un trabajo más eficiente y exigente.

Se ha realizado un notable esfuerzo en la preparación de los cuadros sindicales y de los trabajadores, para que estén en condiciones de enfrentar las infracciones de la legislación laboral y de seguridad social. Han recibido seminarios más de 250 000 dirigentes sindicales de base; se han efectuado círculos de estudio con los trabajadores de todo el país, dirigidos al conocimiento de las normas legales; se han editado un millón de tabloides divulgando las normas laborales y sociales más importantes y 22 000 folletos con la ley de seguridad social.

Se trabaja para superar las limitaciones y deficiencias que aún existen alrededor del cumplimiento de las normas de protección e higiene del trabajo y en el suministro de los medios y equipos destinados a los trabajadores.

Se ha trabajado exitosamente en uno de los objetivos más trascendentales para nuestro movimiento obrero —la elevación constante de la conciencia política e ideológica de los trabajadores—, mediante la lucha por el desarrollo económico, la superación cultural, el estudio político, la promoción del trabajo voluntario útil, la profundización en las ideas y en la práctica de los nobles principios del internacionalismo proletario, el apoyo a la defensa del país y a la abnegada labor de nuestras Fuerzas Armadas, la organización de la guardia obrera, y la lucha contra los rezagos del pasado y por el desarrollo de una actitud genuinamente socialista ante el trabajo, la sociedad y la propiedad social.

En este inmenso trabajo ha desempeñado un importante papel, junto a las escuelas y demás medios de educación y propaganda ya citados, el periódico *Trabajadores*, órgano de la CTC, que comenzó publicándose tres veces por semana y hoy es un diario de gran circulación y mucho prestigio entre las masas.

En resumen, se puede afirmar que la clase obrera cubana, fiel a sus hermosas tradiciones de lucha, y dueña, con todo el pueblo que trabaja y estudia, de los destinos de su país, ha logrado el más alto nivel de desarrollo en todos los aspectos; que el movimiento obrero cubano es el más vigoroso de América Latina y goza de sólido prestigio entre los demás destacamentos sindicales del proletariado mundial; que constituye un firme y sólido guardián de las conquistas de su gloriosa Revolución y un hermano firme y seguro de todos los trabajadores y los pueblos que luchan por conquistar o defender su independencia nacional, por construir un mundo de paz y progreso social, por convertir en realidad el sueño milenario de la humanidad trabajadora de tener una sociedad sin explotadores ni explotados, sin miseria ni injusticias sociales: la sociedad socialista y comunista.

BIBLIOGRAFÍA

Allende, Salvador, *Cuba: un camino*, Santiago de Chile, Prensa Latinoamericana, 1960.

Álvarez Estévez, Rolando, *Algunos antecedentes de las ideas marxistas-leninistas en Cuba*, La Habana, Departamento de Orientación Revolucionaria, Sección de Activistas de Historia, Comité Central del PCC, 1980.

Arévalo, Juan, *Los problemas obreros de Cuba expuestos ante los funcionarios del gobierno de Washington*, La Habana, Publicaciones del Grupo Editor, 1942.

Báez, Luis, "Blas Roca: un hombre lleno de historia", diálogo con Blas Roca, en *Bohemia*, núm. 30, La Habana, 28 de julio de 1978, pp. 36-43.

Baliño, Carlos, *Documentos y artículos*, La Habana, Instituto de Historia del Movimiento Comunista y de la Revolución Socialista de Cuba, Departamento de Orientación Revolucionaria del CC del PCC, 1976.

——, *Verdades del socialismo*, México, Cultura Popular, 1980.

Bambirra, Vania, *La revolución cubana. Una reinterpretación*, México, Nuestro Tiempo, 1974.

Baran, Paul, A., *La revolución cubana, el socialismo, única salida*, México, Nuestro Tiempo, 1971.

Barkin, David y Nita Manitzas, *Cuba: camino abierto*, México, Siglo XXI, 1975.

Cabrera, Olga, *El movimiento obrero cubano en 1920*, La Habana, Instituto Cubano del Libro, 1969.

——, *Antonio Guiteras: su pensamiento revolucionario*, Ediciones Sociales, 1974.

——, *Guiteras, la época, el hombre*, La Habana, Arte y Literatura, 1974.

Calderío, F., *Algunos conceptos básicos sobre el movimiento sindical y el camino del socialismo*, La Habana, Federación Nacional de la Química Industrial, 1961.

Cantón Navarro, José, *Cómo el marxismo-leninismo cambió la fisonomía del movimiento obrero cubano*, ponencia en el seminario sobre las clases sociales y la lucha de clases en la sociedad neocolonial cubana, La Habana, Talleres del Comité Central del PCC, 1976.

——, *Algunas ideas de José Martí en relación con la clase obrera y el socialismo*, La Habana, Instituto Cubano del Libro, 1970.

Castro, Fidel, *Dos discursos en el X Congreso Nacional Obrero*, noviembre de 1959, La Habana, CTC, 1959.

——, *¡Jamás nuestro movimiento obrero fue tan sólido como hoy día!*, XIII Congreso de la CTC, La Habana, 1974.

——, *Obras escogidas*, Madrid, Fundamentos, 1976.

——, *La historia me absolverá*, La Habana, Editora Política, 1964.

——, *La Revolución cubana*, México, Era, 1975.

——, *El partido marxista-leninista*, Buenos Aires, Rosa Blindada, 1965.

——, *50 aniversario. Primer partido marxista-leninista en Cuba*, La Habana, Departamento de Orientación Revolucionaria del CC del PCC, 1975.

——, *Primer Congreso del Partido Comunista de Cuba. Informe central*, La Habana, Departamento de Orientación Revolucionaria del CC del PCC, 1975.

——, *Segundo Congreso del Partido Comunista de Cuba. Informe central*, La Habana, Editora Política, 1980.

——, *La Revolución de octubre y la Revolución cubana*, La Habana, Instituto de Historia del Movimiento Comunista y de la Revolución Socialista de Cuba, Departamento de Orientación Revolucionaria del CC del PCC, 1977.

——, *Socialismo y comunismo un proceso único*, México, Diógenes, 1978.

Clavijo Aguilera, Fausto, *Los sindicatos en Cuba*, La Habana, Lex, 1954.

Confederación de Trabajadores de Cuba, *Las tareas del movimiento sindical en la edificación socialista*, La Habana, Vanguardia Obrera, 1961.

Domenech, Francisco, *El obrero cubano*, La Habana, Biblioteca de Acción Socialista, 1924.

——, *Martí y las clases trabajadoras*, Editorial Hispanoamericana, 1930.

Duarte Hurtado, Martín, *La máquina torcedora de tabaco y las luchas en torno a su implantación en Cuba*, La Habana, Ciencias Sociales, 1973.

Deschamps Chapeaux, Pedro, *El negro en la economía habanera del siglo XIX*, La Habana, Unión de Escritores y Artistas de Cuba, 1971.

—— y Juan Pérez de la Riva, *Contribución a la historia de la gente sin historia*, La Habana, Ciencias Sociales, 1974.

Dumpierre, Erasmo, *La Revolución de octubre y su repercusión en Cuba*, La Habana, Ciencias Sociales, 1977.

——, *Julio Antonio Mella, Biografía*, La Habana, Comisión Nacional de Historia, Unión de Jóvenes Comunistas, Instituto Cubano del Libro, 1975.

Del Toro, Carlos, *Algunos aspectos económicos, sociales y políticos del movimiento obrero cubano (1933-1958)*, La Habana, Arte y Literatura, Instituto Cubano del Libro, 1974.

——, *El movimiento obrero cubano en 1914*, La Habana, Instituto Cubano del Libro, 1969.

Franco, José Luciano, *Las minas de Santiago del Prado y la rebelión de los obreros. 1530-1800*, La Habana, Ciencias Sociales, 1975.

Gambini, Hugo, *El Che Guevara*, Buenos Aires, Paidós, 1973.

García Montes, Jorge y Antonio Alonso Ávila, *Historia del Partido Comunista de Cuba*, Miami, Universal, 1970.

Guevara, Ernesto, *Obra revolucionaria*, México, Era, 1968.

Harnecker, Marta, *Cuba: los protagonistas del nuevo poder*, La Habana, Ciencias Sociales, 1979.

——, *Cuba, ¿dictadura o democracia?*, México, Siglo XXI, 1975.

Hidalgo, Ariel, *Orígenes del movimiento obrero y del pensamiento socialista en Cuba*, La Habana, Arte y Literatura, 1976.

Instituto de Historia del Movimiento Comunista y de la Revolución Socialista de Cuba, *Movimiento obrero cubano. Documentos y artículos*, 2 vols., La Habana, Ciencias Sociales, 1975-1977.

Jiménez Pastrana, Juan, *La rebelión de los vegueros*, La Habana, Gente Nueva, 1979.

Le Riverend, Julio, *La república: dependencia y revolución*, La Habana, Instituto Cubano del Libro, 1969.

López Segrega, Francisco, *Raíces históricas de la Revolución cubana (1868-1959)*, La Habana, Unión de Escritores y Artistas de Cuba, 1980.

Marinello, Juan, *Escritos sociales*, México, UNAM, Biblioteca del Estudiante Universitario, 1980.

Martínez Sánchez, Augusto, *La política laboral de la revolución socialista*, La Habana, CTC, 1962.

Matthews, Herbert, *Fidel Castro*, Nueva York, Simon and Schuster, 1970.

Mella, Julio Antonio, *Documentos y artículos*, La Habana, Instituto de Historia del Movimiento Comunista y de la Revolución Socialista de Cuba, 1975.

O'Connor, James, *The origins of socialism in Cuba*, Londres, Cornell University Press, 1970.

Ortiz, Fernando, *Contrapunteo cubano del tabaco y el azúcar*, Barcelona, Ariel, 1973.

Padrón, Pedro Luis, *Julio Antonio Mella y el movimiento obrero*, La Habana, Ciencias Sociales, 1980.

Page, Charles Albert, *The development of organized labor in Cuba*, tesis, Berkeley, University of California, 1952.

Peña, Lázaro, *Tareas actuales del movimiento sindical en el tránsito hacia el socialismo*, La Habana, CTC, 1962.

Pérez Pereira, Rafael, *Jesús Menéndez. Introducción a un estudio biográfico*, La Habana, Universidad de La Habana, 1978.

Pérez Cruz, Felipe, *Mella y la revolución de octubre*, La Habana, Gente Nueva, 1980.

Pérez de la Riva, Juan, *El barracón: esclavitud y capitalismo en Cuba*, Barcelona, Crítica, 1978.

Pichardo, Hortensia, *Documentos para la historia de Cuba*, 3 vols., La Habana, Instituto Cubano del Libro, 1969.

Pierre-Charles, Gérard, "Apuntes sobre las luchas obreras y socialistas en Cuba", en *Historia y Sociedad*, núm. 2, México, segunda época, verano de 1974, pp. 3-18.

——, *Génesis de la Revolución cubana*, México, Siglo XXI, 1976.

Pino Santos, Oscar, *El asalto a Cuba por la oligarquía financiera yanqui*, La Habana, Casa de las Américas, 1973.

Portuondo, José Antonio, *La Aurora y los comienzos de la prensa y de la organización obrera en Cuba*, La Habana, Imprenta Nacional de Cuba, 1961.

Riera Hernández, Mario, *Historial obrero cubano. 1547-1965 Sindicalismo, huelgas, Economía*, Miami, Renia Press, 1965.

Rivero Muñiz, José, *El movimiento obrero durante la primera intervención. Apuntes para la historia del proletariado en Cuba*, Santa Clara, Dirección de Publicaciones, Universidad Central de Las Villas, 1961.

——, *Lectura en las tabaquerías*, La Habana, Biblioteca Nacional, 1931.

——, "Los prolegómenos del socialismo en Cuba", en *Cuba Socialista*, núm. 7, La Habana, marzo de 1962, pp. 77-90.

——, *El primer partido socialista cubano. Apuntes para la historia del proletariado en Cuba*, Santa Clara, Dirección de Publicaciones de la Universidad Central de Las Villas, 1962.

——, *Tabaco, su historia en Cuba*, La Habana, Instituto de Historia, Comisión Nacional de la Academia de Ciencias de la Repúbilca de Cuba, 1964.

Roca, Blas, *Los fundamentos del socialismo en Cuba*, La Habana, Ed. Populares, 1961.

Roca, Blas y Lázaro Peña, *Las funciones y el papel de los sindicatos ante la revolución*, La Habana, Vanguardia Obrera, 1961.

Rodríguez, Carlos Rafael, *La clase obrera y la revolución*, La Habana, Vanguardia Obrera, 1961.

——, *Cuba en tránsito al socialismo (1959-1963). Lenin y la cuestión colonial*, México, Siglo XXI, 1978.

Roig San Martín, Enrique, *Artículos publicados en el periódico El Productor*, La Habana, Consejo Nacional de Cultura, 1967.

Rojas, Marta, *El que debe vivir*, La Habana, Casa de las Américas, 1978.

——, *La generación del centenario en el juicio del Moncada*, La Habana, Ciencias Sociales, 1979.

Rojas, Ursinio, *Las luchas obreras en el central Tacajo*, La Habana, Editora Política, 1979.

Rosell, Mirta (comp.), *Las luchas obreras contra Machado*, La Habana, Ciencias Sociales, Instituto Cubano del Libro, 1973.

Serviat, Pedro, *40 aniversario de la fundación del Partido Comunista de Cuba*, La Habana, EIR, 1965.

Soto, Juan José (comp.), *De la Demajagua a Playa Girón. Un encuentro con su propia historia*, La Habana, Ciencias Sociales, 1978.

Tellería, Evelio, *Los congresos obreros en Cuba*, La Habana, Instituto Cubano del Libro, 1973.

Tibol, Raquel, *Mella en El Machete. Antología parcial de un luchador y su momento histórico*, México, Fondo de Cultura Popular, 1968.

Tutino, Saverio, *Breve historia de la Revolución cubana*, México, Era, 1979.

Winocur, Marcos, *Cuba, nacionalismo y comunismo*, Buenos Aires, Hemisferio, 1966.

——, *Las clases olvidadas en la Revolución cubana*, Barcelona, Crítica, 1978.

Zeitlin, Maurice, *La política revolucionaria y la clase obrera cubana*, Buenos Aires, Amorrortu, 1973.

EL MOVIMIENTO OBRERO HAITIANO, 1932-1963

MICHEL HECTOR

> A pesar de los fracasos, de las divisiones, de las desigualda-
> des en el logro de la victoria, a pesar de los errores come-
> tidos, los militantes pueden encontrar en su historia las
> razones para un optimismo lúcido y razonable, porque gra-
> cias a ella se saben dentro de un movimiento de emanci-
> **pación** creciente que va **alcanz**ando a un número cada vez
> mayor de hombres. Los estancamientos, las fallas de nivel,
> los retrocesos, son sólo peripecias que no impiden que la
> curva sea ascendente. Saben también que a pesar del con-
> dicionamiento a que les somete desde siempre la sociedad.
> disponen de cierta libertad individual y colectiva, de capa-
> cidad de reacción para poder con sentido común hacer algo
> efectivo.
>
> MARCEL DAVID, *Los trabajadores y el sentido de su historia*

INTRODUCCIÓN

El estudio del movimiento obrero, es decir, de la acción sindical y políticamente
organizada de los trabajadores, "siempre en función de su naturaleza obrera",[1]
está apenas iniciándose en Haití. Existen, desde luego, algunas obras de carácter jurídico y algunos testimonios bastante valiosos, pero estos trabajos son muy
limitados y no abarcan el fenómeno en todos sus aspectos y en todas sus etapas.
Visto en conjunto, se trata, pues, de un campo de reflexión absolutamente
nuevo.

La juventud del movimiento y la represión casi ininterrumpida en contra
de los trabajadores y de sus organizaciones, han impedido prácticamente —como
más o menos ocurre en muchos países— la conservación de las fuentes más
importantes y esto constituye por el momento una limitación insuperable. Baste
con recordar que todavía tiene vigencia en Haití una ley que condena a la
pena de muerte a toda persona acusada de actividad comunista, de simpatizar
con los comunistas o de portar propaganda comunista de tipo nacional o internacional.

En esas condiciones, sería prematuro y pretensioso querer escribir la historia

---

[1] Manuel Tuñón de Lara, *El movimiento obrero en la historia de España*, Madrid, Taurus,
1972, p. 10.

de un movimiento todavía enfrentado a una lucha difícil por su mero derecho a existir. En la situación actual, para todos los intelectuales haitianos interesados en el tema, mucho más que escribir la historia propiamente dicha de esta lucha, la tarea es contribuir de una u otra manera a su desarrollo.

Esto no implica prohibir la reflexión sobre el pasado del movimiento ni rechazar todo intento de explicación a las orientaciones fundamentales de su evolución. Caer en tal prohibición significaría negar toda la importancia de la interrelación entre pasado y presente en las luchas sociales. Solamente queremos hacer hincapié que, por razones obvias, no tratamos de hacer un trabajo verdaderamente histórico.

Con base en algunos testimonios y ciertos materiales —muchos de ellos no seriados— que hemos podido reunir, nos limitaremos a determinar las principales etapas de la lucha obrera en el plano de la organización sindical y política. Nos hemos esforzado también por identificar tanto los problemas específicos que se plantearon en cada una de estas etapas, como los que se presentaron con cierta continuidad a través de todo el período considerado. Nuestra preocupación central es explicar por qué el movimiento obrero haitiano no ha llegado, hasta hoy en día, a constituirse en una fuerza impulsora de su propia historia y de la de todas las otras capas oprimidas de nuestra sociedad.

Precisamente en seguida que, en el marco de esta preocupación, descartamos algunos clichés que se utilizan como elementos fundamentales para explicar la situación actual del movimiento obrero. Nos referimos en concreto a la represión antiobrera, al origen y a la mentalidad pequeñoburguesa de los dirigentes de las organizaciones sindicales y políticas. Sin duda esos elementos han tenido un cierto peso en el desarrollo de la acción obrera, pero es sobre todo en la problemática interna del movimiento donde debemos buscar las causas de su estado actual, sin que por ello menospreciemos la influencia real de aquellos aspectos.

El movimiento obrero haitiano se ha desarrollado alrededor de tres fechas claves: 1932, 1946 y 1958. A partir de estas fechas, se puede hablar de tres períodos de evolución, cada uno con sus características propias respecto a la continuidad y a la intensidad de la actividad obrera. 1963, año que cierra el período abarcado en este estudio, simboliza solamente el final del movimiento sindical democrático. En realidad, el año de 1969 representa otra fecha clave; las condiciones que se han ido creando a partir de este momento parecen indicar que se está conformando otro período en el desarrollo del movimiento. Pero los límites impuestos al estudio no nos permiten llegar hasta ese año.

Los períodos señalados no son exclusivos del movimiento obrero. Se integran en un contexto político global cuyas características rebasan el marco de la actividad del proletariado. A veces corresponden también a etapas de acentuación del desarrollo de las relaciones capitalistas, en el sentido de que cada época de extensión de esas relaciones establece nuevas condiciones para el desenvolvimiento de las luchas obreras. Finalmente, esos períodos coinciden con momentos específicos de la situación internacional en general y del movimiento obrero mundial en especial. Así, aunque no es propiamente un trabajo de historia, nuestro estudio no puede realizarse fuera de toda perspectiva histórica. El movimiento obrero haitiano, como el de todos los otros países, es un "fenómeno histórico real",[2] ininteligible sin un análisis de las condiciones económicas y políticas en las distintas etapas de su desarrollo.

Si tomamos en cuenta todos estos aspectos y estudiamos la actividad de las organizaciones, llegaremos a constatar que tanto en el transcurso de un período como en el paso de uno a otro, no existe un desarrollo lineal. Encontramos retrocesos, estancamientos, rupturas, mutaciones y avances. Todo esto influye sobre el enfrentamiento de las tendencias, las divisiones y la búsqueda de la unidad del movimiento. Se trata de una marcha muy compleja —que todavía se está dando—, tanto en el terreno teórico como en el práctico, hacia la autonomización del movimiento.

La cuestión medular de esta marcha hacia la autonomía ha sido la concreción de la ligazón entre la acción política de clase y las luchas reivindicativas de los obreros, del campesinado pobre y del estudiantado, que representaron las principales fuerzas dinamizadoras del proceso social en esos años. Se trata del problema del establecimiento de la "relación dialéctica"[3] entre la organización política y las masas; es "el proceso de constitución del proletariado en partido",[4] es decir, en clase revolucionaria, a través de su propia experiencia y de la de todas las otras capas explotadas y oprimidas, proceso por el cual la clase obrera logra implantar su hegemonía.

Una de las características más importantes de la acción sindical y política de la clase obrera haitiana, ha sido la tendencia casi permanente a no converger, esto es, a marchar cada una por su lado y de manera desigual. Así, cuando se desarrolla el movimiento sindical, los partidos obreros no han estado en condiciones teóricas y prácticas para tomar la dirección de esa lucha. Por el contrario, cuando los partidos aparecen con esta capacidad, el movimiento de masas ha mostrado una tendencia al descenso. Sólo en coyunturas muy precisas esta característica no se ha manifestado.

En torno a este problema medular gira todo nuestro texto, que hemos estructurado en cuatro partes. En una primera veremos el nacimiento del movimiento comunista, en un contexto donde no existe todavía ni organización sindical ni luchas específicamente obreras, y que corresponde al período de 1932 a 1946. La segunda y tercera partes abarcan los años de 1946 a 1948 y de este último a 1957 respectivamente. En primer lugar se estudia el nacimiento del movimiento obrero en 1946 y todo el proceso hasta 1948 de acercamiento entre organizaciones sindicales y partidos políticos de orientación socialista. Después, de 1948 a 1957, se considera el reflujo que se da en el movimiento. Una cuarta parte, que va de 1957 a 1963, está caracterizada por el predominio del movimiento sindical democrático y la relativa extensión de las organizaciones políticas que se reclaman de la clase obrera.

2 Denis Sulmont, *El movimiento obrero en el Perú*, Lima, Pontificia Universidad Católica del Perú, Fondo Editorial, 1975, p. 17.

3 Christine Buci-Glucksmann, *Gramsci y el Estado*, México, Siglo XXI, 1978, pp. 65 *ss.* y 201.

4 Karl Marx y Friedrich Engels, *Le parti de classe*, París, Maspero, 1973, tomo 3, p. 31.

I. EL NACIMIENTO DEL MOVIMIENTO: 1932-1946

Generalmente se indica el año de 1934, con la aparición del *Analyse Schéma-tique 1932-1934*, como el inicio del movimiento comunista en Haití. Sin querer cuestionar el carácter simbólico de esa fecha, en lo que se refiere a la fundación de una organización que se define como partido proletario, es en realidad a partir de 1932 cuando se abre el primer período para el movimiento obrero y, en este sentido, no es casual que 1932 figure desde el propio título de este texto. Como lo señala Henock Trouillot, desde el último mes de 1932, tanto la prensa como la máquina represiva del gobierno mencionan la existencia de un movimiento comunista.[5]

Este primer período corresponde al nacimiento y desarrollo —todavía raquí-tico— de la organización comunista. Aquí, es necesario destacar dos aspectos que van a incidir en la evolución del movimiento a través de toda la época. En primer lugar, en el país no se dieron las importantes luchas obreras desarro-lladas durante esos años en América Latina y en otras regiones del mundo; lo que se ha llamado la segunda ola de agitación obrera en el continente latinoa-mericano no conoció ninguna manifestación en Haití, donde la corriente so-cialista nace mucho antes del movimiento sindical. En segundo lugar, el socia-lismo aparece en el marco de una lucha nacionalista, ideológica y política en contra de la dominación norteamericana,[6] lucha que al mismo tiempo prolonga y supera el nacionalismo.

Ya varios autores han indicado el vínculo que se estableció entre la lucha nacionalista y la aparición del socialismo en los años treinta.[7] Después de una larga batalla multiforme en contra de la dominación extranjera, el nacionalis-mo arriba al poder con la elección de Stenio Vincent para la Presidencia, lo que representa no sólo un triunfo, sino sobre todo, una prueba en la que el nacionalismo iba a revelar su verdadero rostro.

La derrota de la guerra nacionalista campesina en el año 1920 generó un desplazamiento en el frente principal de la lucha contra el dominio extran-jero, tanto en la forma como en el espacio y en las categorías sociales involu-cradas.[8] La batalla nacionalista pasa de la lucha armada a la pacífic,a del mun-do rural a la ciudad, del campesinado mediano y pobre a la pequeña burguesía, la burguesía y las capas populares urbanas. Se produce así un verdadero viraje

[5] Henock Trouillot, *Dimensiones et limites de Jacques Roumain*, Puerto Príncipe, Éditions Fardin, 1975, pp. 96-98.

[6] Para un estudio comparativo existen sobre esos dos aspectos muchos más puntos de con-vergencia entre el movimiento obrero haitiano y el de ciertos países árabes que entre aquél y el movimiento obrero latinoamericano. Véase *Mouvement ouvrier, comunisme et nationa-lisme dans le monde arabe, Cahier du Mouvement Social*, núm. 3, París, Les Éditions Ouvrieres, 1978.

[7] Suzy Castor, *La ocupación norteamericana de Haití y sus consecuencias*, México, Siglo XXI, 1971; David Nicholls, "Idéologie et mouvements politiques en Haïti, 1915-1946", *Annales* ESC, núm. 4, enero-abril de 1975, pp. 654-679.

[8] La guerra nacionalista campesina duró prácticamente cinco años, de 1915 a 1920. Sus jefes más destacados fueron Charlemagne Peralte y Benoit Batraville. Véase J. Vershueren, *La république d'Haití*, París, Lethielleux Editeur, 1948.

cuyas consecuencias van a influir no solamente sobre el desarrollo del propio nacionalismo, sino también sobre toda la problemática de las luchas sociales hasta hoy día.

Limitándonos por el momento al nacionalismo, además de lo ya señalado, esta derrota dejó un vacío que no pudo llegar a ser ocupado por ninguna de las corrientes que se enfrentaron desde 1921. Se trata de la ausencia, en todos los planteamientos programáticos, de las reivindicaciones específicamente campesinas, más allá de la denuncia de los despojos de tierra que se practicaron al establecerse las empresas agrícolas o agroindustrias del imperialismo. La guerra campesina tampoco había vinculado las reivindicaciones nacionalistas con las antifeudales. Si se pudiera suponer que en su desarrollo hubiese llegado a establecer esta relación, con la derrota desaparecieron tales posibilidades. Es así como en el nacionalismo se pierde el hilo del contenido antifeudal de las luchas campesinas del siglo XIX y en cierto modo, el más avanzado, del pensamiento político del final de dicho siglo.[9]

El nacionalismo que se desarrolla a partir de los años veinte oculta pues uno de los aspectos más importantes del problema social del momento. Quizás este ocultamiento sea, en cierta medida, el reflejo no elaborado del fenómeno real de la dominación extranjera que amenazaba cada vez más la existencia misma de las distintas categorías sociales nacionales. De todas maneras, el nacionalismo se queda principalmente en la esfera de las reivindicaciones políticas, tales como el fin de la ocupación militar, la anulación del tratado de 1915,[10] el esablecimiento —por vía electoral— de un régimen político democrático. Se opera entonces una especie de divorcio entre lo político y lo social en las reivindicaciones democráticas, lo que es una herencia de la vieja problemática del liberalismo haitiano del siglo XIX y que había constituido desde aquella época una constante en las luchas políticas de los sectores liberales del país.

Sobre la base de este ocultamiento y de este divorcio frente al empeoramiento de la situación económica y social debido tanto a los resultados negativos y acumulativos de quince años de ocupación, como a los efectos inmediatos de la crisis de 1929,[11] las distintas corrientes del nacionalismo —nacionalismo integral, moderado, cultural, negrista, socializante—[12] llegan a confluir, a reunirse y a presentar un frente común. El nacionalismo reviste así un carácter unanimista, y eso le fue tanto más fácil cuando las capas populares urbanas y algunos sectores del campesinado participaban de lleno en esta lucha.

Una vez llegado al poder, a través de la persona del presidente Stenio Vincent —de gran fama nacionalista, pero perteneciente a la corriente moderada—, el frente común se desbarata. La política aplicada por el gobierno se orienta

9 Nos referimos especialmente a las luchas campesinas de la primera mitad del siglo XIX y a las denuncias de las relaciones semifeudales hechas por L. J. Janvier y Antenor Firmin. Véase J. J. Doubout, *Haití: feódalisme ou capitalisme*, París, Imprimerie ABECE, 1973.

10 Tratado impuesto al gobierno de Haití en 1915 por las fuerzas militares norteamericanas para "legalizar" la ocupación.

11 Varios autores, *América Latina en los años 30*, México, UNAM, 1977. Véase el estudio de Suzy Castor.

12 Sobre esas distintas corrientes véase David Nicholls, *op. cit.*, y Suzy Castor, *La ocupación norteamericana*, cit.

hacia todo tipo de transacciones para respetar los intereses fundamentales del imperialismo. Una oposición viva se desarrolla en contra de la puesta en práctica de tal política. Es en este marco donde la corriente socialista va a proponer su alternativa a la situación.

Vamos a analizar esta alternativa en el *Analyse Schématique;* pero antes, queremos aclarar dos puntos relacionados con las limitaciones que señalábamos al principio. En primer término, queda claro que tiene una validez restringida utilizar solamente este texto, pues a pesar de su importancia por ser el manifiesto de la primera organización comunista del país, para un estudio de los planteamientos políticos comunistas de aquella época, es menester considerar otros escritos políticos no sólo del fundador del partido, sino también de otros de sus miembros. Esta obligación es tanto más imperiosa por cuanto se sabe de la existencia de un periódico de la organización en esos años y de las posibilidades, aprovechadas por los afiliados en otros órganos de prensa, para exponer sus puntos de vista.

Además, tenemos muy presente que tal alternativa no puede encontrarse solamente en los textos programáticos y otros escritos teórico-políticos del partido. Actuar así equivaldría a nuestra caída en la posición de los que reducen el estudio del movimiento obrero a un análisis del discurso político, olvidando las luchas reales de los trabajadores y de sus organizaciones. De hecho, para una aproximación más fundamentada del problema, tendríamos que considerar también toda la actividad de esta organización. En estas condiciones, tratamos por el momento de indicar, más que nada, a partir del *Analyse Schématique,* algunos elementos con respecto a esta problemática, elementos en los que otros estudios tendrán que profundizar para conseguir una visión más amplia del asunto.

Hacemos una selección. Se ha señalado ya que el *Analyse Schématique,* como primer ensayo marxista de la literatura política haitiana, contiene "limitaciones", "imperfecciones", "errores" y también "apreciaciones profundas" sobre la realidad del país.[13] Nuestro propósito no es hacer un balance del texto sobre sus aspectos positivos y negativos. Nos quedamos sólo en la exposición de los aspectos que marcan un vínculo y una ruptura con el nacionalismo y que posteriormente van a influir sobre el desarrollo del movimiento obrero.

Es necesario precisar que no se encuentra en el texto ni un análisis sistemático de la realidad haitiana, ni una presentación programática del Partido Comunista. Es fundamentalmente una obra polémica donde se rebaten las ilusiones nacionalistas de un sector liberal y donde se afirma la posición del nuevo partido frente al nacionalismo; el Partido define su carácter y sus objetivos más generales a través de una crítica vigorosa a los planteamientos de aquel sector.

Con el *Analyse Schématique,* la corriente socialista rompe no sólo con el nacionalismo oficial, calificado de "nacionalismo burgués", sino también con el viejo nacionalismo impregnado de negrismo y pregonado por un sector de las clases dominantes desde la segunda mitad del siglo xix. En efecto, esta última

---

13 *Oeuvres choisies de Jacques Roumain,* Moscú, Éditions du Progrés, 1964, prefacio de Jacques S. Alexis.

corriente se amparaba en la cuestión racial para situar, a partir del color de la piel, la línea de demarcación de los conflictos sociales.[14] Es eso lo que explica la presencia en el texto de toda una parte dedicada a denunciar la utilización demagógica que se hacía de los prejuicios raciales. Si bien admite el carácter legítimo de ciertos planteamientos antirracistas, el Partido plantea fundamentalmente la cuestión social haitiana en la perspectiva de una lucha de clase antimperialista y anticapitalista, a través del lema "Contra la solidaridad burguesa capitalista, negra, mulata y blanca: frente único proletario sin distinción de color".[15]

En las condiciones de la época, la verdadera ruptura operada por el recién nacido movimiento comunista reside, ante todo, en su posición anticapitalista. En efecto, las luchas nacionalistas —especialmente las de los sectores radicales— conllevan ya un cierto antimperialismo; precisamente las movilizaciones de 1930 destacaron esta "base antimperialista".[16]

De hecho, como en el Perú de los años veinte o en la Revolución mexicana de 1910, se puede hablar en Haití de un antimperialismo nacionalista promovido por la burguesía y la pequeña burguesía urbana. La afiliación de la Unión Patriótica —la mayor y más dinámica organización nacionalista del país— a la Alianza Popular Revolucionaria Americana (APRA)[17] es también una indicación de este antimperialismo patriótico en varios países de América Latina. Más aún, en las últimas décadas del siglo XIX un nacionalismo de carácter antimperialista ya se había manifestado en Haití (por lo menos entre los pensadores políticos más avanzados),[18] frente a las crecientes amenazas expansionistas de Estados Unidos.

Al plantear una lucha antimperialista y anticapitalista, el Partido Comunista se aleja de todo antimperialismo nacionalista y da un nuevo contenido, profundamente social, a su antimperialismo. Al igual que Mariátegui en el Perú, precisamente en su lucha en contra del APRA[19] el Partido plantea que este nuevo contenido anticapitalista está generado por las mismas condiciones de la dominación imperialista. El proletariado, aliado a las otras categorías sociales explotadas, lo descubre en el proceso de su lucha. En este sentido, el *Analyse Schématique* afirma: "La gran mayoría de la clase trabajadora entiende ahora la mentira del nacionalismo burgués. Cada vez más, liga estrechamente la noción de la lucha antimperialista a la de la lucha de clases; cada vez más se da cuenta de que combatir al imperialismo es combatir el capitalismo extranjero o autóctono, es combatir sin tregua a la burguesía haitiana y a los políticos burgueses, títeres del imperialismo, explotadores crueles de los obreros y campesinos."[20]

14 David Nicholls, *op. cit.*

15 *Analyse Schématique 1932-1934*, Puerto Príncipe, V. Valcin Editeur, junio de 1934, p. 5.

16 Susy Castor, *América Latina en los años 30*, cit.

17 Rubén Salazar Mallén, *El pensamiento político en América*, México, Editorial Jus, 1973, tomo I, pp. 170-171.

18 Louis Joseph Janvier y Antenor Firmin.

19 No se trata de establecer una comparación entre los casos del Perú y Haití. Existe sin embargo toda una vía de investigación sobre posibles influencias del pensamiento de Mariátegui en el movimiento obrero haitiano.

20 *Analyse Schématique*, pp. 3-4.

Se asigna, pues, al proletariado un papel primordial en la lucha por la transformación social. "Clase incondicionalmente progresiva" sólo "el proletariado nacional organizado puede llevar a cabo una reforma radical y de gran envergadura porque sus intereses de clase se realizarán allí plenamente, porque sus intereses de clase se identifican en este momento con el interés general bien entendido".[21] Así, por primera vez en el país, el proletariado adquiere esta dimensión en la visión programática y en la práctica de una organización o una corriente política.

Por más radical que sea, esta ruptura lleva sin embargo la huella de su época. El contenido anticapitalista induce al *Analyse Schématique* a eludir uno de los problemas clave de la realidad haitiana, insoslayable tanto para los objetivos programáticos como para la actividad movilizadora de toda corriente revolucionaria. Se trata de la lucha en contra de las relaciones sociales semifeudales y de la determinación del peso de los terratenientes en las estructuras económica y social del país. He aquí cómo, hasta en el socialismo de esos años, se nota esta ausencia, característica propia de los planteamientos del conjunto de las corrientes políticas del momento. Sin embargo, la necesidad de realizar una reforma agraria que cambie las formas de propiedad y destruya las relaciones semifeudales figuraba ya en algunos escritos bastante conocidos a fines del siglo XIX.[22]

Los campesinos están presentes en el *Analyse Schématique*. Pero, sobre todo, se trata del campesinado mediano y de los pequeños propietarios en vía de proletarización o proletarizados ya por el establecimiento de las empresas imperialistas en el agro. En este sentido, el texto no rebasa el marco de las denuncias sistemáticas realizadas por la Unión Patriótica. La mera referencia a los terratenientes ausentistas no conduce a la necesidad de analizar el mecanismo concreto de explotación en la estructura de propiedad tradicional. De hecho, en cuanto a la situación en el campo, el Partido subraya únicamente los aspectos que tienden al fortalecimiento de su propósito anticapitalista. Tiene razón Jacques Alexis al escribir, en el momento de apreciar el texto: "El análisis parece también débil en la cuestión de la estructura semifeudal de Haití, en la fijación del papel político de los feudos, en la cuestión de la liquidación de las supervivencias feudales y en la cuestión de la alianza de las reivindicaciones y luchas del campesinado con la lucha del proletariado en formación y de la lucha antimperialista de todo el pueblo."[23]

Así, el fenómeno de penetración imperialista, con sus múltiples consecuencias, lleva al Partido Comunista a caracterizar a toda la sociedad como predominantemente capitalista y proletaria. Al respecto afirma. "El verdadero burgués es un propietario de ciertos medios de producción considerables y que le permiten comprar la fuerza proletaria de trabajo con fines de producción. Partiendo de este punto de vista —el único científico— y teniendo en cuenta el estatuto de la gran mayoría de las familias, negras y mulatas, de este país, no es difícil

---

21 *Analyse Schématique*, p. 15.
22 Louis Joseph Janvier, *La république d'Haïti et ses visiteurs Marpom et Flamarion*, París, 1883, p. 581; véase también *La Gazette Agricole* de junio de 1881.
23 Jacques S. Alexis, *Sur le mouvement communiste en Haïti*, 1960, inédito.

constatar que somos un país *radicalmente proletario*, lo que no es de extrañar, visto que las tres cuartas partes de nuestra economía son coloniales."[24]

Además, el texto expresa que la dominación imperialista genera un proceso indiscutible de proletarización. Hasta la burguesía haitiana, siendo "una capa privilegiada", se encuentra amenazada por el mismo peligro de proletarización,[25] aunque se sitúe de lleno del lado de los enemigos del pueblo. Así, dentro del proletariado no sólo están contemplados los obreros propiamente dichos, sino en general todas las víctimas del proceso de separación del trabajador de sus medios de producción, proceso enmarcado en lo que vendría a ser una acumulación originaria.

Por lo mismo, no se puede compartir la opinión de Alexis cuando, no obstante su aseveración anterior, afirma: "La conclusión de este libro es que Haití es un país feudal que se halla en un estadio precapitalista de desarrollo." En primer lugar, esos conceptos no aparecen en el texto del Partido; además, las debilidades y omisiones, mencionadas con razón y de manera clara por Alexis, se explican precisamente porque el texto no contiene esa problemática, ni como "conclusión", ni siquiera como hipótesis. A menos que ese proceso de proletarización generalizada, que se indica con tanta insistencia, sea el elemento que sugiere a Alexis la posible existencia de una caracterización implícita de Haití como "un país feudal ... en un estadio precapitalista de desarrollo". Pero, esto entraría en contradicción con la afirmación explícita del *Analyse* sobre el carácter "radicalmente proletario" del país.[26] Como veremos más adelante, habrá que esperar la publicación del manifiesto-programa del partido fundado por Alexis para encontrar un planteamiento sistemático del problema en nuestra literatura marxista.

En todo caso, por impugnar el reduccionismo del nacionalismo burgués (reducción de todas las reivindicaciones a la sola opresión nacional), el *Analyse Schématique* cae a su vez en un reduccionismo proletario (reducción de todo el problema social a la explotación capitalista). El elemento común a ambas posiciones es el impacto de la dominación directa del imperialismo. En efecto, en los dos casos, encontramos una especie de visión unilateral en la cual cada corriente tiende a privilegiar un aspecto de esta realidad: para el nacionalismo burgués la dominación política directa, para el *Analyse Schématique* la dominación económica directa.

Es el momento de preguntarnos ¿cuál era en realidad la situación del proletariado al que la corriente socialista asigna el papel primordial tanto en la estructura económica como en la lucha para el cambio total de la sociedad? Sólo contestando esta interrogante podremos ver en qué medida existían condiciones favorables al proletariado y a la corriente socialista para la realización de sus tareas políticas.

[24] *Analyse Schématique*, p. 15 (cursivas nuestras).
[25] *Ibid.*, p. 16.
[26] En efecto, desde el punto de vista de la sociedad global, difícilmente se puede concebir que un país esté, *en el mismo tiempo histórico*, en un proceso de proletarización acelerada a la vez que en un estadio "radicalmente proletario".

MICHEL HECTOR   193

La ocupación militar de 1915 inicia todo un nuevo período en la historia económica del país. En comparación con la situación que imperaba antes, asistimos desde entonces a una extensión cada vez más significativa de las relaciones de producción capitalistas en medio de un fortalecimiento continuo de la dominación neocolonial en provecho del imperialismo norteamericano principalmente. En este proceso, desde el punto de vista de la formación de la clase obrera, los años de 1915 a 1946 representan la etapa de consolidación y de ampliación del pequeño núcleo de proletarios que existían ya hacia el final del siglo XIX.[27]

Durante esos años se instalan grandes compañías agrícolas y agroindustriales que empleaban a miles de trabajadores, sobre todo obreros agrícolas, para la explotación de caña de azúcar, piña, plátano, henequén y caucho.[28] A partir de 1915 y hasta el final de los treinta, se señala la presencia de veinticinco mil obreros agrícolas en esas empresas. Hacia 1943, una sola de ellas ocupa 64 000 trabajadores rurales.[29] Sobre todo a partir de la segunda guerra mundial, en las ciudades también se multiplicaron las fábricas de tejidos, aceites, refrescos, las manufacturas de tabaco y los talleres dedicados a la pequeña industria. Todas estas actividades, junto con la construcción de algunas obras como edificios públicos, carreteras, etc., provocaron un ensanchamiento en las filas del proletariado urbano.

Es bajo el predominio de las estructuras económicas y sociales atrasadas donde se produce este aumento del proletariado. Si bien la instalación de las grandes compañías norteamericanas genera el despojo masivo de los pequeños y medianos propietarios de sus medios de producción, la gran propiedad de tipo tradicional no es tocada, aun cuando en las zonas circunvecinas a las empresas agrícolas extranjeras, los grandes propietarios hayan tenido que adaptarse al nuevo sistema de explotación; pero como esas zonas se limitan a algunas regiones del país, toman rápidamente el carácter de "enclaves" que no provocan cambios radicales en el conjunto de la atrasada estructura agraria del país, fortaleciendo solamente a un sector capitalista que coexiste con las formas tradicionales.[30] Así, no se realizó una verdadera renovación industrial y agraria que hubiera favorecido el desarrollo del proletariado.

Por eso, al igual que el reducido núcleo de proletarios del final del siglo XIX, la clase obrera haitiana en estos años presenta las mismas características fundamentales; predominan los trabajadores agrícolas —temporales o permanentes— todavía muy ligados al mundo rural. A excepción de los trabajadores de los enclaves imperialistas y de los portuarios en algunas ciudades, se trata fundamentalmente de un proletariado diseminado en medianas y pequeñas empresas, en los establecimientos comerciales, las fábricas preparadoras de café, el sector de la construcción y de los servicios públicos. Además, por el hecho de que el país se encuentra en una fase primaria de desarrollo industrial, este

27 Michel Hector, "Sobre la formación del proletariado en Haití", *Historia y Sociedad*, núm. 18, México.
28 Paul Moral, *Le paysan haïtien*, París, Maisonneuve J. Larose, 1961, pp. 63-65.
29 Gerald Brisson (Tinois), *Fondements économiques de la situation révolutionnaire 1945-1946*, 1965.
30 Schiller Thebaud, *Les estructures agraires en Haïti, 1804-1960*, Tesis de doctorado, París, 1967, p. 201.

proletariado se caracteriza por su falta de calificación técnica, lo que le hace sentir mucho más fuertemente la presión de la gran masa de desempleados. Por ejemplo, en un informe sobre las escuelas profesionales, la Dirección General de la Enseñanza Urbana señalaba para el año de 1928 la inexistencia de obreros calificados para la formación de alumnos en dicha escuela. Y según el mismo informe, en 1942 la situación no había cambiado mucho en lo que se refiere a un funcionamiento adecuado de esas escuelas para alcanzar sus objetivos de preparación técnica de cuadros obreros.[31]

Es en estos años cuando nace la legislación obrera. En 1924 se creó, en el nivel industrial, un Departamento del Trabajo colocado más tarde bajo la jurisdicción del ministro de Agricultura.[32] Esto indica cómo, en opinión de los gobernantes de aquellos tiempos, los problemas del trabajo se ligaban con la situación en el campo. Una década después, precisamente en el año en que aparece el *Analyse Schématique*, se publican los primeros reglamentos de la época contemporánea sobre contratos y duración —8 horas— de la jornada de trabajo, salarios, asistencia médica, trabajo de las mujeres y de los menores.[33] Todas las medidas previstas en la ley del 10 de agosto de 1934 se quedan "sin aplicación efectiva".[34] Tampoco fue aplicada la ley del 4 de mayo de 1942 que fijó el salario mínimo en 2 gourdes por día.[35]

En estas circunstancias, las condiciones de vida y de trabajo no varían mucho con respecto a la situación que imperaba a fines del siglo xix y principios del xx. De hecho, durante todo este primer período (1932-1946), a pesar de la ley de 1934, los trabajadores no dispusieron de ningún recurso contra los bajos salarios, la larga duración de la jornada, los frecuentes accidentes, las condiciones antihigiénicas de los establecimientos y los abusos patronales de todo tipo.

Por ejemplo, para los portuarios, desde 1909 hasta 1946 no se registró ningún cambio en los salarios, la duración de once horas de la jornada de trabajo, la inexistencia de medidas adecuadas contra los accidentes, los métodos fraudulentos de los patrones para disminuir la cantidad pagada a los obreros.[36] En las empresas agrícolas o agroindustrias extranjeras son varias las denuncias sobre las pésimas condiciones existentes; en esos establecimientos, la regla era "el máximo de trabajo... por el mínimo de remuneración".[37] Algunos de ellos aplicaban a los obreros agrícolas el mismo horario que había estado vigente en los antiguos tiempos de la colonización francesa.[38]

Con los bajos salarios y frente al alza continua de los precios de los artículos

[31] Rapport sur les écoles profesionnelles, Départment de l'Instruction Publique, Direction Générale de l'Enseignement Urbain, Imprimerie de l'État, 1942, pp. 1-7.

[32] François Latortue, *Le droit du travail en Haïti*, Imprimerie de l'État, 1942, pp. 1-7.

[33] Franck Legendre, *Recueil de législation ouvrière*, Puerto Príncipe, Imprimerie Les Presses Libres, pp. 53-73; véase también François Latortue, *op. cit.*

[34] François Latortue, *op. cit.*, p. 47.

[35] Dantes Bellegarde, *Histoire du peuple haïtien*, Puerto Príncipe, 1953; François Latortue, *op. cit.*, Hector Michel, *op. cit.*

[36] *Actes du Premier Congrès National du Travail*, Puerto Príncipe, 1949, p. 340.

[37] Carlet R. Auguste, *L'économique n'est qu'un aspect du social*, Puerto Príncipe, Imprimerie de l'État, 1948, p. 28.

[38] François Latortue, *op. cit.*, pp. 49-50.

de primera necesidad, la gran mayoría del proletariado apenas podía recuperar-rar su fuerza de trabajo. Carlet Auguste apunta que al examinar la evolución de los precios y de los salarios, se llega a la comprobación de que los trabajadores nunca han tenido la posibilidad de mejorar su situación.[39] Además, el fenómeno del desempleo que durante todo el siglo XIX fue constante en las ciudades, continuó agudizándose en el transcurso de esos años y rebajando cada vez más el monto global de los salarios pagados. El mismo autor habla de camiones que regularmente transportaban a los harapientos de Cabo Haitiano hacia las afueras de la ciudad, con el fin de limpiar el panorama urbano para los turistas y visitantes.[40]

Toda esta situación tiene mucho que ver con la inexistencia de lucha propiamente obrera. Desde el punto de vista de las formas, tanto de lucha como de organización obrera, son muy escasos los intentos desarrollados antes de 1946,[41] y como no han dejado huellas notables, se puede decir que en este período no existe movimiento sindical en el país.

En este sentido, es muy sintomático que en todo el *Analyse Schématique* muy raramente se utilice la expresión clase obrera. La única vez que aparece en el texto es para referirse a la lucha de la clase obrera en general, en el plano internacional. En lo que se refiere a la situación nacional siempre se habla de proletariado, de obreros y de trabajadores.

Independientemente de una posible influencia de la época en el vocabulario que hay que investigar,[42] esto nos hace pensar en un problema que ha existido en varios países de América Latina al final del siglo pasado; se trata de la no necesaria coincidencia entre la existencia de un proletariado y la de una clase obrera propiamente dicha.[43] Para existir de verdad como clase, el proletariado debe manifestarse no sólo como "clase en sí", sino también como "clase para sí". En esta segunda época de su formación,[44] el proletariado haitiano, por su nivel de organización, de conciencia y de lucha, no llega todavía a convertirse verdaderamente en clase obrera.

En estas condiciones, la lucha sindical tiene un papel relevante. Es fundamentalmente con su desarrollo como se genera el proceso que transforma al proletariado en una verdadera clase obrera. El *Analyse Schématique,* aunque menciona la lucha sindical no le confiere toda la importancia que tiene. Cierto es que afirma el derecho del proletariado haitiano "a luchar contra la explotación patronal, los salarios de hambre y por la conquista de mejores condiciones de trabajo";[45] sin embargo, por temor a ver esta acción sindical canalizada por los políticos reaccionarios, el texto da prioridad, incuestionablemente, a la lucha antimperialista y anticapitalista. Toda la crítica al "programa de reivindicacio-

---

[39] Carlet R. Auguste, *op. cit.*, p. 29.
[40] *Ibid.*, p. 19.
[41] Para un análisis más detallado de esos intentos véase nuestro estudio ya citado.
[42] Pensamos en el trabajo de Dubois sobre el vocabulario político de Francia. Véase Jean Dubois, *Le vocabulaire politique et social en France, de 1869 a 1872*, París, Libraire Larousse, 1962.
[43] Jacques Droz, (comp.) , *Histoire générale du socialisme*, París, PUF, tomo IV, 1978, p. 168.
[44] La primera época puede situarse en los finales del siglo XIX.
[45] *Analyse Schématique*, p. 21.

nes obreras" del nacionalismo liberal tiene una clara connotación de subestimación de la lucha sindical. En el fondo, el *Analyse Schématique* no llega a establecer el vínculo necesario y constante entre la batalla por las reivindicaciones inmediatas y los objetivos antimperialistas y anticapitalistas del proletariado. En todos los casos, insistir sobre uno de esos aspectos y olvidarse del otro conlleva el peligro del aislamiento. Es esto lo que constituye uno de los problemas casi permanentes en el desarrollo del movimiento obrero haitiano.

Así pues, en este período el proletariado se encuentra bastante lejos de llegar a las condiciones que le permitan cumplir el papel que le asigna la primera corriente socialista. Está todavía en una fase de constitución que, en el plano histórico, precede generalmente a la formación de un movimiento obrero.[46] Uno de sus instrumentos naturales de lucha, los sindicatos, prácticamente no existen todavía. Esta situación y las debilidades de los planteamientos teóricos van a influir negativamente sobre la actividad misma del Partido Comunista de aquella época. Además, algunas especificidades ideológicas, la acción represiva del Estado y la situación internacional enfilada a la lucha contra el facismo, intervienen también para agudizar las dificultades encontradas en su desarrollo

A pesar de la escasa documentación, con la información de que disponemos podemos decir que el desarrollo de la vida del Partido en este primer período no es, de ninguna manera, lineal. Claramente se pueden distinguir tres momentos. El primero va de 1932 a 1936: un núcleo de miembros lleva una lucha abierta para afirmarse y exponer a la luz pública sus planteamientos. En el segundo, que se sitúa de 1936 a 1941, el Partido es ilegalizado y a consecuencia del fraccionamiento del pequeño núcleo inicial se produce su desorganización. El tercero, de 1942 a 1946, coincide con la victoria de las fuerzas democráticas mundiales y en especial de la Unión Soviética contra el nazi-fascismo. Para las condiciones locales particulares, asistimos en este último momento, a una relativa acumulación de fuerzas y a una extensión de la influencia ideológica del Partido, no obstante la persistencia de su ilegalidad.

Teniendo en cuenta las indicaciones de Jean Bruhat y de Ernest Labrousse, es necesario destacar tres aspectos en el estudio histórico de la implantación de una organización. Uno se refiere a la "implantación material" del núcleo considerado; se trata de la membrecía en cuanto a su extensión, composición, etc. El segundo concierne al dinamismo de la organización, es decir, al estudio de los movimientos de masas propiciados o encuadrados por los militantes; es el problema de la capacidad de movilización política. Finalmente, en el tercer aspecto se tiene que descubrir el radio de acción espiritual de la organización, esto es, la influencia ideológica o el alcance de sus planteamientos.[47]

Para este período, no tenemos aún la posibilidad de llevar a cabo el estudio de esos aspectos. Sin embargo, de manera general se puede decir que la membrecía y la capacidad de movilización política se revelan como muy débiles. Durante todos esos años la organización responde apenas a los criterios míni-

[46] Michèlle Perrot, *Les ouvriers en grève, France 1871-1890*, París, Mouton, 1974, tomo I, p. 57.

[47] *La Première Internationale*, París, Éditions du CNRS, 1968, p. 137.

mos de funcionamiento de un verdadero partido político.[48] Además, hemos señalado ya la inexistencia de un movimiento sindical. De hecho, la importancia de este primer partido reside sobre todo en su influencia ideológica.

Esta influencia, manifestada desde su aparición, ante todo se debe a la personalidad de Jacques Roumain, considerado junto con Christian Beaulieu como uno de los fundadores del movimiento comunista en el país. Hasta hoy en día del segundo se sabe muy poco, salvo el reconocimiento que le hace el propio Jacques Roumain al calificarlo como "el espíritu más firme y más clarividente de su generación".[49]

Hacia el final de la década de los veinte, Jacques Roumain —después de estudiar en el extranjero— regresa al país y se coloca a la vanguardia de todas las luchas nacionalistas. Periodista destacado, actúa como miembro de la directiva de una gran huelga estudiantil en 1930 y dirige varias organizaciones juveniles. Poeta, novelista, etnólogo, es un brillante intelectual comprometido con la causa de la liberación del pueblo.[50] En diciembre de 1932, la prensa habla de "la existencia de un movimiento comunista en el país". Jacques Roumain y algunos de sus amigos son encarcelados por sus convicciones. Liberado hacia febrero del año siguiente, en junio de 1934 firma el *Analyse Schématique* como miembro del comité central del Partido Comunista Haitiano.

En el momento en que se desarrollan estos acontecimientos, el gobierno se enfrenta con una oposición cada vez más viva a su política de creciente sumisión al imperialismo norteamericano. Tanto en el parlamento como en la prensa se multiplican las denuncias a la actitud demasiado conciliadora de las autoridades políticas en la cuestión del cese a la dominación extranjera. Es fundamentalmente para impedir toda cristalización de esta oposición alrededor de la organización nueva y dirigida por un líder de gran prestigio, que el gobierno desata una ola de represión contra el partido comunista.

En efecto, dos meses después de la publicación del texto, un primer grupo —alrededor de una decena de ciudadanos— es encarcelado bajo el pretexto de "llamar al proletariado internacional para derrocar a la dictadura" del gobierno.[51] Este grupo no parece haber tenido relaciones reales con el Partido. En octubre del mismo año, Roumain y algunos de sus compañeros son enjuiciados por un tribunal militar que, además del clásico atentado a la seguridad del Estado por la publicación del *Analyse*, les acusa de incitar a los trabajadores a la huelga y de organizar células comunistas. En 1936, después de dos años de prisión, Roumain es obligado a exiliarse.

El largo encarcelamiento de Roumain y la expulsión de Beaulieu de Puerto

[48] Jean Charlot, *Les partis politiques*, París, Armand Colin, p. 8. Entre los criterios que conforman un verdadero partido político, el autor señala "la continuidad, la extensión hasta el nivel local y la permanencia de un sistema organizado..."

[49] Henock Trouillot, *op. cit.*, pp. 117-118. Toda esta parte del texto está inspirada en el libre de Henock Trouillot, *Dimensions et limites de Jacques Roumain* y el estudio inédito de Jacques S. Alexis, *Sur le mouvement communiste en Haïti.*

[50] Para una reseña bibliográfica de Jacques Roumain se puede ver el prefacio escrito por Jacques S. Alexis para el libro *Oeuvres choisies de Jacques Roumain*, cit. y también el artículo de Ludwig Renn publicado en la *Revista Afroamericana*, vol. I, núm. 1, enero-julio de 1945, México.

[51] Henock Trouillot, *op. cit.*, pp. 104-105.

Príncipe[52] privan desde el principio al Partido de sus dos principales animadores; según Alexis, eran los únicos que se interesaban verdaderamente en el trabajo con el proletariado. No es pues extraño que Beaulieu fuera uno de los primeros que abogaran por la impartición de la enseñanza en el propio idioma del pueblo. Se sabe de las frecuentes visitas de Roumain, Beaulieu y otros a los barrios populares para constituir células del Partido.[53] Cuando Jacques Roumain sale para el exilio en 1936, el periódico del Partido se llamaba *Vigie* y los comités del Partido funcionaban en varias ciudades del país.[54]

Pero, como hemos dicho, en este primer momento la importancia del Partido estriba más en su impacto ideológico que en sus logros organizativos. Henock Trouillot señala el clamor que provoca en el país, sobre todo en la prensa, la publicación del *Analyse Schématique*.[55] En el mundo intelectual, varios jóvenes —aun discrepando con algunas posiciones de la organización— apoyan a sus fundadores y expresan su adhesión al socialismo. La influencia de éste llega a tal grado que, no obstante la represión, el gobierno tiene que poner en práctica una política tendiente a recuperar en su provecho algunos planteamientos socialistas; Nicholls caracteriza esta corriente como de "socialismo tecnocrático".[56] No es por casualidad entonces que en el mismo año de la publicación del *Analyse Schématique* se decreten los primeros reglamentos laborales.

El 19 de noviembre de 1936, el gobierno expide una ley donde declara ilegal al Partido. Desde entonces y hasta 1941 —en comparación con años anteriores—, se puede hablar de un momento de retroceso en la vida interna y en la influencia ideológica del Partido. Sin una organización sólida y sin una verdadera ligazón con las masas, el Partido se encuentra en condiciones desventajosas para enfrentar la nueva situación creada por la clandestinidad.

Como ocurre generalmente en los momentos difíciles, las tendencias desorganizadoras, liquidacionistas y oportunistas que ya existían se manifiestan con más nitidez. La pequeña organización inicial se fracciona en distintos grupos sin ninguna eficacia y obrando cada uno por su lado. Los más activos continúan el reclutamiento en los medios obreros de la capital y en algunas ciudades de provincia.[57] Asimismo, se realizan intentos por constituir un sindicato de choferes.[58] Sin embargo, se deja sentir la ausencia de un equipo dirigente capaz de canalizar todos los esfuerzos dispersos. Jacques Alexis habla del trabajo político que se desarrolló en el ejército y también de una sublevación comunista dirigida por el sargento Eleador Denis en la ciudad de Les Cayes.[59]

---

[52] Fue obligado a vivir en otra ciudad —Jacmel— bajo vigilancia estricta de la policía y murió poco después.

[53] Hasta el presidente de la República, Stenio Vincent, denunció esas visitas en un discurso público pronunciado en la ciudad de Genaives. Véase Stenio Vincent, *En posant les jalons*, tomo III, 1934-1936, Puerto Príncipe, Imprimerie de l'État, 1939, pp. 386-388.

[54] Henock Trouillot, *op. cit.*, p. 104.

[55] *Ibid.* p. 101.

[56] David Nicholls, *op. cit.*

[57] Esta información está tomada de Jacques S. Alexis, *op. cit.*

[58] Jean Jacques Doubout y Ulrick Joly, *Notes sur le mouvement syndical en Haïti*, París, Imprimerie ABECE, 1974, p. 11.

[59] Jacques S. Alexis, *op. cit.*

A partir de la llegada al poder del nuevo gobierno de Elie Lescot, en 1941, hasta 1946 en que cae el mismo, se desarrollan nuevas condiciones que van a favorecer al movimiento. Estos años representan momentos de acumulación de fuerzas. Una nueva generación de jóvenes entra en la lucha, impregnando más dinamismo a la vida política y contribuyendo a la extensión de las ideas socialistas.

Haití entra en la contienda mundial del lado de las fuerzas antifascistas. El nuevo gobierno, aun siendo tan reaccionario como el anterior, se encuentra con la obligación de tomar en cuenta la situación creada por el progresivo cambio en la correlación internacional de fuerzas. Además, por su reciente arribo al poder, el gobierno toma algunas medidas para engañar y hacer creer al pueblo que existían grandes diferencias entre él y su antecesor. Es por esto que autoriza el regreso de Jacques Roumain y se le nombra director del Bureau d'Ethnologie.

Pero la política del gobierno toma cada vez más abiertamente un rumbo antinacional y antipopular. Los contratos escandalosos firmados con las compañías norteamericanas, el nepotismo por el que daba privilegios a un pequeño grupo de parientes y amigos, el florecimiento del mercado negro que deterioraba de manera acelerada las condiciones de vida —ya difíciles— de las masas populares y una política sistemáticamente racista en detrimento de la gran mayoría de la población, contribuyeron a originar un ambiente de descontento casi generalizado.[60]

En esas condiciones, la presencia de Jacques Roumain en el país constituía un peligro. Así, muy poco tiempo después de su regreso vuelve a salir del país, pero esta vez con el nombramiento de encargado de negocios de la embajada de Haití en México. Es en esta época —agosto de 1944— cuando muere Roumain en Puerto Príncipe cuando hacía un viaje a Haití.

Mucho se ha discutido, incluso hasta hoy día, sobre la aceptación por parte de Roumain de este nombramiento procedente de un gobierno tan antinacional y antipopular; sobre ello se han avanzado diversos tipos de argumentos en pro y en contra. Sin entrar en el debate, pensamos que se trató, por parte de Roumain, de un error de apreciación política sobre la relación entre los intereses internacionales del momento y los intereses de la lucha popular en contra de la opresión local. Es cierto que para cualquier persona progresista de la época, así como para cualquier clase o capa social oprimida, la lucha en contra del fascismo tenía una importancia esencial. Pero eso no debía enmascarar ni desplazar la primacía de los aspectos nacionales de la explotación y opresión de clase. Sin embargo, tenemos que aclarar que en estos años, este error no afectó ni la influencia de Roumain ni la del socialismo.

En efecto, en el marco del descontento generalizado de las victorias sobre el fascismo de las fuerzas democráticas mundiales, el Partido conoció un cierto impulso. Alexis nos habla de los nuevos afiliados que desarrollaban su actividad militante con mucha más seriedad que los antiguos miembros de la organización. En esos años, se multiplicaron los grupos de jóvenes que se interesaban cada vez más en el estudio y la difusión del socialismo y en la batalla por las libertades democráticas.

60 Gerald Brisson (Tinois), *op. cit.*

Al mismo tiempo, renacieron los esfuerzos por la constitución de los sindicatos. Se cita particularmente el nombre de Edouard Bloncourt como impulsor de la organización sindical de los obreros y se menciona que, en general, algunos sindicatos llegaron más o menos a funcionar. Un periódico de oposición, *La Nation*, donde colaboraban algunos miembros del Partido, publicaba regularmente una crónica obrera para denunciar la explotación capitalista.

A pesar de la inexistencia de un movimiento sindical y de la debilidad del primer Partido Comunista, pensamos que al escribir la historia del movimiento obrero haitiano, por muchas razones este período debe ser tomado en cuenta. Además de la novedad que representa la consideración del papel primordial del proletariado en las luchas sociales, además también de los esfuerzos por organizar a los obreros sobre la base de sus propios intereses de clase, la importancia de este período se sitúa, sobre todo, por su peso en el curso de los acontecimientos posteriores al movimiento democrático de 1946, a partir del cual va a desarrollarse verdaderamente un movimiento obrero en el país.

II. EL PRIMER FLUJO DEL MOVIMIENTO OBRERO: 1946-1948

En 1946, doce años después de la publicación del *Analyse Schématique*, la clase obrera haitiana hace una muy marcada entrada en la lucha política del país, aunque ciertamente existían ya antecedentes de la acción obrera antes de estos años.[61] Por ejemplo, en un libro recién publicado, K. Millet nos da algunas indicaciones sobre la participación de un sector del proletariado —el de la construcción— en las luchas armadas nacionalistas en contra de la ocupación norteamericana. Desafortunadamente no existe hasta hoy ningún estudio sistemático sobre estos hechos. En el estado actual de la documentación, solamente un trabajo basado en los archivos del Ministerio del Interior y de las compañías norteamericanas instaladas en este período nos hubiera permitido determinar el peso específico de esas organizaciones obreras en las luchas sociales. De todas maneras, lo cierto es que a partir de 1946 es cuando se puede hablar del movimiento obrero en su acepción sindical y política. Para entonces, la acción obrera ya no se limita a una región, un sector o un campo determinado; abarca todo el proletariado y todos los aspectos de la contienda social.

El movimiento de 1946 se inscribe en el marco de la ola democrática desatada en el mundo después de la segunda guerra mundial y resulta directamente de la oposición a la política dictatorial y antipopular del gobierno de Elie Lescot. En una nota al Departamento de Estado, el embajador norteamericano de la época señala ese descontento generalizado. Pero éste es mucho más que un simple descontento en contra del presidente en turno. Se trata de una profunda crisis de todo el sistema de dominación económica y política, establecido por el imperialismo después de la salida, en 1934, de las tropas norteamericanas del

---

[61] Véase nuestro artículo ya citado.

país.[62] Con respecto a las crisis anteriores que hasta el momento conoce este sistema de dominación, la de 1946 presenta como característica especial precisamente la de una fuerte participación obrera. En efecto, la acción política y sindical de los trabajadores es la que imprimió un carácter democrático a las luchas emprendidas de 1946 a 1948, cosa que no se encuentra de manera tan marcada ni antes, ni después.

El 7 de enero de 1946 una huelga estudiantil en protesta por la clausura del periódico *La Ruche* y por el encarcelamiento de algunos de los responsables, se transforma rápidamente en una huelga general en contra del régimen y por la conquista de las libertades democráticas. Después de cuatro días la huelga provoca la caída del gobierno, y se abre todo un proceso de democratización de la vida política.

El movimiento estudiantil de 1946 desempeña el papel de detonador para el desarrollo de las luchas políticas y sociales, igual que lo había hecho el de 1929. Sin embargo, al contrario de éste, el movimiento de 1946 se produjo en un ambiente marcado por la expansión del socialismo. En primer lugar, recibió la influencia de las ideas socialistas debidas al prestigio de la Unión Soviética tras su victoria sobre el fascismo. Por otro lado, en 1946 se evidencian las huellas de la actividad de la organización comunista de la época y éstos son elementos que naturalmente no podían presentarse en 1929.

Esas huellas se manifiestan principalmente en el nivel de los lazos que se establecen entre los núcleos de estudiantes y de comunistas, donde ciertos líderes estudiantiles mantienen contactos políticos fructíferos con el propio fundador del Partido, Jacques Roumain. Aún después de la muerte de éste, las relaciones prosiguen con otros dirigentes. En el grupo reunido alrededor de *La Ruche* existe una orientación ideológica bastante democrática, impregnada de socialismo. Entre sus integrantes se encuentra por lo menos un miembro del Partido. Es el caso de Jacques Alexis, fundador y presidente de la Asociación de Estudiantes de Medicina, que según su propia afirmación pertenece al Partido desde antes de 1946.[63]

Sobre todo después de la caída del gobierno de Lescot se consolidaron y extendieron las relaciones entre movimiento estudiantil y movimiento obrero. Numerosos líderes del movimiento huelguístico, una vez terminado éste, se dedicaron a la actividad sindical. Algunos de ellos fueron los impulsores de los primeros sindicatos y se convirtieron en dirigentes de las luchas obreras: Jacques Alexis, dirigente del Sindicato de Trabajadores de la Industria del Cuero, Edriss Saint Amand y Kesler Clermont, dirigentes del Sindicato de los Trabajadores Portuarios, y Jean Jacques Ambroise, promotor de la organización y de las luchas sindicales en la ciudad de Jacmel. Tanto ellos como otros que no hemos citado, además de sus actividades sindicales, militan en los partidos políticos democráticos y socialistas. Así, el movimiento estudiantil hizo una importante contribución al nacimiento del movimiento sindical y al desarrollo del movimiento obrero en general.

Del derrocamiento del gobierno de Lescot hasta la elección de Estimé, es de-

62 Véase Gerald Brisson, *op. cit.*; Sabine Manigat, "La coyuntura de 1946. Alternativa a un Estado sin proyecto nacional", tesis de maestría, FLACSO, 1978.
63 Jacques S. Alexis *op. cit.*

cir de enero a agosto de 1946, se produce una verdadera explosión reivindicativa obrera. Se inicia, así, el proceso de conformación de una identidad de intereses entre todos los trabajadores. No es una mera casualidad que en el vocabulario político social de la época se hable tanto de clase obrera.[64] Pero si bien aparecen en esos meses algunos sindicatos, como por ejemplo el de los marineros, el de los electricistas, el de los mecánicos y el de los trabajadores de la industria del cuero, no todas esas luchas son impulsadas por organizaciones sindicales, pues tienen todavía el carácter de los movimientos espontáneos que preceden a la constitución de los sindicatos. Es el caso de los portuarios, donde el sindicato nace mucho después de las primeras huelgas. Las demandas se concentran sobre problemas de salarios y de respeto a los obreros por parte de los patrones.

Esas primeras luchas fueron la razón de que la junta militar publicara hacia el final de enero de 1946, a menos de un mes de haber asumido el poder, un comunicado reconociendo por primera vez el derecho de los trabajadores a organizarse en sindicatos para la defensa de sus intereses. Se trata de una conquista importante que ya no podía ser cuestionada, por lo menos legalmente. De hecho, este reconocimiento oficial no impidió que esas primeras luchas obreras conllevaran enfrentamientos con las fuerzas opuestas a la acción del proletariado. La caída de la dictadura no condujo al derrumbe de todo el sistema de opresión. Por lo general, el ejército, como institución, no fue muy afectado por la crisis;[65] mantuvo su cohesión y su función. Por esto el comunicado de la junta militar que legalizaba la actividad sindical, no impidió al ejército reprimir las protestas obreras y populares. Algunos líderes sindicales, llamados por los obreros de la American Refining Co., situada en las afueras de la capital, para que asesoraran un conflicto laboral, fueron apresados y encarcelados bajo el pretexto de ser "revolucionarios" que sembraban el desorden en el campo.[66] Más todavía, en Cabo Haitiano una manifestación popular en contra del resultado de las elecciones legislativas oficiales fue brutalmente reprimida por el ejército, acontecimiento del que resultaron varios muertos y heridos.

Esa irrupción del proletariado, con manifestaciones y huelgas, a través o no de organizaciones sindicales o partidarias y en alianza con otras capas populares, da un alto significado social a los siete meses en que fungió la junta militar. Toda la lucha electoral tuvo como trasfondo este fenómeno. La agitación obrera estaba tan presente en esos meses que el presidente Estimé, en su discurso de toma de posesión, manifestó a los trabajadores que su gobierno no pondría trabas al desarrollo de las actividades sindicales. Y si bien la constitución de 1946, después de un "acalorado debate"[67] en la cámara legislativa, rechazó el derecho de huelga, reconoció sin embargo el derecho de los trabajadores a organizarse sindical y políticamente, sin ningún tipo de obstáculo, y elevó a rango constitucional la prestación de las vacaciones pagadas.[68]

[64] En las actas del Primer Congreso Nacional del Trabajo, llama la atención el hecho de que siempre se utilice en las intervenciones la expresión "clase obrera".

[65] *Trente ans de pouvoir noir*, Montreal, Édition Collectif Paroles, 1976, véase especialmente el capítulo tres, pp. 167-212.

[66] Actes du Premier Congrès National du Travail, cit.

[67] Archivo del Departamento de Estado, documento núm. 838011/11/11,2246, telegrama.

[68] Constitución de 1946.

A partir de la instalación del nuevo gobierno de Estimé en agosto de 1946, el movimiento sindical adquirió más vigor todavía que durante los meses de la junta militar. Los intentos de organización se generalizaron al mismo tiempo que las luchas se multiplicaban. Los partidos políticos ligados a la clase obrera despliegan una gran actividad en la vida sindical. En este período fue creada una Oficina de Trabajo, destinada especialmente a resolver los conflictos laborales. Además, se publicó una serie de leyes reglamentando la actividad sindical, la huelga, el seguro social, etc. Se trata, pues, de un verdadero flujo, el primero que vive el movimiento obrero haitiano.

En este período aparecen tres agrupaciones sindicales: la Federación de Trabajadores Haitianos (FTH), fuertemente influida por los partidos socialistas de la época; una organización denominada Sindicatos de Obreros y de Trabajadores (SOT), que reúne a los sindicatos obreros de orientación fignolista,[69] y un grupo de sindicatos independientes, la única federación que pretende agrupar a los trabajadores sobre una base gremial. Por su orientación unitaria, el grupo de los sindicatos independientes está de hecho más cerca de la Federación de Trabajadores Haitianos que de la agrupación de Sindicatos Obreros y de Trabajadores. Aunque no llega todavía a formar una organización sindical propia, se debe mencionar también la acción de la Juventud Obrera Cristiana (JOC) que, al igual que el Partido Social Cristiano fundado en esta época, intenta sentar de manera institucional la presencia de la Iglesia católica en la clase obrera.

Sin ninguna duda, la influencia de la corriente fignolista rebasó el marco de los propios sindicatos que controlaba. Al tener mucha ascendencia en las capas populares de Puerto Príncipe y las áreas circunvecinas, el fignolismo penetró profundamente en el proletariado capitalino. Sus planteamientos, aparentemente socializantes pero en el fondo anticomunistas, contribuyeron tanto a confundir como a dividir las fuerzas obreras. En las condiciones del momento, esto no impide a esta corriente situarse de lleno en el campo de las fuerzas democráticas. Sin embargo, a pesar de no tener la influencia política del fignolismo, la FTH resulta ser en el plano sindical la organización que más se acerca a los intereses democráticos de los trabajadores.

Las enseñanza de las luchas en los siete meses de junta militar muestran a los trabajadores la necesidad de unir sus fuerzas. Ya al final de 1946, un primer intento de unidad de la acción obrera se plasma a través de la unión de los sindicatos de electricistas, mecánicos, choferes y marineros, que forman la Federación Sindical llamada de los Cuatro. Por otro lado, el sindicato de trabajadores portuarios, sin llegar a la constitución de una organización federativa, trabajó en estrecha unión con otros sindicatos para la creación de un bloque sindical; luego todos esos esfuerzos confluyeron en julio de 1947 para la fundación de la FTH.

Con la documentación disponible, se puede levantar una lista aproximada de los sindicatos afiliados a las distintas agrupaciones. En efecto, las intervenciones de los delegados en el Primer Congreso Nacional del Trabajo, celebrado en

---

[69] El nombre viene del líder Daniel Fignolé. Para una caracterización de esta corriente véase el estudio ya citado de Jean Jacques Doubout y Ulrick Joly. La federación fignolista se fundó el 30 de abril de 1947.

1949 y los datos contenidos en el libro de Daniel Fignolé nos otorgan en este sentido información que permite ampliar los datos consignados en el estudio de Doubout y Joly.[70] Sin embargo, aun así, esta lista no esclarecería mucho el aspecto dinámico de las federaciones. Plantearía, pues, más problemas de los que resuelve.

En primer lugar, esta lista resultaría incompleta ya que no disponemos de información suficiente sobre todas las corrientes (sobre todo son muy escasos los datos sobre la corriente sindical independiente), además, en lo que se refiere a las ciudades de provincia, en la mayoría de los casos no daría indicaciones precisas sobre el nombre de los sindicatos y su pertenencia a tal o cual federación. Esta mera lista no permitiría tampoco cuantificar la membrecía de los diferentes sindicatos y federaciones. Por último, no revelaría el nivel de las relaciones de las direcciones sindicales, ya sea con su base o con su federación.

Lo que sí es cierto es que a cada federación se encuentran afiliados tanto sindicatos de fábricas como de gremios. Las organizaciones gremiales son todavía muy importantes, precisamente por el nivel de desarrollo del país. En ellas militan a la vez los propietarios de los talleres artesanales y los trabajadores. Por el tamaño de los talleres, este tipo de sindicatos es muy disperso y no existe en ellos una gran concentración obrera.

Sin embargo, algunas indicaciones permiten tener una idea general sobre la relativa importancia de este primer flujo del movimiento sindical. Comparando las informaciones presentadas por distintos autores, el número total de los sindicalizados se sitúa alrededor de 20 000 trabajadores hacia 1948.[71] Esta cifra es insignificante en relación con el conjunto de la fuerza de trabajo asalariada en las distintas actividades, ya que solamente en las empresas industriales, tenemos un total de 74 127 proletarios.[72]

El fignolismo y la FTH son los que controlan los sindicatos de los centros de alta concentración obrera. Pero en éstos, la influencia de la FTH es mayor. Además, la presencia de la FTH se manifiesta en varias regiones del país, mientras que el fignolismo limita su influencia sobre todo a la capital.[73] En efecto, organizaciones de muchas ciudades del interior pertenecen a la FTH, como la Federación de los Trabajadores del Noroeste en Port de Paix, el sindicato de la plantación Dauphin en Fort Liberté, sindicatos de las ciudades de Gonaives, Saint Marc, Jacmel, Jérémie y Cayes.

Como las otras agrupaciones sindicales, la FTH impulsó la lucha por las reivindicaciones inmediatas de los trabajadores, pero también se manifestó contra las limitaciones al derecho de huelga y las trabas impuestas para la participación de los estudiantes y profesionales en los sindicatos, bajo el pretexto de que eran extraños al movimiento laboral. Propugnó por el establecimiento de una

[70] Jean Jacques Doubout y Ulrick Joly, op. cit.; Daniel Fignolé, Contribution à l'histoire du mouvement syndical en Haïti, Puerto Príncipe, 1954, tomo I, pp. 185-186; Actes du Premier Congrès National du Travail, cit.

[71] François Latortue, op. cit.; Robert J. Alexander, El movimiento obrero en América Latina, México, 1964.

[72] Actes du Premier Congrès National du Travail, p. 45.

[73] En provincia el fignolismo controlaba básicamente sindicatos de pequeñas empresas. Los de las grandes, de por sí raras como la plantación Dauphin y la Standard Fruit, pertenecían a la FTH.

legislación sindical democrática que garantizara los derechos de los trabajadores para desarrollar su acción reivindicativa con toda independencia frente al poder del Estado. Rebasando los marcos de la propia acción sindical, luchó al mismo tiempo contra el anticomunismo y tomó posición en favor de la paz y contra la amenaza de una nueva guerra.

En las numerosas luchas que se dan en estos años se ven involucradas todas las corrientes sindicales. Por lo que atañe a las reivindicaciones inmediatas, destinadas a mejorar las condiciones de vida y de trabajo, difícilmente se puede decir que alguna de estas corrientes haya sido más combativa que la otra. Después de tantos años de silencio y agresión, las distintas federaciones, para sobrevivir, tuvieron necesariamente que tomar en cuenta el ansia de los obreros por lograr ciertas conquistas.

Dentro de las luchas más importantes se pueden citar: la de los trabajadores portuarios que duró tres meses y en donde por tres veces recurrieron a la huelga; la lucha de los sindicatos de mecánicos y electricistas que llegó a la huelga en dos ocasiones; la lucha de los marineros que desembocó en una huelga de quince días; la lucha de los trabajadores del cuero, que fueron obligados a ir a la huelga; la lucha de los ferrocarrileros, con una huelga,[74] y la tentativa de huelga general fignolista.

Con o sin huelga, en diversas regiones del país los sindicatos llevaron a cabo acciones reivindicativas de diferente índole. Resaltan sobre todo las luchas de la Federación de los Trabajadores en el Noroeste, la lucha de los trabajadores de la Compañía de Tabaco en Puerto Príncipe, las luchas de los trabajadores de Jacmel, Jérémie, Cayes, etc. La ola reivindicativa que apareció durante los meses de gobierno de la junta militar no solamente creció, sino que, también por la expansión del sindicalismo, se desarrolló en una forma más organizada; las demandas se insertaban en la misma problemática: reivindicaciones salariales, luchas contra la carestía, demanda de la firma de contratos colectivos y protestas contra la acción de los sindicatos amarillos, alentados por los patrones. Una prensa sindical escrita y hablada y los periódicos de los partidos apoyaron estas luchas, realizando un intenso trabajo de educación obrera.[75]

En esta situación de crecientes luchas sindicales se entiende que las fuerzas reaccionarias desplegaran todos sus esfuerzos por combatir no sólo a las dos agrupaciones sindicales más importantes, sino también a las corrientes políticas que las sustentaban. Hace falta señalar que si bien la sot se identificaba totalmente con el fignolismo, la fth a pesar de mantener vínculos bastantes estrechos con las corrientes socialistas no se manifestaba como un instrumento de ellas.

En la historia de la corrientes políticas de Haití, el fignolismo por sí mismo no constituye un fenómeno nuevo. Puesto que, desde la segunda mitad del siglo xix y en el siglo xx aparecen esos líderes sin contornos políticos e ideológicos bien definidos, movilizando a las capas populares urbanas. En esos casos, la única

---

[74] Volveremos sobre esta lucha, por su importancia en los acontecimientos que provocaron la desaparición de la fth.

[75] Varios periódicos obreros salieron a la luz pública: *L'Action Prolétarienne*, del sindicato de los trabajadores azucareros, *L'Action Syndicale*, de Molière Compas, *La Voix Syndicale*, de la fth, y los periódicos de los partidos legales de la clase obrera.

esperanza de las masas para mejorar su situación es la de ver el triunfo de esos líderes en las contiendas presidenciales o legislativas. Los ejemplos de Sylvain Salnave en 1867, Antenor Firmin al principio del siglo xx y Joseph Jolibois en los años treinta para citar solamente algunos, son antecedentes del fignolismo.

Aún más, al mismo tiempo que las masas de Puerto Príncipe depositaban su confianza en Fignolé para la realización de sus aspiraciones inmediatas, en Cabo Haitiano, la segunda ciudad del país, se presentó una situación que por ciertas características pertenecía al mismo tipo de fenómeno que el fignolismo. La movilización popular en esta región apoyaba a dos personajes, Henri Laraque y Federic Noel, que no tenían ninguna relación con Fignolé. El primero que, después de una larga estancia en el extranjero, era candidato a las elecciones presidenciales; proponía como lema de movilización "trabajo, orden y método", con características bastante fascistizantes. Después de su fracaso en las elecciones desaparece del panorama político con la misma rapidez con la que había llegado, pero su influencia, aunque pasajera, fue amplia. El segundo, candidato a la diputación legislativa, no tiene otro programa que el de "hacer el bien" al pueblo, pero llega a implantarse más profundamente y por mucho más tiempo precisamente porque tiene raíces más fuertes en la ciudad. Murió asesinado en el curso de un viaje a Puerto Príncipe en el año de 1947.

Si hacemos abstracción de la especificidad de cada una de las situaciones políticas donde aparecen esos personajes y del distinto nivel carismático de cada uno de ellos, lo que es verdaderamente nuevo en el fignolismo es el hecho de presentarse políticamente como un movimiento obrero y campesino y de instrumentar la creación de una organización partidaria bastante estructurada y estrechamente ligada a un amplio sector sindical. Este partido, como ya lo hemos señalado, manejaba una fraseología socializante, que a la vez era profundamente anticomunista. Actuaba menos como la expresión de los intereses de una clase, o de algunas fracciones de clase, que como el instrumento de respaldo del líder. En este sentido no tenía esa "relativa autonomía" frente a su fundador, que le hubiera permitido subsistir más allá de la acción individual de Fignolé.

Desde el punto de vista de la historia del movimiento obrero, este aspecto nuevo del fignolismo con respecto a otros fenómenos similares, indica cómo en esta coyuntura se plantea entre las masas la problemática del socialismo y la de la construcción del partido. A pesar de la influencia del fignolismo, el elemento verdaderamente original es la atracción de las masas hacia las ideas socialistas. Las manifestaciones en las que aparecen banderas rojas y se gritan vivas al comunismo son un indicador de esta atracción[76] que llega a tal punto que influye en la formación del gobierno militar, el cual excluye toda participación civil en su seno ante el peligro de verse obligado a admitir una representación comunista. En una nota al Departamento de Estado, el embajador norteamericano en Puerto Príncipe revela claramente la influencia comunista como factor decisivo en esa exclusión.[77] Esto indica que en este momento, los militares, buscando una cierta legitimidad, no pueden tomar una posición abiertamente hostil a los comunistas, precisamente por el peso de su ascendencia.

[76] *Trente ans de pouvoir noir*, cit.
[77] Archivo del Departamento de Estado, documento núm. 838-002/2-146, telegrama, 1 de febrero de 1946.

Sin embargo, en lo que se refiere a la organización comunista, principal correa de transmisión de esta influencia, tanto en los años anteriores como durante los propios acontecimientos salen ya a flote puntos de desacuerdo que debilitan su capacidad organizativa. Hemos mencionado, en las páginas precedentes, las tendencias centrífugas que existían en vísperas de 1946. El desarrollo de las luchas que condujeron a la caída de Lescot y a la instalación del gobierno militar provocaron la agudización de estos antecedentes.

Por ejemplo, y en primer lugar, ciertos líderes estudiantiles se quejaron del poco apoyo que les brindaban los dirigentes más prominentes del movimiento comunista en la época. Alexis señala que esos dirigentes manifestaron poco entusiasmo hacia las apreciaciones del grupo "La Ruche" sobre las posibilidades del movimiento de los jóvenes en contra de la dictadura.[78] En segundo lugar, cuando la junta militar tomó el poder, un grupo de comunistas la apoyó en alianza con un importante sector del movimiento estudiantil, con las masas fignolistas y con casi toda la fauna opositora al antiguo gobierno, mientras que otro grupo, al igual que una minoría de estudiantes, protestó por la confiscación del poder por los militares e intentó, sin éxito, impulsar un movimiento para continuar la lucha por un gobierno civil democrático.

Si el primer caso puede atribuirse a una especie de desconfianza hacia un grupo de jóvenes considerados demasiado radicales, en el segundo se demuestran ya claramente divergencias tácticas que van a ahondarse muy rápidamente. Así, en el transcurso de la semana posterior al derrocamiento de Lescot, el movimiento comunista se divide en las dos facciones que ya se perfilaban, formándose dos organizaciones distintas. Una conservó el antiguo nombre de Partido Comunista Haitiano (PCH) y publicó un periódico llamado *Combat*, cuyo primer número apareció el 6 de febrero de 1946. Los principales dirigentes de este partido son Dorleans Juste Constant, Edriss Saint-Amand y Roger Mercier. La otra, fundada el 19 de febrero de 1946, tomó el nombre de Partido Socialista Popular (PSP) y su órgano de expresión era el periódico *La Nation*; entre sus más importantes líderes se pueden citar a Étienne D. Charlier, Max Hudicourt, Anthony Lespes y Max D. Sam.

Se suele tomar el negrismo como elemento de explicación de esta división. Por ejemplo, el apoyo a la junta militar de la facción comunista identificada más tarde con el PCH se justificaría por la necesidad de asegurar el establecimiento de un gobierno bajo el control de los políticos negros. Este elemento negrista desempeña en realidad un papel importante en estos acontecimientos. Pero hay que ir más allá de esta mera constatación.

El negrismo se inscribe en el marco de los desacuerdos más importantes tanto en el nivel de la interpretación global de la sociedad, como de la acción inmediata a poner en práctica para satisfacer las reivindicaciones democráticas. Viene pues de visiones distintas de la estrategia política. Por cierto, se trata de una ideología política presente en casi todas las épocas agitadas de la vida nacional. Pero en el plano de las luchas de masas, es la primera experiencia donde el mo-

---

[78] Jacques S. Alexis, *op. cit.* Alexis no es el único en sostener ese punto de vista; Theodore Baker, por ejemplo, afirma lo mismo. Michel Roumain en *Le Nouvelliste* (13 de marzo de 1979, núm. 31 036) da sin embargo algunas precisiones sobre las relaciones entre el grupo La Ruche y algunos dirigentes comunistas.

vimiento comunista está tan relacionado con este problema, que sin ninguna duda, representa una forma primaria de la conciencia social de amplios sectores populares.

Es evidente que en esas condiciones, una de las primeras exigencias de la situación que se presentó para la corriente revolucionaria en este entonces, fue la de hacer un análisis crítico de los antiguos planteamientos para determinar su grado de adecuación a la nueva realidad de movilización popular. Recordemos, de paso, que en la historia de las luchas sociales los dirigentes más capaces son exactamente aquellos que saben tomar una distancia con respecto a las antiguas tesis, proponen nuevos planteamientos conforme a los cambios del momento y los convierten en proposiciones estratégicas y tácticas para que guíen la acción de las masas. Esta reflexión crítica, tan necesaria en 1946, no se hizo.

Lenin nos da una indicación muy útil para el problema que nos ocupa. En un artículo intitulado "Las divergencias en el movimiento obrero europeo" (1910), precisa que las divergencias, las tendencias y las divisiones en el movimiento, están ligadas "al carácter dialéctico del desarrollo social" y a la interpretación parcial de las contradicciones que aparecen en la realidad. Subraya que es esa interpretación parcial la que lleva a ciertos grupos en el movimiento a constituir "en doctrina unilateral, en sistema táctico unilateral, tal o cual rasgo del desarrollo capitalista, tal o cual 'enseñanza' derivada de este desarrollo".[79]

Precisamente ya hemos anotado cómo en el *Analyse Schématique* predomina una visión unilateral de la realidad, que privilegia los aspectos de la dominación capitalista e imperialista. Al ser retomada en 1946, tal como lo hacen el PCH y el PSP, esta unilateralidad se empobrece y llega hasta la caricaturización de los antiguos planteamientos. Esto nos recuerda la afirmación de Marx en el *18 brumario*, sobre el carácter trágico y cómico de la doble aparición de los hechos y personajes importantes en la historia.[80]

Las dos organizaciones comunistas se reclamaban seguidoras de la tradición del partido fundado por Jacques Roumain; lo que era cierto. Además, cada una se presentaba como fiel defensora de las posiciones del antiguo partido. Pero en la realidad se dio una quiebra de la unidad antimperialista y anticapitalista del *Analyse Schématique*. Allí se operó un cambio. Sin embargo, éste no resulta de un análisis crítico. Es más bien una especie de apropiación, por parte de cada una de las organizaciones, de lo que en las tesis del *Analyse Schématique* respaldaba sus respectivas posiciones. El PCH retomó el anticapitalismo como objetivo inmediato, pero lo sobredeterminó con el negrismo que Roumain tan tajantemente había rebatido. Mientras, el PSP, fiel en este sentido al *Analyse Schématique*, rechazó el negrismo y dio prioridad al antimperialismo, relegando el anticapitalismo. Ambos partidos sustentaron esas posiciones por razones tácticas.

A pesar de sus diferencias, existía entre esas dos organizaciones un punto común que era importante para el entendimiento de esas divergencias. Al igual que el *Analyse Schématique*, las dos ignoraron teórica y prácticamente la pre-

79 Vladimir I. Lenin, *Obras completas*, Buenos Aires, 1960, tomo 16, pp. 340-341.
80 Karl Marx y Friedrich Engels, *Obras escogidas*, 2 vols., Moscú, Editorial Progreso, 1973, tomo I, p. 408.

sencia y el peso de las relaciones económicas de tipo feudal.[81] Las reivindicaciones agrarias que sostenían no trascendían las demandas salariales del sector del proletariado agrícola ligado a las plantaciones imperialistas y la lucha por la constitución y el fortalecimiento de las cooperativas como base de organización de los pequeños propietarios del campo. En un análisis de las clases sociales en Haití presentado por el principal dirigente del PSP en el año de 1948,[82] es muy significativa la ausencia de las categorías sociales involucradas en las relaciones económicas precapitalistas. Esto reflejaba el carácter fundamentalmente urbano del movimiento de 1946.

En la formación social haitiana, esencialmente precapitalista, con una población de mayoría negra y donde las relaciones capitalistas hasta 1946 fueron fundamentalmente impulsadas por el imperialismo y por una burguesía compuesta sobre todo por blancos de origen extranjero y por algunos mulatos, fue muy fácil, especialmente en algunas ciudades, que una lucha anticapitalista se desvirtuara y tomara una orientación negrista. Aquí las posiciones ideológicas antirracistas no bastaron para evitar caer en tal formación. Hizo falta también movilizar a las masas en contra de las relaciones sociales arcaicas y en contra de sus principales beneficiarios, los terratenientes, que en el campo eran predominantemente negros. La lucha contra todas las formas de explotación es tanto más imprescindible en cuanto ellas están más estrechamente ligadas. Es claro que esto no impide una jerarquización de los objetivos. Pero la casi ausencia de la denuncia de las formas atrasadas de explotación tanto en el *Analyse Schématique* como en los planteamientos de los dos partidos en 1946 dejó, de por sí, una puerta abierta a la posible penetración de la influencia negrista en el movimiento.

En el plano interno, la coyuntura de 1946 estuvo determinada, en primer lugar, por el fortalecimiento de la política de saqueo del imperialismo hacia los países dominados, como consecuencia de la segunda guerra mundial, lo que provocó la extensión y el fortalecimiento de las relaciones capitalistas. En segundo lugar, y como otro efecto de la guerra, se suscitó la especulación y el mercado negro, mermando las condiciones de vida ya precarias de las masas. Por fin, la política entreguista, nepotista, racista y dictatorial del gobierno no sólo limitó las luchas reivindicativas, sino que también bloqueó todas las posibilidades de satisfacer las aspiraciones democráticas de casi toda la nación.

Si bien algunas de las reivindicaciones anticapitalistas del PCH atrajeron a ciertos sectores de masas y dieron al mismo tiempo un fuerte tono antimperialista a su propaganda, la mezcla que resultó de su combinación con el negrismo impidió a este partido ver el fenómeno de la dominación imperialista desde una posición clasista, conforme a los intereses del proletariado. Esta visión llevó al PCH a dar un carácter utópico a sus planteamientos [83] y a caer en el más profundo oportunismo. En efecto, el 26 de abril de 1947 se autodisolvió bajo el pretexto de favorecer la política del gobierno que se presentaba como negrista.

El combatir la ideología negrista y el buscar la alianza con un sector liberal

[81] Sabine Manigat, *op. cit.*

[82] "Rapport annuel du secrétaire général Étienne D. Charlier à l'assemblée générale du Parti. (Janvier 1948)", en *Trente ans de pouvoir noir*, cit., pp. 227-265.

[83] Planteando por ejemplo el establecimiento de soviets en el país.

de la burguesía todavía invertebrada confirieron al antimperialismo del PSP un carácter menos radical, que al mismo tiempo le permitió acercarse más a una correcta comprensión de la esencia de los mecanismos de la explotación imperialista. Así, sus planteamientos adquirieron un tono más realista. El PSP pudo sostener la justeza y el realismo de sus posiciones frente al espectáculo que brindó la autodisolución del PCH que era totalmente ajeno a los verdaderos intereses de la clase obrera.

Aquí se nos presenta el problema de la correcta relación dinámica entre lo espontáneo y lo consciente en los movimientos sociales. En la determinación de la estrategia y de la táctica, si bien hay que combatir las tradiciones que frenan el desarrollo de las luchas y no dejarse llevar por lo espontáneo, la sola adecuación de los planteamientos con las condiciones objetivas tampoco basta. Hace falta tomar en cuenta también todo el "estado de ánimo" de las masas, toda "la visión social imaginaria"[84] que las clases oprimidas tienen de las relaciones de explotación.

En este problema concreto, el PCH llegó a privilegiar la visión espontaneísta de las masas. En lo que se refiere al PSP se puede decir que, por no tomar suficientemente en cuenta esta problemática, se quedó totalmente aislado. El propio secretario general del partido lo reconoce en el informe que presentó en enero de 1948, en ocasión del segundo aniversario de la formación del partido.[85] En el transcurso de los acontecimientos, es fuerte la tendencia a considerar al PSP como un "partido de mulatos", lo que en el vocabulario político de la época significaba partido de la burguesía.

Hasta aquí nos hemos quedado sobre todo en el nivel de una explicación ideológica de las divisiones. Es necesario ahora preguntarse en qué medida estas divergencias se vinculan con las bases sociales de cada una de las organizaciones. Una relación válida entre la naturaleza de las orientaciones de los partidos y la posición social de sus miembros difícilmente puede establecerse sin tomar en cuenta el estudio de este aspecto del movimiento, antes y después de 1946. En efecto, sólo un conocimiento a fondo de la membrecía de esas organizaciones nos permitiría esclarecer este problema. Por el momento, nos limitaremos a algunas indicaciones de carácter muy general.

Según los testimonios, los elementos más dinámicos que participan en la huelga estudiantil de 1946 pertenecen en la mayoría de los casos a las capas medias urbanas más cercanas a las "clases trabajadoras". Son fundamentalmente esos elementos, como lo hemos apuntado ya, los que van a constituir el armazón de las organizaciones políticas democráticas, sobre todo la fignolista y las socialistas. En este sentido, se puede sin lugar a dudas hablar de una fuerte influencia de la pequeña burguesía en el movimiento, influencia que por la propia estructura y situación del proletariado se acentúa.

Así, la misma conformación del proletariado constituye un terreno fértil para el desarrollo de esta influencia. Hemos señalado ya, en la primera parte del estudio, el fuerte predominio que los proletarios agrícolas y los trabajadores diseminados en medianas o pequeñas empresas y en talleres artesanales, tenían sobre la totalidad de la clase obrera; los trabajadores de las grandes empresas

84 Jacques Milhau, *Le marxisme en mouvement*, París, PUF, 1975, p. 117.
85 Informe de Étienne D. Charlier, en *Trente ans de pouvoir noir*, cit.

son todavía un núcleo reducido. En 1945, del total de la fuerza de trabajo empleada en los sectores obrero y artesanal, sólo el 13.3% corresponde a obreros, ya sea de fábricas o de grandes plantaciones.[86] El reciente establecimiento de las grandes empresas, la corta esperanza de vida de la población en general y el gran desgaste de la fuerza física por el nivel de desarrollo industrial, hacen que este núcleo no haya pasado más de una generación.

La relación estrecha existente entre este proletariado y su mundo de origen, proviene precisamente de que no ha roto totalmente los lazos tanto idológicos como materiales que lo ligan a este mundo. El regreso al campo, el aprovechamiento de ciertas formas de relaciones atrasadas, como por ejemplo el trabajo doméstico gratuito, la aspiración de poseer sus propios instrumentos y medios de producción, son rasgos que conforman un trasfondo que está presente de manera negativa en la visión del proletariado, aumentando con ello las posibilidades de la influencia pequeñoburguesa.

Esta situación va a reflejarse en todos los aspectos de la vida de esas organizaciones, particularmente en su grado de implantación, tanto material como espiritual y en su estructura organizativa. Es cierto que su influencia se extiende con bastante amplitud, sobre todo en comparación con el período anterior. Sin embargo, las rivalidades entre las dos agrupaciones comunistas, como ocurre generalmente en estos casos, disminuyen la capacidad global del movimiento, ofreciendo un marco organizacional muy por debajo de las posibilidades que trae la coyuntura.

Según J. S. Alexis, únicamente en la ciudad de Puerto Príncipe el PCH llegó a contar con tres mil miembros. Otro testimonio habla de las colas que se hacían para registrarse en este partido.[87] Por su parte, William Z. Foster nos da la cifra de quinientos miembros como efectivos del movimiento comunista en 1947.[88] El hecho de que el PCH desaparezca del escenario político desde el mes de abril de 1947 y que algunos militantes de ese partido, en desacuerdo con la medida de autodisolución, formen al final de este mismo año una pequeña organización llamada Partido Obrero Progresista (que se va a fusionar rápidamente con el PSP), nos incita, en el plano de las hipótesis, a coincidir en cuanto a la membrecía de este partido con la cifra indicada por Foster. Además, esta cifra corresponde mejor a la diferente influencia que tienen en extensión respectivamente el PCH y el PSP.

De todas maneras, estas informaciones son muy aproximadas; representan solamente puntos de partida para investigaciones futuras. En realidad, la implantación del movimiento no se limita a la capital. En ciudades como Jacmel, Jérémie, Cayes, Petionville, se hallaban grupos estrechamente ligados a las distintas organizaciones. En algunas de esas ciudades como Jacmel y Les Cayes, es difícil establecer una demarcación entre militantes que se dedicaban a un trabajo constante de proselitismo y meros afiliados, simpatizantes o votantes.

Las dos organizaciones gozaban de una influencia bastante significativa en la clase obrera. Ésta se manifestó en primer lugar en la acción sindical. Hemos citado ya los nombres de algunos militantes sindicalistas que pertenecían a la

---

[86] *Haïti, Mission d'Assistance Technique Integrée*, OEA, 1972, p. 290.
[87] *Trente ans de pouvoir noir*, cit.
[88] William Z. Foster, *Outline, political history of the Americas*, Nueva York, 1951, p. 386.

corriente del PCH. Algunos miembros del PSP desplegaron una gran actividad en la FTH. Podemos citar por ejemplo, a Víctor Vabre, principal dirigente de la FTH hasta su disgregación, a Fernand Sterlin y otros. Pero la influencia del movimiento en la clase obrera no se limitó únicamente a la acción sindical. El PCH puso en práctica en los barrios populares de la capital una forma de movilización, las ligas obreras, donde se reunían todo tipo de trabajadores que estaban más o menos influidos por el partido. Algunas de estas ligas logran atraer a un gran número de personas.[89] Por el lado del PSP, su periódico *La Nation* representaba una tribuna de denuncia de los abusos cometidos en contra de los trabajadores, de las limitaciones al ejercicio del derecho sindical y de las maniobras divisionistas del movimiento reivindicativo del proletariado.

En este sentido, el diario *La Nation*, publicado desde 1946 hasta 1950, cumplió un papel muy importante en todas las luchas que se dieron por la ampliación y el fortalecimiento de las conquistas democráticas. De hecho, esta actividad fue la que impulsó principalmente el PSP. En este campo y en el de la difusión de las ideas marxistas fue donde este partido dio la mayor contribución al desarrollo posterior del movimiento. En efecto, el periódico se situó a la vanguardia de la batalla en contra del imperialismo y del anticomunismo, planteó sin cesar la necesidad de una alianza de todos los sectores democráticos y participó en todas las luchas por la defensa de la soberanía nacional. Los numerosos artículos y estudios publicados en el diario del PSP sobre múltiples aspectos de la realidad del país, contribuyeron a la formación de muchos jóvenes; por ejemplo, fue en este periódico donde se insertó un importante estudio crítico, desde el punto de vista marxista, acerca de las tesis negristas presentadas por F. Duvalier y L. Denis en su libro sobre *Les luttes de classes à travèrs l'histoire d'Haïti*.[90] Todo ello confirió a este periódico un prestigio que permitió al PSP asentar su influencia tanto en algunos sectores del proletariado como en los medios de la juventud intelectual y de los profesionales.

Esas dos organizaciones de la época, estaban todavía lejos de responder a todas las normas de funcionamiento del moderno fenómeno que representan los partidos políticos. Eran más que nada embriones de lo que podría constituir un verdadero partido revolucionario, sobre todo en el plano organizativo. Un testido, bastante ligado al PCH, afirma que, salvo algunos raros miembros, la casi totalidad de la dirección de este partido no tenía idea alguna de lo que debía ser una estructura partidaria comunista. En los primeros momentos de la vida del PSP, su periódico *La Nation* solía convocar a la totalidad de los miembros a tal o cual reunión del partido. Sin ninguna duda, eso refleja la existencia de una estructura organizativa muy simple. Es cierto que había secciones o representantes locales en las ciudades de provincia y algunos organismos especializados en el nivel de la dirección,[91] pero no se puede deducir de esto la existencia de organizaciones rigurosamente estructuradas. El carácter poco rígido del

89 Había ligas en los barrios de La Saline, Morne a Tuff, Bel-Air; Alexis afirma que en el barrio de Bel-Air la liga movilizaba hasta 5 000 personas. Véase Jacques S. Alexis, *op. cit.*

90 Breviario del duvalierismo. El estudio crítico fue hecho por Frerel Leonard y publicado en el número especial de diciembre de 1949. Robert y Alexander cita una entrevista con Leonard, en su libro *Communism in Latin America*, Nueva Jersey, Rutgers University Press, 1957.

91 Informe de Étienne D. Charlier, cit.

reclutamiento, la amplitud de las deserciones y la poca duración de esos partidos, nos hacen pensar en un sistema organizativo caracterizado por su laxitud y su débil arraigo.

En lo que se refiere a la problemática del movimiento comunista internacional en esta época, la medida de autodisolución del PCH se parece mucho al caso del Partido Comunista norteamericano. Se habla de una posible influencia del browderismo en esta decisión, lo que todavía no se ha podido comprobar. El anticapitalismo total del PCH, el rechazo absoluto de toda política de alianza con sectores liberales de la burguesía y las reivindicaciones para el establecimiento de soviets en el país, nos evocan los años 1928-1934, influidos por las tesis del VI Congreso de la Internacional Comunista, período en el cual fue precisamente escrito y publicado el *Analyse Schématique*. De todas maneras, la sobredeterminación de los planteamientos del PCH por el negrismo lo aleja de toda verdadera posición comunista, mientras que el PSP, por sus postulados, se integra mejor en la perspectiva del movimiento comunista del momento. El antimperialismo, la búsqueda de una alianza con grupos progresistas de la burguesía, la lucha por las conquistas democráticas, avecinan las tesis del PSP a las de los partidos comunistas de América Latina en esa época de posguerra.[92]

La importancia de los acontecimientos de 1946-1948 rebasa los límites de esos dos años. La evolución posterior del movimiento obrero va a depender, en gran medida, de su propia actuación en esos momentos, es decir de su capacidad para presentar soluciones conforme a sus intereses y a los de las otras capas populares. En otras palabras, dependerá de su estrategia y táctica en este primer flujo.

Son también las debilidades propias de un movimiento apenas nacido las que explican por qué, a partir de 1948, las clases reaccionarias llegan a frenar el ascenso de las luchas proletarias con una serie de medidas en contra de las organizaciones sindicales y políticas, representativas en distintos grados de los intereses democráticos y revolucionarios de la clase obrera. Pero aquí se inicia otro período en la evolución del movimiento obrero haitiano.

III. SOMETIMIENTO Y CONTROL DEL MOVIMIENTO SINDICAL: 1948-1957

Entre los años de 1948 y 1957 se instrumentó una política sistemática de sometimiento y control del recién surgido movimiento sindical. Debido a que, como fruto de la movilización popular, se admitió la legitimidad de la acción sindical, la tendencia de las clases dominantes y del Estado fue la de tratar de conducir hacia sus propios intereses al movimiento obrero.

De hecho, esta política no se inició en 1948. Promovida en cierta medida desde la aparición del movimiento, se aplicó de distintas formas según las circunstancias; éstas iban desde la represión hasta la corrupción y compra de líderes. De todas maneras, en 1948 se alcanzó uno de los objetivos claves: la desarticulación

92 Pablo González Casanova, *Imperialismo y liberación en América Latina*, México, Siglo XXI, 1978, pp. 189-247. El 22 de febrero de 1946, el periódico *Hoy*, órgano del Partido Socialista Popular de Cuba, dio su apoyo al PSP de Haití y condenaba las posiciones del PCH.

de la FTH, lo que prácticamente provocó la desaparición del movimiento sindical democrático. Al mismo tiempo, se ilegalizó el movimiento comunista y se reprimió a las otras organizaciones de oposición, en especial el Mouvement Ouvrier Paysan (MOP). Así, se crearon las condiciones para establecer paulatinamente el control del movimiento, transformándolo en un apéndice de la política del Estado.

En 1948, las debilidades internas del movimiento, agravadas por su juventud, los conflictos entre tendencias en el propio seno del poder estatal, la hostilidad de las clases dominantes frente a la movilización obrera, el hostigamiento que sufre el gobierno por parte de la dictadura trujillista y las presiones del imperialismo en el contexto de la guerra fría, fueron otros tantos elementos que favorecieron el triunfo de esta política. Consecuentemente, la clase obrera no llegó a aprovechar al máximo las posibilidades que parcialmente le ofrecía la situación. Por esta razón y a pesar de lograr conquistas importantes, éstas se situaron sin embargo por debajo del nivel de la movilización popular.

Estas conquistas abarcan diversos aspectos de la vida obrera. Ya hemos visto cómo desde los primeros momentos de la caída de Lescot se reconocen los derechos sindicales que son plasmados en la constitución de 1946. Casi toda la legislación obrera se expide en el transcurso de los diez años que siguen a 1947, pero es precisamente en 1947 cuando se publica la porción más importante.[93] Algunas de las leyes decretadas se refieren a las organizaciones sindicales, al derecho de huelga, a la seguridad social, al aprendizaje, a los contratos colectivos, a la organización del departamento del trabajo, al alojamiento, etc. Con todo esto, el país se integra más o menos en la tendencia del movimiento obrero mundial moderno, en materia de legislación laboral.

A excepción de las leyes de 1934, se puede decir que nunca antes había manifestado el Estado una verdadera preocupación por legislar las relaciones de trabajo de acuerdo con las necesidades de la clase obrera y las exigencias del mundo moderno. Sin embargo, por su amplitud y contenido no se pueden comparar las leyes expedidas en el período 1947-1957 con las de 1934. François Latortue constata con razón que antes de 1946 la sociedad haitiana vivía al margen de una legislación obrera a pesar del hecho de que, de vez en cuando, el Estado había firmado algunos convenios internacionales sobre tal o cual asunto relacionado con el problema. Esto revela los estrechos límites —por no decir la inexistencia— de la política social del Estado antes de 1946.

La expedición de estas leyes no está desligada de las manifestaciones del movimiento obrero. En 1934 coincide con las luchas nacionalistas y la primera aparición del Partido Comunista. En el período que se abre con los acontecimientos de 1946, estas leyes se decretan en el contexto de un movimiento democrático y popular donde funcionan activamente los partidos comunistas. En los dos casos son el producto de la acción de las masas y de sus organizaciones y no de la iniciativa propia de las clases dominantes y del Estado. La diferencia entre la situación de 1934 y la de 1946 estriba en que en esta última la clase obrera, por medio de su lucha, logra en gran medida la aplicación de las leyes.

Promulgadas en general para legalizar las conquistas logradas por sectores de

---

[93] Véase Franck Legendre, *op. cit.* y François Latortue, *op. cit.*

las masas populares, estas leyes no están, sin embargo, exentas de limitaciones. Por un lado, no corresponden cabalmente a las exigencias planteadas en las reivindicaciones económicas y democráticas de la clase obrera. Por otro, no se aplican automática y uniformemente para toda la clase. Es aquí donde se nota todo el peso de la estructura económica de la composición de la clase obrera y de la naturaleza del Estado.

El bajo nivel de desarrollo de las relaciones capitalistas y por lo tanto la debilidad de la burguesía industrial, no permiten a los patrones, salvo para algunas grandes empresas, cambiar ante las conquistas obreras los métodos de explotación; por ejemplo, pasar de la extracción de plusvalor absoluto al relativo. En este sentido, le queda a la burguesía una sola posibilidad, la de buscar el apoyo del Estado para obstaculizar lo más posible el cumplimiento de las leyes y frenar el empuje del movimiento sindical democrático.

Así por ejemplo, el salario mínimo pasa en 1948 de 40 a 70 centavos de dólar, lo que representa un aumento del 75%.[94] Sin declararse totalmente en contra de este nuevo salario —lo que sería difícil dadas las condiciones políticas de la época— los patrones mostraron no obstante su inconformidad. Consideraban que este salario no se podía aplicar a todas las categorías de trabajadores, como en el caso de los trabajadores agrícolas, ya que esto les obligaría a subir el mínimo industrial. Para estar en las mismas condiciones de competencia, exigieron que este salario fuera pagado por todas las empresas, grandes o pequeñas. Por último, algunos declararon que el pago de este salario implicaría para ellos fuertes erogaciones y elevaría el costo de la mano de obra a tal punto que implicaría mecanizar la producción, lo que según sus propias declaraciones sería absurdo, dado el grado de abundancia de la mano de obra.[95]

La propia composición de la clase obrera hace que las conquistas que obtienen los trabajadores no se apliquen homogéneamente. El alto nivel de desempleo, caracterizado por una fuerte sobrepoblación latente y estancada, se acrecienta con las migraciones campo-ciudad y presiona sobre el mercado de la fuerza de trabajo. En esas condiciones, los trabajadores de las pequeñas y medianas empresas sin ninguna calificación técnica y mayoritarios en la composición de la clase obrera, titubean al exigir el cumplimiento del salario, temiendo las represalias por parte de los patrones que pueden siempre utilizar como recurso a las autoridades del Departamento del Trabajo. Las intervenciones de algunos delegados al Primer Congreso Nacional del Trabajo señalaron cómo los trabajadores de algunas medianas y pequeñas empresas y de los talleres artesanales, llegaron por este temor hasta negarse a denunciar los abusos que se cometían en su contra.

El costo de la vida siguió aumentando en todos estos años. La alimentación y el alojamiento, que conforman los rubros fundamentales del consumo obrero, en 1955 ocupaban respectivamente al 51.2 y el 29.4% del presupuesto familiar.[96] El aumento del salario mínimo, aunque parecía fuerte, no cubría las necesida-

94 La ley de aumento del salario mínimo lleva a la fecha del 22 de diciembre de 1947. Entró en vigor el 1 de enero del año siguiente.

95 Actes du Premier Congrès National du Travail. Véanse las intervenciones de Louis Dejoie y las del director de la plantación Dauphin.

96 Anuario Estadístico del Trabajo, 1956.

des mínimas de la población trabajadora. A pesar de que se afirmaba que este salario favorecía sobre todo a los obreros agrícolas, el médico de la plantación Dauphin declaraba que para cubrir las necesidades mínimas de un trabajador en la zona norte del país, frente a la creciente alza del costo de la vida, haría falta un salario por arriba de la cotización de un dólar.[97] Ya en 1949 eran numerosas las peticiones de aumento de los salarios.[98] De 1948 a 1952, el costo de la vida obrera —según datos oficiales— subió en un 9.3%, y de 1953 a 1958 en un 12%.[99] De los rubros que conformaban el costo de la vida obrera, el que aumentaba con mayor rapidez era el de alojamiento, que de 1948 a 1952 aumentó en un 24.5%, y de 1953 a 1958 en un 61%.[100] Durante todo este período y hasta 1971, el salario mínimo de 70 centavos de dólar permaneció estático. Si ya desde 1948 el salario mínimo no cubría las necesidades mínimas de los trabajadores, con el alza del costo de la vida en los años posteriores, la situación de los obreros se vio aún más agravada.

Pero las limitaciones también se situaban en los logros democráticos. A pesar del reconocimiento de la legitimidad de la acción sindical y de la legalidad de los partidos, ya en 1949 un dirigente sindical denunciaba el carácter antidemocrático de la legislación obrera.[101] Además de las trabas ya señaladas para la participación en los sindicatos de las personas que no trabajaban en las fábricas, se establecieron restricciones al ejercicio del derecho de huelga. Por ejemplo, los trabajadores de los servicios de Estado y de las empresas reconocidas como de "utilidad pública" no pueden recurrir a la huelga. Es el caso de la huelga electricista a inicios de 1948, en la que el Estado tenía la facultad de impedir el movimiento huelguístico. Además, la imposición de una serie de complicados mecanismos de conciliación antes del mismo estallido de la huelga, tiene la finalidad de mermar la capacidad de lucha de los trabajadores.

Generalmente la situación del sindicalismo está estrechamente ligada con el grado de desarrollo económico y político de la sociedad,[102] que a la vez determina, en gran medida, tanto el comportamiento como el nivel de conciencia de los trabajadores en sus luchas. Los problemas del sindicalismo tienen que integrarse en el marco general de su evolución. Para el caso que nos ocupa, las dificultades que enfrentaba el movimiento sindical explican también las limitaciones de las conquistas, a pesar de la fuerte movilización popular.

Esas dificultades vienen de factores tanto internos —propios a la clase— como externos. En esos años, como en el período anterior a 1946, el proletariado haitiano se caracterizó por un bajo nivel cultural. La elevada tasa de analfabetismo, que alcanzaba más del 80% de la población total, repercutía naturalmente sobre la clase obrera, que de esta manera constituía una fuerza de trabajo simple, carente de formación profesional y que utilizaba fundamentalmente su fuerza física.

[97] Actes du Premier Congrès National du Travail.
[98] Ibid.
[99] Bulletin Trimestriel de Statistiques, núms. 33, 34, 35-36, año 1959, Institut Haïtien de Statistiques, cuadro 32-6, p. 155.
[100] Ibid.
[101] Actes du Premier Congrès National du Travail.
[102] La bibliografía tanto histórica como sociológica es abundante sobre este tema.

En estas condiciones, el desarrollo de la acción obrera, tanto sindical como política, planteó el agudo problema de los militantes de dirección. Ellos debían ser capaces de desenvolverse en el mundo de los engaños de los patrones y de las argucias de la nueva legislación laboral, lo que exigía un conocimiento que no confiere la sola experiencia del trabajo asalariado; al mismo tiempo, tenían que ser militantes totalmente dedicados a la causa del proletariado. En la situación creada por la movilización popular de la época, todos esos militantes desempeñaron el papel de líderes.

La proliferación de los líderes no representa de por sí una plaga para el movimiento. El problema reside sobre todo en la calidad de esos líderes. Aprovechando el bajo nivel cultural y político del proletariado, en una formación social esencialmente precapitalista en la que predomina la mentalidad paternalista y autoritaria, muchos de ellos utilizan el movimiento sindical para adquirir prestigio social y posición política, llegando incluso a enriquecerse. Todos los que opinan sobre las dificultades del movimiento en esos años señalan este fenómeno.[103] Si bien como ya lo hemos apuntado, muchos de los cuadros de dirección política y sindical proceden de las capas medias, también son numerosos los que surgen del propio mundo proletario. El paternalismo, el autoritarismo y la posible corrupción de los líderes del movimiento, se presentan independientemente de la extracción de clase de los dirigentes de la acción obrera.

Las otras dificultades del movimiento venían de factores externos, ligados a la acción del imperialismo y del Estado y en especial del Departamento del Trabajo. Esta oficina reorganizada y ampliada en octubre de 1946 para atender los problemas laborales no cumplía con su verdadera función. Hubo numerosas denuncias de la parcialidad con que dicho Departamento fallaba a favor de los patrones.[104] Los líderes obreros eran categóricos al afirmar la constante traba que significaba el Departamento del Trabajo en el desarrollo de las luchas sindicales.

Si durante los acontecimientos de 1946 se encontraban en este Departamento ministerial algunos funcionarios bien intencionados, por lo general desde los ministros hasta los inspectores estaban estrechamente ligados con las estructuras dominantes. Estos funcionarios buscaron cómo introducirse en los sindicatos y manipularlos en interés del gobierno. Por ejemplo, se dio el caso del ministro del Trabajo Philippe Charlier que, siendo gran terrateniente y empresario, quería inscribirse en las filas de un sindicato de trabajadores.[105]

Las relaciones con el Departamento del Trabajo variaban según la posición del titular en turno. Los ministros podían manifestarse más o menos comprensivamente hacia las reivindicaciones obreras según el caso. Pero por lo general todos buscaban el freno y el control del movimiento. Después de 1948 estas actitudes se agravaron y el Departamento del Trabajo llegó a participar directamente en la represión contra los trabajadores.

Más que la acción de este Departamento, el movimiento obrero tuvo que enfrentar la intervención imperialista en las luchas sindicales. Los movimientos reivindicativos en las empresas controladas por el imperialismo para su solución

---

[103] Actes du Premier Congrès National du Travail.
[104] *Ibid.*
[105] *Trente ans de pouvoir noir*, cit.

conllevaban casi siempre la intervención de la embajada norteamericana, a través de las negociaciones que ésta llevaba a cabo con las autoridades políticas.[106]

Hubo dos aspectos más por medio de los cuales la acción del imperialismo se introdujo en el movimiento obrero: en primer lugar el intento de controlar el movimiento sindical por medio de representantes directos de los intereses imperialistas; así, el conocido agente norteamericano Serafín Romualdi se interesó desde 1946 por conocer muy de cerca la situación de Haití y tenía sus contactos con la propia embajada norteamericana en Puerto Príncipe.[107] Por otro lado, en esos años de guerra fría fue decisiva el arma de la propaganda anticomunista que la embajada norteamericana empleó para confundir y dividir el movimiento obrero. El blanco de esta propaganda fue el movimien-to sindical democrático, representado especialmente por la FTH. En este sentido, al imperialismo le convenían las posiciones anticomunistas del fignolismo que sirvieron para dividir el movimiento obrero. El Estado y otros líderes sindicales utilizaron también esta arma en contra del movimiento. En las emisiones radiofónicas, en la prensa del PSP y en su propio órgano de expresión *La Voix Syndicale*, la FTH intervino para rebatir esta propaganda.[108] Pero al fin y al cabo, la coalición de intereses representada por el imperialismo, el Estado, los patrones y las direcciones sindicales anticomunistas y antidemocráticas, alcanzó su objetivo de truncar el movimiento sindical democrático.

En realidad, la desarticulación de la FTH se encuadró en la escalada en contra de todo el movimiento obrero con la finalidad de detener totalmente los avances de la movilización popular iniciada en enero de 1946. Si bien la FTH es el principal blanco de los ataques de las fuerzas antidemocráticas, su desaparición del escenario político se produjo solamente como una culminación, hasta el último momento.

Por razones debidas tanto a su acción política inmediata como a su peso, la corriente fignolista fue la primera en sucumbir frente a los embates del Estado.

La huelga general decretada por el MOP hacia octubre de 1947 fue el elemento utilizado por el gobierno para propiciar el primer gran golpe al movimiento obrero. Esta huelga general se oponía fundamentalmente al carácter antidemocrático de una ley sobre las organizaciones sindicales, ley retomada por Émile Saint Lot, el entonces titular del Departamento del Trabajo.[109] A la vez, éste se enfrentaba con otra huelga llevada a cabo por los ferrocarrileros, cuyo sindicato pertenecía a la FTH. De esta manera, la lucha reivindicativa obrera tendía a convertirse en un enfrentamiento directo con el gobierno. No podemos establecer en el marco de este estudio todas las relaciones existentes entre esas dos acciones emprendidas por las dos principales corrientes del movimiento sindical y, en este sentido, muchas preguntas quedarán sin respuesta. Los conflictos obreros que se dieron en los años 1946-1948 merecen un estudio especial. Nos limitaremos por el momento a los aspectos relacionados con la represión antiobrera.

106 En realidad, frente a la intransigencia de los patrones, la determinación de los obreros y las vacilaciones del Departamento del Trabajo, el presidente de la República interviene, en última instancia, en casi todas las huelgas. Véase Daniel Fignolé, *Contribution à l'histoire du mouvement syndical*, cit.

107 Georges Morris, *La CIA y el movimiento obrero*, México, Editorial Grijalbo, 1967, p. 57.

108 Actes du Premier Congrès National du Travail.

109 Daniel Fignolé, *Contribution à l'histoire du mouvement syndical*, cit., pp. 193-198.

En esta iniciativa de huelga general, el MOP permaneció aislado. Tanto los dirigentes de la FTH como los del PSP evitaron el choque directo con el gobierno. En la perspectiva de consolidar y profundizar la primera experiencia de vida democrática, esas organizaciones rechazaron toda postura no solamente de lucha frontal sino también de oposición sistemática, lo que según ellas pondría en peligro lo ya conquistado.[110] Es así como el intento de huelga general no encuadraba en su línea política.

Pero existían otros aspectos que agudizaron el problema del aislamiento del MOP. Se trata en primer lugar del momento mismo en que se tomó la iniciativa de huelga general. En el conflicto ferrocarrilero, los dirigentes de la FTH encontraron cierta comprensión por parte del gobierno que les prometió requisar la compañía —propiedad norteamericana— para poder satisfacer las demandas salariales de los trabajadores, ya que los patrones mantenían una actitud intransigente y trataban de impulsar un sindicato amarillo. Por esas circunstancias especiales, los líderes de la FTH estimaron inoportuna una acción en contra del gobierno aunque también condenaban la ley sobre organizaciones sindicales. Además, el anticomunismo de Fignolé, quien denunció de manera sistemática a los militantes más importantes de la FTH, impidió toda posibilidad de alianza entre las dos corrientes sindicales.

De esta manera, la huelga general fracasó. Se extendió únicamente a algunos sindicatos. Ni siquiera todas las organizaciones afiliadas a la federación SOT se lanzaron a la huelga. Evidentemente el fignolismo había sobrestimado la capacidad de sus agrupaciones y menospreciado las posibilidades del gobierno que aprovechando esta situación desbarató la federación sindical SOT y el propio partido MOP. Varios líderes fignolistas de los sindicatos fueron echados de su trabajo.

El Partido, acosado por la represión, prácticamente dejó de existir. Si bien la FTH intervino con una carta dirigida al ministro del Trabajo para la reinstalación de los sindicalistas fignolistas despedidos, se puede decir que, por la división que existía entre los trabajadores y sus organizaciones, no presentaron un frente común ni antes ni después del intento fignolista.

Es indudable que el fignolismo, por sus posiciones tácticas en esos años, atrajo más la hostilidad del gobierno que la FTH y el PSP. Pero independientemente de esto, le convenía más al poder estatal, en la instrumentación de su política antiobrera y también por razones tácticas, golpear prioritariamente a las organizaciones fignolistas. En el marco de la movilización popular de la época, desatar en primer lugar la represión contra la FTH, hubiera conllevado el riesgo de fortalecer la corriente fignolista en el movimiento obrero, corriente que representaba, contrariamente al PSP y a la FTH, una posible alternativa inmediata al gobierno. Es por eso que el Estado se enfiló a la realización de su objetivo fundamental sólo después de neutralizar la acción de las organizaciones fignolistas.

En efecto, en los meses subsiguientes a noviembre de 1947, fecha de la represión antifignolista, el gobierno continuó y reforzó su política antiobrera. Fue nombrado otro ministro del Trabajo totalmente ligado con los intereses reaccionarios.[111] Los líderes de la FTH observaron que en los meses posteriores se acen-

---

110 Actes du Premier Congrès National du Travail y *Trente ans de pouvoir noir*.
111 Se trata de Jean David. Véase Actes du Premier Congrès National du Travail.

tuó por parte del Estado la tendencia a desconfiar de todas las huelgas, considerándolas como una eventual amenaza a la estabilidad gubernamental. Así se contuvo la lucha de los electricistas. Se llegó a utilizar la intervención del ejército para impedir las reuniones de los trabajadores en conflicto con sus patrones, sobre todo en las ciudades de provincia; esto ocurrió en la ciudad de los Gonaives, donde los propios dirigentes de la FTH, bajo la amenaza de encarcelamiento, tuvieron que cancelar una reunión sindical.

Al mismo tiempo, el gobierno desató una activa campaña contra la FTH y todas las organizaciones democráticas bajo el pretexto de luchar contra el comunismo. Por medio de la corrupción, fomentó la escisión de la organización sindical democrática. En los primeros días de marzo de 1948, la FTH se dividió. La casi totalidad de los sindicatos afiliados a la corriente sindical democrática, atemorizados por la atmósfera de represión y confundidos por la propaganda anticomunista, pasaron a formar la Fédération Haïtienne du Travail (FHT), totalmente sometida al gobierno. Prácticamente la FTH dejó de existir. En el mismo mes de marzo, se reformó la vieja ley de 1934, proscribiendo a las organizaciones comunistas y dejando fuera de la ley sus actividades.

Todas estas medidas, tomadas en el marco del empuje de las luchas obreras y de las presiones de las diversas fuerzas reaccionarias locales —ligadas al imperialismo para frenar precisamente la movilización popular—, muestran los límites de la lucha por las libertades democráticas, mientras están vigentes las estructuras económicas y políticas predominantes. La dominación económica, política e ideológica de las clases reaccionarias del país es totalmente incompatible con un sistema que pudiera permitir la acción independiente de las clases explotadas para la defensa de sus intereses fundamentales, tanto inmediatos como mediatos.

A pesar de los errores, de las dificultades y problemas generados por el propio nivel de desarrollo del proletariado, el movimiento obrero haitiano se enfrentó desde su nacimiento con esta situación. En otras palabras, se trata del famoso dilema, en el plano de la práctica política, entre la lucha por las perspectivas a corto plazo y la de las perspectivas a largo plazo; sabemos ya que éste es en general un problema muy importante en la historia del proletariado y de su lucha.

Esta primera experiencia de vida democrática del movimiento obrero haitiano tiene la característica de representar el momento en el que el proletariado, en alianza con los otros sectores populares y democráticos, conquistó su derecho de llevar adelante, legal e independientemente del poder estatal, su acción sindical y política. De allí su gran importancia para nuestro tema. Hasta hoy día esta correspondencia nunca más se ha presentado; lo que limita considerablemente el desarrollo político de las clases trabajadoras del país.

En 1948 se produjo, pues, un grave deterioro en la orientación democrática de la política ejecutada hasta entonces. Se inició así un verdadero viraje que se consumó con el golpe militar de 1950. En líneas generales, la situación desarrollada después del derrocamiento del gobierno de Estimé y de la llegada al poder del coronel Paul E. Magloire, no hizo más que agudizar la tendencia antidemocrática prácticamente triunfante desde 1948.[112]

El nuevo curso se mantuvo hasta 1957. En diciembre de 1956 se derrumbó la dictadura militar y algunos meses después empezaron a sentarse las bases para la restauración de un movimiento sindical democrático. Así, en los años de 1948 a 1957 hubo una cierta unidad en el ejercicio del control del movimiento obrero; sin embargo, la permanencia de la tendencia antidemocrática no excluyó la existencia de distintos momentos, cada uno con sus características propias.

En realidad la movilización obrera había alcanzado un nivel tan importante en 1946 y 1947 que no se pudieron aniquilar de un solo golpe todas las formas de lucha del proletariado. De 1948 a 1954 se mantuvo una cierta actividad sindical con fluctuaciones anuales en el número de los conflictos, de los sindicatos y de la membrecía de los mismos.[113] Cierto es que se trataba de una actividad muy limitada, ya que el fenómeno de la huelga de hecho desapareció. Los raros intentos que hubo fueron violentamente reprimidos. Así ocurrió, por ejemplo, con los movimientos de los sindicatos portuarios, los taxistas y los trabajadores de la HASCO.[114] Varios de los dirigentes sindicales más empecinados en llevar adelante las luchas fueron asesinados. De manera general, una burocracia sindical corrupta encauzó la solución de todas las reivindicaciones hacia las negociaciones con el Departamento del Trabajo.

Los años de 1948 a 1950 tienen como especificidad, además de conservar una relativa actividad sindical, la presencia de la prensa legal socialista. El diario *La Nation* que siguió publicándose hasta 1950, a pesar de la ley anticomunista, alentó en sus columnas el movimiento reivindicativo de los trabajadores y constituyó un valioso instrumento de educación obrera. El Primer Congreso Nacional del Trabajo en 1949, aunque se efectuó con la ausencia de la corriente fignolista y bajo los auspicios del gobierno, permitió a varios líderes sindicalistas de la antigua FTH, denunciar aspectos de la política de control del movimiento sindical y plantear, para toda la clase trabajadora, algunas reivindicaciones que iban más allá de las conquistas logradas hasta este momento, como fueron: nuevo aumento del salario mínimo, levantamiento del estado de sitio, anulación de las limitaciones al derecho de huelga, cese del control sobre el movimiento sindical, etcétera.

Los antiguos dirigentes de la FTH proclamaron la necesidad de realizar otro evento del mismo tipo, pero independiente del gobierno. Sin embargo, no hubo ninguna alusión a la ley anticomunista; tampoco se condenó la represión antifignolista, y sí se afirmó el apoyo al gobierno, alimentando aún ilusiones sobre las aspiraciones democráticas del poder estatal. Así, por desligar en sus planteamientos los intereses de la acción sindical democrática de los de la lucha política de la clase obrera, los dirigentes de la antigua FTH contribuyeron, en cierta medi-

---

112 Sobre el significado del golpe de Estado de 1950 véase Auguste Maurepas, *Génèse d'une république héréditaire*, París, La Pensée Universelle, 1974; Jean-Jacques Doubout y Ulrick Joly, *op. cit.*; Sabine Manigat, *op. cit.*

113 *Bulletin Trimestriel de Statistiques*, núm. 1, julio de 1951.

114 Roger Dorsinville, "Les authentiques et le cercle enchanté du pouvoir", en *Trente ans de pouvoir noir*, cit.; véase también Jean-Jacques Doubout y Ulrick Joly, *op. cit.*

da, a permitir que este congreso fortaleciera en este momento el proceso de control del movimiento obrero.

Esta actitud de la FTH no puede desligarse de la posición de los partidos de orientación socialista frente al gobierno de Estimé. Aunque el PCH se había autodisuelto ya en el momento de la fundación de la FTH, el papel importante de algunos dirigentes de este antiguo partido en el movimiento sindical dejó implícita la existencia en la FTH de una cierta influencia de la orientación colaboracionista con el gobierno. Además, todavía en enero de 1948, el PSP consideraba la política del gobierno como de carácter democrático, con oscilaciones que van mucho más a la derecha que a la izquierda.[115] Los miembros del PSP en la FTH influyeron con esta apreciación en la agrupación sindical. En realidad, desde finales de 1947, frente a todas las dificultades internas y externas que atravesó el poder por la propia agudización de la lucha de clases, el gobierno tendía cada vez más a reducir el campo de acción de las masas.

Entre 1950 y 1954, si bien —como acabamos de señalarlo— se mantuvo una cierta actividad sindical, la tendencia al empeoramiento de la situación fue cada vez más fuerte. La clausura del periódico *La Nation* y la disolución de la Jeunesse Progressiste de Port-au-Prince, organización de jóvenes ligados al PSP, destruyeron las últimas posibilidades de una acción socialista legal en la clase obrera. Se trata pues de un movimiento sindical democrático totalmente castrado.

La FHT, nacida de la división de la FTH, se escindió a su vez en agosto de 1949 dando lugar a la formación de la Fédération Syndicale d'Haïti (FSH).[116] Con ello se atomizó el movimiento sindical. Esa tendencia al fraccionamiento corresponde más a las necesidades de los líderes corruptos de constituir zonas de influencia que a divergencias ideológicas o políticas reales. Hacia 1950 aparecen dos agrupaciones sindicales: una Confédération Générale du Travail y la Unión Nationale des Ouvriers d'Haïti. Con el apoyo del Estado esta última se transformó paulatinamente en la organización más importante de esos años, absorbiendo algunas federaciones y algunos sindicatos que habían quedado hasta ese entonces al margen de esas divisiones.

En esos años (1950-1954) el PSP desapareció definitivamente del escenario político. Viviendo bajo la ley anticomunista y bajo un estado de sitio desde 1948, de hecho el Partido hacía girar —como lo hemos señalado ya— todas sus actividades alrededor de la publicación de su diario. La nueva situación creada por la agudización de la tendencia antidemocrática y anticomunista con el golpe militar, planteaba nuevas exigencias frente a las cuales el Partido no respondió.

En el seno del PSP, comprometido con la lucha cotidiana para el fortalecimiento y la defensa de los derechos democráticos, no existía entre los principales dirigentes una unanimidad de criterios sobre la realidad de las fuerzas sociales ligadas a la tendencia antidemocrática que venía agravándose en el transcurso de esos años. Por lo menos así se puede interpretar un editorial publicado en *La Nation*, firmado por Anthony Lespes, que sostenía la posible esperanza de que el nuevo gobierno civil o militar posterior al golpe podría

---

[115] Informe de Étienne D. Charlier, cit.
[116] Robert J. Alexander, *El movimiento obrero en América Latina,* cit.

invertir la tendencia antidemocrática. Magloire tomó la dirección del complot en contra de Estimé, bajo el lema de respeto a la Constitución que impedía la reelección del presidente en turno y en una gran maniobra reunió a su alrededor a todos los sectores opuestos a Estimé y víctimas del gobierno, presentándose como un probable defensor de la democracia. Eso también explicaría el sentido del artículo de Lespes. De todas maneras, esta esperanza se esfumó rápidamente ya que la represión no tardó en golpear el periódico. "Combatir al comunismo" constituye uno de los cinco puntos programáticos de Magloire en su campaña electoral.

La represión que se desató entre 1950 y 1954 no afectó solamente al PSP, a la organización de jóvenes JPP y a algunos dirigentes sindicales. La Asociación de los Estudiantes de Medicina (ADEM) se vio obligada a suspender sus actividades después del intento de un movimiento de protesta que provocó el cierre de la Facultad de Medicina durante más de un mes. Los dirigentes estudiantiles de la Facultad de Derecho fueron perseguidos, como en el caso de Hammerton Killick, arrestado en Puerto Príncipe y encarcelado en pésimas condiciones en la localidad de Cornillon, cerca de la frontera con la República Dominicana. Por otro lado, el MOP no pudo llevar a cabo ninguna actividad política y sindical de envergadura, a pesar de que la dictadura militar, para ampliar su base de apoyo, le concedió a Fignolé el cargo de diputado.

En esas condiciones, al PSP le quedó como única vía la actividad clandestina. En el seno del núcleo constituido alrededor de *La Nation* se discutió sobre el tema, pero los principales dirigentes no llegaron a resolver este problema para asegurar la continuidad del funcionamiento del Partido. Se debatían también cuestiones relacionadas con la composición de la directiva del movimiento, con las interpretaciones de la realidad socioeconómica del país, vigentes hasta entonces. Esta atmósfera de discusiones alejadas de una práctica militante sistemática favoreció que aparecieran, como en los años treinta, varios grupos que se mantenían de manera más o menos aislada y atrasaban la concreción de un cambio en la situación.

La voz de Fignolé, diputado de 1950 a 1954, se encuentra dentro de las raras que de vez en cuando se levantaron para plantear las reivindicaciones obreras.

A partir de 1954, la situación se volvió más difícil todavía. El relativo nivel de actividad sindical que se había manifestado hasta este momento desapareció casi totalmente. Los efectivos sindicales —que giraban alrededor de 20 000 trabajadores en 1948— bajaron a 8 300 en 1955.[117] La última gran huelga, la de los choferes del transporte público, se produjo precisamente en 1954; duró tres días y conoció una severa represión.[118] No es pues una mera casualidad el que las condiciones de vida de los trabajadores hayan sufrido un acentuado deterioro en el transcurso de esos años.[119] La inexistencia de toda acción sindical de masas impidió a los trabajadores emprender la lucha para paliar los efectos locales de la depresión económica norteamericana después de la guerra de Corea, aunada a las consecuencias de un cataclismo natural (el ciclón de 1954) y de una crónica crisis estructural interna.

[117] François Latortue, *op. cit.*; Víctor Alba, *op. cit.*
[118] Jean-Jacques Doubout y Ulrick Joly, *op. cit.*
[119] Véase *supra* la evolución del costo de la vida de 1948 a 1957.

En el mismo año de 1954, de los grupos que se habían desprendido del antiguo PSP, se reunieron los más dinámicos para formar un partido socialista, el Parti Populaire de Libération Nationale (PPLN), que hacia finales de 1965, adoptó el nombre de Parti de L'Union de Démócrates Haïtiens (PUDA).[120] De 1954 a 1958, Jean-Jacques Ambroise, Joachin Roy y Jules Saint-Anne, fueron algunos de los militantes que contribuyeron al desarrollo del Partido.

La constitución de esta organización expresa, sin ninguna duda, una voluntad de romper con la paralización en la que se encontraba la acción partidaria socialista desde 1950. De todas maneras, con la formación del PPLN-PUDA se planteó la necesidad no sólo de una organización ilegal, sino también de una revisión de las tesis existentes sobre la caracterización de la sociedad, dando más importancia al peso de las relaciones sociales atrasadas. Si esas preocupaciones se manifestaban desde este momento, se esperaba que más tarde el movimiento diera paso firmes en ese sentido. De cualquier manera, la formación del PPLN-PUDA abrió un nuevo período en la historia de los partidos: el de una lucha clandestina continua, con una presencia limitada pero permanente en algunos sectores de la clase obrera. En efecto, de 1950 a 1954 se habían mantenido en contacto con núcleos muy reducidos de distintos tipos de trabajadores, especialmente los portuarios, choferes, trabajadores de la construcción, textiles, etc. Aunque débiles estos contactos desempeñaron un papel bastante significativo en la lucha contra la dictadura militar y por la reanimación del movimiento sindical democrático.

El descontento alimentado por una situación económica cada vez más desastrosa desembocó a finales de 1956 en un movimiento popular que provocó la caída de la dictadura militar. Esta vez, al contrario de lo que pasó en 1946, fueron los políticos tradicionales, opuestos a la reelección del presidente en turno, los que tuvieron la dirección del movimiento. Eso marcó una diferencia fundamental en el sentido de que la movilización popular se limitó desde el principio a una enconada campaña electoral donde ninguno de los candidatos retomó las reivindicaciones democráticas de 1946, debido también a la débil influencia del socialismo en el movimiento de 1956 en comparación con la de 1946. A pesar de la participación de los militantes en la lucha contra la dictadura militar, en los medios tanto obreros como estudiantiles y profesionales, la pequeña organización que existía en este momento (PPLN-PUDA) no llegó a definir una táctica de acción legal autónoma que permitiera sondear y aprovechar las posibilidades ofrecidas por una crisis relativamente más profunda y más amplia que la de 1946, por el hecho de que afectó a todas las instituciones del aparato de Estado y sobre todo a la principal de ellas: el ejército. Ni un periódico legal socialista se publica en esos momentos para agrupar y orientar a las fuerzas potenciales progresistas y revolucionarias. Aquí entra el problema no sólo de la debilidad de la capacidad material de la organización,

[120] El PPLN no se llama así desde su fundación; de 1954 a 1960 ha llevado otros dos nombres: Partido de los Trabajadores Haitianos (1954 a 1958) y Partido Democrático Popular (1958-1960). Estos cambios de nombre corresponden a períodos de vida interna pero no afectan la continuidad de su trabajo. De aquí en adelante utilizaremos las siglas PPLN-PUDA, adoptadas actualmente en la literatura política haitiana y que corresponden a los períodos de mayor actividad del partido.

sino también y sobre todo la falta de perspectiva y de audacia por parte de los dirigentes.

Así pues no se puede decir que en los acontecimientos de diciembre de 1956 a septiembre de 1957, el PPLN-PUDA haya presentado una línea política que considerara correctamente la experiencia de las luchas democráticas de 1946 junto con los intereses inmediatos y futuros del proletariado. En su primer y único congreso llevado a cabo a principios de 1957, este partido decidió apoyar la candidatura de Fignolé quien, como señalamos anteriormente, movilizaba al proletariado y a la gran mayoría de las otras capas populares de la capital y de las regiones circunvecinas.[121]

Si bien se trata de un esfuerzo para no sufrir el mismo aislamiento que sufrió el PSP en 1946 y para sentar su influencia en los sectores políticamente más avanzados del proletariado, la manera misma como se puso en práctica esta política llevó al partido al seguidismo.[122] Así pues, al quedar totalmente en la clandestinidad y privado incluso de una tribuna democrática independiente, la acción del Partido tendió cada vez más a confundirse con la del fignolismo.

En las controversias que aparecieron a partir de 1959[123] se discutió mucho no sólo la aplicación de esta táctica, sino también la opción misma de apoyar al fignolismo. No podemos entrar en la discusión de este tema y plantear si se debía respaldar a Fignolé o a otro candidato. Lo que sí se puede destacar es que en esos meses los comunistas, progresistas y demócratas, por la inexistencia de una acción proletaria independiente se encontraban de lleno involucrados en la batalla electoral detrás de tal o cual candidato. Ya hemos señalado la ausencia de una prensa legal socialista o progresista.[124] El intento de constituir una organización autónoma y amplia, la Alliance Démocratique, con la vocación de luchar por la defensa de los derechos democráticos, no sobrevivió y feneció en la alineación detrás de un candidato. Se puede citar también el caso de un partido: Parti Travailliste Haïtien (PTH) que tuvo una existencia efímera y apoyó a Duvalier en su campaña. Dicho partido se situó en la corriente de la Internacional Socialista.

Esta movilización electoralista no impidió que a partir de la caída de la dictadura militar se desplegaran esfuerzos para reanimar la lucha sindical democrática. En un primer momento, los obreros se deshicieron de las direcciones sindicales corruptas y así la acción sindical empezó a tomar vida. Al mismo tiempo, aparecieron nuevos sindicatos, como los de maestros de la enseñanza secundaria (Unión Nationale de Maitres de L'Enseignement Secondaire-UNMES) y la Asociación de Empleados Bancarios.

Los choferes de transporte público, cuya organización había sido una de las más combativas durante la dictadura militar, intentaron reagruparse por tipo

[121] Ya no es el mismo fignolismo; ya no pregona abiertamente el anticomunismo, pero evoluciona más hacia posiciones centristas. Véase Jean-Jacques Doubout y Ulrick Joly, *op. cit.*

[122] El PPLN-PUDA reconoció ese seguidismo en un texto intitulado "Sur la ligne politique", publicado en 1961.

[123] Más adelante veremos ese problema.

[124] Los comunistas, organizados o no, colaboraron activamente con otros periódicos, sobre todo a título personal.

de transporte y por zona de actividad y organizaron sobre esta nueva base una Federación de Trabajadores del Volante en todo el país; se preparó activamente un congreso nacional de los choferes. En este período se dieron los pasos para la constitución de una federación sindical progresista; el embrión de esta federación empezaba a funcionar.[125]

Pero esos esfuerzos generalmente eran frenados y fracasaban por la fuerte influencia de las tensiones electorales. Tanto el intento de reorganización de la gran agrupación de los choferes, como el de la formación de una federación progresista, abortaron bajo la presión de las rivalidades electorales. Es verdaderamente hasta el año de 1958 cuando el movimiento sindical va a empezar a vivir la etapa de su resurgimiento.

IV. RENACIMIENTO DEL MOVIMIENTO SINDICAL DEMOCRÁTICO: 1958-1963

Los años de 1958 a 1963 representan la segunda etapa más importante de la historia del movimiento obrero haitiano; en este período, la lucha huelguística de masas hizo su reaparición. La acción reivindicativa obrera se desarrolló y consolidó en gran parte bajo el impulso de la nueva federación sindical que se formó en 1958. Al mismo tiempo, las organizaciones comunistas se fortalecieron ideológica y organizativamente. A pesar de las limitaciones impuestas por la clandestinidad, los comunistas se encaminaron hacia la constitución de organizaciones partidarias cada vez más ligadas con las luchas reivindicativas y democráticas que se llevaban a cabo en aquellos años. Así pues, sin llegar a ser tan abiertas como en 1946-1948, las relaciones entre las actividades sindicales y las organizaciones comunistas no dejaron de desenvolverse de manera continua, naturalmente con sus dificultades.

La "metamorfosis" del gobierno duvalierista en una dictadura cada día más abiertamente terrorista [126] y los problemas inherentes a la cooperación entre movimiento sindical y movimiento comunista nos permiten determinar —en el transcurso de este período— dos momentos bien definidos. De 1958 a 1960 la acción sindical obrera se llevó a cabo en un campo donde otras organizaciones democráticas como las de los maestros, de los empleados bancarios y de los estudiantes, estaban desempeñando legalmente sus luchas. La fundación del Parti d'Entente Populaire (PEP) confirió una nueva dimensión a las perspectivas del movimiento comunista. En este primer momento, la Federación Sindical Democrática de los obreros representaba a la vez un punto de atracción y de apoyo para todas las otras organizaciones democráticas.

A partir de 1961, las federaciones obreras permanecen como las únicas organizaciones de masas que actúan legalmente. Sobre la Federación Sindical Democrática recayó casi toda la responsabilidad de defender los derechos legíti-

125 Ernest Coulanges, dirigente político socialista y muy activo en las luchas sindicales desde hacía muchos años, fue uno de los impulsores de este embrión de federación.

126 Gérard Pierre-Charles, *Radiographie d'une dictature*, Montreal, Éditions Nouvelle Optique, 1973, pp. 41ss.

mos de los trabajadores. Los titubeos de ésta en mantener, dentro de la lucha, una correcta ligazón, entre los intereses sindicales por un lado y los políticos por el otro, complicaron considerablemente las relaciones con los partidos revolucionarios que trabajaban en la clandestinidad. Fue también a partir de este segundo momento cuando 'esos partidos se encaminaron hacia la solución de sus divergencias, aunque este proceso no culminará hasta mucho más tarde. Es preciso subrayar que en el curso de esos dos momentos, el fenómeno predominante es indudablemente la actividad de la Federación Sindical Democrática.

El renacimiento del movimiento sindical democrático que se produjo a partir de 1958 fue el resultado de un conjunto de factores, siendo el más importante la situación creada por el desarrollo de los acontecimientos políticos. Como hemos señalado ya, la tensión que generó la campaña electoral inliciada en diciembre de 1957 desvió globalmente la atención que los trabajadores tenían puesta en los problemas de organizar un movimiento autónomo. Sin embargo, la usurpación del poder por Duvalier, después de una sangrienta represión antipopular y como preludio de la farsa electoral de septiembre de 1957, planteó a los obreros avanzados la necesidad de fortalecer los sindicatos y de unirse para la defensa de sus intereses. En este sentido, el antiduvalierismo de la gran mayoría del proletariado constituyó una palanca que dio impulso al arranque de la acción sindical democrática.

El fracaso de las efímeras experiencias de constitución de una federación sindical en el transcurso de los meses de la campaña electoral ayudó a no repetir los mismos errores, es decir, a no ligar el desarrollo de la nueva organización con la actividad de los antiguos candidatos a la Presidencia. Además, mantener esta distancia era casi una exigencia del momento para asegurar la supervivencia del movimiento sindical democrático. En esos primeros años del duvalierismo, el gobierno se concentró casi totalmente en destruir el aparato político de sus rivales. Por ello, la demarcación con respecto tanto al gobierno como a los antiguos candidatos permitió al sector sindical democrático no sólo conservar sino también ampliar su campo de acción.

Todo esto conllevaba sin embargo un importante problema: la necesidad de independizar a la federación obrera de las luchas todavía vivas de los grupos frustrados por la farsa electoral, y exigió al mismo tiempo, para no caer en una especie de apoliticismo, la elaboración de una plataforma que estableciera los objetivos político-democráticos del movimiento sindical. La inexistencia de esta plataforma caracterizó a todo el período e impidió el establecimiento de una relación constante entre las batallas por la satisfacción de las reivindicaciones específicamente obreras y el combate por la defensa de los derechos democráticos en general. Ni el antiduvalierismo, aún mayoritario en el proletariado, ni la independencia frente al gobierno y a los grupos derrotados en las seudoelecciones, bastaron para sustentar las tomas de posición política. Se rechazó el antiduvalierismo militante para no ahondar más la división del proletariado y no transformar la organización sindical democrática en un instrumento de enfrentamiento directo con la dictadura. Pero el querer evitar esos dos peligros, sin proponer como contrapartida una base programática de lucha democrática, llevaba cada vez más a los sectores avanzados del proletariado —sobre todo después de 1961— hacia posiciones de defensa casi exclusiva de los derechos económicos de los trabajadores.[127]

Otro elemento importante que favoreció la acción de la corriente sindical democrática estaba ligado a la situación económica. El decenio 1950-1960 se caracterizó por un cierto impulso en el desarrollo industrial del país. De hecho, se trata de otro momento bien definido de empuje en la evolución de las relaciones capitalistas.[128] En el marco del predominio de las relaciones atrasadas de producción, el desarrollo industrial, todavía débil, manifestó una clara tendencia al alza. Su participación en el producto nacional bruto pasó de 27% en 1950 a 31.50% en 1960.[129]

Como lo señala Gérard Brisson, este impulso industrial se debió sobre todo a la instalación de empresas mineras que por el volumen de sus exportaciones provocaron algunos cambios significativos en la estructura del comercio exterior del país.[130] Sin embargo, no se puede limitar por ello el desarrollo industrial a esta única rama. Además de la Reynolds Mining Co. para la extracción de la bauxita y de la Sedren para la del cobre, muchos otros establecimientos funcionaron en este período. Podemos mencionar las empresas siguientes: Ciment d'Haïti, Caribbean Mills, Haití-Metal, Caribbean Canadian Chemical, SAFICO, Usine Sucrière des Cayes, Industries Nationales Reunies, sin hablar de varias fábricas boneteras, de muebles y de diversas instalaciones ligadas a la industria turística.[131]

Además de generar un aumento de la población obrera que se mantenía todavía en un nivel muy bajo respecto a la totalidad de la población económicamente activa, el hecho más importante es el cambio que en la estructura del proletariado provocó la instalación de esos establecimientos. En primer lugar, por ser en general empresas que empleaban entre 100 y 400 obreros, el fenómeno de la concentración obrera alcanzó un grado más elevado, lo que ofrece un terreno más favorable a la organización sindical. Por otro lado, esos nuevos establecimientos exigían un personal calificado que dispusiera de un nivel de conocimientos mucho más alto y más especializado que el que poseía la masa de los trabajadores. Esta nueva categoría de proletarios se conformó a partir del fenómeno de proletarización de algunos sectores de las capas medias urbanas y va a desempeñar un papel muy dinámico en el desarrollo del movimiento sindical democrático.[132]

[127] Volveremos más adelante sobre este problema.

[128] Se puede considerar que la historia de las relaciones capitalistas empieza a partir de los años setenta del siglo pasado. Desde esa época hasta hoy día, las relaciones capitalistas se han desarrollado a través de cuatro momentos, cada uno con sus características: el período anterior a la ocupación norteamericana representa la primera ala; de 1920 a 1950 predominan las empresas extranjeras agroindustriales; de 1950 hasta los años sesenta se presenta un período influido sobre todo por la minería; a partir de 1967 se inicia el momento de la industria de ensamblaje.

[129] Gérard Brisson, *Notes sur les caractéristiques actuelles du développement économique d'Haïti*, s.l., s.e., p. 9.

[130] *Ibid.*

[131] Gérard Pierre-Charles, *La economía haitiana y su vía de desarrollo*, México, Cuadernos Americanos, 1965, pp. 125-135; se puede ver también CEPAL, Haití. Cuentas Nacionales 1950-1960, Puerto Príncipe, 1962.

[132] Jean-Jacques Doubout y Ulrick Joly, *op. cit.*

Tratándose de la situación económica, es preciso señalar que a partir de 1954 se inició en el país una marcada depresión. De 1956 a 1957 ésta se transforma en una profunda crisis que se caracteriza por una persistente tendencia a la regresión económica.[133] Por ejemplo, de 1957 a 1967 la producción industrial decrece en un promedio anual de 0.34%. Hay dos años como los de 1959 y de 1964, donde la producción con respecto al año anterior bajó en un 12 y 11% respectivamente.[134]

Indudablemente se presentó así un contexto adverso para el movimiento sindical democrático. Pero al mismo tiempo, esta crisis económica, en el marco de la agitación política desatada por la caída de la dictadura militar, tuvo un papel estimulante en el sentido que fortalecía la necesidad de los trabajadores para unirse en la defensa de sus condiciones de trabajo y de vida. El desarrrollo del sindicalismo democrático y la actividad de los partidos revolucionarios nos permitieron comprobar cómo los momentos de crisis son "períodos de intensa creación social".[135]

Sin querer establecer una relación mecánica, es muy significativo constatar la ligazón que existe entre la presencia del movimiento sindical democrático y la evolución de las condiciones de vida de los trabajadores. Hemos señalado ya cómo el aumento del salario mínimo de 1948 se debió fundamentalmente a la intensidad de las luchas obreras en los años 1946 y 1947.

También hemos anotado cómo tendía a subir el costo de la vida en 1948, año en el cual desaparece prácticamente el movimiento sindical democrático. Sin embargo, de 1958 a 1963, es decir en los años de renacimiento y funcionamiento de la corriente sindical democrática, el costo de la vida manifestó una tendencia a la baja. Durante este período, el decrecimiento anual del costo de la vida fue de 0.61% y el global para los seis años alcanza un 3%.[136]

Cualesquiera que sean las reservas que uno debe mantener frente a los datos estadísticos oficiales y cualquiera que sea el peso que pueden tener diversos elementos de explicación ligados tanto a la situación política como a la estructura de la producción agrícola y a las variaciones climatológicas, este fenómeno debe entenderse también a la luz de las luchas obreras y de la vigencia de la acción sindical democrática. En este sentido se revela como muy sugerente el hecho de que a partir de 1964, precisamente el año posterior a la disolución arbitraria de la federación sindical democrática, el costo de la vida vuelve a subir casi de manera creciente hasta hoy día. Con el dinamismo de sus organizaciones sindicales, los obreros contribuyen entre 1958 y 1963 a limi-

---

133 Gérard Pierre-Charles, "Interpretation de faits et perspectives du développement économique d'Haïti", en *Culture et développement en Haïti*, Montreal, Lemeac, s.f.

134 Institut Haïtien de Statistiques, Département des Finances et des Affaires Économiques. *Comptes nationaux 1954-1955 à 1971-1972 et Projections macro-économiques 1972-1973 à 1980-1981*, Puerto Príncipe, diciembre de 1974, p. 80.

135 Michel Aglietta, *Régulation et crises du capitalisme. L'expérience des États Unis*, París, Calmann-Levy, 1976, pp. 16-17 [*Regulación y crisis del capitalismo*, México, Siglo XXI, 1979, p. 11].

136 Institut Haïtien de Statistiques, Département des Finances et des Affaires Économiques, *Guide économique de la république d'Haïti*, Puerto Príncipe, abril de 1977, p. 503.

tar, en cierta medida, los efectos nefastos de la crisis sobre las condiciones de vida de las masas populares.[137]

El considerar la lucha de la federación sindical democrática en el transcurso de este período y la de los partidos comunistas en el mismo lapso y en los años posteriores (de 1964 hasta 1969), nos lleva a señalar un aspecto importante. En el estudio de los momentos de reanimación no se puede perder de vista la importancia de las experiencias pasadas: "...Una vez llegado a un cierto grado de organización, de principios y de acción, aun después de una derrota y una caída aparente muy profunda y muy larga, el renacimiento del movimiento obrero se efectúa, desde el comienzo al nivel máximo alcanzado en el período anterior..."[138] La reaparición y desarrollo de un movimiento sindical combativo a partir de 1958 se debe mucho a la práctica llevada a cabo en los años de 1946-1948, independientemente del hecho de que los principales protagonistas del movimiento hayan tenido conciencia o no de eso.

Los esfuerzos por organizar la federación sindical democrática vuelven a empezar en los primeros días de diciembre de 1957, cuando un núcleo de catorce sindicatos decidió constituir un comité de coordinación llamado Comité Intersindical.[139]

Pero no es hasta junio de 1958, con 10 de esos 14 sindicatos, cuando se concretó la formación de una verdadera confederación: L'Intersyndicale d'Haïti. En diciembre del mismo año, el acta constitutiva y los estatutos fueron depositados en el Departamento del Trabajo legalizándose así, la nueva organización. Hacia el mes de abril de 1960, se organizó una asamblea general de todas las organizaciones afiliadas; en ésta se discutió el informe del antiguo comité ejecutivo y se adoptó el nombre de Unión Intersyndicale d'Haïti (UIH), que se conservaría hasta la disolución de esta federación democrática en diciembre de 1963.

Desde el principio, la UIH toma disposiciones para llegar a la constitución de una confederación sindical única, con el fin de lograr la unidad de todos los trabajadores. Es así como en la reunión de diciembre de 1957 para la constitución del Comité Intersindical participaron delegados de otra federación, la UNOH (Unión Nacional de Obreros de Haití), además de representantes de

---

[137] Estas consideraciones sobre la evolución del costo de la vida no son más que una mera indicación. Con respecto al deterioro de las condiciones de vida de los trabajadores habrá que tomar en cuenta sobre todo la política fiscal del gobierno que acentúa en esos años su carácter antipopular.

[138] Karl Marx y Friedrich Engels, *Le parti de classe*, cit., tomo I, p. 61, prefacio de Roger Dangeville.

[139] Los sindicatos siguientes participaron en la formación de este Comité: Sindicato de Trabajadores de Hoteles, Bares y Restaurantes; Sindicato de Trabajadores de Bebidas Gaseosas; Sindicato de Trabajadores de la HASCO; Sindicato de Trabajadores de la Cementera de Haití; Sindicato de Trabajadores de las Agencias Marítimas; Sindicato de Trabajadores de la Administración Portuaria; Sindicato de Obreros de la Construcción de Petion-Ville; Sindicato de Obreros de la Industria del Henequén; Sindicato de Escogedoras de la Casa Comercial Madsen; Sindicato de Escogedoras de la Casa Comercial Vital; Sindicato de Obreros y Empleados de la Compañía de Electricidad; Unión Nacional de Maestros de la Enseñanza Secundaria (UNMES); Asociación de Empleados del Banco Nacional de la República de Haití (ABNRH) y un representante de la Unión Nacional de Obreros Haitianos (UNOH). Véase Jean-Jacques Doubout y Ulrich Joly, *op. cit.*, pp. 36-37.

organizaciones reivindicativas de asalariados no obreros. Pero esos intentos no produjeron resultados duraderos.

Mientras las organizaciones democráticas de asalariados no obreros como la UNMES y la AEBNRH mantuvieron ciertas relaciones con la UIH, hasta que se disolvieron respectivamente en 1959 y 1960, algunos sindicatos obreros, influidos por otras corrientes, no tuvieron estas relaciones. En efecto, la UNOH afiliada a la ORIT, sección interamericana de la CIOSL, se apartó rápidamente de la UIH.

Asimismo, Heyne Desmangles, un antiguo miembro del comité directivo de la UIH pasó a formar una Federación de Sindicatos Cristianos que se unió con la CLASC.[140] Naturalmente, los politiqueros duvalieristas lograron también controlar algunos sindicatos para formar una federación denominada Federation Ouvrière Paysanne (FOP).[141]

Es bastante difícil cuantificar la influencia de todas estas corrientes; pero volveremos sobre este problema más adelante. Sin embargo, se puede afirmar que ya en esos años la UIH resulta ser, por mucho, la confederación sindical más importante.

Más todavía que la FTH en 1947-1948, la UIH se implantó desde este primer momento de manera firme en los sindicatos de casi todas las grandes empresas y en este sentido agrupa a los sectores más combativos del proletariado. A partir de la caída de la dictadura militar, la UNOH —por haber estado estrechamente ligada con el antiguo régimen— veía su influencia cada vez más disminuida, como una piel de zapa. Las relaciones de algunos de sus dirigentes con el grupo de activistas de un antiguo candidato a la Presidencia, facilitaron la acción represiva del gobierno en su contra.

Por otro lado, la FOP se desarrolló fundamentalmente merced a sus relaciones con el poder duvalierista. De hecho, tanto la UNOH como la FOP y la FSC concentraron sus actividades en algunas empresas medianas y sobre todo en ciertas pequeñas empresas. Se trataba de medios donde los obreros, a veces más explotados aún que en los grandes establecimientos, tenían sin embargo un nivel todavía atrasado de organización y de conciencia. Además, y al contrario de la UIH que empezaba a manifestarse en las provincias, esas organizaciones logran poca presencia fuera de la capital.[142]

En esta primera etapa, las luchas obreras se localizaron esencialmente en los sindicatos ligados a la UIH. Salvo algunas excepciones como la del sindicato de Ciment d'Haïti, los casos de movilización de los trabajadores no desembocaron en estallidos de huelgas; los problemas tienden a no rebasar la etapa de las negociaciones en el Departamento del Trabajo. A pesar de la hostilidad de este último hacia el sindicalismo democrático y las reivindicaciones obre-

---

140 Desde 1948 existen sindicatos influidos por los cristianos a través de la JOC; sin embargo, no fue hasta el transcurso de la segunda época del movimiento sindical cuando apareció una federación de sindicatos cristianos.

141 Parece que la FOP no estuvo afiliada en esos años a ninguna federación internacional. La UIH, por su parte, mantenía relación con la FSM y la CTAL.

142 Dos importantes sindicatos de provincia se adhirieron en este períooo a la UIH: el Sindicato de Trabajadores de la Sedren (compañía de extracción del cobre) y la Federación de Trabajadores del Noreste (compañía agroindustrial del henequén).

ras en general, el contexto político de esos primeros años del duvalierismo no permitía todavía que el gobierno pisoteara todas las aspiraciones obreras. Por su parte, la federación sindical democrática apenas organizada disponía de una fuerza muy limitada y difícilmente podía aprovechar todas las posibilidades que ofrecía la situación.

Es por eso que, en esos momentos, fueron las organizaciones de los maestros y sobre todo la de los estudiantes las que llevan a cabo las huelgas más importantes. La lucha más frecuente que en este período tuvieron los obreros y las asociaciones democráticas no obreras, fue en defensa de los derechos democráticos de las organizaciones de masas. Naturalmente, la uih apoyó todas las luchas de las agrupaciones democráticas no proletarias, evidenciando su actitud en la huelga de los estudiantes (noviembre de 1960), cuando tomó una firme posición pública de solidaridad.[143]

Esas acciones de los maestros y de los estudiantes tienen una doble significación para el desarrollo posterior del movimiento sindical. En primer lugar, permitieron rebasar definitivamente la tendencia manifiesta desde 1957 a priorizar los intereses de los antiguos grupos electorales en la actividad de las organizaciones de masa. Esta vez, la unidad se realizó sobre una base reivindicativa democrática, lo que sin ninguna duda fortalecía la misma orientación en la uih. Sin embargo —y es la segunda significación—, por la estrechez misma de esta base democrática, limitada a demandas específicas de cada una de esas organizaciones, fue fácil para el gobierno golpearlas una tras otra, dejando sola a la federación sindical democrática. Así pues, en 1959 la dictadura duvalierista disolvió las organizaciones de maestros. Un año después tocó el turno a los estudiantes y a los empleados del bnrh. En esta misma ocasión los dirigentes de la uih fueron perseguidos y, durante algunos meses, la federación se vio obligada a suspender sus actividades.[144]

Al igual que en los años 1946-1948, los militantes de los grupos comunistas desempeñaron un papel relevante en este renacimiento del movimiento sindical democrático. Desde 1957, animaron los esfuerzos por la reaparición de un sindicalismo democrático en el país. Fundamentalmente a esos militantes se deben las primeras iniciativas para la constitución tanto de algunos nuevos sindicatos obreros (Sedren, Minoterie, etc.) como de las asociaciones de profesores, estudiantes y otras organizaciones de jóvenes: unmes, uneh, Rassemblement des Associations de Jeunesse d'Haïti (rajh). Estas últimas organizaciones se afiliaron a sus correspondientes centrales de orientación progresista en el nivel internacional: Federación Internacional de Sindicatos de Profesores (fise), Unión Internacional de Estudiantes (uie), Federación Mundial de la Juventud Democrática (fmjd). No es pues nada extraño que se encontraran

[143] La huelga estudiantil se prolongó cerca de cuatro meses. Estalló bajo la dirección de la uneh para reclamar la liberación de una decena de estudiantes encarcelados bajo el pretexto de actividades comunistas. Obligado a ceder, el gobierno liberó a los estudiantes pero prohibió todas las formas de organización de la juventud y acentuó el control de la universidad, lo que provocó la continuación de la huelga hasta marzo de 1961.

[144] Desde antes de la huelga estudiantil, varios dirigentes y miembros de la uih estaban presos por sus actividades sindicales; fueron liberados bajo la presión de la acción de la federación sindical. Se pueden citar a Rodolphe Moise y a Ernest Coulanges. Este último, al igual que Pierre Delmont, se vio obligado a salir al exilio.

militantes de los grupos comunistas tanto en los niveles de base como en los comités directivos de la UIH, de los sindicatos y de otras diferentes organizaciones democráticas. La contribución de esos militantes al desarrollo de la prensa sindical, de los programas de educación de la UIH, de las negociaciones con los patrones y el Departamento del Trabajo, representa un elemento impulsor de la lucha obrera y de las actividades democráticas.

Si bien el PPLN-PUDA representa, en esta primera etapa, al grupo comunista más estrechamente ligado con todas esas organizaciones y con la UIH,[145] el hecho más sobresaliente de esos años 1958-1960 lo constituye la fundación del PEP (Parti d'Entente Populaire) por Jacques S. Alexis en octubre de 1959 y la publicación del *Manifeste* de este partido en el transcurso del mismo año. La aparición de esta nueva formación política va a marcar todo un viraje en la evolución de las organizaciones políticas ligadas al proletariado. No es éste el lugar para retomar todas las discusiones y polémicas que se dieron alrededor de la constitución del PEP que provocó una nueva división en el movimiento comunista. Tampoco podemos en el marco de este estudio considerar todos los problemas organizativos de los grupos políticos. Sin embargo, es necesario indicar algunos de los problemas más importantes que se plantearon a partir de este hecho en la acción de los partidos y en el movimiento sindical democrático.

En el momento de la fundación del PEP, la situación política del país se caracterizó por los elementos que ya hemos señalado: proceso de transformación del gobierno de Duvalier en una dictadura terrorista; férrea lucha en los aparatos políticos de los antiguos candidatos a la Presidencia en contra del gobierno, y actividad significativa pero limitada de las organizaciones democráticas de masa. Si añadimos la acentuación de la crisis económica, es evidente que se trataba de una situación que exigía respuestas claras y nuevas por parte de los sectores políticos progresistas para avanzar en la movilización de masas.

Precisamente, hasta la publicación del *Manifeste*[146] estas respuestas no existían de manera coherente e integrada en un texto único básico de análisis de los distintos aspectos de la situación haitiana: ni los trabajos del congreso del PPLN-PUDA en 1957, ni sus "Théses de mars 1959" podían cumplir con este papel. Este último texto, que en ningún sentido puede compararse con el *Manifeste*, se situaba mucho más en el nivel de las preocupaciones más inmediatas de la lucha democrática contra el gobierno duvalierista. El *Manifeste* es mucho más que esto. Además de ofrecer un programa muy detallado de regeneración económica, política y social, su análisis de la situación se imbrica en toda una perspectiva histórica de la evolución de la sociedad haitiana. Sus constantes referencias a la historia de la lucha de clases en el país apuntan a un mejor entendimiento del presente en la batalla por la construcción del porvenir. En

---

[145] Fueron sobre todo los militantes del PPLN-PUDA los que contribuyeron a la constitución de esas organizaciones y a su desarrollo. Se puede decir que esta presencia en las organizaciones de masas fue el principal provecho que sacó este partido de su anterior apoyo al fignolismo. Pero todo esto se vio muy limitado por la clandestinidad, la forma misma en que se dio este apoyo y los problemas internos de organización.

[146] Se trata del manifiesto programático del PEP. De aquí en adelante lo llamaremos el *Manifeste*.

este sentido, se puede decir que el *Manifeste* es verdaderamente el primer proyecto social en la literatura marxista haitiana.

De allí se desprende el aporte más importante de ese texto, cuyo principal redactor es Jacques S. Alexis. "Los méritos históricos de las personalidades históricas no se juzgan por lo que *no hayan* dado en relación con las exigencias de su actualidad, sino por lo que *dieron de nuevo* en relación con sus antecesores."[147] Son esos elementos nuevos del *Manifeste* los que, a pesar de las limitaciones y, a veces, los errores del texto, permiten colocar a Jacques S. Alexis al lado de Jacques Roumain en la galería de los dirigentes más destacados del movimiento obrero haitiano.

Tres ejes fundamentales sustentan todo el análisis del texto: el peso del feudalismo, la cuestión de la burguesía y el papel de las capas medias. El primero de ellos es el que constituye el aspecto más original del texto. Al contrario de la ausencia ya tan señalada en el *Analyse Schématique* como en la literatura política de 1946, el predominio de las relaciones económicas de tipo feudal conforma el punto nodal de explicación de la situación nacional en el siglo pasado y el actual. El régimen esclavista de la colonización dio paso al feudalismo. Los terratenientes feudales han sido el principal obstáculo al desarrollo del campesinado y de la burguesía nacional. Más tarde, aliándose con el imperialismo, esos terratenientes continuaron con una fuerza económica y políticamente vigorizada; cumpliendo el mismo papel de enemigo principal de la nación. Así, toda lucha de clases en el país reencuentra una cierta unidad histórica, una cierta continuidad en su desarrollo. Con estas consideraciones se entiende toda la importancia que otorga el texto a la satisfacción de las reivindicaciones campesinas integradas en la reforma agraria.[148]

El problema de la burguesía representa el segundo eje del análisis. Por el papel que le asigna, el *Manifeste* se aleja del *Analyse Schématique* y se acerca a algunas tesis del antiguo PSP. Igual que en el caso de los terratenientes feudales, la cuestión está considerada en su perspectiva histórica. Más de un siglo y medio de dominación feudal y feudal-imperialista ha impedido el desarrollo de la burguesía. Por razones tanto económicas como políticas e ideológicas, los burgueses nacionales han sido, en el transcurso de la historia del país, una especie de chivos expiatorios de los feudales. Por eso, salvo una ínfima minoría de burgueses antinacionales ligados al feudalismo y al imperialismo, toda la burguesía fue llamada por el *Manifeste* a participar en la obra de renovación de la sociedad. El desenvolvimiento de las contradicciones burguesía-proletariado puede por el momento ser frenado para resolver otra contradicción más fundamental entre la nación y el imperialismo. Aun la burguesía antinacional tiene la posibilidad de recuperarse si sabe separar a tiempo su destino y los del feudalismo y del imperialismo.

El texto no se limita a esos planteamientos, sino que confiere tanta importancia al problema que nos presenta toda una sociografía de la burguesía, caracterizando de manera concreta sus distintas capas. Es la única categoría social

---

[147] Vladimir I. Lenin, "Para una caracterización del romanticismo económico", *Obras completas*, cit., tomo II, p. 176 (cursivas en el original).

[148] Véase el *Manifeste*, texto mimeografiado, 36 pp.

que se describe tan detalladamente en el texto, lo que corresponde a la preocupación de acabar con las confusiones y mistificaciones que se hicieron a propósito de este concepto en 1946 y 1957. Naturalmente, rechaza la consigna "clase contra clase" que califica de demagógica y se propone como tarea urgente "edificar, sobre la democracia social, la expansión económica necesaria para la continuación de las actividades de las capas dirigentes".[149]

Las "clases medias" —el tercer eje del análisis— no pueden desempeñar "un papel dirigente positivo" en el proceso de renovación nacional. Son categorías sociales históricamente conservadoras, que en algunos casos no rebasan el reformismo. La pequeña burguesía intelectual y los funcionarios luchan únicamente por su salvación individual en el marco de la conservación del régimen. Se limitan generalmente a la gestión de los intereses reaccionarios. Para el *Manifeste* toda la experiencia histórica tanto nacional como internacional confirma esta apreciación. Aun los elementos de las "clases medias" que adoptan la ideología socialista reciben la influencia nefasta del medio social de donde provienen. Es por eso que el texto considera como "una de las batallas políticas más arduas de nuestra historia la que consiste en llevar a las clases medias hacia posiciones conformes con sus verdaderos intereses, la liberación nacional y social [...]"[150]

Para completar esta presentación demasiado breve, hace falta señalar que para el *Manifeste* son los obreros y los demás trabajadores los que deben dirigir todo el proceso de transformación del país. Aquí encontramos una influencia evidente del *Analyse Schématique,* pero el acercamiento no puede ir más allá. En efecto, para el *Manifeste* la revolución que está a la orden del día es una "revolución democrático-burguesa de tipo especial", es decir, una revolución antifeudal y antimperialista. La alianza obrero-campesina representa la base para atraer a las otras categorías sociales, particularmente a la burguesía, en un Frente Nacional Unido Antifeudal y Antimperialista.[151] Estamos muy lejos del Frente Único Proletario en contra de toda la burguesía que pregonaba el *Analyse Schématique.*

No existe duda en que el desarrollo posterior del PEP radicalizó la perspectiva del *Manifeste.*[152] Una lectura del texto hecha no con esta visión, sino más bien con los ojos de la época de su publicación nos permite hacer dos comprobaciones de suma importancia. En primer lugar, se trata en el *Manifeste* de

---

[149] *Ibid.,* p. 5. En la página 22, el *Manifeste* promete a los burgueses la posibilidad de realizar de manera acrecentada "el plusvalor capitalista" si a cambio se deja el papel dirigente a los trabajadores en la revolución antifeudal y antimperialista.

[150] *Ibid.,* p. 21.

[151] En general, estos últimos planteamientos estratégicos sobre el carácter y el principal instrumento de la revolución existían ya en los medios de la izquierda haitiana, especialmente en el PPLN-PUDA. Esto no quita al *Manifeste* el mérito de haberlos sistematizado e integrado por primera vez en un texto de explicación global de la sociedad haitiana y de dar proposiciones para la transformación de esta sociedad. En 1961, el PPLN-PUDA publicará un proyecto de programa donde encontraremos los mismos planteamientos estratégicos.

[152] Esta radicalización se produjo en el plano tanto organizativo como de algunos planteamientos analíticos del *Manifeste.* Por ejemplo, baste señalar que en el momento de su publicación el *Manifeste* no se proponía la fundación de un partido comunista. La polémica entre Alexis y Depestre que precedió la aparición del *Manifeste* apoya esta afirmación.

ofrecer una respuesta totalmente diferente de lo que hasta ahora se ha planteado a la crisis política que se abre a partir de la caída de la dictadura militar de Magloire. Dicho con otras palabras, se trata de llenar el vacío que deja la ausencia de una perspectiva política clara en esta situación. Es así como el programa del *Manifeste* se presenta como una alternativa inmediatamente factible, capaz de agrupar a la gran mayoría de la nación. Aquí trasluce la convicción de que la coyuntura política es todavía inestable, no consolidada y, por lo tanto, susceptible de estallar en cualquier momento.[153]

Así se explica la importancia conferida en el análisis a los tres ejes que hemos señalado. Tanto en el nivel estructural como en el de la última crisis política, son esas categorías sociales (terratenientes feudales, burguesía y clases medias) las que manifiestan su predominio y un grado relativamente alto de actividad.

En este sentido —y es la segunda comprobación—, el *Manifeste* dedica un espacio muy reducido a la clase obrera que no constituye su objeto de estudio particular como categoría social específica. Es cierto que se considera su debilidad numérica, su poca calificación técnica, su gran dispersión en numerosas pequeñas empresas y el "utopismo proletario" que prevalece en su seno. Pero todo esto se enmarca en la presentación de una de "las causas objetivas del tradicional fracaso de las organizaciones políticas de Haití". Se reconoce que esos factores no pueden impedir la formación de un partido obrero, sin embargo en el texto no figura un análisis del desarrollo histórico del proletariado, de las distintas capas que lo conforman y de las anteriores luchas sindicales llevadas a cabo por los trabajadores. Sin duda alguna, tales elementos hubieran abierto nuevos campos de reflexión y de acción para la construcción del partido y su implantación en la clase obrera, sobre todo en el momento cuando precisamente reapareció el movimiento sindical democrático. De todas maneras, la fundación del PEP, marcada por una intensa polémica con el PPLN-PUDA,[154] llevó a la rivalidad de los dos partidos en el terreno sindical y específicamente en la UIH. Esto no hizo más que complicar para cada uno de esos partidos la solución del problema de la conquista de la clase obrera.

No duró mucho la interrupción producida en la vida de la UIH a partir de noviembre de 1960 como consecuencia de la represión desatada en su contra por haber apoyado a la huelga de los estudiantes. En efecto, en marzo de 1961 la central sindical democrática reanudó sus actividades pero con un comité directivo mutilado, pues dos de sus miembros, perseguidos por la policía bajo el pretexto de pertenecer a uno de los partidos políticos comunistas, no pudieron participar en la dirección de la federación.[155] Sólo después de un año se llegó a regularizar la situación del comité directivo.

Al volver a empezar su acción, el movimiento sindical democrático inició un verdadero período de ascenso que proseguiría hasta la clausura de la organiza-

---

[153] "Nuestro programa reúne las condiciones para triunfar hoy día; de todas maneras triunfará pronto, dentro de un año o dos, y se inscribirá tarde o temprano en la realidad." *Manifeste*, p. 28.

[154] Veremos más adelante los principales puntos de esta polémica.

[155] Esos dos miembros eran Henry Merceron y Pressoir Kerlegrand.

ción en diciembre de 1963. Este ascenso se manifestó en todos los aspectos: extensión, luchas, trabajo de propaganda y educación. A pesar de las variadas dificultades impuestas por la dictadura duvalierista, el movimiento sindical democrático logró en el transcurso de esos tres años, no sólo sobrevivir sino tambien fortalecerse y arrastrar un contingente cada vez más numeroso de obreros a la lucha reivindicativa.

Es necesario preguntar ¿cómo en el movimiento sindical ha llegado a mantenerse una corriente democrática en una atmósfera antidemocrática que tiende a acentuarse y a generalizarse? La respuesta exige un estudio detallado de las condiciones económicas y políticas de esos años, que no estamos en condiciones de emprender en el marco de este trabajo. Por ahora se debe señalar que en el momento en que la UIH intentaba poner en práctica la solidaridad obrera, llamando a una huelga general para apoyar la lucha reivindicativa de los trabajadores de una fábrica de cigarros, el gobierno decidió la clausura arbitraria de la federación sindical democrática.

La extensión de la UIH representa uno de los aspectos más significativos del ascenso del movimiento sindical democrático. Sobre un total de 33 sindicatos adheridos a la federación en el momento de su clausura, 22 se afiliaron entre 1961 y 1963.[156] Los 33 sindicatos agrupaban un total de 60 000 miembros.[157] Las informaciones son contradictorias sobre la importancia de esta última cifra respecto al total del proletariado estimado aproximadamente en 165 000.[158] De hecho, en la UIH figuraban no sólo sindicatos de obreros sino también otro tipo de asociaciones de empleados, de trabajadores urbanos por cuenta propia y de campesinos.

Lo que sí es cierto es que en el nivel de la membrecía ninguna de las otras centrales sindicales puede compararse con la UIH. Según datos recogidos de distintas fuentes y con base en las relaciones sindicales internacionales, la UNOH afiliada a la CIOSL no rebasaba los 3 500 miembros. En lo que se refiere a la FOP, sin ninguna afiliación internacional, la cantidad de adeptos se situaba alrededor de 10 000.[159] Estas cifras se confirman por el hecho señalado ya de que la UIH reunía los sindicatos de todas las grandes empresas, particularmente de todos los establecimientos industriales y agro-industriales establecidos por el imperialismo en el país. Además, la UIH había ampliado considerablemente su presencia en las ciudades de provincia y hasta en algunas organizaciones campesinas.

La variedad de las formas de lucha representa otro elemento que constata el ascenso del movimiento sindical democrático. La movilización obrera en esos tres años se mantuvo constantemente en un alto nivel.

[156] Jean-Jacques Doubout y Ulrick Joly, op. cit., p. 67.

[157] Avant-Garde, órgano teórico del PEP, 3a. serie, 3er. año, núm. 1, 14 de enero de 1964. Encontramos esta cifra de 60 000 en otras publicaciones que la dan para 1960 y para la totalidad de los sindicalizados. En comparación con el desarrollo de la UIH, la información de Avant-Garde en más confiable.

[158] BIRF, América en cifras, Instituto de Desarrollo Económico, Washington, 1960, vol. II, pp. 58-59.

[159] Boletín de informaciones de la CIOSL, 29 de junio al 4 de julio de 1959; América en cifras, cit. p. 79. No hemos podido reconstruir el número de miembros de la Federación de Sindicatos Cristianos, pero es también muy inferior al de la UIH.

De todas maneras, las demandas obreras, comparadas con las de los años anteriores de la federación eran más numerosas y abarcaban un abanico más amplio de peticiones. Las luchas se daban por la firma de contratos colectivos de trabajo, en contra de los despidos arbitrarios y de la represión. El proletariado se manifestaba también en contra de las medidas antisindicales, de los impuestos y las contribuciones forzadas que gravaban sus salarios.

En las empresas con los sindicatos más combativos esas luchas desembocaron en huelgas, salvo raras excepciones. Estas luchas existieron fundamentalmente en las grandes empresas controladas por el imperialismo. En casi la totalidad de los casos estas huelgas terminaron con la victoria de los sindicatos. Se pueden citar las huelgas de los trabajadores de las empresas siguientes: Ciment d'Haïti, Secren, Reynolds Mining Co., Minoterie, Kola Borday, Modern Dry Cleaning y otras. Algunos de los sindicatos de estos establecimientos estallaron la huelga más de una vez, como por ejemplo el sindicato de trabajadores de la Minoterie y Ciment d'Haïti. Este último merece mención especial ya que desde su fundación hasta la actualidad se revela como uno de los sindicatos más combativos del país.

En esos años se dieron también en varias regiones del país, particularmente en el valle del Artibonite y en el norte, intensas luchas campesinas contra la expropiación efectuada por terratenientes o por compañías imperialistas. La UIH, además de apoyar estas luchas, se vio involucrada directamente en una de ellas, como en el caso de la Federación de Trabajadores del Noreste, miembro de esta central, que secundando a las Uniones Campesinas de la Región participó activamente en una protesta que fue reprimida y a esta represión respondieron violentamente los obreros y campesinos. El presidente de la Federación fue arrestado y su libertad se logró merced a la acción de la UIH.

Todas estas luchas y movilizaciones fueron las que permitieron a la UIH realizar, por primera vez en la historia del movimiento obrero del país, una manifestación independiente en ocasión del 1º de mayo de 1963. En esta fecha, inmediatamente después de los trabajadores que conforman el desfile oficial, marchó un contingente de 7 a 8 000 sindicalistas de la UIH, enarbolando consignas democráticas e internacionalistas.[160] Esto fue sin duda el resultado de todo el trabajo de propaganda que realizó la UIH y la expresión de una influencia que se fortaleció cada vez más.

El trabajo de propaganda se llevó a cabo bajo distintas formas. *Auberge*, órgano del Sindicato de Trabajadores de Hoteles, Bares y Restaurantes, cumplió durante mucho tiempo con la función de instrumento principal de expresión de la central democrática. Hacia el final del año 1962 vuelve a publicarse regularmente *Le Travailleur*, el periódico de la UIH que había sido fundado desde agosto de 1958 y que por dificultades de organización dejó de aparecer durante casi tres años. En materia de publicaciones, además del periódico la UIH logró poner en circulación, en el transcurso de esos años de ascenso del movimiento, un folleto en el que se exponía toda la lucha de la organización desde su fundación hasta 1960-1961. Otro folleto de la misma índole estaba en preparación ya avanzada en el momento de producirse la clausura de la central.

160 Jean-Jacques Doubout y Ulrick Joly, *op. cit.*, p. 69.

Naturalmente, los medios de propaganda de la UIH no se limitaban a la prensa escrita. Sobre todo durante los dos últimos años se organizaron regularmente, casi cada sábado, veladas culturales con un programa variado de poemas, música, teatro, canto y danza, tendiente a la vez a divertir y educar a los espectadores. Asimismo, la UIH impulsó la constitución de centros de alfabetización y de una policlínica dedicada a atender algunas necesidades médicas de los trabajadores.

En esos años de empuje del movimiento sindical democrático se publicó un Código del Trabajo (1961). En la discusión del proyecto en la cámara legislativa la UIH intentó vanamente hacer oír la voz de los trabajadores.[161] En general, el Código no iba más allá de las conquistas logradas por las luchas obreras desde 1946; al mismo tiempo conservaba todas las relaciones atrasadas de tipo semifeudal vigentes en la sociedad, sobre todo las que se refieren al trabajo agrícola, a los sirvientes, adolescentes y aprendices.[162] Además, debemos señalar que aun las conquistas plasmadas en este Código no se aplican automáticamente hasta hoy día. Luchando en contra de lo que es atrasado en el Código, la UIH ha tenido que librar una batalla constante por el respeto de los logros reconocidos.

En todas las iniciativas y luchas emprendidas por la UIH participan activamente los militantes y simpatizantes de las dos organizaciones comunistas, el PPLN-PUDA y PEP. Nunca será vano insistir sobre el hecho de que difícilmente la central sindical democrática hubiera alcanzado este nivel de desarrollo sin la constante y multiforme ayuda de los partidos comunistas. Tanto en los organismos de dirección de la central como en la base de algunos sindicatos y en las actividades de propaganda o de carácter social, esta ayuda fue valiosa. Por ejemplo, las veladas culturales, los centros de alfabetización y la policlínica, funcionaron fundamentalmente con los esfuerzos y el dinamismo de artistas, estudiantes, profesionales y trabajadores ligados directa o indirectamente con los partidos revolucionarios. Sólo la ilegalidad de estos últimos opacó la variedad y la permanencia de esos lazos.

A pesar, y quizá a causa de esta presencia, las relaciones entre la UIH y los partidos fueron difíciles. Pero no sólo se trataba de las organizaciones comunistas, sino también del sector cristiano progresista que tuvo dificultades con la UIH. Si bien estas últimas se pueden explicar en gran medida por la existencia de una cierta rivalidad con la Federación Sindical Cristiana, este argumento está fuera de lugar por lo que concierne a las relaciones con ambos partidos.

En los años de 1961 a 1963 los conflictos fueron mayores con el PEP, ya que el PPLN-PUDA después de la huelga de los estudiantes, no tenía presencia directa en el consejo ejecutivo de la UIH. Sin embargo, los miembros y simpatizantes de este partido que militaban en esta central se encontraron también inmersos dentro de la tensa atmósfera que imperaba en las relaciones.

¿De dónde proviene esta atmósfera tensa? Si bien la UIH tomó posiciones po-

---

161 Al conocer el proyecto la UIH organizó un congreso para discutirlo y recoger los puntos de vista de los sindicatos. Naturalmente las autoridades no tomaron en cuenta los resultados de las discusiones de este congreso. Véase Jean-Jacques Doubout y Ulrick Joly, *op. cit.*, pp. 80-91.

162 Véanse los artículos correspondientes en el *Code du travail François Duvalier*, Puerto Príncipe, 1961.

líticas en algunas ocasiones, éstas se retringían en lo fundamental a criticar ciertas actitudes del Estado frente al mundo obrero. Es cierto que denunciaba al
imperialismo, pero más que nada esas denuncias se referían a la explotación
en la esfera económica sin relacionarla, salvo raras excepciones, con la política
entreguista del gobierno. Por lo general, la UIH impugnaba las maniobras del
Departamento del Trabajo, las limitaciones al derecho de huelga y todas las
medidas coercitivas implementadas en contra de los trabajadores en la lucha
reivindicativa. No iba más allá; es decir, no aludía a la política general de la
dictadura en su orientación antidemocrática y antipopular.[163] Para caracterizar
esos dos años de ascenso del movimiento sindical democrático, tiene mucha
vigencia esta apreciación de Marx: "Las tradeuniones trabajan bien como centros de resistencia contra las usurpaciones del capital. Fracasan, en algunos casos, por usar poco inteligentemente su fuerza. Pero, en general, son deficientes
por limitarse a una guerra de guerrillas contra los efectos del sistema existente,
en vez de esforzarse, al mismo tiempo, por cambiarlo, en vez de emplear sus
fuerzas organizadas como palanca para la emancipación definitiva de la clase
obrera; es decir, para la abolición definitiva del sistema de trabajo asalariado."[164]

Es precisamente esta falta de ligazón con una perspectiva política revolucionaria lo que ante todo explica las difíciles relaciones entre la UIH y los partidos.

Como causa y efecto de esta situación, la UIH manifestó un celo vivo por la
independencia sindical frente a los partidos. Absolutizando el concepto de independencia sindical, llegó a identificar los aspectos organizacional y político
del problema. Es así como se negó a la vez a tomar posición en las polémicas
entre los partidos y permitió que éstas se desarrollaran en su seno. Claro está
que ninguna de las dos organizaciones quedó conforme con una decisión de
esta naturaleza. Las dificultades con el movimiento comunista se acentuaron
hasta convertirse en "hostilidad" sobre todo hacia el PEP. Todo esto, aunado a
lo antes señalado, expresa una fuerte tendencia apolítica. Éste es el marco en
que se debe entender el calificativo de "anarcosindicalista" que se le da a la
UIH.[165]

Además se criticó a la UIH por algunos aspectos considerados negativos en su
práctica, tales como "vacío de las consignas", falta de ligazón con las masas
obreras, tendencia exagerada a negociar con el Departamento del Trabajo sin
consultar previamente con los propios obreros.[166] Evidentemente, esas críticas,
aun hechas en una prensa clandestina, no crearon un clima favorable al fortalecimiento de la cooperación entre el movimiento sindical democrático y los
partidos revolucionarios.

Cabe preguntarse cuál fue la responsabilidad del movimiento comunista en
esta situación. No se puede ignorar el peso de las lecciones pasadas en los intentos por la reconstrucción de la federación sindical democrática. Aquí nos
referimos tanto a la actividad ya señalada de los grupos políticos electorales,
como a la actuación de uno de los principales dirigentes en la época del PPLN-

163 Jean-Jacqes Doubout y Ulrick Joly, *op. cit.*
164 Karl Marx y Friedrich Engels, *Obras escogidas,* cit., tomo II, p. 76.
165 *Avant-Garde.*
166 *Ibid.*

PUDA que estaba estrechamente ligado a esas iniciativas. Desde ese entonces se estableció una cierta desconfianza hacia las agrupaciones políticas que naturalmente daban prioridad a sus intereses organizacionales. La división de los partidos, incapaces de ponerse de acuerdo sobre una línea de acción sindical, acentuó esa desconfianza y favoreció, de una u otra manera la tendencia apolítica de la UIH.

Además, cuando los partidos llevan a cabo una lucha ilegal tienden a radicalizarse cada vez más; por otra parte el movimiento sindical democrático no puede seguir el mismo ritmo sin comprometer inmediatamente su propia existencia. En este sentido nos parece que, aun teniendo razón sobre lo esencial de sus críticas, los partidos subestimaban la importancia que tenía para la UIH un pasado recién vivido y las especificidades de una lucha sindical democrática que se desarrollaba legalmente en las condiciones de una dictadura terrorista. Difícilmente la UIH, en pleno ascenso, hubiera aceptado en las condiciones de la época, seguir a tal o cual de las organizaciones comunistas que no tenían todavía una presencia marcada ni en la clase obrera ni en general en el país. Los dirigentes sindicales podrían, a su vez, reprochar a los partidos el querer ir demasiado rápido.

De todas maneras, el desarrollo del movimiento sindical democrático, a pesar de sus limitaciones, entró en contradicción con la política cada vez más represiva del duvalierismo. Preparándose para convertir el régimen político en una presidencia vitalicia, la dictadura estaba cada vez menos dispuesta a admitir la existencia de una federación sindical democrática cuyo fortalecimiento se acrecentaba día a día. La manifestación independiente del primero de mayo, la negación por parte de la UIH a firmar en agosto de 1963 un manifiesto de apoyo al jefe de Estado, los numerosos conflictos obreros que se produjeron en ese mismo año, las posiciones antimperialistas del movimiento sindical democrático y la proximidad de las elecciones sindicales en varias empresas para 1964, fueron otros tantos elementos que llevaron a la dictadura a aprovechar el estallido de una huelga general de solidaridad —con la lucha de los trabajadores de la Compagnie des Tabacs "comme il faut"— para acabar con la corriente sindical democrática. En efecto, en diciembre de 1963 se proclamó la disolución de la UIH, y se procedió al saqueo del local de la organización y al encarcelamiento de varios líderes y militantes del sindicalismo.[167] En ese momento se disolvió también la Federación de Sindicatos Cristianos, por haber manifestado su apoyo a la UIH. Así terminó la segunda experiencia del movimiento sindical democrático.

La radicalización del PPLN-PUDA y del PEP que empezaba en esos años (1961-1963) continuó todo el resto del decenio para culminar hacia 1967 con la adopción de la guerrilla como forma principal de lucha en contra de la dictadura y, en enero de 1969, con la fusión orgánica de las dos organizaciones políticas, dando nacimiento al Partido Unificado de los Comunistas Haitianos (PUCH).

[167] Diez miembros de la UIH, entre los cuales estaba casi todo el consejo ejecutivo y la esposa de uno de los dirigentes que la policía no había podido localizar, fueron arrestados en esa ocasión.

Esto quiere decir que, desde el punto de vista de la evolución de los partidos, la desaparición del movimiento sindical democrático no representó un quiebre en el período abierto de 1958. Más bien se integró en un mismo proceso de radicalización que se desenvolvió con sus distintas fases, bajo la doble influencia de la agudización de los métodos terroristas de la dictadura duvalierista y del desarrrollo del movimiento comunista y democrático mundial, particularmente el latinoamericano con el peso de la Revolución cubana.

Allí se sitúa uno de los aspectos medulares del problema del movimiento obrero haitiano en todo este decenio. Al inicio del proceso de radicalización en los años que van de 1961 a 1963, subsistía todavía un movimiento sindical democrático. Pero después, el fenómeno continuó y se acentuó, mientras que la lucha democrática no disponía ya de ninguna de las organizaciones de masas que existían anteriormente. La imposibilidad de funcionamiento de estos sostenes de masas en un país de larga tradición de terrorismo antipopular planteaba la necesidad de buscar nuevas vías. Es así como en vez de un repliegue para sentar firmemente su influencia en las capas populares y llegar a una reconstitución más fuerte y más amplia de esos apoyos de masas, los partidos, en una paulatina marcha hacia adelante, se propusieron en condiciones de clandestinidad, la ofensiva que exigía no sólo tareas más complejas y difíciles, sino también más apoyo de masas.

Es evidente que no podemos analizar aquí todos los problemas políticos e ideológicos relacionados con este proceso de radicalización. Tampoco podemos estudiar las diversas fases y los distintos ritmos de este proceso, fases y ritmos ligados con la evolución interna de cada uno de los partidos. Todo esto puede ser objeto de trabajos ulteriores. Por el momento, nos limitaremos al debate ideológico y a la constitución del Frente Democrático Unificado de Liberación Nacional. No se trata de una selección arbitraria. Entre 1961 y 1963 esas dos cuestiones estrechamente relacionadas formaron los elementos clave de la actividad del PPLN-PUDA que en esos años y hasta 1965 desempeñó el papel más dinámico en el desarrollo de la lucha política progresista del país. Además, la concreción de esos dos elementos sentó las bases de este fenómeno de radicalización y permitió desde esta etapa avanzar hacia la unificación futura de los dos partidos.

Después de resolver una crisis interna provocada en 1961 por los miembros responsables de la acción del partido en la juventud,[168] el PPLN-PUDA lanzó en 1962 una campaña de movilización política para la realización de una amplia alianza en contra de la dictadura duvalierista;[169] y dentro de este marco se publicó, en el transcurso del mismo año, una plataforma programática para el

---

[168] Esos miembros formaban el Buró de la Juventud (BJ) del comité central del PPLN-PUDA y prácticamente dirigían la huelga estudiantil. A principios de 1961, el BJ pregonaba la necesidad para el PPLN-PUDA de empezar lo más rápidamente posible la lucha armada revolucionaria. Véase Victor Redsons, *Génèse des rapports sociaux en Haïti (1492-1970), suivi de: Problèmes du mouvement communiste haïtien (1959-1970)*, París, Éditions Norman Bethune, s.f., p. 58.

[169] *Une étape*, informe del comité central del PPLN, enero de 1962.

Frente Democrático Unificado (FDU) y un periódico clandestino (*Haïti-Demain*) que apareció quincenalmente.[170]

La perspectiva de la formación de este frente indujo al PPLN-PUDA a emprender la crítica de algunos de los planteamientos del PEP expresados sobre todo en el *Manifeste*. La variedad y la permanencia de las divergencias entre los dos partidos nos impiden abarcar toda la polémica que se desarrolló entre ellos durante los diez años que cubren desde la fundación del PEP hasta su fusión orgánica. Sin embargo, se puede señalar que a partir de 1964 esta polémica tendió cada vez más a ocuparse de cuestiones menos fundamentales y en un ambiente impregnado de serenidad, objetividad y fraternidad.[171] Varios factores ligados tanto a la situación política como a la vida interna de esos partidos explican el cambio en las relaciones. Pero el papel fundamental se debe al acercamiento que se produjo en el marco de la política para la realización del FDU. Es por eso que nos abocamos a las discusiones que despejan el camino y posibilitan este acercamiento.

Las críticas del PPLN-PUDA que presentamos se circunscriben al *Manifeste* y giran alrededor de temas relacionados con la actitud frente al imperialismo y a la burguesía. Dos folletos resumen los puntos de vista de este partido sobre esos problemas: "Une thèse opportuniste", publicado en 1962, y "Nos divergences", que aparece un año después.[172] A lo sumo, detrás de todos los planteamientos del PPLN-PUDA encontramos como problema central un desacuerdo profundo entre los dos partidos sobre quiénes son los amigos y enemigos de la revolución y sobre el papel que el *Manifeste* asigna a la burguesía, tanto en la historia como en la actualidad y en el futuro de las luchas sociales del país.

En primer lugar, el PPLN-PUDA rebatía el propósito expresado en la parte programática del *Manifeste* de "respetar los intereses estratégicos de la potencia más grande del continente, los Estados Unidos, con los cuales no somos capaces de entrar en conflicto en esta materia, lo que correspondería a verdaderas provocaciones". El PPLN-PUDA señalaba que los intereses estratégicos del imperialismo son globales tanto en el nivel nacional como en el internacional, es decir, que en el país, en donde el imperialismo norteamericano no tiene ninguna base militar instalada, los intereses estratégicos son al mismo tiempo la política de saqueo de la economía nacional y el total apoyo, por parte de las clases dominantes locales, de esta misma política en otras regiones del mundo. Además, el PPLN-PUDA relacionaba esto con el hecho de que en el programa del

---

[170] Este periódico se publicó durante más de un año en dos ediciones (francés y créole). Después de julio de 1963 fue sustituido por *Rassemblement*.

[171] La diferencia es muy grande entre el tono y el contenido de los primeros textos de los años 1959-1961 ("Erreurs gauchistes et droitières"; "Désordres en haut, désordres en bas") y, por ejemplo, las discusiones en 1964-1965 sobre la naturaleza y el trabajo del FDU.

[172] Yves Farge (seudónimo), "Une thèse opportuniste", 1962; estudio dedicado a criticar los planteamientos del PEP sobre el respeto de los intereses estratégicos del imperialismo; Justin (seudónimo de J.J.D. Ambroise), "Nos divergences", 1963; en este texto el autor expone todos los aspectos de las divergencias entre los dos partidos. Existe también un informe del comité central del PPLN-PUDA presentado en 1963 que sintetiza las críticas de este partido. En este mismo año el PPLN-PUDA publica un estudio intitulado *Notes d'histoire sur l'unité du mouvement communiste haïtien*, donde hace un esbozo histórico del problema de la división en el movimiento desde 1946.

Manifeste, a pesar de que preveía casi todos los aspectos concretos de la política del futuro gobierno revolucionario, nunca se delineó la posición de éste frente a las empresas imperialistas instaladas en el país; tampoco se refería el *Manifeste* al objetivo de la nacionalización del comercio exterior, aspecto esencial para quebrantar la dominación de uno de los pilares del sistema socioeconómico. Así, el antimperialismo, tan afirmado en la parte analítica como uno de los objetivos fundamentales de la revolución, no se traducía en la parte programática en medidas concretas contra algunos de los principales mecanismos de la explotación imperialista.[173]

En relación con la burguesía, que constituía el segundo punto principal y quizá el más importante de las polémicas, las divergencias estribaban en que el PPLN-PUDA discrepaba con el PEP sobre la importancia de la burguesía nacional. No se trataba tanto del problema teórico del papel que podría desempeñar esta burguesía nacional en el proceso de liberación del país, sino más bien de la cuestión práctica relativa a su composición. Claro está que los dos aspectos están estrechamente ligados, pues en la medida que se extiende o reduce su composición se afecta también su función.

Ya desde 1959, el PEP había acusado al PPLN-PUDA de tener una posición izquierdista frente al problema por haber apoyado en las elecciones de 1957 al fignolismo, corriente de tinte populista, y no al candidato (Louis Dejoie) que el PEP consideraba como un representante típico de la burguesía nacional. En esta ocasión, y por primera vez, el PPLN-PUDA, en un texto intitulado "Mise au point", señala la importancia exagerada que le otorga el *Manifeste* a la composición de la burguesía nacional. En los argumentos posteriores, el PPLN-PUDA no varió su posición, salvo que la integró en una perspectiva histórica distinta a la del *Manifeste.* No presenta gran interés el retomar aquí esa discusión de carácter histórico. Señalemos solamente que para el PPLN-PUDA la gran burguesía comercial ha desempeñado siempre un papel antinacional en el marco de la estructura económica semifeudal y semicolonial imperante en el país desde los primeros tiempos de la independencia.[174]

En esta perspectiva, el PEP consideraba "la masa de los grandes burgueses comerciantes" como parte de la burguesía nacional, al igual que los capitalistas exportadores de materias primas agrícolas, los medianos y pequeños comerciantes y los industriales no asociados al imperialismo, mientras que para el PPLN-PUDA, los grandes burgueses comerciantes controlaban la actividad comercial del país y constituían uno de los pilares de las relaciones semicoloniales y semifeudales. Igualmente, los exportadores de materias primas que no invertían en la agricultura y se limitaban a revender los productos agrícolas en el mercado internacional no eran más que grandes comerciantes; todos ellos representaban a los

---

173 En su proyecto de programa publicado en 1961, el PPLN-PUDA plantea como reivindicación indispensable de la revolución la nacionalización de las principales empresas del imperialismo y la nacionalización del comercio exterior.

174 J.J.D. Ambroise, *Cours d'histoire d'Haïti,* publicado por el Cercle Jacques Roumain. Los estudios de los historiadores marxistas haitianos confirman en la actualidad este punto de vista, nos referimos en especial a los trabajos de Joachim Benoit sobre la burguesía haitiana en el siglo XIX.

aliados de los terratenientes feudales y del imperialismo. Por lo tanto, se situaron en el campo de los enemigos de la liberación nacional.

La exacerbación de la lucha antiduvalierista en esos años de la presidencia de Kennedy, la respuesta favorable por parte de diversos sectores patrióticos al llamado para la constitución del Frente Democrático Unificado, la agudización de las batallas antimperialistas en América Latina en relación con la aceleración del proceso revolucionario cubano, las discusiones desarrolladas entre los organismos directivos de los dos partidos para la unidad de acción, favorecieron el acercamiento entre el PPLN-PUDA y el PEP y el esclarecimiento de los puntos fundamentales de divergencia. En mayo de 1963, las dos organizaciones se pusieron de acuerdo para unir sus fuerzas con el objeto de formar el FDU.[175] Dos meses después el PPLN-PUDA, el PEP y una organización democrática denominada Ligue Nationale des Comités Populaires de Resistance,[176] firmaron el acta constitutiva del Frente Democrático de Liberación Nacional (FDLN), pero no se llegan a concretar los esfuerzos para la participación en este frente de la UIH y de las organizaciones de cristianos progresistas.[177]

En una nota introductoria a una edición del *Manifeste* en 1964, el comité central del PEP decidió operar algunos cambios en el texto. Fue así como se reconoció la existencia de grandes negociantes extranjeros en el país desde los primeros momentos después de la independencia. Además se admitió que los comerciantes exportadores de café no pertenecían a la burguesía nacional. Asimismo, se precisó el objetivo de nacionalizar progresivamente las empresas imperialistas instaladas en el país. Por fin, se eliminó la referencia a la necesidad de respetar los intereses estratégicos del imperialismo norteamericano en el continente.

Esas modificaciones consideradas por el PEP como dirigidas solamente a la letra del texto, es decir, como modificaciones formales, representaban en el clima de la época un paso adelante. Por su parte, en el marco de las discusiones entre las dos organizaciones, el PPLN-PUDA desde 1963 reconoció el aporte positivo de Jacques S. Alexis en el desarrollo del movimiento comunista haitiano,[178] lo que siempre había constituido un punto más de divergencia entre ambos partidos. Todo esto les permitió avanzar más firmemente en el proceso de unidad de acción.

175 Acta de la reunión llevada a cabo el 28 de mayo de 1963 entre los representantes de la dirección política de los partidos. Tres días antes, el buró ejecutivo del comité central del PPLN había publicado el texto "Pour consolider l'unité", que marca una etapa en las relaciones de las dos organizaciones.

176 Esta organización agrupa a los patriotas sin afiliación a ningún partido pero movilizados por el PPLN-PUDA en el trabajo para la constitución del FDU.

177 Desde 1946 y aun desde los años treinta, existen bastantes experiencias para hacer un estudio sobre la teoría y la práctica de las alianzas en el movimiento democrático haitiano. Es uno de los problemas candentes de la actualidad que necesita una reflexión crítica sobre las lecciones del pasado.

178 Acta de las discusiones del 25 de mayo de 1963.

CONCLUSIÓN

Con la clausura de la UIH dejó de existir en Haití hasta hoy día un movimiento sindical democrático. Más que el sometimiento y control de los años 1948-1957, esta vez el Estado —en el marco de su política terrorista— subyuga totalmente a los sindicatos colocando a sus agentes de represión, los *tontons macoutes*, en la dirección de las organizaciones sindicales obreras. En los sindicatos estos agentes represivos no conforman un ente relativamente autónomo con una estructura centralizada y específica para el mundo obrero. En la mayoría de los casos dependen de un jefe *tonton macoute* que no tiene nada que ver con las relaciones laborales y que interviene directamente en los asuntos sindicales. Las federaciones obreras gubernamentales también "macutizadas" llevan entonces sólo el membrete.

En estas condiciones, la vida sindical prácticamente desaparece. Los intentos de funcionamiento clandestino de un frente sindical democrático no han producido los resultados esperados. Animada sobre todo por el PEP, esta iniciativa ha tenido poco éxito en vista de la débil implantación de los partidos en la clase obrera. Precisamente por esta razón el objetivo debería ser el contrario: trabajar en los sindicatos controlados por los *macoutes* y reactivar el interés de los trabajadores por las organizaciones sindicales, hasta llegar a cambiar la correlación de fuerzas en el desarrollo de las luchas reivindicativas.

Si bien decae el movimiento sindical en general, esto no quiere decir que los obreros dejen totalmente de luchar. Aun de manera esporádica la protesta obrera sigue manifestándose, sobre todo en algunas empresas donde los partidos mantienen cierta presencia. En este sentido, 1964 representa todavía un año bastante significativo: varias acciones obreras se realizan en contra de la represión y de la macutización de los sindicatos. Después de 1964 y hasta 1968, se registran incluso algunas huelgas y manifestaciones aisladas que son testimonio del descontento obrero.

El Frente Democrático Unificado logra publicar en 1964 su programa y sus estatutos. Desde el punto de vista de la unidad de acción esos textos representan otro paso adelante, ya que los dos partidos, más una organización patriótica, logran por primera vez plasmar en un documento único sus apreciaciones sobre la situación económica y política del país y sobre los objetivos fundamentales de la lucha para la transformación de la sociedad. Pero el FDU no va más allá; no llega a ampliar su base de apoyo y tampoco define formas concretas de organización y lucha. En sus primeros años de vida, limita sus actividades a la publicación de un periódico. Después languidece hasta que sus propios fundadores deciden su disolución con la perspectiva de construir un frente verdaderamente dinámico en el desarrollo de nuevas formas de lucha.

Sin embargo, esta práctica común, aún restringida, permite a los partidos limar paulatinamente sus divergencias. Así se perfilan cada vez con más nitidez las posibilidades de la fusión orgánica. Esta tendencia se refuerza por el hecho de que el movimiento comunista haitiano, a pesar de todas las dificultades, prosigue con el proceso de radicalización. Ya desde 1963-1964, vuelve a la orden del día la cuestión de la utilización de la violencia por los revolucionarios. En un texto intitulado "Les questions du moment", el PPLN-PUDA plantea la necesidad de encaminarse hacia la lucha armada para derrocar a la dictadura duvalierista.

En 1966, el PEP, después de resolver un serie de problemas internos, toma un impulso que lo convierte en la principal organización política del país. Tras dos olas de represión que lo golpean sucesivamente en 1965 y 1966, el PPLN-PUDA sale considerablemente debilitado en su capacidad de acción. El empuje en el desarrollo del PEP reviste todas las características de un ascenso en la lucha de los comunistas.

Los esfuerzos de los dos partidos se concentran en poner en acción y a breve plazo la lucha armada. En el mismo año de 1967 tanto el PEP, en el texto "Voies tactiques", como el PPLN-PUDA en "PUDA face aux impératifs de la lutte", definen las líneas generales y los objetivos fundamentales de esta lucha. En esos dos textos existen más puntos de convergencia que de desacuerdo. Y puesto que sobre los problemas del movimiento comunista mundial las dos organizaciones sostienen *grosso modo* la misma posición, la fusión orgánica se concreta en enero de 1969 para dar nacimiento al Partido Unificado de los Comunistas Haitianos (PUCH).

Es necesario señalar que en el marco de todo este desarrollo que conduce a la unificación, se realiza también un intenso trabajo de clarificación ideológica. Empezando desde los años anteriores, este trabajo se enriquece cuantitativa y cualitativamente. Abarca distintos temas de la vida económica y política del país para profundizar el conocimiento de la realidad nacional en relación con las necesidades de la lucha revolucionaria. Aquí también se debe destacar el valioso aporte de algunos militantes del PEP en la época.

En lo que se refiere a la implantación de los partidos en el proletariado, el problema se complica con la desaparición de la UIH. Ya en la época de ascenso del movimiento sindical no se puede hablar de una total impregnación de los planteamientos de la dirección de la UIH en la base. El trabajo de educación puesto en práctica por la central, no obstante la diversidad de sus formas, está todavía lejos de alcanzar a la totalidad de los obreros afiliados. Además existen en las propias concepciones de la UIH todas las limitaciones propias a una falta de visión política. Esas limitaciones necesariamente se reflejan en el pequeño grupo de trabajadores al que llega la propaganda de la UIH. La ausencia de una respuesta por parte de los trabajadores a las medidas de disolución de la UIH, indica de por sí el limitado alcance logrado en el desarrollo de la conciencia y de la organización.

En los años posteriores a la clausura de la UIH la situación se agrava. La conciencia obrera conoce un verdadero reflujo. Acosados por la intimidación y la represión, con las organizaciones sindicales macutizadas, los obreros están lejos de llegar a la visión de la "identidad" y "totalidad" de sus intereses y de la "oposición" de éstos con las clases dominantes, otros tantos elementos básicos para la conformación de una verdadera conciencia de clase.

Inmersos en la problemática de la lucha armada, los partidos menosprecian en lo general el trabajo específico en los sindicatos. Es muy significativo que ninguno de los dos partidos plantee en sus textos tácticos —ya mencionados—

la cuestión propia de las organizaciones sindicales. A pesar de las indicaciones que aparecen en algunos estudios del período sobre la necesidad de impulsar las luchas reivindicativas obreras, predomina la tendencia a dar prioridad a la movilización para la lucha política directa. Con esto se descuidan los mecanismos que generalmente permiten el establecimiento de relaciones orgánicas con el proletariado. Excepción hecha del reclutamiento de algunos obreros, la cuestión obrera queda relegada a un segundo por no decir tercer lugar.

La realización de acciones armadas vuelca toda la fuerza del Estado sobre los partidos. La represión es una realidad que nunca ha faltado en la historia del movimiento. Pero a partir de 1967, toma el rumbo de un terror anticomunista sistemático que se generaliza entre los meses de marzo y julio de 1969, con la masacre de centenares de militantes y simpatizantes comunistas. El Segundo Congreso Nacional del Trabajo, que tiene lugar en el mismo año, nos da una cierta idea de la situación. Al contrario del primero, celebrado veinte años antes, ninguna voz democrática se levanta siquiera de manera leve en este congreso para plantear los problemas de la lucha de los trabajadores. Después de 1969, dos olas de represión golpean otra vez al PUCH en 1974 y 1976, complicando considerablemente la tarea de reanimación de la actividad de este partido. Sin embargo, en el año de 1978 el PUCH alcanza una importante etapa en su vida y organiza su Primer Congreso donde delinea nuevas perspectivas de lucha.

Desde sus orígenes, la evolución del movimiento obrero haitiano presenta una característica esencial que permite entender su débil desarrollo. Como creemos haberlo destacado en el texto, se trata del constante desfase entre el ritmo de la acción sindical y la de la actividad de los partidos que se definen ante todo como portadores de los intereses y de la ideología libertadora del proletariado. Este desfase, que se manifiesta hasta hoy día, en ningún caso quiere decir falta absoluta de ligazón; en las dos experiencias del movimiento sindical democrático, el aporte de los partidos es innegable. Sin embargo, a partir de esos lazos éstos no llegan a implantarse verdaderamente en la clase obrera.

Por su tradicional carácter antidemocrático y antinacional, el Estado está sumamente interesado en impedir en los momentos de avance todos los intentos de convergencia de los dos campos de acción del movimiento obrero. Allí precisamente interviene el peso de la represión que, por el nivel de desarrollo económico y político del país y por la agudeza de la lucha de clases en tal o cual momento, alcanza a veces una amplitud y una brutalidad raras veces superadas en otros lugares del continente.

Pero a pesar de su constancia, la represión no hace nada más que dificultar el desarrollo del movimiento; no explica por sí sola la problemática del desfase. De lo contrario, nos encerraríamos en un círculo vicioso que solamente podría romperse con la destrucción del Estado y caeríamos en la idea de que la fusión nunca podría efectuarse antes de la conquista revolucionaria del poder.

Si bien desde 1932 todos los partidos en realidad reconocen el papel de vanguardia del proletariado en todo proceso de transformación radical de la sociedad, esa afirmación se queda todavía en el nivel de un postulado teórico. No tenían esos partidos una práctica sistemática que hiciera de la cuestión el punto central de su actividades, de manera que, sin incurrir en ningún obrerismo, les hubiera permitido establecer una cierta concordancia entre su posición ideológica y su actuación en la clase obrera. Aun en los análisis programáticos donde se tratan de precisar los contornos del proletariado y la situación concreta de esta clase, se constata en algunos casos o una cierta laxitud en la definición del proletariado o un insignificante espacio dedicado al problema. La extensión desmesurada que el *Analyse Schématique* concede al proletariado; el lugar reducido que tiene el análisis de la clase obrera en el *Manifeste*; las discusiones entre el PEP y el PPLN-PUDA sobre la existencia o inexistencia de una fracción de "intelectuales proletarios" en el país; el silencio casi absoluto de "Voies tactiques" y "PUDA face aux impératifs de la lutte" sobre la lucha reivindicativa obrera en la implantación de la táctica de la lucha armada; son algunos testimonios de la agudeza del problema.

Ahora bien, es necesario preguntarse: ¿de dónde proviene este desequilibrio entre el postulado teórico y la práctica de los partidos en lo que se refiere a la conquista de la clase obrera? Sería fácil atribuirlo al origen y/o a la mentalidad pequeñoburguesa de los dirigentes políticos y sindicales. Como una llave maestra se suelen explicar así todas las dificultades del movimiento obrero haitiano. Si bien en nuestra formación social el peso de las actividades pequeñoburguesas y su influencia en el mundo obrero son realidades insoslayables, no por eso constituyen elementos que nos permitan dilucidar toda la evolución del movimiento. Con una tasa tan elevada de analfabetismo y con un nivel tan bajo de cultura en la sociedad en general, difícilmente se pueden escapar a esas realidades. En estas condiciones, el movimiento obrero haitiano estaría irremediablemente condenado a un desarrollo raquítico hasta la realización de una doble revolución industrial y psicológica.

Para nosotros hay que ir más allá de este otro factor de explicación. Como hemos visto a través del texto, la influencia de la coyuntura política en los planteamientos programáticos de los partidos es casi siempre muy acentuada y no podía ser de otra manera tratándose de organizaciones políticas. Sin embargo, eso trae dos consecuencias. Por un lado, como los obreros no tienen un papel relevante en el desarrollo de esas coyunturas, se tiende a encarar con mucha cautela la cuestión del peso específico de la clase obrera no en lo teórico sino más bien en el desenvolvimiento de las futuras batallas decisivas de la nación. Precisamente, se puede señalar aquí la influencia de ciertas experiencias históricas que enseñan cómo en un grado incipiente de desarrollo capitalista los campesinos ocupan un lugar sobresaliente en esas batallas decisivas. Pensar que durante todo el siglo XIX y hasta 1920 las grandes luchas sociales del país fueron libradas por los trabajadores del campo, nos lleva pues a entender la causa principal de esta prudencia con respecto al peso de la clase obrera en la lucha por la conquista del poder.

En segundo lugar, y estrechamente ligado con lo anterior, no se relaciona el análisis de la coyuntura con una apreciación profunda de la dinámica de las relaciones capitalistas en nuestra formación social. Claro está que no basta la mera comprobación del débil desarrollo de aquéllas, puesto que esto no impide la tendencia a sobrestimarlas o subestimarlas en el análisis de la sociedad, conllevando directa o indirectamente consecuencias negativas en la práctica política de las organizaciones.

Es significativo que hasta hoy día no exista en el acervo del movimiento obrero haitiano un trabajo sobre la historia y la importancia real de esas relaciones en la economía nacional. Pensando en el caso típico de Lenin que casi inicia la problemática de la construcción del partido con el estudio de las relaciones capitalistas, nos parece que se puede considerar este ejemplo como una indicación del punto de partida de la acción de los partidos en lo que se refiere a la conquista del proletariado aun en una formación social precapitalista.

Actualmente se están creando las condiciones que pueden permitir al movimiento comunista haitiano sentar su acción sobre bases más firmes. En relación con la extensión de las relaciones capitalistas que se da en el transcurso de este decenio, los obreros haitianos son los que desempeñan el papel más importante en la lucha por la conquista de los derechos democráticos.

En efecto, reaparecen las manifestaciones, las protestas, las huelgas por la defensa de los intereses inmediatos de los trabajadores, en contra de las direcciones macutizadas de los sindicatos y por la profundización del proceso de "liberalización". En la fábrica Ciment d'Haïti, donde existe una situación de conflicto permanente por ser su sindicato uno de los más combativos, los trabajadores llegan incluso a imponer la intervención del Estado en la gestión de la empresa.

Por primera vez en la historia del país los obreros toman la iniciativa en un ambiente político relativamente estable y esto se presenta como una situación muy prometedora. Si el PUCH llega a situarse a la vanguardia de las luchas obreras, a mantenerlas, ampliarlas y llevarlas adelante, entonces la clase obrera tendrá la capacidad de influir cada vez más sobre la batalla por la conquista de las libertades democráticas. Y en esas condiciones, la próxima coyuntura se presentará de una manera diferente en el sentido de que el peso de la clase obrera irá cobrando una mayor importancia. Así se podrán sentar bases sólidas para la implantación del partido en el mundo obrero y para la realización de la fusión entre la acción sindical y política de la clase obrera, en la perspectiva de la transformación revolucionaria de la sociedad haitiana.

BIBLIOGRAFÍA

Limitamos la bibliografía a los trabajos más importantes dedicados específicamente al movimiento obrero haitiano para el período que hemos estudiado. En este sentido no señalamos todos los estudios sobre los diversos temas de la vida nacional donde se pueden encontrar referencias útiles al movimiento sindical y al desarrollo de los partidos. Asimismo no indicamos los trabajos sobre movimiento obrero latinoamericano donde por lo general se hace una demasiado breve presentación sobre Haití y a veces con informaciones poco confiables. Tampoco citamos las publicaciones de las organizaciones sindicales y políticas, colecciones de periódicos, folletos que en la mayoría de los casos son de muy difícil acceso. [Se incluye, además, una bibliografía general sobre Haití. E.]

I. Sobre el sindicalismo

Actes du Premier Congrès National du Travail, Puerto Príncipe, 1949.

Doubout, Jean-Jacques y Ulrick Joly, *Notes sur le développement du mouvement syndical en Haïti*, Imprimerie Abecé, 1974.

Fignolé, Daniel, *Contribution à l'histoire du mouvement syndical en Haïti*, tomo I, enero de 1946-noviembre de 1947, Puerto Príncipe, Imprimerie Eben-Ezer, 1954.

II. Sobre legislación obrera

Code du Travail François Duvalier, Puerto Príncipe, Imprimerie de l'État, 1961.

Latortue, François, *Le droit du travail en Haïti*, Puerto Príncipe, Imprimerie Les Presses Libres, 1961.

Legendre, Franck, *Recueil de législation ouvrière*, Collection du Cent-cinquantenaire, Puerto Príncipe, Imprimerie Les Presses Libres.

III. Sobre los partidos

Oeuvres choisies de Jacques Roumain, Moscú, Éditions du Progrès, 1964, prefacio de Jacques Stéphen Alexis.

Trouillot, Hénoch, *Dimensions et limites de Jacques Roumain*, Puerto Príncipe, Éditions Fardin, 1975.

Trente ans de pouvoir noir, Montreal, Collectif Paroles, 1976.

IV. Bibliografía general

Alexis, Jacques, *El marxismo en Haití*, Chilpancingo, Gro., México, Colección de los Trabajadores en América Latina, 17, Universidad Autónoma de Guerrero, Centro de Estudios del Movimiento Obrero Salvador Allende, 1983.

Anglade, G., *Mon pays d'Haïti*, Puerto Príncipe, Les Éditions de l'Action Sociale, 1977.

Antonin, Arnold, *La larga y desconocida lucha del pueblo de Haití*, Caracas, Anteo, s.f.

Arcelin, Jacques, *Haïti et la socialdemocratie. Critique des impératifs de la conjoncture de Leslie F. Manigat*, Nueva York, Mouvement Haïtien de Libération, 1980.

Bastien, Remy, "Haití: ayer y hoy", en *Cuadernos Americanos*, mayo-junio, México, 1951.

Bellegarde, Dante, *La résistance haïtienne*, Montreal, Beauchemin, 1963.

Bitter, M., *Haïti*, París, Seuil, 1970.

Casimir, Jean, *La cultura oprimida*, México, Nueva Imagen, 1980.

Castor, Suzy, *La ocupación norteamericana de Haití y sus consecuencias (1915-1934)*, México, Siglo XXI, 1971.

Cherelus, R., "Unidad de los comunistas en Haití", en *Revista Internacional*, núm. 7, Praga, julio de 1969.

Delince, Kern, *Armée et politique en Haïti*, París, L'Harmattan, 1979.

Doubout, J. J., *Haïti: féodalisme ou capitalisme*, Imprimerie ABECE, 1973.

Federación de Estudiantes Dominicanos, *Haití. Un pueblo en cautiverio*, Puebla, México, Universidad Autónoma de Puebla, 1981.

Fortune, Georges, *Haití, país de la magia*, Guarenas, Venezuela, Talleres Gráficos del Fondo Latinoamericano de Cultura Popular, 1977.

Hector, Auguste Michel, "La formación del proletariado en Haití", en *Historia y Sociedad*, núm. 18, México, 1978.

Hipolitte, Frank, "La realidad social actual y el contexto revolucionario", en *Características generales y particulares del proceso revolucionario en América Latina y el Caribe*, Conferencia Científica Internacional, Memorias, La Habana, 14-18 de abril de 1982.

Hilarión, Manuel, "En Haití nace un frente sindical", en *El Movimiento Sindical Mundial*, núm. 7-8, México, julio-agosto de 1964.

Labelle, Michelini: *Idéologie de couleur et classes sociales en Haïti*, Presses de l'Université de Montréal, 1978.

Luc, Jean, *Structures économiques et lutte nationale populaire en Haïti*, Éditions Nouvelle Optique.

Partido Comunista Haitiano, *Analyse Schématique, 1932-1934*, Puerto Príncipe, Valcin-Éditeur, 1934.

Parti des Travailleurs Haïtiens, *Manifeste-programme du PTH*, 1966.

——, *Status du Parti des Travailleurs Haïtiens*, 1966, mimeo.

——, *Rapport sur le projet de statuts du Parti des Travailleurs Haïtiens*, 1966.

Parti Unifié des Communistes Haïtiens, *Manifeste-programme du Parti Unifié des Communistes Haïtiens*, 1978.

Pierre-Charles, Gérard, *Política y sociología en Haiti y la República Dominicana*, México, Instituto de Investigaciones Sociales, UNAM, 1974.

——, *Haití: radiografía de una dictadura*, México, Nuestro Tiempo, 1969.

—— (coord.), *Haití bajo la opresión de los Duvalier*, Culiacán, Universidad Autónoma de Sinaloa, 1980.

——, *Haití: la crisis ininterrumpida: 1930-1975*, La Habana, Cuadernos Casa, núm. 19, Casa de las Américas, 1978.

——, "Haití: el fracaso del proyecto neo-duvalierista", en *El Caribe Contemporáneo*, núm. 3-4, CELA-UNAM, México, julio de 1980.

Pierre-Antoine, Claude, "El mundo laboral y las luchas democráticas en Haití (1976-1979)", en *Revista Sindical*, núm. 2, CPUSTAL, México, noviembre de 1979.

Pignole, Daniel, *Contribution à l'histoire du mouvement syndical en Haïti*, Puerto Príncipe, Eben-Ezer, 1954.

Rodríguez, Marcia, *Haití, un pueblo rebelado. 1915-1981*, México, Maccio, 1982.

Romulus, Marc, *Las mazmorras de la muerte*, México, Comité Mexicano de Solidaridad con el Pueblo de Haití, 1978.

Ross, Michael, "El terror contra los sindicatos libres", en *Mundo del Trabajo Libre*, núm. 95, órgano oficial de la CIOSL y de la ORIT, México, marzo de 1958.

Tejeda, Luis, "La matanza haitiana y el proceso de acumulación originaria", en *Realidad Contemporánea*, núm. 14, Santo Domingo, septiembre de 1975.

EL MOVIMIENTO OBRERO DOMINICANO, 1870-1978

RAFAEL CALDERÓN MARTÍNEZ

INTRODUCCIÓN

Dentro de la compleja correlación de fuerzas políticas y económicas que se mueven en el plano internacional con objetivos claramente definidos y altos criterios de organización, y ante el creciente estado de la internacionalización del capital voraz, el modelo político-económico vigente en la República Dominicana ha mostrado su evidente incapacidad para generar el tipo de desarrollo que demanda con urgencia la sociedad dominicana. Esta incapacidad ha sido más notable en la última década, en la que se ha profundizado la dependencia estructural y ha crecido la miseria de las clases trabajadoras del país y otros sectores marginados de la población que constantemente se concentran en las periferias de la capital de la República y otras ciudades importantes, lo que facilita y explica en gran medida la superexplotación de la fuerza de trabajo.

Bajo estas condiciones la clase y fracciones de clases dominantes en su afán de reproducir permanentemente el capital, mantienen en constante estado de represión a la clase trabajadora, aunque esto implique la violación consuetudinaria de sus propias leyes. Los variados tipos y niveles de represión, incluyendo los ejecutados con determinada sofisticación, han llevado a la clase obrera organizada y no organizada a una casi sistemática posición defensiva que ha restado calidad, fuerza y proyección efectiva al necesario crecimiento y fortalecimiento de las organizaciones de los que venden su fuerza de trabajo como única alternativa para sobrevivir.

La profundidad y alcance de la represión ha influido poderosamente en el lento proceso de la toma de conciencia de clase, ha orientado los esfuerzos y lucha del movimiento obrero hacia frecuentes posiciones economicistas, ha provocado una mayor agudización de las contradicciones antagónicas y al mismo tiempo ha contribuido a su significativo despertar clasista que ha permitido acciones más definidas y concretas para lograr la unidad de la clase trabajadora y la realización de su papel esencial de provocar, más tarde o más temprano, la ruptura definitiva con las actuales condiciones de explotación.

También han logrado las clases dominantes con la represión de los últimos años, un proceso constante de división y atomización del movimiento, frente a la necesaria e impostergable unidad monolítica de todos sus sectores en torno a sus intereses de clase.

A lo largo del tiempo sectores específicos del movimiento obrero han evidenciado su debilidad y escasa conciencia de clase aceptando o buscando el apoyo del poder político y económico de las clases dominantes, con el propósito de

[253]

enfrentar en condiciones aparentemente más favorables sus adversidades y pretendiendo asegurar de este modo determinada estabilidad económica particular y/o de grupos. Estas circunstancias han hecho posible el incremento creciente de la organización de sindicatos plegados a la política estatal, los que generalmente mantienen una permanente controversia ideológica dentro de la propia clase trabajadora.

Sin embargo, sobre todo en los años más recientes, sectores importantes de la clase trabajadora organizada están asistiendo a un gran esfuerzo en su lucha por el logro de la unidad del movimiento; se han alcanzado mayores niveles de conciencia política, y se ha adquirido un conocimiento menos anecdótico y más real de sus relaciones con las clases dominantes.

Así pues, el camino recorrido en los últimos años ha forzado una mayor incursión en el análisis de las causas profundas que mantienen y reproducen las miserables condiciones de vida y las pésimas condiciones de trabajo a las que está sometida la clase trabajadora. Sin duda, estos pasos han hecho comprender a algunos sectores obreros la desigualdad y las bases políticas y económicas del proceso de transformación que se registra en la sociedad dominicana de hoy. Perciben ya con más claridad y en forma comparativa su propia situación y esto los lleva a luchar con más conciencia de clase por los cambios necesarios para satisfacer sus necesidades de acuerdo con sus intereses.

Dentro del proceso que favorece la consolidación del movimiento obrero, una debilidad notable ha consistido y consiste en la escasa o nula participación activa que tienen en dicho proceso las masas obreras y en los persistentes esfuerzos de la pequeña burguesía para sustituir al obrero de la dirección del sindicato, no permitiéndose de este modo el surgimiento de suficientes líderes verdaderamente obreros que puedan hacer un papel efectivo en el plano dirigencial.

I. DESARROLLO DEL CAPITALISMO E HISTORIA DE LA FORMACIÓN DEL PROLETARIADO DOMINICANO

Precisiones sobre el desarrollo del capitalismo mundial

Sin lugar a dudas, la explotación de los más débiles constituye la única vía posible del desarrollo y expansión del sistema capitalista mundial.

Al final de la segunda mitad del siglo pasado y principios del presente, el capitalismo se definía esencialmente por su carácter monopólico y por su clara tendencia a incorporar los países más débiles y atrasados a las estructuras económicas y políticas de las grandes potencias del globo. De la exportación de mercancías manufacturadas e importación de materias primas adquiridas a precios irrisorios, se pasó al predominio de la exportación de capitales por las vías del crédito a altos intereses y las inversiones directas amparadas en increíbles concesiones otorgadas por los gobiernos locales. Las entidades bancarias y las grandes compañías que más tarde se transformarían en complejas corporaciones del negocio internacional fueron los medios más frecuentemente utilizados para la canalización e internacionalización del capital acumulado y centralizado.

La naturaleza misma de las leyes del sistema capitalista obligan a la búsqueda constante y acelerada del incremento del capital, lo que hace necesario maximizar los niveles de explotación de las clases trabajadoras de todos los países donde ejerce su predominio directo o indirecto. De aquí que sea vital para la existencia y prolongación del sistema la exportación e inversión de capitales en países que, por sus condiciones estructurales internas, ofrecían y ofrecen la efectiva oportunidad de satisfacer esta tendencia natural del capitalismo en cuanto a incrementar sin límites el capital.

La inversión directa de capital y los empréstitos, tanto al sector público como al privado, han representado para el capitalismo uno de los mecanismos más seguros para lograr la desnacionalización progresiva de los recursos renovables y no renovables de los países más débiles y atrasados, así como su rápida integración al mercado mundial capitalista en condiciones ampliamente desventajosas.

Con la exportación e inversión de capitales no sólo se hace más fácil y efectivo el control y manejo de las clases dominantes locales y el Estado que las representa, sino que se trata de un mecanismo que en la medida que se amplía y profundiza, garantiza la revitalización y estabilidad de la economía de las potencias mundiales capitalistas. Transitando este camino, países como la República Dominicana fueron condenados desde un principio a la imposibilidad de contar con una burguesía nacional independiente, y en consecuencia al mantenimiento y profundización de la dependencia económica, política e ideológica.

Definida esta situación las posibilidades de la exportación de capitales se intensifican, y la necesidad de que éstos sean demandados por los países menos desarrollados es cada vez más grande. Así se explica la creciente acumulación de capitales y la concentración de la producción del mundo capitalista en empresas cada vez más gigantes y complejas, siendo éstas, en muchos casos, verdaderos gobiernos con poderes superiores a los gobiernos nacionales, ya que hoy en día las grandes corporaciones y los bancos mundiales tienen sus planes y operaciones centralizadas a escala mundial y dominan con gran eficacia la circulación internacional del dinero.

Algunos datos que denuncian el carácter centralizador y expansionista del capitalismo se exponen a continuación. En 1907 en Alemania el 0.9% de las grandes empresas empleaban el 39.4% del total de los obreros; utilizaban el 75.3% de los 8.8 millones de caballos de fuerza de vapor de las empresas alemanas, y el 77.2% del total de kilovatios de electricidad utilizada. En 1909 en Estados Unidos, a 3 060 empresas, que representaban el 1.1% del total, les correspondía el 43.8% de la producción total anual valorada en 9 mil millones de dólares, generados a través de 258 ramas industriales que absorbían el 30.5% del total de obreros. Por otro lado, más de la cuarta parte del total de las empresas industriales eran propiedad de corporaciones que empleaban el 75.6% de los asalariados y que representaban el 79% de la totalidad de la producción.[1]

1 Véase V. I. Lenin, *El imperialismo etapa superior del capitalismo*, Buenos Aires, Ateneo, 1972, pp. 19, 20 y 27.

Bajo estas perspectivas del desarrollo del capitalismo y de la existencia de más de una potencia con fuerza suficiente para dominar gran parte del mundo, era inminente la repartición de los países del planeta con el propósito de que cada potencia pudiera explotar una determinada área, aparentemente sin mayores dificultades de competencia entre ellas.[2] En este contexto, antes de la primera guerra mundial el capital invertido en el extranjero por Inglaterra, Francia y Alemania, oscilaba entre 175 y 200 mil millones de francos, lo que con un interés de 5% les dejaría un beneficio de 8 a 10 mil millones anuales. De 1890 a 1915 Inglaterra y Alemania invirtieron en Argentina, Brasil y Uruguay unos 4 mil millones de dólares que les permitían controlar el 46% del total del comercio de estos tres países.[3]

Para el caso específico de América Latina, el predominio y control económico y político fue ocupado relativamente en poco tiempo por Estados Unidos. En 1880 se registra en la región una inversión directa norteamericana ascendente a 100 millones de dólares. Ya en 1897 esta suma se había triplicado y en 1914 sumaba 1.7 billones de dólares, superando las inversiones de Francia en 1.2 billones y a Alemania en 0.9 billones, aunque por debajo de la Gran Bretaña en 3.7 billones. La penetración económica de Estados Unidos en América Latina fue tan estrepitosa que en 1914 controlaba apenas el 17% de las inversiones en la región y ya para 1929 ejercía el control directo del 40% de las mismas.[4]

Lenin fue ampliamente objetivo al afirmar que la explotación gigantesca del planeta sería uno de los rasgos esenciales del siglo xx. Hoy en día, las 298 corporaciones mundiales más importantes con sede en Estados Unidos, reciben el 40% del total de sus beneficios netos fuera de ese país. Entre 1960 y 1970 cerca del 68% de las operaciones fabriles realizadas en América Latina por las corporaciones mundiales radicadas en Estados Unidos fueron financiadas con capital de la región. Para ese mismo período estas grandes empresas extrajeron de América Latina el 79% de sus beneficios netos. Sin embargo, de cada dólar de beneficio neto obtenido, 52 centavos salieron del país donde operaba la filial de la corporación, a pesar de que el 78% de la inversión necesaria para generar un dólar de beneficio neto procedía de fuentes locales.[5]

La concentración de enormes capitales a través de entidades bancarias cons-

2 "En estos últimos años todos los territorios libres del planeta, a excepción de China, han sido ocupados por las potencias de Europa y Norteamérica. Esto ha originado ya algunos conflictos y modificaciones de las esferas de influencia, precursores de transtornos más temibles en un futuro próximo. Porque hay que apresurarse: las naciones que aún no han tomado precauciones corren el riesgo de no recibir nunca su tajada y de no participar nunca en la explotación gigantesca del planeta, que será uno de los rasgos esenciales del próximo siglo, es decir del siglo xx. Por eso, toda Europa y América han sido presas en los últimos tiempos de la fiebre de expansión colonial, del imperialismo, que es el rasgo más notable de fines del siglo xix", J. E. Driault, *Problèmes politiques et sociaux*, citado por V. I. Lenin, *op. cit.*, p. 107.

3 V. I. Lenin, *op. cit.*, pp. 79 y 83.

4 NACLA, *The contribution of US private investment to underdevelopment in Latin America*, pp. 2 y 8.

5 Richard J. Barnet y Ronald E. Muller: *Los dirigentes del mundo: el poder de las "multinacionales"*, Barcelona, Grijalbo, 1976, pp. 15 y 215.

tituye un mecanismo muy eficaz de las transnacionales. En Estados Unidos se cuenta con 13 mil bancos y sólo cuatro de éstos: el Bank of America, el Chase Manhattan, el First National City Bank y el Manufacturers Hanover Trusts, tenían en 1970 más del 16% de todo el capital bancario norteamericano. Entre los cincuenta más importantes retenían el 48%.[6]

Es dentro de estas transformaciones y proyecciones expansionistas y de dominación del sistema capitalista mundial y del imperialismo norteamericano en particular, donde se han configurado de manera deformada y dependiente las estructuras económicas, políticas e ideológicas de los países latinoamericanos. Las necesidades específicas y las perspectivas de desarrollo de los grandes centros capitalistas han mantenido su carácter dominante y determinado por mucho tiempo la naturaleza de los intereses, necesidades y desarrollo de cada país y de la región como conjunto, más aún después de haberse consolidado la internacionalización del capital y la producción entra en la fase en que las fronteras nacionales tienden a ser prácticamente inexistentes, fenómenos estos que profundizan la debilidad endémica de las burguesías locales.

De aquí lo difícil que resulta, por no decir imposible, el desarrollo de burguesías nacionales coherentemente estructuradas en América Latina, puesto que la profundización de las contradicciones en el nivel de las fuerzas productivas y las relaciones de producción del capitalismo mundial no están en condiciones de soportar, al menos por mucho tiempo y en varios países a la vez, ni siquiera revoluciones democrático-burguesas, ya que esto generaría un verdadero desequilibrio en el orden interno que hoy rige al capitalismo y facilitaría más la instauración de regímenes socialistas, puesto que la clase trabajadora ampliaría sus bases cuantitativa y cualitativamente y se fortalecería orgánica e ideológicamente. Dentro del contexto y características de la internacionalización del capital y la producción capitalista, la forma en que se desarrolla la contradicción principal entre burguesía y proletariado ha representado sin lugar a dudas la más fuerte limitación de la lucha de la clase obrera en la sociedad capitalista. Sin embargo, estas mismas relaciones obligan a que las leyes capitalistas se tornen cada vez menos petrificadas y que surjan nuevas contradicciones y se agudicen más aún las existentes.

En la historia del capitalismo mundial la contradicción principal entre burguesía y proletariado y los mecanismos para garantizar una creciente explotación de las clases trabajadoras se observan con gran claridad en las propias contradicciones naturales que se registran tanto en la infraestructura como en la superestructura. En el nivel de la infraestructura la contradicción principal que se constata y que da vigencia al capitalismo es la del carácter privado de la propiedad capitalista de los medios de producción y el carácter social que adopta la fuerza de trabajo. La naturaleza misma de esta contradicción implica forzosamente el incremento constante de las ganancias del capitalista, así como el desarrollo y perfeccionamiento creciente de los medios de producción. Este fenómeno no sólo agudiza las contradicciones sino que las multiplica incesantemente, haciendo mucho más difíciles las condiciones de vida del trabajador y reproduciendo permanentemente las contradicciones antagónicas entre la burgue-

---

[6] Richard J. Barnet y Ronald E. Muller, *op. cit.*, pp. 346-347.

sía y el proletariado. Este carácter privado de la propiedad capitalista de los medios de producción, frente a una clase que sólo cuenta con su fuerza de trabajo dispuesta a ser vendida en todo momento, garantiza al capitalista la profundización constante de la explotación a la que está sometido el proletariado.

En el nivel jurídico-político la contradicción más importante se aprecia en el carácter adverso del aparato jurídico-político que regula las instituciones y la sociedad global. La función de reglamentación de este aparato está en manos de la burguesía, quien la ejerce a través del Estado con el objeto de asegurar la máxima extracción de plusvalor y la separación de la clase trabajadora de la propiedad de los medios de producción. En un determinado grado de desarrollo de las fuerzas productivas y de la conciencia de clase del proletariado, las contradicciones del sistema suelen apreciarse con mayor claridad en este nivel, ya que, con frecuencia, la clase dominante, ante las demandas crecientes de los trabajadores, se ve precisada a recurrir a sutilezas legales para calificar de ilegal determinadas demandas o para justificar un acto abierto de represión, así como la violación de sus propias leyes establecidas, con el propósito de resolver problemas que corresponden a la base pero que en realidad no tienen solución adecuada dentro del modo de producción capitalista.

En el nivel ideológico todo el aparato burgués tiene como función básica legitimar su carácter dominante y el grado de explotación a que somete a la clase trabajadora haciendo que las condiciones de dominantes y explotados, se perciban como normales y naturales. La estructura ideológica es la que contribuye a definir en función de los intereses de la clase dominante las relaciones de los hombres entre sí y de los hombres con la naturaleza. Se trata de la estructura que genera valores, creencias, normas y pautas de comportamiento que tienen por objeto la justificación y validez de la infraestructura y del sistema en su conjunto.[7]

Movimiento obrero en América Latina

Tras un prolongado período de ignorancia de la realidad latinoamericana, en las últimas tres décadas es notable una preferente atención y un serio interés por el estudio e investigación de las causas profundas de su estado de explotación y subdesarrollo. El desafío constante de una situación cada vez más difícil, compleja y contradictoria ha forzado cambios interesantes en las relaciones que se observan en las clases dominantes locales (oligarquía agroexplotadora, terrateniente, burguesía nacional dependiente), las masas trabajadoras despojadas de todo medio de producción, los sectores medios y la burguesía que representa los intereses transnacionales.

[7] "La ideología impregna todas las actividades del hombre, comprendiendo entre ellas la práctica económica y la práctica política. Está presente en sus actitudes frente a las obligaciones de la producción, en la idea que se hacen los trabajadores del mecanismo de la producción. Está presente en las actitudes y en los juicios políticos, en el cinismo, la honestidad, la resignación y la rebelión. Gobierna los comportamientos familiares de los individuos y sus relaciones con los otros hombres y con la naturaleza. Está presente en sus juicios acerca del 'sentido de la vida', etcétera." Marta Harnecker, *Los conceptos elementales del materialismo histórico*, México, Siglo XXI, 1971, sexta edición, corregida y aumentada, pp. 96-97.

Dentro del sistema capitalista toda la lucha acumulada del proletariado se ha desarrollado en torno a la contradicción principal de este tipo de sociedad. Nos referimos a la contradicción de carácter antagónico burguesía-proletariado, en la que ocupa un papel predominante la burguesía, y es por lo tanto la que desempeña la función de dirigente de la contradicción y determina fundamentalmente la naturaleza de la lucha del proletariado (véase Mao Tse-tung, *Obras escogidas*, tomo I).

La forma en que se desarrolla esta contradicción ha representado de hecho la más fuerte limitación de la lucha de la clase obrera en la sociedad capitalista. Sin embargo, los niveles alcanzados en el desarrollo de esta lucha contra la burguesía y su sistema ha obligado a que la rigidez de su leyes se haga acompañar de programas y medidas reformistas que conllevan necesariamente a nuevas contradicciones y agudizan las ya existentes. Aunque este fenómeno genera una apariencia de flexibilidad de las leyes capitalistas, él mismo se desenmascara y percibe claramente en las contradicciones inherentes a la infraestructura y la superestructura durante el quehacer diario, donde se aprecian las verdaderas limitaciones que son impuestas al desarrollo del proletariado y su lucha y al mismo tiempo sus avances.

Las contradicciones que se registran en las instancias económica, jurídico-política e ideológica, se traducen de hecho en limitaciones estructurales para el desarrollo global de la sociedad y del proletariado en particular, ya que las mismas, en su conjunto, benefician en lo fundamental a la clase y fracciones de clase en el poder. No obstante, estas contradicciones también han hecho realidad el desarrollo de un proletariado que, pese al carácter adverso que le ofrece el sistema, aumenta crecientemente su conciencia de clase en la lucha diaria. Sin duda alguna, esta lucha ha originado verdaderas crisis que han afectado sensiblemente a la burguesía y al sistema capitalista como totalidad. Así se explica que a partir de una mayor agudización de las contradicciones del sistema, se imponga a su vez una creciente ineficacia de las limitaciones estructurales que sujetan las legítimas aspiraciones de la clase trabajadora. Como reacción natural de la burguesía, esta ineficacia cada vez menos controlada conduce a una despiadada represión, aparentemente dislocada, pero objetivamente dirigida hacia los sectores específicos dentro de la estructura de clases que ponen en peligro su sobreganancia y la estabilidad política relativa del sistema.

De este modo, conjuntamente con el proceso de expansión y desarrollo del capitalismo mundial, el proletariado internacional ha acumulado importantes experiencias que le sirven de base para poner cada día más en peligro la prolongación del sistema.

Para 1815 ya los obreros ingleses habían iniciado una lucha abierta contra el régimen burgués. La lucha política frente a la burguesía era un hecho en la primera mitad del siglo XIX. Así, en 1836 los obreros ingleses que comenzaron destruyendo las máquinas industriales de la burguesía exigían su participación activa y directa en los asuntos públicos.

En 1830 se registra un ascenso de la actividad política revolucionaria de los obreros franceses con su participación en la revolución de julio de ese mismo año, en las insurrecciones de 1831, 1832, 1834 y 1839, y en la revolución de 1848.

Esta última se extendió a Alemania y trajo como consecuencia la supresión de todas las libertades y la prohibición de los sindicatos obreros. Poco más tarde el proletariado recuperó de nuevo estas libertades.

En 1848 la Liga de los Comunistas, que agrupó a varios países europeos, dio a conocer el primer programa científico del proletariado, nos referimos al *Manifiesto comunista* escrito por Marx y Engels. En 1864 se constituyó en Londres la Asociación Internacional de Trabajadores (Primera Internacional), cuya consigna era "la emancipación de los trabajadores debe ser obra de los trabajadores mismos". En marzo de 1871 se produjo el primer ensayo de dictadura del proletariado, que fue el resultado de la insurrección de los obreros franceses contra el gobierno de Thiers, al construir la Comuna de París.

En marzo de 1886 más de 300 000 obreros norteamericanos desfilaron por las calles de Chicago exigiendo una jornada de trabajo de ocho horas. En agosto de 1866 en un congreso obrero realizado en Baltimore se declaraba lo siguiente: "La primera y gran necesidad del presente, para librar de la esclavitud capitalista al trabajo de esta tierra, es la promulgación de una *ley* con arreglo a la cual las *ocho horas* sean la jornada laboral normal en *todos* los estados de la Unión norteamericana. Estamos decididos a emplear todas nuestras fuerzas hasta alcanzar este glorioso resultado."[8]

En septiembre de ese mismo año (1866) un congreso obrero internacional, que se llevó a cabo en Ginebra, coincidía en sus declaraciones con los obreros norteamericanos. En octubre de 1917 el proletariado ruso con Lenin a la cabeza estableció el primer gobierno socialista que conoció la humanidad.

Durante el mes de marzo de 1919 se proclama la Tercera Internacional Comunista, que se propuso ser la dirección unificada de la clase obrera y oponer su estrategia a la estrategia de la burguesía mundial.

De lo hasta aquí expuesto se desprende que al tiempo que el capitalismo se desarrollaba, la clase obrera también se constituía en una fuerza real de oposición a las relaciones capitalistas de producción. Concretamente contra su carácter centralizador monopólico y dominante en lo económico y político en el plano internacional.

Es precisamente desde esta perspectiva histórica mundial que la lucha y la revolución del proletariado deben ser planteadas, pues han sido éstas las que han determinado la naturaleza de los acontecimientos y el desarrollo de las sociedades en conjunto. Las estructuras económicas, políticas e ideológicas de las sociedades más atrasadas han sido modeladas bajo este proceso de desarrollo y expansión del capitalismo mundial, para servir en lo fundamental a los intereses de la burguesía perteneciente a los grandes centros hegemónicos del capitalismo. Para el caso específico de los países latinoamericanos, se constata que los cambios registrados en sus sociedades aparecen después que se habían provocado importantes transformaciones en la sociedad europea, y además que el desarrollo de la industria capitalista en el área se realiza desde el principio bajo el predominio del capital extranjero y bajo la cruda realidad de un progresivo proceso de desnacionalización de sus recursos.

8 Declaración del Congreso General del Trabajo, reunión en Baltimore el 16 de agosto de 1866, citado por Karl Marx, *El capital*, tomo I, vol. 1, México, Siglo XXI, 1978, p. 363.

En consecuencia, los escasos niveles de desarrollo alcanzado nunca han sido beneficiosos en lo fundamental para las sociedades latinoamericanas, ya que el grueso de las ganancias generadas por este capital ha estado destinado a engrosar la economía de la metrópoli, y, como es lógico, casi nunca este capital ha representado un factor dinamizador de las estructuras internas de los países receptores. De este modo se ha originado y fortalecido el fenómeno de la dependencia estructural que hoy afecta en profundidad sociedades como la de la República Dominicana.

Entre las mayores dificultades que presenta este fenómeno se encuentra la característica de crear sus propios mecanismos de control, mantenimiento y reproducción permanente. De aquí que Octavio Ianni al referirse al imperialismo norteamericano nos diga que: la dependencia estructural se consolida, expande e interioriza en los países dependientes, entre otras cosas, porque las decisiones sobre su política económica son tomadas en el exterior, concretamente en Estados Unidos, utilizando para ello las clases dominantes de los países, no se cuente con una burguesía nacional independiente cualitativa y propia dependencia. Este elemento de contradicción beneficia en lo fundamental a los intereses de las clases dominantes extranjeras.

Ésta es la causa básica por la que en América Latina, todavía hoy en varios países, no se cuente con una burguesía nacional independiente cualitativa y cuantitativamente significativa, ya que una burguesía nacional independiente es de difícil constitución bajo el predominio del capital foráneo. Es exactamente ésta la causa más directa de la debilidad estructural que caracteriza a estas sociedades dependientes que han caminado y caminan al amparo del curso adoptado por el capitalismo mundial.

Dado el nivel de desarrollo alcanzado por el capitalismo mundial y particularmente la fuerza que representa hoy día el imperialismo norteamericano, las burguesías de los países dependientes no cuentan con posibilidades reales de disponer de suficiente capital para emprender el desarrollo de sus respectivos países con criterios nacionales. Esto, frente a la inminente necesidad de su desarrollo como clase que pueda actuar con independencia, constituye una contradicción que ha forzado una integración cada vez mayor entre los intereses económicos y políticos de la metrópoli y los de las clases dominantes de estas sociedades. Más aún, esto ha obligado a que un sector de la burguesía de naturaleza oligárquica y que representa el punto más inmediato de enlace con el imperialismo imponga sus intereses incluso al resto de esta clase. El aspecto principal de esta contradicción lo dirige el propio imperialismo.

Los factores estructurales que hemos pretendido explicar aquí de manera muy general explican por qué el proletariado latinoamericano en su conjunto, hasta las tres primeras décadas de este siglo, puede ser calificado como una clase realmente débil. Veamos lo que nos dice Vania Bambirra al respecto: "En las primeras décadas del siglo el proletariado, en Latinoamérica, constituía una clase aún débil. Su cantidad, aun considerando el sector artesanal, no representaba una gran proporción en el conjunto de la fuerza de trabajo. El carácter artesanal de importantes sectores de la clase, además del origen campesino de otros, eran factores que, por mantener presentes rasgos culturales individualistas, dificultaban su organización y el desarrollo de la conciencia de clase."[9]

Esta debilidad todavía la comparten hoy en día gran parte de los movimientos obreros de América Latina, incluyendo el de la República Dominicana, cuyo carácter, al igual que los demás casos de la región, ha sido determinado básicamente por su inscripción dentro del proceso de desarrollo y expansión del capitalismo mundial. Sin embargo, a pesar de la debilidad general mostrada por el proletariado latinoamericano, desde fines del siglo pasado se llevan a cabo fuertes luchas que ponen en claro su ascendencia, su carácter combativo y la decisión de enfrentar el sistema capitalista. Así, en el segundo congreso de la Federación Obrera Argentina, realizado en 1892, se aprobó un programa de lucha que planteaba lo siguiente: "La Federación Obrera Argentina declara que tiene por aspiración lo siguiente: 1] La posesión del poder político por la clase obrera; 2] la transformación de la propiedad privada o corporativa de los medios de producción en propiedad colectiva social o común, o sea la socialización de los medios de producción; 3] la organización de la sociedad sobre la base de una federación económica; 4] la regularización internacional de la producción; 5] la igualdad de todos ante los medios de desarrollo y de acción; 6] la igualdad de todos en las ventajas."

Este proletariado argentino que ya a fines de siglo pasado mostraba un cierto nivel de conciencia de clase, organizó varias huelgas a partir de 1902. Estas huelgas obligaron al gobierno a declarar el estado de sitio en cinco ocasiones durante ocho años, a allanar locales de organizaciones obreras, a encarcelar dirigentes y miembros de base, a asesinar obreros, clausurar periódicos, etc. Similares métodos de represión adoptó el gobierno de Uruguay frente a una serie de huelgas que se empezaron a desarrollar en 1884. A partir de este mismo año se registran huelgas de gran importancia en Chile, Brasil, Perú, Ecuador, Colombia, México, país este último que ya en 1880 contaba con cuatrocientas fábricas que empleaban a 80 000 obreros; en Cuba se realizó en 1892 un congreso regional obrero que reclamó la jornada de 8 horas y la independencia nacional. El movimiento obrero cubano llegó a tener tanta importancia a principios de siglo que, de acuerdo con Juan Bosch, para 1935 existía allí una central obrera única formada por varias federaciones, una de las cuales, la de la caña, contaba con más de 400 000 trabajadores.

En lo que se refiere a la formación del proletariado latinoamericano, en gran parte de la región esta clase se ha generado a partir del desplazamiento de los agricultores de las tierras que cultivaban, forzándolos de este modo a incorporarse como asalariados en sus propias tierras o a penetrar en tierras más alejadas y no explotadas para que un tiempo después sean nuevamente desalojados tras dejar en ellas un determinado plusvalor que representa un ahorro para la clase dominante y un mayor deterioro de las condiciones económicas de los despojados.

En los casos de Chile y Bolivia fue la extracción minera y la construcción de ferrocarriles lo que en un inicio dio mayor empuje a la formación del proletariado; probablemente por su relativo aislamiento, en esos casos parece registrarse

9 Vania Bambirra, *El capitalismo dependiente latinoamericano*, México, Siglo XXI, 1974, p. 52.

una menor influencia de la ideología pequeñoburguesa, lo que favoreció posiciones más independientes y radicales y el surgimiento más temprano de la conciencia de clase.

En el caso de Centroamérica, con excepción de Panamá y México, las plantaciones agrícolas resultaron ser las fuentes principales que generaron las primeras filas del proletariado. En Panamá la construcción del canal, ferrocarriles y el transporte, y en el caso de México las primeras filas surgen de la industria textil. En este último país a mediados del siglo XIX los talleres de costura más grandes ocupaban a 30 000 personas, y las manufacturas de vidrio y cerámica comenzaron a utilizar más ampliamente el trabajo asalariado.[10]

En América Latina conflictos abiertos entre fracciones de la burguesía dependiente y sus asociados internos y externos originaron la crisis política en la que la oligarquía terrateniente ha ido perdiendo fuerza crecientemente para dar paso a nuevos momentos acomodaticios del sistema.

Con el desarrollo de esta lucha intraburguesa y sus asociados, reforzados por la acción de la clase trabajadora en la búsqueda de mejores condiciones de trabajo, se degeneró en una mayor agudización de la lucha librada entre la clase dominante como bloque y los trabajadores.

A partir de este momento el enfrentamiento burguesía-proletariado constituyó en forma más clara y abierta el aspecto crítico de la crisis en un gran número de países de la región. Como consecuencia fueron apareciendo los regímenes populistas y militares, pero en ambos casos ya se profundiza la conciencia del proletariado respecto a su naturaleza y verdadero alcance y objetivos. En el caso específico de los regímenes militares, éstos en ningún momento han podido ofrecer alternativas válidas para la clase obrera, ni siquiera en sus inicios, y la lucha contra ellos aunque resulta más difícil por los múltiples medios represivos a los que recurren, tiende a ser cada vez más radical.

De este modo, en los últimos años se ha profundizado enormemente el contenido de clase de la crisis política y económica que está a la orden del día en los países de la región.

Ante la evidente incapacidad del sistema para satisfacer las demandas de las clases explotadas, el Estado se ve obligado a agotar nuevos recursos y mecanismos para mediar entre la burguesía y el proletariado, naturalmente sirviendo siempre como garantía del poder político y económico de la primera. Al Estado se le complican más sus funciones en el momento en que su mediación también debe hacerla entre él mismo, la burguesía local y el capital monopólico internacional; todavía más cuando el Estado entra en la fase de capitalismo de Estado en la búsqueda de un reajuste del sistema, instancia a partir de la cual se produce un aparente cambio de patrón de una importante parte del proletariado.

Sin embargo, incluso en los puntos más críticos de la crisis interna del conjunto de clases dominantes, los cañones se han enfilado con prioridad hacia el control y debilitamiento de las organizaciones obreras, utilizando para ello mecanismos ideológicos de conciliación de clases, atomización de las organizaciones por la vía de la penetración, división y la represión abierta tanto nacional como internacional.

10 I. Vizgunova, *La situación de la clase obrera en México*, México, Ediciones de Cultura Popular, 1978, p. 14.

Durante esta lucha, va desapareciendo el período del desconocimiento de los factores políticos y de la concepción de la sociedad en un nivel abstracto y ahistórico, y paralelamente se va produciendo un incremento cualitativo y cuantitativo en los niveles de conciencia de clase del proletariado. Una conciencia de clase concreta que en la práctica se traduce en mayor conciencia sobre las intimidades de su propia realidad política, económica y social; sobre alternativas de lucha; sobre la forma en que se desarrolla la correlación de fuerzas en el plano internacional, y sobre sus propios límites, debilidades y fuerza potencial real en un medio concreto y específico.

De acuerdo con Aníbal Quijano, en prácticamente todos los países de América Latina el proletariado no ha podido desprenderse de la ideología pequeñoburguesa así como del populismo nacionalista y antioligárquico. No obstante, actualmente está en proceso de deterioro creciente el predominio de la ideología burguesa y de los sectores medios sobre el proletariado, y estas capas medias se han ido acomodando a la matriz productiva y social del sistema en la medida que ven la posibilidad de engancharse en posiciones políticas ventajosas, en tanto que la clase trabajadora incrementa su conciencia de clase. De esta forma las clases medias van perdiendo su capacidad para dirigir a los obreros y recurren entonces a la conciliación de las clases.

Así, se localizan organizaciones sindicales que ordenan su acción política en función de alianzas con sectores medios y burgueses "progresistas", donde éstas —las organizaciones sindicales— aparecen en condición de subordinación y sin hacer el menor esfuerzo válido por encontrar alternativas propias que respondan a sus intereses de clase. Desde principios de este siglo, en América Latina surgieron movimientos populares que, con grados distintos de radicalidad, han estado sometidos al dominio de las clases medias.

Dentro de esta perspectiva de análisis puede decirse que aún se requiere de serios y prolongados esfuerzos que tengan por objeto la formación de un movimiento de la clase trabajadora que sea cada vez más consecuente con sus propios intereses, que desplace de manera definitiva el predominio de la ideología de las capas medias, que consolide su capacidad de organización y sus criterios políticos independientes, que articule el desarrollo de la teoría a la organización política y a los programas específicos de trabajo, desplazando de este modo los modelos que corresponden a otras realidades y profundizando en las características específicas de la lucha de clases en sus respectivas sociedades, partiendo esencialmente de la investigación de la realidad concreta para partir de ella como metodología de acción en todos sus niveles.[11]

En definitiva este movimiento, impregnado de una concepción revolucionaria más científica, deberá contar con una opción de clase clara y concreta respecto a la sociedad que quiere construir; deberá utilizar como instrumento básico el análisis sociológico, político y económico de la realidad; deberá tener conocimiento de las diferentes alternativas que se plantean en momentos históricos determinados y de que su tarea no está aislada de un contexto más amplio donde se juega el poder político y económico de las clases dominantes.

[11] Para esta última parte más detalles y precisiones pueden encontrarse en Aníbal Quijano, *Clase obrera en América Latina.*

Este análisis reflejará necesariamente una visión y una concepción de la sociedad, así como una metodología y procedimientos en la acción que se corresponderán con una determinada opción de clase.

Sobre la historia de la formación del proletariado dominicano, 1880-1930

Tal y como ocurrió en muchos países de América Latina, una más clara definición de la formación del proletariado dominicano se constata a partir de la década de 1870, aunque en el caso de la República Dominicana resulta muy difícil afirmar categóricamente que antes del principio del presente siglo se contaba con una clase trabajadora desposeída de todo medio de producción.

El proletariado dominicano ha crecido y se ha fortalecido numéricamente y en términos de conciencia de clase, en la medida en que se han desarrollado las relaciones capitalistas de producción en el país. La sociedad dominicana no podía escapar del proceso de consolidación y expansión del capitalismo mundial. La evidente naturaleza monopólica que adquiere el capitalismo a fines del siglo pasado y la debilidad que acusaban los sectores burgueses nacionales, se tradujo en un impulso definitivo del dominio en el país del modo de producción capitalista dependiente, aparejado con el desarrollo de la industria azucarera, el incremento de los empréstitos extranjeros, cambios sustanciales en la pequeña y mediana propiedad y en el uso más racional de los recursos agropecuarios, así como con el desarrollo de la industria manufacturera y el establecimiento de importantes entidades bancarias.

La industria azucarera constituyó a fines del siglo pasado uno de los principales canales de penetración y reforzamiento de las relaciones capitalistas de producción. Hacia 1890 en este y otros sectores de la economía dominicana se apreciaba con claridad la presencia de grandes propietarios privados de los medios de producción y la "libre" oferta de fuerza de trabajo que crecía con la concentración de la propiedad. Las transformaciones y el auge registrado en la industria azucarera produjo la ruptura con la forma precapitalista de producción y se afianzaron las relaciones capitalistas. Tal y como señala Frank Báez Evertsz, esta transformación "significó el paso del trapiche al ingenio movido a vapor; de la pequeña producción agroazucarera a la industria moderna de fabricación de azúcar".[12]

De acuerdo con las informaciones que nos ofrece Eugenio M. de Hostos ya en 1884 el país aparentemente iba viento en popa. Se habían instalado unos treinta y cinco ingenios movidos a vapor en todo el territorio nacional; la capacidad de producción media por ingenio se calculaba en unos 20 000 quintales de azúcar por 125 jornales; el número de obreros por ingenio era aproximadamente de 200, para un promedio de área cultivada de caña equivalente a 2 000 tareas; las ventas totales ascendían a 2.5 millones de dólares anuales, los salarios pagados mensualmente eran cercanos a los 130 000 y los impuestos de exportación pagados al Estado sumaban 183 750 dólares.

[12] Frank Báez Evertsz, *Azúcar y dependencia en la República Dominicana*, Santo Domingo, Editora de la Universidad Autónoma de Santo Domingo, 1978, p. 22.

Los avances logrados en la industria azucarera y otros renglones de la economía se aprecian también en las siguientes informaciones. De 1880 a 1897 el volumen de exportación de azúcar se multiplicó casi seis veces, el del cacao catorce veces, el café tres veces, el tabaco más de tres, en tanto que productos como la cera y la miel disminuyeron en términos absolutos. Como puede apreciarse el incremento registrado en los volúmenes de exportación correspondió a los productos que exigen de mayores inversiones de capital y que están directamente vinculados a las relaciones capitalistas de producción.[13]

La extensión y el incremento de la producción tenían una relación directa con las grandes inversiones de capital y el consecuente uso de trabajo asalariado. En 1897 unos 14 ingenios localizados en Santo Domingo, al este y sur del país contaban ya con 290 km de vías férreas. "No cabe duda de que en esos años hubo un serio movimiento de modernización de las instalaciones y del transporte que se extendió durante toda la década del 90. Entre 1883-1893, Vicini, Ross, Hardy, Bass y Castro instalan ferrocarriles y amplían sus líneas férreas por más de una vez. El ingenio Consuelo se hallaba en 1893 en pleno proceso de reformas encaminadas a elevar la capacidad productiva de 81 000 a 150 000 quintales de azúcar por zafra... y en casi todos los demás se efectuaban modernizaciones."[14]

Con razón decía Eugenio M. de Hostos en 1884 que "la realidad es que la fabricación del azúcar ha absorbido casi todos los capitales y casi todo el trabajo de las comarcas en donde prevalece, dando al comercio y al consumo una dirección que violenta el orden económico".[15] Reforzando lo anterior, el propio Hostos decía que "la República debía al fomento de ingenios de azúcar: el aumento de su capital social en $21 088 750.00; la valorización económica de terrenos que sólo tenían un valor natural y la regulación de la propiedad territorial, que era completamente indefinida; el mejoramiento directo de sus medios de trabajo y el mejoramiento accesorio del trabajador; la adquisición de los procedimientos modernos de producción; el súbito cambio de la pequeña a la grande industria; el subsidiario del comercio casi exclusivamente nacional al casi exclusivamente internacional".[16]

El crecimiento y desarrollo alcanzado en la industria azucarera fue definiendo de manera clara el dominio del modo de producción capitalista en la sociedad dominicana, bajo el contexto y el control de un sistema capitalista mundial en pleno camino hacia la integración total y adopción definitiva de su carácer monopólico.[17]

13 Roberto Cassá, "Acerca del surgimiento de relaciones capitalistas de producción en la República Dominicana", en *Realidad Contemporánea*, núm. 1, Santo Domingo, 1975, p. 45.

14 Frank Báez E., *op. cit.*, pp. 26-27.

15 Conferencia titulada "Falsa alarma, crisis agrícola", en Emilio Rodríguez Demorizi (comp.), *Hostos en Santo Domingo*, Ciudad Trujillo, Imp. Vda. García, 1939, vol. I.

16 Eugenio María de Hostos, *op. cit.*, p. 160.

17 De haber estado de moda la palabra imperialista cuando Bonó escribía en 1883, éste no hubiera dudado en llamar al azúcar "imperialista", pues sólo con el expreso monopolio del capital moneda se había apoderado de los terrenos comunes de las provincias del este. "La proletarización total de los trabajadores del azúcar sólo podría ser detenida al hacerlos si no socios, a lo menos participantes en cierto grado de los preventos que recauden..." (H. Hoetink,

En un país como la República Dominicana, de estructura económica pobre y atrasada y con una estructura jurídico-política débil e inestable, era lógica una rápida evolución y fortalecimiento del fenómeno de la dependencia, principalmente a partir del momento en que el capital extranjero que servía a intereses monopólicos ocupó un lugar principal dentro de la economía dominicana, observándose creciente desde entonces el proceso de concentración de la producción y las propiedades.[18]

Refiriéndose a una sustancial rebaja en los precios del azúcar hacia la década de 1880, se consigna en la obra de Frank Báez E. que "esta baja provocó en poco tiempo un proceso de concentración de la producción y la propiedad; de arriba de treinta ingenios que existían en 1882, se pasó a veinte en el 1893. De diez a trece ingenios desaparecieron de la escena productiva dominicana y otros tantos fueron fusionados (v. gr. el Santa Elena y el Constancia fueron convertidos en uno solo). Además, veintitrés propietarios fueron desplazados."[19]

Dentro de estas perspectivas de concentración de la producción y de la propiedad, las relaciones capitalistas de producción se desarrollan cada vez más dependientes y deformadas, sobre todo respecto a Estados Unidos. Para 1893 ya los norteamericanos mantenían el monopolio de la navegación entre los puertos dominicanos y los de Estados Unidos; el de las principales concesiones de minas y ferrocarriles; el de las plantaciones de caña, de café, de cacao, higos y guineos. También estaban bajo su control las fábricas de cerveza y las mejores empresas, tales como la producción de electricidad y la construcción de los puertos de Puerto Plata y Santo Domingo. Los productos manufacturados norteamericanos representaron del 50 al 55% del total de la importación, desplazando a Francia del primero al cuarto lugar en las importaciones.[20]

Las características de este proceso y la posterior formación y consolidación del enclave azucarero a principios de siglo,[21] dejaron claramente establecido lo que decía Marx al referirse a una de las leyes del capitalismo: "el desarrollo de la producción capitalista vuelve necesario un incremento continuo del capital invertido en una empresa industrial, y la competencia impone a cada capitalista individual, como *leyes coercitivas externas*, las leyes inmanentes del modo de producción capitalista. Lo constriñe a expandir continuamente su

El pueblo dominicano 1850-1900, Santiago, Universidad Católica Madre y Maestra, 2a. ed., 1972, pp. 119-120).

[18] "Aunque los primeros ingenios fueron fundados por iniciativas individuales, ese sistema ha sido modificado en el curso de los últimos veinte años y las empresas han sustituido al individuo. Desde el principio el negocio de la caña perteneció a los ricos. De ahí se pasó al período de las grandes corporaciones, pues pocos hombres se atreven ahora a enfrentarse individualmente con el problema, no importa el capital que posean. La Cuban Dominican Sugar Company servirá para ilustrar la estructura de una de estas empresas... Hasta 1924, cuando se disolvió la West India Finance Corporation, estaba ésta descrita, en el lenguaje del Buró de Comercio Doméstico y Extranjero, como el agente comprador en Nueva York de varias empresas en Santo Domingo..." (Melvin M. Knight, *Los americanos en Santo Domingo*, traducción hecha por la Universidad de Santo Domingo, con la autorización de Vanguard Press, de Nueva York, Santo Domingo, Imprenta Listín Diario, 1939, p. 33.)

[19] Frank Báez E., *op. cit.*, p. 26.

[20] Antonio de la Rosa, *Las finanzas de Santo Domingo y el control americano*, Santo Domingo, Editorial Nacional, 1969, pp. 92-93.

[21] Frank Báez E., *op. cit.*, pp. 35-52.

capital para conservarlo, y no es posible expandirlo sino por medio de la acumulación progresiva".[22]

Paralela a la industria del azúcar, la penetración económica extranjera por la vía del crédito constituyó un factor de suma importancia en el desarrollo del capitalismo dependiente y deformado, incapaz de dar coherencia y fortaleza a una burguesía nacional que dirija y oriente al Estado dominicano según sus intereses de clase. El número de empréstitos fue tan grande y los compromisos con instituciones financieras extranjeras alcanzaron tales volúmenes que ya en la última década del siglo pasado las juntas de crédito locales fueron desplazadas por el crédito externo, y posteriormente a causa de ello, en gran medida, la República Dominicana era invadida militarmente por los norteamericanos en 1916. De aquí que Melvin M. Knight expresara lo siguiente: "Los dos tipos de penetración económica extranjera que debían alcanzar mayor importancia en la década que siguió a 1870 fueron: primero, empréstitos al gobierno a altos tipos de intereses garantizados por hipotecas de diferentes clases sobre riquezas del país; segundo, plantaciones de caña de azúcar. Estos empréstitos no pueden tratarse en detalle porque llenarían un libro..."[23]

Dentro de este proceso de desarrollo del capitalismo, la industria manufacturera ocupa un lugar secundario respecto al azúcar. Entre éstas pueden citarse las fábricas de jabón, fósforos, cigarrillos, hielo, velas, molinos de café y de arroz, chocolate, destilerías de ron, muebles, aserraderos, tenerías y otras. Muchas de estas industrias funcionaban con máquinas a vapor y cubrían en parte las necesidades del mercado interior. "La industria azucarera y la industria no azucarera colocaron en una posición secundaria a la economía de taller y más aún a la economía doméstica rural, sin que, claro, la desplazaran completamente, más bien la integraban en el seno de una formación altamente heterogénea como la de la época."[24] Sin embargo aún a principios del presente siglo el peso de los talleres puede calificarse de significativo. Los datos suministrados por los censos de 1909 y 1904 en las ciudades de Santo Domingo y Santiago muestran por un lado que apenas doce establecimientos eran considerados como industrias que funcionaban con máquinas de vapor y cuya consistencia económica era escasa, puesto que siete de las mismas tenían un valor por debajo de los 20 000 pesos; y por el otro se nota claramente que proliferaban los pequeños talleres artesanales.[25]

Conjuntamente con el desarrollo alcanzado por las relaciones capitalistas de producción a fines del siglo pasado y principios del presente se produjo un ascendente proceso de proletarización en la República Dominicana: las transformaciones registradas en la sociedad convierten a miles de campesinos en asalariados de empresas casi en su totalidad controladas por el capital extranjero, aunque al principio una parte importante de estos trabajadores no rompieron totalmente su vinculación con la tierra a la que volvían de tiempo en tiempo

22 Karl Marx, *El capital, op. cit.*, tomo I, vol. 2, pp. 731-732n.

23 Melvin M. Knight, *op. cit.*, p. 33.

24 Luis Gómez, *Relaciones de producción dominantes en la sociedad dominicana, 1875-1975*, Santo Domingo, Editora de la Universidad Autónoma de Santo Domingo, 1977, p. 59.

25 Manuel de Jesús Pozo, "Historia del movimiento obrero dominicano, 1900-1930", en *Realidad Contemporánea*, núm. 2, abril-junio de 1976, pp. 40-49.

para asegurarse un mayor ingreso. Sin embargo, la incorporación de estos campesinos a la economía monetaria era cada vez mayor, con lo que la pequeña propiedad agrícola desaparecía rápidamente. De aquí que en 1884 Bonó comentara a Luperón que en el Cibao, parte norte de la república, se demolía la propiedad y la agricultura; se transformaba la región este del país, y se producía el traspaso de la propiedad casi a título gratuito a manos de nuevos ocupantes encubiertos bajo el disfraz del progreso. [Antes] "aunque pobres y rudos eran propietarios, y hoy más pobres y embrutecidos han venido a parar a proletarios".[26]

El predominio del valor de uso pierde desde entonces peso sustancial y las leyes capitalistas dejan sentir su eficacia con mayor vigor con el auspicio y el apoyo del Estado, que ya a fines de siglo estaba controlado por una burguesía en formación compuesta por un grupo relativamente amplio de grandes, medianos y pequeños industriales, banqueros, comerciantes y terratenientes.[27] Ya en la primera década de este siglo esta burguesía en formación tenía el agravante de que cada vez más dependía de y se comprometía con el capital extranjero.[28]

El proceso creciente de proletarización en la República Dominicana está entroncado históricamente con el desarrollo de la industria azucarera. Según cifras de Eugenio M. de Hostos publicadas en 1884 en el periódico *Eco de la Opinión*, de un total de 6 200 a 6 500 empleados y obreros de la industria azucarera, se estimaban en 5 500 el número de jornaleros nacionales, en 500 el de extranjeros y en 200 el de maquinistas, maestros de azúcar y técnicos necesarios. Los salarios diarios de todas las categorías de obreros ascendían a $5 500.00.

De la información anterior se desprende que para esa época el 85% de los asalariados del principal sector industrializado del país eran obreros nacionales y que la organización de la producción implicó una más clara definición de la división técnica del trabajo. El incremento de la mano de obra asalariada corría pareja al movimiento ascendente de concentración de la propiedad y la producción.[29] Sin embargo la importación masiva de mano de obra extranjera

26 Carta de Pedro F. Bonó al general Gregorio Luperón, en Emilio Rodríguez Demorizi (comp.), *Papeles de Pedro F. Bonó*, Santo Domingo, Editora del Caribe, 1964, p. 327.
27 "La creación de valores de cambio de tipo capitalista ha estado históricamente ligada a la quiebra de la pequeña producción, al aprovechamiento de los mecanismos estatales para el acopio de dinero-patrimonio (que luego se convertirá en dinero capital) y a otros tipos de mecanismos a través de los cuales siempre campea la violencia ...Sólo un conjunto de capitalistas con fuerte ligazón estatal pueden romper una institución como la pequeña producción, con su respetabilidad, sus costumbres, sus relaciones y reflejos. A base de mecanismos estatales, muchos pequeños productores circunvecinos fueron quebrados y convertidos en obreros en todo o en parte, además de los que abandonaron los hatos ganaderos atraídos por el salario (que fue una parte muy importante)." Luis Gómez, *op. cit.*, pp. 59-60.
28 "Se puede afirmar que, mientras se profundiza la dependencia a través del dominio del capital extranjero en los sectores clave de la economía, se ahonda también la dependencia política, en la medida en que las tomas de decisiones más cruciales tienen que tener al capital extranjero como punto de referencia básico, y por tanto ser refrendadas por él" (Vania Bambirra, *op. cit.*, p. 107).
29 "Situación terrible preñada de catástrofes —decía Bonó en sus 'Opiniones de un dominicano', en 1883— es hoy la del trabajador del este de la república, y no hay hombre de Estado dominicano que la vea sin terror... El monopolio destruyó los conucos y sus anexos

que venía a sustituir al obrero criollo y a garantizar al capitalista y corporaciones extranjeras la extracción de un mayor y creciente plusvalor, representó un factor que mermó el empuje inicial del proceso formativo del proletariado nacional, más aún por tratarse de inmigrantes de lengua y cultura diferentes y que vendían su fuerza de trabajo a más bajo precio que el dominicano.

Aunque el salario promedio en los ingenios era de 75 centavos diarios, a los braceros haitianos sólo se les pagaba un máximo de 30 centavos por día. De aquí que Melvin M. Knight señalara que la importación de mano de obra barata causaba un gran daño al trabajador dominicano en beneficio de la industria azucarera: "La poca unión que existe en Santo Domingo entre los obreros tiene la reputación de ser radical. Sorprendería que el obrerismo pueda mantener una organización en un país que importa miles y miles de obreros extranjeros que reciben un jornal máximo de 30 centavos al día."[30]

Ya en 1871 se estimaban en varios centenares los haitianos residentes en el país dedicados a diferentes actividades. En 1884 Bonó argumentaba que la invasión progresiva de haitianos en la región fronteriza del sur, haría desaparecer por completo de esa región el elemento dominicano. En el periódico *La Crónica* del 18 de abril de 1885, Francisco X. Billini escribió un fuerte editorial en contra de la llegada de más haitianos. En 1898 se publica un artículo en el periódico *El Distrito* del 26 de diciembre en el que se abogaba por la prohibición de la inmigración de "cocolos", como se les llamó a los obreros procedentes de las islas británicas del Caribe.[31]

En marzo de 1924 fueron publicados dos editoriales en el periódico *Listín Diario* que se referían a la "amenaza" haitiana. Para ese año se calculaban en 100 000 los haitianos que visitaban el país anualmente, cifra que representaba la décima parte de la población dominicana. En la primera mitad de este siglo era más evidente el poco interés de los capitalistas del azúcar en dar trabajo al obrero dominicano. La mayoría de los obreros, a diferencia de los últimos años del siglo pasado, eran haitianos e ingleses de las islas británicas del Caribe, así se explica que en 1938, cuando se calculaba un total aproximado de 30 000 obreros y empleados industriales, sólo el 29% fueran dominicanos y el resto extranjeros.[32]

Conviene observar que el rápido y sostenido incremento de la importación de braceros para las zafras coincidió en gran medida con prolongadas crisis en los precios del azúcar en el mercado internacional, lo que a su vez contribuyó a la desaparición o fusión de un número significativo de ingenios y a la concentración de la propiedad y la producción.[33]

Aunque grupos de braceros importados, principalmente haitianos, en ocasiones se han integrado y solidarizado con la lucha reivindicativa de organiza-

de ganado menor... Al antiguo labriego de este sólo le queda su persona..." (*Papeles de Pedro F. Bonó*, cit., p. 31).

[30] Melvin M. Knight, *op. cit.*, p. 167.

[31] H. Hoetink, *op. cit.*, pp. 63-64.

[32] Juan Bosch, *Dictadura con respaldo popular*, Santo Domingo, Imp. Arte y Cine, 1970, p. 159.

[33] Véase, para mayor información, José Del Castillo y Walter Cordero, *La economía dominicana durante el primer cuarto del siglo XX*, Santo Domingo, Fundación García-Arévalo, 1979.

ciones obreras dominicanas del sector azucarero, es necesario señalar que el
papel desempeñado por los inmigrantes en la formación del proletariado nacional ha sido más bien en beneficio forzado de las grandes corporaciones y
de la política represiva de los propios gobiernos dominicanos, puesto que en la
práctica se reprime y evita por todos los medios posibles la permanencia del
inmigrante en el país como residente, debiendo irse a su país al finalizar la
zafra; no se le permite la sindicalización ni agruparse en cualquier otro tipo
de organización; se le mantiene vigilado y limitada su circulación casi exclusivamente al área específica de trabajo y al mínimo paso sindical o político es
sacado inmediatamente del país. En pocas palabras, a los braceros se les ha
impedido demandar sus derechos y mejores condiciones de trabajo.

Estas limitaciones a los braceros importados han representado un mecanismo
efectivo para restarle fuerza y celeridad al desarrollo de la clase obrera dominicana, principalmente en el sector azucarero que ha sido siempre el mayor
empleador de fuerza de trabajo asalariado.

Aunque en menor medida, la formación de la clase obrera dominicana también estuvo impulsada por la incipiente industria no azucarera engrosada por
los que se dedicaron a trabajos relacionados con el cultivo y elaboración de
productos como el tabaco, cacao, café, corte de madera y otros; así como por
los que trabajaban en actividades de obras públicas (carreteras, puentes, ferrocarriles, edificios, etc.). De acuerdo con el censo de 1920 los gastos registrados
en obras públicas de 1908 a 1916, es decir, antes de la primera invasión norteamericana, ascendieron a 3.3 millones de pesos; en tanto que de 1917 a
1922, dos años antes del retiro de las tropas militares, los gastos se elevaron
a 12.2 millones. En sólo seis años los gastos por este concepto prácticamente se
multiplicaron por cuatro en relación con lo gastado en los nueve años anteriores.[34] Otros indicadores importantes que muestran más claramente la existencia de un proceso de proletarización en el período 1880-1930 son la aparición de organizaciones laborales y el desarrollo de algunas actividades reivindicativas.

Durante este período se llegaron a organizar dos confederaciones, tres federaciones y más de un centenar de gremios que debieron agrupar a unos cuantos
miles de trabajadores. Además, se organizaron tres congresos y un partido obrero,
se establecieron relaciones con un organismo obrero internacional y se realizaron algunas huelgas y protestas.[35]

Por iniciativa de Eugenio Deschamps y otros fue fundada en 1884 la asociación de artesanos La Alianza Cibaeña, que cuatro años más tarde contaba

34 *Primer Censo Nacional de República Dominicana, 1920,* Santo Domingo, Editora de la
Universidad Autónoma de Santo Domingo.
35 En su trabajo "Apuntes sobre las clases trabajadoras dominicanas", Bonó decía en 1881:
"...obra de caridad sería y no de las menores, ver y considerar a las clases trabajadoras dominicanas en su afán del día, profundizar los obstáculos que superan, los progresos que realizan
y la ayuda que reclaman. Hijas de la esclavitud, moldeadas por coloniajes perpetuos, no de-
bieran estas clases tener más virtudes y educación que las pasivas e inertes de sus progenitores,
y debe agradecérseles la escasa disciplina que han adquirido, combinada con la iniciativa que
despliegan para sostener y salvar a la nación. La clase directora sí que no ha sido feliz en sus
progresos. Descendiente de aquella que todo lo esperaba de la metrópoli, obedece aún a esta
fatal tradición y todo lo pide al extranjero" (*Papeles de Pedro F. Bonó,* cit., p. 192).

con tres escuelas. El presidente Ulises Hereaux fue nombrado miembro de honor de la asociación. En la capital de la república también se impartían clases nocturnas a artesanos. Una de las escuelas nocturnas fue fundada por Hostos en 1888 y tenían como nombre Escuela Nocturna para la clase Obrera.[36] Antes, en 1882, se había fundado en Santo Domingo una academia de artesanos creada por la Logia Rosacruz Gólgota del Valle, con el propósito de ofrecer educación a artesanos. Otra organización similar fue la Sociedad Artesanal Hijos del Pueblo fundada en 1890, también propugnaba por la creación de una escuela de artes y oficios y por la "felicidad de la patria".

Sin embargo, las informaciones disponibles parecen indicar que la primera organización de trabajadores con carácter gremial fue la Unión de Panaderos de Santo Domingo, fundada en 1897. En realidad se trataba de un gremio con un máximo de afiliados que no sobrepasaba los 150, ya que según el censo de 1908 habían registrados 164 panaderos. Sus fines básicos eran de carácter benéfico y de ayuda mutua.[37] Entrado el presente siglo, Víctor M. de Castro hace referencia a una huelga de panaderos, zapateros y albañiles, para protestar en el parque Colón contra los dueños de panaderías y de sus principales.[38] Además del gremio de panaderos, para 1908 ya se conocían los gremios de zapateros, carpinteros, albañiles y tipógrafos que reunían entre todos alrededor de 1 000 trabajadores.[39]

También fueron fundados en 1897 y 1898, respectivamente, el Gremio de Braceros del Puerto de la ciudad de Sánchez y el Gremio de Braceros del Muelle de Puerto Plata. En 1916 se organizó la Unión de Braceros del Puerto de Santo Domingo. Aunque no se dispone de datos precisos en cuanto al número de socios de estos gremios, es de suponer que éste debía ser significativo ya que entre el 1 de julio de 1845 y 30 de junio de 1846, salieron 205 buques: 113 de Santo Domingo y 92 de Puerto Plata. Los derechos de aduanas sumaron en total $144 191.00 de los que el 45% correspondió a Santo Domingo y el 51% a Puerto Plata. En su mayoría los productos exportados (tabaco, madera, cueros y otros) reflejaban claramente el peso de las producciones mercantiles.[40]

Uno de los centros donde más prosperaron las organizaciones gremiales fue el de Puerto Plata, por donde se exportaba a fines de siglo la mayor parte de los productos del Cibao. Para 1896 se registra una huelga de los trabajadores que laboraban en la construcción del ferrocarril Puerto Plata-Santiago, la cual se llevó a cabo en razón de que se exigía una hora más de trabajo por el mismo salario.[41]

Por otro lado, ya en 1903 existía en Puerto Plata un centro obrero que tenía por propósito principal socorrer a sus miembros en casos de enfermedad, muerte y otros casos similares, lo que revelaba su carácter mutualista.[42] Para 1919 se

36 H. Hoetink, op. cit., pp. 243-244.
37 Véase Ramón Grullón Martínez, artículo publicado en el periódico Última Hora, 1 de mayo de 1974, p. 12, Santo Domingo.
38 Víctor M. de Castro, Cosas de Lilís, Santo Domingo, 1919, p. 97.
39 Julio de Peña Valdez, Breve historia del movimiento sindical dominicano, Santo Domingo, Ediciones Dominicanas Populares, 1977, p. 17.
40 Roberto Cassá, op. cit., pp. 28, 29 y 30.
41 Listín Diario, 11 de marzo de 1896, Santo Domingo.
42 Archivo municipal de la ciudad de Puerto Plata, 18 de diciembre de 1903.

había fundado la Federación Regional Obrera de Puerto Plata, la que ese mismo año envía una carta, firmada por su presidente G. Ernesto Jiménez, al ayuntamiento municipal de esa localidad informándole que ésta se había reinstalado y poniendo en su conocimiento que laboraban con tesonero esfuerzo y buena voluntad por el adelanto de las clases trabajadoras dominicanas.[43]

En 1920 esta misma Federación dirige otra carta al ayuntamiento de Puerto Plata exponiéndole la necesidad de reducir en un 3% un impuesto municipal fijado por dicho ayuntamiento. Para apoyar su solicitud los obreros alegaron que los bajos salarios percibidos, el alto costo de la vida y la penosa situación en que se vive, han puesto en difícil situación a muchas personas a quienes no les será posible cumplir con la disposición, lo que traerá como consecuencia la pérdida de sus hogares. El nivel de organización de esta Federación se refleja en el hecho de que en 1920 contaba con una "constitución" y con un plan de trabajo escrito donde se programaban las acciones para organizar a los jornaleros rurales, agricultores y criadores.[44]

El surgimiento de un determinado nivel de conciencia política en sectores trabajadores puede apreciarse en la carta remitida al ayuntamiento de la ciudad de Puerto Plata en 1920 por la Hermandad Comunal Nacionalista en la cual se expresa lo siguiente: "...Nuestros esfuerzos más decididos serán empeñados en todo tiempo para recabar de los poderes nacionales la mayor independencia de acción de los municipios, como medio de garantizar mejor la libertad del hombre y el derecho indiscutible de los pueblos a su propia determinación. Esperando que esa honorable corporación reconocerá el derecho del obrero a organizarse y procurarse un jornal lucrativo..."[45]

La Hermandad Comunal Nacionalista fue organizada en la segunda década de este siglo por el destacado defensor de la clase obrera José Eugenio Kundhart, a la que dio el nombre de Confederación Dominicana del Trabajo, afiliada a principios de siglo a la Confederación Obrera Panamericana y —según parece— a la Unión Sindical Internacional de Amsterdam.[46] Por primera vez en 1919 los obreros dominicanos estuvieron representados en un acto internacional. A nombre de la Hermandad Comunal Nacionalista, José Eugenio Kundhart asistió el 29 de noviembre de ese año a la Conferencia Internacional del Trabajo de la OIT, celebrada en Washington y en cuya ocasión se aprobó el convenio núm. 1 que limitaba a ocho horas diarias la duración del trabajo reglamentario en las industrias.

Esta participación fue probablemente un importante punto de apoyo para que en 1924 la República Dominicana fuera admitida en el seno de la OIT. El 15 de mayo de 1920, en la ciudad de Santo Domingo, se realizó el Primer Congreso de Trabajadores Dominicanos y en esta oportunidad quedó formalmente constituida la Confederación Dominicana del Trabajo (CDT).[47] En su

43 Documento en archivos de Rafael A. Brugal P., Puerto Plata.

44 Archivo municipal de la ciudad de Puerto Plata, 1920, Santo Domingo.

45 Tomado de la carta dirigida por la Hermandad Comunal Nacionalista el 27 de septiembre de 1920 al ayuntamiento de Puerto Plata.

46 Juan J. Jiménez Grullón, "Análisis socio-filosófico de nuestro presente y pasado inmediato", en ¡Ahora!, núm. 336, 20 de abril de 1970, Santo Domingo.

47 Paralelamente a este Congreso se realizó otro en la ciudad de Sánchez dirigido por José

primer manifiesto se observan reivindicaciones y posiciones como las siguientes: establecimiento de la jornada de ocho horas de trabajo; lucha por la total soberanía de la patria intervenida por Estados Unidos; nivelación de los salarios con el costo de la vida; reglamentación del trabajo por el sistema de tarifas salariales y según la capacidad del obrero; participación de los trabajadores en los beneficios de las empresas, y respeto al derecho a huelga.[48] La naturaleza de estas demandas revela la presencia de cierto nivel de conciencia de clase y la toma de posición política frente a la primera intervención militar norteamericana que se produjo de 1916 a 1924.

Es posible que el número de obreros participantes en este Primer Congreso haya sido de importancia, pues asistieron representantes de organizaciones pertenecientes a once ciudades del país ubicadas en todas las regiones. Además, como fruto de las demandas y presiones, en 1920 se promulga una orden ejecutiva del gobierno interventor que estatuía la incorporación de asociaciones con fines no pecuniarios, vigente hoy en día.

De otra parte, de acuerdo con una publicación aparecida en el periódico *Listín Diario* de fecha 3 de enero de 1900, ya se conocía una Liga de Obreros y Artesanos que reunía entre artesanos, obreros e intelectuales a más de cuatrocientos miembros de 21 oficios y profesiones. El 31 de diciembre de 1899 se consigna en dicha publicación que la Liga celebró una concentración en Santo Domingo donde su principal orador expresó que: "Había que redimir al obrero y conquistar la democracia económica para lograr la emancipación del hombre y que el trabajo y no la explotación serán el fundamento económico de las edades."

Otro hecho que refleja claramente un cuestionamiento al sistema capitalista lo constituye un documento que se puso a circular al día siguiente de la concentración, con la autorización del Centro Propagador de la Liga de Obreros y Artesanos. En dicho documento "se denuncia el sistema de producción capitalista; el acaparamiento individual; los sufrimientos del proletariado al que llama 'máquina viviente' o desheredados de la tierra; y en el que se llama a la unión de los obreros nacionales y extranjeros..., y por último llama a luchar por la 'democratización de los medios de producción, hasta lograr en el mañana una base socialista".[49] Entre 1915 y 1920 se fundaron los gremios de cigarreros, carreteros, enceradores, tabaqueros, Hermandad Cigarrera de Santiago; se reorganizó la Federación Regional Obrera de Puerto Plata, y se promulgó la primera ley laboral del país, referente al cierre dominical obligatorio decretada con el número 175, el 25 de mayo de 1925. Ante el supuesto de que la abstención del trabajo los días domingo tenía un carácter religioso, el 28 de abril de 1926, la Suprema Corte de Justicia la declaró inconstitucional, dando por razones que la libertad de conciencia y cultos era consagrada por la constitución de la república.

Eugenio Kundhart, presidente de la Hermandad Comunal Nacionalista quien mantenía diferencias con los organizadores del Congreso celebrado en Santo Domingo. Sin embargo, en ambos congresos se concluyó haciendo un llamado a la lucha por la salida inmediata de las tropas norteamericanas de ocupación y la recuperación de la soberanía nacional.

48 Julio de Peña Valdez, *op. cit.*, pp. 18-19.
49 Manuel de Jesús Pozo, *op. cit.*, p. 47.

No obstante los obstáculos y limitaciones las organizaciones laborales continuaron apareciendo. En la década de 1920 se fundaron la Federación Local del Trabajo de Santo Domingo, constituida por treinta y un gremios; la Unión Regional de Obreros del Este, que surge en 1929 bajo la presidencia del líder obrero Valentín Tejada, quien en esa misma fecha señalaba: "que mientras el capitalismo se asocia para acrecentar su poder, sigue viviendo el obrero en su estado de debilidad, miseria y hasta de desprecio, de parte de quienes se alimentan de su sangre, por su falta de unión..."[50]

Al final de la tercera década del presente siglo se organizó el Partido Obrero Independiente, que tuvo muy poca incidencia en la vida política del país y cuya duración fue muy breve debido a que el dictador Rafael L. Trujillo M. lo hizo desaparecer al poco tiempo de subir al poder.

En 1929 fue celebrado el Cuarto Congreso Obrero Dominicano, en el que se produjo la división de la Confederación Dominicana del Trabajo, ya que este Congreso desconoció las resoluciones y la dirigencia surgida en el Tercer Congreso realizado por la Confederación en 1928 en la ciudad de Santiago de los Caballeros. La nueva CDT fue reconocida por el presidente de la República Rafael Estrella Ureña el 10 de abril de 1930 mediante decreto número 1275, legalizándose así la división y abriéndose el camino para su posterior control por parte del Estado.[51]

La división registrada en la Confederación probablemente tuvo una relación directa con una huelga de choferes que se llevó a cabo en 1929 contra el alza del precio de la gasolina, ya que ésta estuvo dirigida por la CDT antes del Cuarto Congreso y en su apoyo se registraron movilizaciones populares que culminaron con el asesinato de un chofer.[52]

Es preciso señalar que no obstante haberse producido un significativo crecimiento del proletariado nacional y sus primeros intentos de organización sindical, la clase trabajadora no logró cuajar un movimiento sólido con coherencia y conciencia de clase aceptable en sentido general. Prácticamente todos los gremios y organizaciones laborales que se llegaron a constituir eran de carácter eminentemente mutualista y en el fondo carecían en gran medida de conciencia política y en cantidad significativa podían ser calificados de semiproletarios.

El proceso de proletarización que se produce en este período estuvo fuertemente limitado por factores como los siguientes:

* Una estructura económica sustentada sustancialmente sobre la base del capital extranjero y de naturaleza monopólica, lo que aumentaba y perfilaba de manera cada vez más definida el fenómeno de la dependencia.

* El escaso o casi nulo desarrollo de una burguesía nacional fue otro factor limitante en la ampliación del proletariado, especialmente porque el reducido grupo de burgueses fue sometido a tal dependencia del capital e intereses extranjeros que le resultaba imposible planear, organizar y llevar a cabo un programa económico-político que tuviera por objeto el desarrollo de la propia burguesía nacional como clase independiente.

[50] Julio de Peña Valdez, *op. cit.*, p. 20.
[51] Jesús de Galíndez, *La era de Trujillo*, Buenos Aires, Ed. Atlántico, 1958, p. 293.
[52] Ramón Grullón, artículo publicado en el periódico *Última Hora*, 1o. de mayo de 1976, Santo Domingo.

* De otra parte, la importación masiva de mano de obra extranjera que garantizaba al capitalista la extracción de un mayor y creciente plusvalor constituyó otro de los factores limitantes en el proceso de desarrollo del proletariado nacional.

* Y, finalmente, el escaso desarrollo industrial que se evidencia hasta la tercera década del presente siglo representó tal vez la más fuerte limitación en el inicio del proceso de proletarización.

No obstante esto, principalmente a partir de 1940, el desarrollo del capitalismo en el país hizo posible cambios importantes en la estructura social y económica que trajeron como consecuencia transformaciones cuantitativas y cualitativas en la clase obrera dominicana.

II. RÉGIMEN TRUJILLISTA Y PERSPECTIVAS ADOPTADAS POR EL MOVIMIENTO OBRERO DOMINICANO

Subordinación forzosa

Para cualquier observador informado es obvio que a partir de 1930 se abre una etapa en la vida del país y para el movimiento obrero dominicano en particular. El inicio de la dictadura trujillista, producto directo de la primera intervención militar norteamericana, trajo como consecuencia un mayor desarrollo de las fuerzas productivas y con respecto al movimiento obrero un relativo estancamiento en su proceso de crecimiento y dinamismo.

El control de las organizaciones obreras ya se gestaba desde años anteriores, pero es a partir de la dictadura trujillista que puede lograrse abiertamente, sobre todo por la vía de los métodos represivos puestos en práctica por el régimen, y en especial por la necesidad que tenía Norteamérica de mantener un gobierno fuerte en la República Dominicana, a fin de que garantizara sus intereses económicos en el país y que le permitiera enfrentar, con menos dificultades políticas en el exterior, la crisis interna generada por la depresión económica de 1929.

Los métodos represivos adoptados por el régimen de Trujillo, entre otras cosas, dieron como resultado inmediato:

a] La minimización de la oposición activa al régimen; la creación del Partido Dominicano, que poco después se convierte en partido único, y la eliminación de las cabezas principales de los movimientos políticos contrarios al gobierno.[53]

[53] En marzo de 1930, Trujillo, además de haber sido elegido presidente de la República, había conseguido eliminar a toda la oposición: "Federico Velázquez, José Dolores Alfonseca, Ángel Morales, Gustavo A. Díaz y otros dirigentes de la Alianza Cibaeña tuvieron que escapar al exilio; Martínez Reyna y algunos menos afortunados habían sido acribillados a balazos; tan sólo el viejo y achacoso caudillo Horacio Vásquez fue respetado en su lenta agonía de Tamboril." En los primeros nueve meses de su gobierno ya Trujillo había desintegrado la confederación de partidos que lo eligió, lo que fue definitivo con la muerte de Desiderio Arias en junio de 1931. (Jesús de Galíndez, *Era de Trujillo*, pp. 50-70.)

b] Aunque parezca contradictorio, la represión desatada en todos los niveles forzó una concentración alrededor de Trujillo de dirigentes políticos, originalmente en la oposición, y de intelectuales y profesionales que escribían para alabar al régimen.

c] La Confederación Dominicana del Trabajo desapareció de hecho; los gremios existentes quedaron reducidos en su actuación a las actividades puramente benéficas.[54] Desaparece el Partido Obrero, y los gremios que pudieron subsistir aisladamente eran manejados por el gobierno.

d] Los cambios políticos que se produjeron en la vida de la nación permitieron una sólida organización del régimen trujillista y una reorganización de la propiedad en beneficio personal del tirano.

De lo anterior se desprende la constitución objetiva de una dictadura, ya que la separación entre el gobierno y el pueblo que en estos puntos se describe muestra claramente esta situación. Es a partir de aquí que se comprende la intensificación de la explotación en las grandes masas de obreros y campesinos, y la visible y acelerada concentración del poder político.

La concentración y control del poder político que caracterizó al régimen de Trujillo era tal que, en el caso específico de la clase obrera, a fin de garantizar el máximo control de los pasos dados por ésta, se promulgó una ley en 1940 que establecía que el presidente *ex oficio* de las Federaciones Sindicales provinciales era el gobernador civil.

Desde el principio mismo del gobierno de Trujillo se ofrecen muestras de una política represiva sistemática y brutal, que pretende eliminar todo intento de protesta y fortalecimiento de la clase trabajadora.[55] No obstante, aún en 1932 existía la Federación Local del Trabajo, con asiento en la calle Cambronal de la ciudad capital. Testimonios de algunos ex dirigentes de dicha Federación dan a conocer que el local donde se alojaban fue construido con recursos de los propios obreros y con donaciones de instituciones internacionales. En varias oportunidades estos ex dirigentes han hecho diligencias con el fin de recuperar la propiedad que les fue arrebatada por Trujillo, pero sin éxito alguno.

Dentro de los gremios que componían a esta Federación se encontraban los siguientes: repartidores de pan, cinematográfico, motoristas, electricistas, braceros del muelle, zapateros, barberos, tablajeros, cocheros, plomeros obra del puerto, camareros, costureras, cerveceros, panaderos, pintores, telecomunicaciones, limpiabotas, conductores de autobuses, talabarteros, curtidores, fogoneros de la planta eléctrica El Río, mecánicos y otros.[56]

54 Jesús de Galíndez, *op. cit.*, p. 297.

55 En la mesa redonda sobre el movimiento obrero dominicano organizada por la UASD en octubre de 1974, de acuerdo con informaciones ofrecidas por el líder obrero de la década de 1940, Justino José del Orbe, compañero de lucha de Mauricio Báez, en 1931 se produjo un levantamiento de los obreros de La Jagua, Ingenio Consuelo y el mismo fue aplastado por los guardias-campestres al servicio del ingenio. Dijo, además, que un hecho similar se registró en 1932 en Monte Coco, San Pedro de Macorís. En esta ocasión los guardias-campestres fueron auxiliados por dos camiones del ejército llenos de militares. Según su testimonio, en esa oportunidad sólo dejaron de recibir golpes y encarcelamiento los que en ese momento realizaban sus actividades normales como picadores de caña.

56 Documento firmado por Guillermo Vegt, presidente del Gremio de Mecánicos y fechado en 1932.

Además, continuaron subsistiendo tres gremios portuarios correspondientes a los puertos de San Pedro de Macorís, Santo Domingo y Puerto Plata. También se mantuvo vigente la Hermandad Cigarrera de Santiago.

En realidad, la base del éxito esperado por estos y otros gremios se fundamentaba en el compañerismo y la ayuda mutua. Sin embargo, a pesar de la naturaleza de estos gremios, su sola presencia como grupos organizados que llevaban a cabo una que otra actividad aislada, conjuntamente con el interés de Trujillo por asegurarse el poder económico y crearse una imagen de carácter democrático, así como de controlar el mínimo movimiento, fueron factores que forzaron al régimen a poner en práctica una serie de medidas que beneficiaron tangencialmente a la clase trabajadora y que estaban dadas en función directa de sus evidentes propósitos dictatoriales.

Dentro de estas medidas pueden señalarse las siguientes:

El 25 de mayo de 1932 fue promulgada la ley núm. 352 sobre accidentes del trabajo; esta ley más que beneficiar a la clase trabajadora, estaba fundamentalmente concebida para ensanchar los beneficios económicos del dictador, pues cinco meses después de ser promulgada, Trujillo creó la Compañía de Seguros San Rafael, la cual era prácticamente de su exclusiva propiedad, la que por fuerza desplazó a la compañía norteamericana Victor Insurance Co., de Victor Braegger, que había sido establecida con los mismos fines.[57]

En 1932 fueron aprobadas por el gobierno dominicano, como una concesión en favor de la clase trabajadora, cuatro resoluciones adoptadas por la Oficina Internacional del Trabajo: a] limitación de las horas de trabajo en los establecimientos industriales; b] fijación de la edad mínima de admisión de los niños en los trabajos industriales; c] fijación de la edad mínima de admisión de los niños en el trabajo marítimo; d] fijación de la edad mínima de admisión de los niños en los trabajos agrícolas.[58]

En 1934 se establece una disposición legal que obliga a las empresas comerciales, industriales o agrícolas a mantener un 70% de su personal con trabajadores y empleados nativos.[59]

El 29 de junio de 1935 fue dictada la ley núm. 929 sobre la jornada comercial e industrial.

No cabe duda de que esta legislación sobre la clase trabajadora tuvo su repercusión positiva, sin embargo, el hecho mismo de la debilidad que acusaban los gremios existentes, la represión constante y el control de todo grupo organizado por parte del Estado, no dejaba otra alternativa que no fuese una legislación inducida y ejecutada básicamente desde arriba, lo que implicaba una pérdida relativa de la libertad sindical. Tanto es así, que de hecho no se produce dentro de la clase obrera durante los once primeros años del gobierno de Trujillo ninguna actividad de una significación tal que pueda ser calificada como una posición de presión masiva contra el régimen. Sin lugar a dudas la gran masa obrera estaba subordinada y dirigida por el propio Estado.

La manifestación organizada para los obreros el 1o. de mayo de 1939 confir-

---

[57] Jesús de Galíndez, op. cit., p. 350.
[58] Jesús de Galíndez, op. cit., p. 294.
[59] Gilberto Sánchez Llustino, Trujillo, el constructor de una nacionalidad, La Habana, Cultura, 1938, p. 213.

ma lo anteriormente señalado. De acuerdo con una publicación aparecida el 2 de mayo de 1939 en el periódico *La Información*, en esta manifestación participaron unos 10 000 trabajadores para conmemorar el día del trabajo y en ella intervinieron en su organización y dirección funcionarios nombrados por el gobierno para dirigir los gremios.[60]

El 22 de enero de 1940 se reunieron varias agrupaciones de obreros para celebrar el día de los gremios, esta reunión se efectuó en el Palacio del Distrito, y fue presidida por Virgilio Álvarez Pina, quien era alto funcionario gubernamental. También en La Vega se celebró tal fecha, y los actos fueron realizados en los salones de la gobernación.[61]

No obstante registrarse esta subordinación forzosa de los gremios al Estado, algunos hechos evidencian que la clase trabajadora hizo lo posible para hacer cumplir la legislación laboral vigente. Las posiciones de la prensa escrita y de la Secretaría de Agricultura, Industria y Trabajo en favor de los obreros, en gran medida tuvieron su origen en exigencias públicas o privadas del sector organizado de la clase. Veamos:

El periódico *La Información* del 14 de julio de 1939 publica un editorial en el que se aplaude la campaña de la Secretaría de Agricultura, Industria y Trabajo en favor de las obreras de las fábricas de ropa, con el fin de que se les pague el salario mínimo. Estas obreras estaban organizadas en un gremio.

El día 9 de diciembre de 1940 se efectuó en la gobernación de Santiago una sesión extraordinaria de los miembros del gremio de zapateros de Santiago, cuyo objetivo era denunciar la violación del salario mínimo. Esta reunión estuvo presidida por el presidente del gremio y el gobernador Mario Fermín Cabral, estando presentes inspectores de trabajo.[62]

El 6 de noviembre de 1940 se publica en *La Nación*, que el Comité Nacional de Salarios Mínimos se reunió para tratar de los jornales mínimos en la industria del calzado, acordándose someter al poder ejecutivo un proyecto que regule los salarios de esta industria. Cinco días más tarde, por decreto del poder ejecutivo se aprueba la tarifa sometida que regirá para la industria del calzado.

El decreto establece que los patrones zapateros no pueden despedir a sus obreros sino por causa justificada y previa aprobación del Departamento de Trabajo.

Desde julio de 1939 aparecen publicaciones en favor de que se elimine el sistema de "vales" en los ingenios. El 14 de mayo de 1940, es decir diez meses después, se lee en el periódico *La Opinión* el texto completo de la ley núm. 223, la cual establecía que el pago de jornales y salarios debía realizarse en efectivo y semanalmente por parte de las empresas agrícolas a sus obreros.

En realidad, muy pocas veces se cumplían estas leyes en favor del obrero, muy especialmente cuando éstas entraban en contradicción con los intereses económicos y políticos de Trujillo.

En definitiva, durante los primeros doce años de la dictadura trujillista, los cuales constituyeron el período de fortalecimiento de las bases del régimen, fueron años en los que el capitalismo era marcadamente atrasado y sumamente

60 *La Información*, 2 de mayo de 1939.
61 *La Información*, 22 de mayo de 1940.
62 *La Nación*, 12 de diciembre de 1940, p. 5.

dependiente, lo que en conscuencia producía una dominación con toda la crudeza de una dictadura, acorralando al mundo laboral en meras tácticas de beneficencia y, en algunos casos, en una línea reivindicativa exclusivamente salarial y dirigida por personeros gubernamentales.

Puede afirmarse que durante este período se sientan las bases de una práctica que todavía hoy en día se registra con frecuencia, nos referimos a la real separación entre la práctica de las formas jurídicas laborales y el contenido teórico de las mismas. Pues los escasos sectores de la clase trabajadora organizada en gremios, en su mayoría artesanos que ya estaban subordinados al capital de la élite burguesa trujillista que se conformaba y a los intereses capitalistas norteamericanos, fueron incapaces de globalizar y racionalizar su problemática económica y, en consecuencia, la problemática social y política en su conjunto.

En este sentido, la posición adoptada por el mundo laboral, por fuerza, fue de subordinación casi absoluta a los lineamientos económicos y políticos de Trujillo.

Período de relativo auge del movimiento obrero

Antes de adentrarnos en el objeto mismo de esta parte del trabajo, permítasenos las anotaciones que siguen: el régimen trujillista siempre estuvo alerta para mantener dentro de los límites de sus intereses a las actividades de la clase trabajadora, para esto y con el evidente propósito de producir un cierto tipo de amortiguamiento entre la burguesía cada vez más rica y el proletariado cada vez más miserable y explotado, recurrió no sólo a factores supraestructurales, tales como la legislación laboral permitida, sino que desde el principio mismo de 1930 dio atención especial a la promoción y organización de instituciones cooperativas, las que eran aprovechadas como contrapartida del movimiento sindical en gestación.[63]

[63] Hacia 1938 ya los norteamericanos, con casi diez años de práctica cooperativa, iniciaron la promoción de este tipo de organización, principalmente en el sector agrícola. En esta misma línea, ya en 1930 Trujillo promete al pueblo la organización de cooperativas entre las clases más necesitadas; estas promesas se concretaron ofreciéndole a este movimiento recursos económicos, técnicos o especialistas norteamericanos en la materia. En 1932 aparece el Sr. O. B. Jesness, especialista en asociaciones cooperativas del Departamento de Agricultura de Estados Unidos, trabajando para la Secretaría de Agricultura y publicando una serie de artículos sobre cooperativas en la revista *Agricultura y Comercio* de la Secretaría referidos a la eficacia y necesidad de poner en práctica el sistema cooperativo en el país. Un dato que revela la dependencia de estas cooperativas respecto a Estados Unidos, lo constituye el hecho de que dentro de los elementos a estudiar en el proceso de organización de una cooperativa, estaba el de consultar al Departamento de Agricultura de aquel país antes de ponerla en funcionamiento. A las cooperativas nacionales se les sugería que para su mejor funcionamiento debían consultar a las cooperativas europeas y norteamericanas. Ya en 1933 las cooperativas en total sumaban once, las cuales prácticamente desaparecieron a partir de 1934 cuando Trujillo les exigió la devolución del capital de trabajo que les había facilitado y les retiró la asistencia técnica que les brindaba. A partir de 1947, cuando Trujillo recién terminaba un enfrentamiento de gran significación con la clase obrera, el cooperativismo vuelve a ocupar su lugar prioritario, lo cual se prolongó hasta que en 1956 este movimiento empezaba a entrar en contradicción con los intereses del régimen. (Ramón Almont R., *El movimiento cooperativo en la República Dominicana*, tesis de licenciatura en administración de empresas cooperativas, UNPHU.)

El cooperativismo se traduce en esa época en un sistema de relaciones entre marginados que se circunscribe casi con exclusividad al círculo de la producción, ahorro y consumo, lo cual conlleva un objeto fundamentalmente económico e implica un dilatado o escaso conflicto con el capitalista empresario, quien es beneficiario indirecto de estas relaciones, ya que la complejidad y globalidad del mundo marginal requiere de subsidios estatales y ayudas técnicas de agencias externas, pero principalmente porque el cooperativismo no representa por lo menos en principio ningún carácter antagónico entre trabajador y empresario, puesto que sus actividades suelen ser realizadas con aparente independencia entre marginados, fuera de todo elemento político-partidista, y orientadas hacia un objetivo económico compartido por sus miembros.

El sindicalismo, por el contrario, implica unas relaciones más complejas dentro del sistema capitalista; sus luchas están enmarcadas en el amplio antagonismo entre capital y trabajo, lo que necesariamente arrastra una agudización creciente de la contradicción burguesía-proletariado. El sindicalismo, en lugar de contribuir a la permanencia y reproducción de las relaciones capitalistas, tiene como cauce normal la destrucción definitiva de dichas relaciones de producción.

Entrando en lo que queremos tocar de manera especial en este punto, somos de la opinión de que no obstante haberse utilizado una serie de instrumentos limitantes del desarrollo del movimiento obrero, a partir de 1942 puede hablarse con propiedad de un relativo auge alcanzado por el movimiento obrero organizado en gremios o sindicatos. El auge a que nos referimos se observa en lo que señalaremos más adelante.

Con el objeto de ver más claramente los factores determinantes para que se produjera un viraje del movimiento laboral, que fue decisivo en la definición y afianzamiento del movimiento obrero, recurrimos aquí a un análisis general del comportamiento económico en el plano nacional durante las décadas de 1930 y 1940.

Comportamiento económico

El comportamiento económico puede definirse en lo fundamental por una marcada y acelerada concentración de la propiedad en manos de la élite burguesa trujillista, que eliminaba crecientemente el predominio del capital extranjero en la economía del país. Esto implicó una importante tendencia al desplazamiento de la inversión extranjera, un mayor desarrollo de las fuerzas productivas y una posterior y segura radicalización en las relaciones burguesía-proletariado.

Los negocios y actividades a través de los que el tirano acumuló su fortuna, fueron los siguientes:

a] La Compañía Salinera, C. por A., que sustituyó a una compañía dominada por la familia Michelena. Esto se hizo en 1932 bajo el pretexto de que no se podía extraer más sal por estar las salinas en vías de agotamiento.

b] La Compañía de Seguros San Rafael, organizada a fines de 1932 y con cuya creación desapareció la compañía norteamericana Victor Insurance, Co.

c] La crianza de ganado y el aprovechamiento de sus productos se llevaba a cabo desde los primeros años del gobierno, y ya para 1943 ejercía un monopolio parcial a través de la Central Lechera, establecida "legalmente" con el pretexto de garantizar la pureza de la leche y la salud del consumidor.

d] El matadero Industrial y una compañía anónima para la venta de la carne. Este negocio vino a establecer un monopolio parcial en el ramo, con gran ventaja frente a los demás productores independientes. La actividad estaba acompañada de la venta de ganado en pie a los mataderos de las Antillas Holandesas y otras islas del Caribe.

e] La Compañía Tabacalera Dominicana, con la cual se organizó el monopolio en el tabaco y su procesamiento, ya que la competencia extranjera estaba limitada por fuertes impuestos de importación. Para hacerse de este negocio Trujillo hizo eliminar en 1935 el Faro a Colón, una tabacalera que tenía como principal accionista a un cónsul honorario de Italia, Amadeo Barletta. Asimismo, desplazó de hecho al principal accionista de la Tabacalera Dominicana, Anselmo Copello, quien aceptó cederle a Trujillo la mayoría de sus acciones de la compañía.

f] La lotería nacional, la cual constituía y constituye hoy en día una importante fuente de ingresos.

g] También pueden señalarse: Aceitera Dominicana, Cervecería Nacional, Fábrica de Cemento, jugos de frutas, sacos y cordelería, chocolates, fábrica de zapatos Fadoc, fábrica de muebles criollos La Caobera, Ferretería Read, Caribbean Motors Co., Compañía Naviera Dominicana, Compañía Dominicana de Aviación, Suministro de Medicinas y Lavanderías, periódicos *La Nación* y *El Caribe*, etcétera.[64]

h] Por otro lado, en 1941 el dictador compra el National City Bank, con el cual crea en 1946 el Banco de Reservas de la República Dominicana.

Elimina la moneda norteamericana en circulación y crea la moneda nacional.

Más adelante Trujillo funda el Banco Agrícola y el Banco Central. Paga la deuda externa en 1947.[65]

De acuerdo con informaciones publicadas en el periódico *La Nación* el 15 de enero de 1946, el desarrollo industrial del país fue intenso durante el año 1945. Veamos:

Establecimientos industriales inscritos		Aumento registrado	Núm. de trabajadores y empleados inscritos
1944	303		908
		73%	
1945	525		2 385

El valor económico de cada empresa establecida en 1945 representa un aumento sobre las instaladas en 1944 de un 104%; en mano de obra este incremento fue de 66%.

64 Para mayor información sobre los negocios de Trujillo hasta aquí señalados, véase Jesús de Galíndez, *op. cit.*, pp. 341-357.

65 Juan Bosch, *Dictadura con respaldo popular*, *op. cit.*, pp. 74-76.

Estos y muchos otros negocios prácticamente de propiedad exclusiva del tirano,[66] junto con la concentración que se registra en lo que se refiere a la propiedad territorial,[67] fueron impulsores directos de un sustancial incremento de la clase trabajadora.[68]

La marcada tendencia de concentración económica alrededor de la figura de Trujillo ya estaba afectando los intereses capitalistas norteamericanos que tenían inversiones en el país, especialmente a partir de la primera mitad de la década de 1950, cuando el régimen trujillista dio mayores muestras de su ambición al enfrentar con mucha habilidad política la propiedad extranjera de los centrales azucareros.

De 1948 a 1953 la élite trujillista había instalado un central azucarero en Villa Altagracia y uno más en el Río Haina, que era señalado como el más grande del mundo, y había comprado el ingenio Monte Llano de Puerto Plata, propiedad de norteamericanos, el central Ozama de canadienses, el Amistad de puertorriqueños y El Porvenir de una familia de apellido Kelly.

Esta tendencia hacia el sector azucarero fue reforzada entre 1953 y 1957 por una campaña desplegada por el régimen contra la compañía azucarera West Indies que poseía cinco ingenios, grandes extensiones de tierra que también estaban dedicadas al pastoreo de ganado y La Romana, Inc. La campaña de descrédito fue acompañada por la exigencia de cumplimiento de las leyes laborales y de salud pública, así como de huelgas frecuentes, que en la mayoría de los casos eran estimuladas por el régimen con fines evidentemente políticos, tales como las que se produjeron en 1954 en algunos de los ingenios del este, incluyendo el central Romana. Estas actividades laborales estaban dirigidas por la Confederación de Trabajadores Dominicanos (CTD) la cual, como se sabe, era controlada por Trujillo.

Esta campaña condujo en 1956-1957 a la compra por parte de Trujillo de los cinco ingenios de la West Indies, por un valor aproximado de 35 000 000.00 de dólares. Desde entonces Trujillo empezó a controlar catorce de los dieciséis centrales azucareros que funcionaban en el país (para mayor información véanse los periódicos de la época).

[66] En el informe del gobierno dominicano al Consejo Económico y Social —octubre de 1962— Conferencia Interamericana, México, se ofrecieron los siguientes datos sobre el peso de la fortuna personal de Trujillo en la economía del país: el 63.0% del azúcar; el 73.1% del papel; el 71.9% de las industrias de cigarrillos; el 66.6% del cemento; el 22.0% de todos los depósitos bancarios (Tad Szulc, *Revolución en Santo Domingo*, Madrid, Ed. Cid, 1966, p. 369). Además, Trujillo poseía el 35% de las tierras cultivables y el 30% del ganado nacional.

[67] De acuerdo con los censos levantados en 1950-1960 y 1971, para 1950 el 76.6% de fincas de todo el país eran menores de 80 tareas y ocupaban sólo el 13.7% del total de la superficie. Las fincas de 400 y más tareas representaban el 4.4% del total de fincas y el 63.8% de la superficie. Para 1960, las fincas menores de 80 tareas aumentaron a un 86.2% del total y ocupaban el 19.3% de superficie. Las de 400 y más tareas representaban sólo el 2.4% del total de fincas y ocupaban el 62.5% de la superficie. Para 1971, el 78.2% de las fincas eran menores de 80 tareas y ocupaban sólo el 12.7% de la tierra disponible en todo el país.

[68] En 1940, la suma de empleados, obreros y aprendices era de 38 345; en 1950 esta cifra aumentó a 48 332, y en 1960 se elevó a 89 591. Para el caso específico de la industria de la caña en 1950 habían 34 334, y en 1960 la cantidad se incrementó hasta llegar a 64 873. (Estadística Industrial de la República Dominicana, 1962, núm. 13 y Dirección General de Estadísticas, 1965, pp. 1-64.)

El disgusto y la preocupación del gobierno norteamericano frente a Trujillo, motivados por esta tendencia hacia el desplazamiento de las principales inversiones extranjeras en el país, pueden apreciarse en la respuesta del gobierno de Estados Unidos en ocasión de una solicitud presentada por el gobierno dominicano en 1945 al gobierno de aquel país, para importar de Estados Unidos un gran cargamento de pertrechos militares: "El gobierno y el pueblo de Estados Unidos abrigan necesariamente un sentimiento más caluroso de amistad y un mayor deseo de cooperación para con aquellos gobiernos que se asientan en el consentimiento periódico y libremente expresado de los gobernados. Este gobierno ha observado durante los pasados años la situación imperante en la República Dominicana y no ha podido percibir que los principios democráticos hayan sido observados allí en teoría o en la práctica. La anterior conclusión se basa en *la falta de libertad de reunión*, así como en *la supresión de toda oposición política* y la existencia del sistema del partido único. *El suministro de grandes cantidades de pertrechos ante semejante sistema podría juzgarse que constituye tanto una intervención en los asuntos políticos de la República Dominicana como un apoyo a las prácticas recién mencionadas.* En opinión del gobierno de Estados Unidos, las precedentes observaciones constituyen razón suficiente para rehusar suministrar las armas y las municiones solicitadas."[69]

Es más que evidente, aunque en esta comunicación el gobierno norteamericano no hace referencia alguna al aspecto económico, que la razón fundamental de ésta fueron precisamente los problemas que le estaba ocasionando Trujillo a los inversionistas extranjeros en el país. Pues a nadie le queda la menor duda en el sentido de que Estados Unidos, contrariamente a limitar y reprimir los gobiernos dictatoriales de América Latina, es el país que más ha estimulado la creación y sostenimiento de este tipo de regímenes.

Damos por seguro que frente a un personaje como Trujillo, tan celoso de sus intereses económicos, esta actitud del gobierno norteamericano contribuyó a una mayor radicalidad del régimen frente a la inversión extranjera que pudiera reportarle importantes beneficios. Esta situación se conjugó con la coyuntura internacional provocada por la segunda guerra mundial, y poco más tarde con la posición de liberalismo relativo adoptada por instituciones internacionales como Naciones Unidas.[70] Esto permitió una apertura transitoria de

---

69 Roberto D. Crassweller, *Trujillo —La trágica aventura del poder personal—*, Barcelona, Bruguera, 1968, p. 230 (las cursivas son nuestras).

70 En lo que toca a la libertad de asociación, en noviembre de 1947 se reunió en Nueva York la Organización de las Naciones Unidas y aprobó por 45 votos contra 6 y 2 abstenciones, que la "libertad sindical debe considerarse como un derecho inalienable". El 10 de julio de 1948 le correspondió a la Organización Internacional del Trabajo —OIT— en su 31a. Conferencia General, aprobar el convenio núm. 87 relativo a la libertad sindical y protección del derecho de sindicalización. "Posteriormente, la declaración de Filadelfia expresó de nuevo que las libertades de expresión y de asociación son condiciones indispensables para un progreso continuado." La Asamblea General de la ONU, en su segunda reunión, adoptó las posiciones de la OIT, e invitó a continuar con la constitución de organizaciones sindicales, sin ninguna distinción y sin necesidad de que éstas requieran de autorización previa alguna, sino con la sola condición estatutaria de éstas y de que su objeto sea promover y defender los intereses de los trabajadores y de los patrones, sin importar su tendencia política. Tanto la ONU como

apariencia democrática del régimen trujillista, lo cual repercutió favorablemente en el movimiento obrero dominicano.

Legislación laboral

Además de la forzada legislación laboral que se creó en la década de 1930, la que se produjo en la década de 1940 reviste una gran importancia para la clase trabajadora dominicana. 1942 merece especial atención, ya que en enero de dicho año se aprobó constitucionalmente que se legislara en materia obrera, "y concretamente en lo que respecta a la jornada máxima de trabajo, los días de descanso y vacaciones, los sueldos y salarios mínimos y sus formas de pago, los seguros sociales, la participación preponderante de los nacionales en todo trabajo, y en general, todas las medidas de protección y asistencia del Estado que se consideren necesarias en favor de los trabajadores".[71]

Para 1944, cuando ya se registra un impulso significativo del movimiento obrero en todo el continente americano y cuando ya habían caído los dictadores Hernández de El Salvador y Ubico de Guatemala, se promulga en el país la ley núm. 637 sobre contratos de trabajo, y por iniciativa del gobierno se reorganiza la Confederación Dominicana de Trabajadores, la que el 7 de agosto de ese mismo año hizo público un mensaje a los obreros de América en el que se elogia la obra de Trujillo.[72]

En mayo de 1945, mediante la ley núm. 889, el Departamento de Trabajo, creado un mes y dieciséis días antes de que Trujillo asumiera el poder, pasa a funcionar en la Secretaría de Estado de Trabajo y Economía Nacional.

El 30 de julio de 1945 se aprobó una ley creando los procuradores obreros de cada provincia. En octubre de ese mismo año se aprobó una nueva ley sobre salarios mínimos. El 4 de enero de 1946 fue aprobada la ley sobre jornada de trabajo. "Se aprueban además dos reglamentos para aplicar estas leyes, y se aprueban avanzados decretos sobre tarifas mínimas en varias ramas, sobre todo en la industria azucarera, a primeros de 1946. Simultáneamente se pone en práctica la ley de contratos de trabajo..., y un reforzado cuerpo de inspectores. de trabajo impone el cumplimiento de toda la legislación obrera, hasta entonces más en el papel que en la práctica."[73]

Nuevas organizaciones y luchas más destacadas

Sin duda alguna, las reformas hechas a la legislación laboral, conjuntamente con la coyuntura internacional y sus efectos para la República Dominicana, así como las miserables condiciones de la clase trabajadora, contribuyeron en

la OIT plantearon que las asociaciones sindicales deben actuar libres de toda imposición estatal o de los partidos políticos. (Florencio Durán Berrales, *La política y los sindicatos*, Santiago de Chile, Ed. Andes, 1863, pp. 71-72.)

[71] Jesús de Galíndez, *op. cit.*, p. 294.
[72] Jesús de Galíndez, *op. cit.*, p. 127.
[73] Jesús de Galíndez, *op. cit.*, p. 295.

gran medida a la organización de nuevos sindicatos y a la reorientación de su lucha.

Galíndez nos informa que ya en 1946 tenían registrados en la Secretaría de Trabajo más de 150 sindicatos y varias federaciones provinciales y que estaba en trámite una federación nacional azucarera. En el periódico *La Nación* de noviembre y diciembre de 1945 y enero de 1946 consta que el Departamento de Trabajo reconoció las organizaciones siguientes: Federación Local del Trabajo, de La Romana; Gremio de Chequeadores del Puerto y Antepuerto, de San Pedro de Macorís; Sindicato de Trabajadores del Central Monte Llano; Gremio de Pintores, de La Romana; Federación Nacional Obrera Azucarera, y asociaciones radicadas en Bocho Chica y Caei.

Aunque todas o la mayoría de estas organizaciones estaban siendo vigiladas muy de cerca por el régimen, la fuerza que adquirió un sector de la clase trabajadora organizada permitió llevar a cabo con gran éxito la gran huelga de enero de 1946, que abarcó los centrales azucareros de La Romana y San Pedro de Macorís, al este del país. Esta fuerza de la clase trabajadora estuvo complementada por la interesante labor política que realizaron los republicanos españoles que tras la guerra civil española llegaron al país desde 1939; así como por la labor de algunos exiliados políticos a los que se les permitió regresar en 1945 y 1946.

Según testimonio del líder obrero Justino José del Orbe, la huelga sin éxito inmediato que se llevó a cabo en La Romana en 1942 dejó muy buenas lecciones a los dirigentes sindicales, pues aún después de un mes de dicha huelga se seguía persiguiendo a los obreros en los cañaverales, principalmente a los dirigentes, a quienes no les estaba permitido entrar en los ingenios. Basados en esta experiencia llegaron a la conclusión de que para triunfar frente a Trujillo era necesario organizar una huelga con todos los obreros de los diferentes ingenios.

Para la huelga de 1946 los trabajos se hicieron clandestinamente y estaban dirigidos, al igual que en 1942, por el líder obrero Mauricio Báez, el propio Justino José del Orbe y otros. Es interesante destacar que grupos de haitianos que trabajaban en los ingenios participaban en las reuniones realizadas en San Pedro de Macorís para organizar la huelga. Con frecuencia estos haitianos tenían que caminar desde comunidades, tales como Monte Coca, Lechuga, etc., distantes a 40 kilómetros de San Pedro, lo que indica su interés por contribuir al éxito de la lucha.

Dice Justino José del Orbe que esta huelga también estuvo impulsada por las pésimas condiciones de trabajo en los ingenios. Por ejemplo, en el departamento de ganadería del ingenio un trabajador trabajaba 16 o 17 horas diarias y sólo recibía de 50 a 60 centavos por día; un trabajador del muelle Consuelo trabajaba 12 horas durante la noche por 72 centavos y 11 horas en el día por 60; un obrero de la Centrifugadora trabajaba 12 horas y ganaba 60 centavos; un sereno con 12 horas de trabajo ganaba 40 centavos ($2.80 semanales).

Por otro lado, el control de los ingenios sobre el comercio era absoluto. La administración del ingenio pagaba cada quince días y en sábado; todo el dinero pagado era entregado directamente a la bodega propiedad del mismo ingenio, donde los obreros ya se habían visto obligados a consumir los centavos ganados en la quincena. Es decir, este dinero salía sólo en apariencia de la administración del ingenio, ya que el obrero, sobre la base de fichas o vales que tenían validez exclusivamente en la bodega, ya había consumido "su salario" en arroz, bacalao, harina de maíz y otros artículos.

Después de realizada esta huelga, que tuvo una duración de dos semanas, la situación del obrero cambió sustancialmente. La ley sobre ocho horas de trabajo se empezó a cumplir de hecho; un sereno que ganaba $2.80 semanales empezó a recibir $2.80 por día; un centrifugador que ganaba $4.80 semanales empezó a recibir $4.80 por cada ocho horas de trabajo; todos los trabajadores que no ganaban $1.00 por día empezaron a ganar esta suma. Además, se permitió que los obreros estuvieran real y efectivamente representados en el comité de salarios. En fin, el éxito de esta huelga fue tal que Trujillo se vio precisado a autorizar aumentos salariales que en ocasiones sobrepasaron el 100% del salario original. En las gacetas oficiales del 16 de enero al 2 de febrero aparece todo el conjunto de nuevas tarifas aprobadas de urgencia para los obreros de los ingenios del este.

Por desgracia las ventajas que la clase obrera pudo derivar de su lucha fueron de corta duración, pues a pocos meses de la huelga, el desamparo real, la explotación y la opresión más inicua volvieron a ocupar su lugar de prioridad.

Mucho se ha hablado de la espontaneidad de esta huelga, sin embargo, si bien es verdad que la magnitud y perspectivas adoptadas por ésta sorprendió tal vez hasta a los mismos organizadores, no es menos cierto que no puede hablarse de espontaneidad en un hecho como éste, ya que la labor que por varios meses se venía realizando en el seno de la clase trabajadora[74] y las condiciones de explotación en que se encontraban los trabajadores de los ingenios, así como el papel del Partido Democrático Revolucionario Dominicano en la lucha ideológica de la clase obrera, fueron factores reales que se escondían detrás de lo que se ha llamado espontaneidad de la huelga. El hecho de que esta huelga haya sorprendido al gobierno, como afirman Galíndez y algunos líderes políticos y obreros de la época, no implica necesariamente espontaneidad, puesto que después de la experiencia de 1942 era lógico el cuidado de los organizadores de la lucha por temor a que se desatara una más dura represión contra ellos sin que se consumara el hecho. Prueba de ello es que las reuniones que se organizaron previas a la huelga se hicieron clandestinamente, como era el caso de los picadores de caña que hacían sus recorridos a pie en horas de la madrugada para asistir a las reuniones.

La huelga de 1946 es una prueba evidente de la capacidad de la clase trabajadora para llevar a cabo una lucha bien organizada contra su principal enemigo. Ni siquiera Trujillo con toda su fuerza represiva pudo romper el decisivo e histórico acontecimiento. Esta huelga, como diría Lenin, recordó a los capitalistas que "los verdaderos dueños no son ellos, sino los obreros que pro-

[74] Refiriéndose a la huelga de 1946 dice Crassweller que "la situación había venido precedida por extensos disturbios, suscitados a fines de 1945 e instigados en buena medida por agitadores comunistas y cobrando la forma de sabotajes, incendios provocados y descarrilamientos" (Robert D. Crassweller, *op. cit.*, p. 230).

claman sus derechos con creciente fuerza. Cada huelga recuerda a los obreros que su situación no es desesperada y que no están solos".[75]

La huelga de 1946 fue un importante paso para que los obreros comprendieran dónde radica la fuerza de los patrones y dónde la de ellos. Contribuyó a que se pensara, no sólo en su patrón y compañero más próximo, sino en todos los patrones, en la burguesía como clase y en toda la clase obrera.

Aquí se cumple lo que decía Rosa Luxemburg cuando escribió que: "La sobreestimación o la falsa apreciación del papel de la organización en la lucha de clases del proletariado está vinculada generalmente a una subestimación de la masa de los proletarios desorganizados y de su madurez política. Sólo en un período revolucionario, en medio de la efervescencia de las grandes luchas tumultuosas de clase es donde se manifiesta el papel educador de la evolución rápida de capitalismo y de la influencia socialista sobre las amplias capas populares; en tiempos normales las estadísticas de las organizaciones o incluso las estadísticas electorales sólo dan una idea extremadamente pobre de esta influencia."[76]

De acuerdo con obras como la de Galíndez e informaciones de líderes obreros de la época, existe el convencimiento de que la huelga de 1946 fue totalmente organizada por los sindicatos establecidos. Esto, sin menoscabo del efectivo aporte realizado por algunos exiliados políticos y por los republicanos españoles de tendencia marxista que al llegar al país hicieron muy buenos contactos con obreros y de personajes como Heriberto Núñez quien —según testimonio de sus compañeros hoy vivos— se entregó por completo a la causa obrera.

Como cerebros de esta huelga se señalan a Hernando Hernández y, principalmente, a Mauricio Báez, quien fue detenido pocos días antes del movimiento y libertado casi de inmediato.

La paralización de los ingenios provocó la movilización de altos funcionarios del gobierno que intervinieron en las negociaciones para culminar con una resolución uniforme en favor de los sindicatos.

Otras consecuencias de la huelga de 1946

Refiriéndose a esta huelga dice Galíndez que desde entonces se evidencia en el gobierno dominicano una línea clara y firme frente a la clase trabajadora. Aunque se respetan y reafirman algunas ventajas legislativas que según nuestro criterio fueron arrancadas al régimen por los trabajadores, incluyendo la promulgación del "Código Trujillo de Trabajo" en 1951, se dio un especial énfasis al control estricto de cada uno de los pasos de las organizacionse obreras y de sus dirigentes, hasta tal punto que las organizaciones existentes fueron convertidas en simples instrumentos a la disposición de los intereses de Trujillo. En este sentido, el movimiento obrero prácticamente carecía de vida propia. A partir de entonces y hasta la muerte del dictador, el movimiento fue utilizado más intensamente en beneficio personal del jefe de Estado.

[75] V. L. Lenin, *Sobre el sindicalismo*, Buenos Aires, Editorial Abraxas, 1972, pp. 51-53.
[76] Rosa Luxemburg, *Huelga de masas, partido y sindicatos*, Cuadernos de Pasado y Presente, núm. 13, México, 1978, p. 95.

Durante el curso de la huelga no se produjeron actos de violencia ni se recurrió a la represión por parte del gobierno; la fuerza del régimen se mostró después del arreglo para que cesara la paralización del trabajo. Todo aquel que había defendido y luchado por el mejoramiento de la clase trabajadora y que mantenía diferencias políticas con el régimen fue encarcelado, deportado, asesinado o simplemente se vio obligado a plegarse a los intereses de Trujillo.

Uno de los más prominentes dirigentes sindicales de la época, Mauricio Baez, presidente de la Federación Provincial de San Pedro de Macorís, tuvo que asilarse y finalmente fue asesinado en La Habana a fines de 1950. "El presidente de la Federación Provincial de La Altagracia [ciudad de La Romana], Hernando Hernández, tuvo que asilarse aunque salvó la vida." Algunos de los dirigentes sindicales de La Romana que participaron directamente en la huelga, más tarde aparecieron "suicidados". Dentro de éstos cabe mencionar a J. Cardona Ayala, secretario general de la Confederación Dominicana del Trabajo, en 1930, e inspector general del Trabajo en 1945, Francisco Lantigua, Emeterio Dickson y Héctor Quezada.[77] También tuvo que abandonar el país en 1950 Ramón Grullón, quien fuera líder sindical y trabajara junto con Mauricio Báez, ambos dirigentes del Partido Socialista Popular. Igualmente se vio precisado a recurrir al exilio el profesor Francisco A. Henríquez, también dirigente del Partido Socialista Popular y colaborador en la lucha de la clase trabajadora. Dirigentes de este partido, como Freddy Valdez, que había estado en Cuba y militaba en el partido comunista de ese país y quien a su regreso dio un gran impulso al movimiento obrero, fue asesinado en la prisión. También fueron asesinados Luis Guillén, dirigente portuario, y Raúl Cabrera, dirigente de los zapateros. El solo hecho de que después de esta huelga no se registre ninguna actividad sindical independiente de gran importancia para el movimiento, evidencia el recrudecimiento de la represión y la escasa o nula vigencia del derecho sindical.

En el documento que presentara Maurio Báez ante la Confederación Azucarera de La Habana en ocasión de celebrarse allí un Congreso Azucarero Mundial, consta que era prácticamente imposible organizarse libremente en sindicatos. Señalaba que: "Hay centrales como el Consuelo, Quisqueya y Las Pajas, donde en los momentos de menor violencia y persecución ha sido imposible ni siquiera intentar la más leve organización; tal es la vigilancia e impunidad con que allí actúan los patronos y sus agentes. En la actualidad, las cárceles dominicanas están llenas de hombres demócratas de todas las clases sociales y diversas tendencias políticas, entre los cuales los más representativos de la clase obrera son: Justino José del Orbe, secretario de organización de la Federación de San Pedro de Macorís, y Ramón Grullón, secretario de cultura y propaganda de la Confederación de Trabajadores Dominicanos..." (La Noticia, 5 de mayo de 1974, pp. 2-A y 15-A).

---

[77] Jesús de Galíndez, op cit., p. 299.

La otra cara del control sindical

A la luz de los datos de que disponemos, el control sindical fue de tal magnitud y cuidado político que la distinción establecida entre el movimiento obrero y el régimen trujillista se vuelve tan tenue que no reviste matices de incompatibilidad y oposición como se muestra en la superficie, y, por tanto, en las representaciones de las relaciones mutuas, aunque de manera oculta pueda constatarse real y objetivamente la lógica y natural contradicción de la clase obrera frente a un régimen dominado por una élite burguesa.

Después de la huelga de 1946 el Estado propició una acentuación de dependencia del movimiento obrero respecto a los poderes públicos, lo que, como era de suponer, originó una desviación forzosa de la orientación de dicho movimiento, convirtiéndose así en un instrumento político al servicio del gobierno.[78]

Esta otra cara del control sindical se concreta en los siguientes hechos, que aparecen en *La era de Trujillo* de Jesús de Galíndez.

En junio de 1946 fue fundado un partido obrero con el nombre de Partido Laborista Nacional, del cual era presidente del consejo ejecutivo Francisco Prast Ramírez, quien siguió siendo presidente de la Confederación Dominicana del Trabajo y diputado del Partido Dominicano, aun después de haber surgido el Partido Laborista. La fundación de dicho partido fue precedida un mes antes por un mitin obrero en la capital, que según Galíndez sólo sirvió de "apoyo y gratitud a la obra del presidente Trujillo"; el orador principal en ese acto fue Prast Ramírez.

En los cuatro meses siguientes a la fundación de ese partido, como dice Galíndez, se produjeron cosas aparentemente increíbles. Trujillo le indica por escrito al procurador general de la República y al secretario del Interior y Policía "que respeten todas las garantías constitucionales relativas a la expresión de palabra y a la organización de partidos políticos".

El 24 de mayo Trujillo invita a todos los exiliados políticos a que regresen al país, y de hecho se produce ese regreso en una cantidad significativa de éstos.

El 18 de agosto se publica un decreto indultando al dirigente comunista Freddy Valdez y a otros presos políticos. Días después el Partido Socialista Popular publica un manifiesto proclamándose marxista, leninista y stalinista, y declarando que realizarán sus objetivos de acuerdo con los derechos y libertades democráticas contenidas en la constitución vigente. Una solicitud del 2 de octubre de 1946 para que se permitiera por ley la continuidad de las actividades legales del partido, fue firmada por Mauricio Báez, Félix Servio Ducoudray y Francisco A. Henríquez, estos dos últimos recién llegados de Cuba; no obstante

---

[78] Esta dependencia con respecto al Estado no implica, como plantea Enzo Faletto en *La incorporación de los obreros al desarrollo*, de ninguna manera que el movimiento obrero haya sido creación del Estado, puesto que lo que ocurre es que el movimiento es moldeado según los intereses del régimen; pero son las contradicciones burguesía-proletariado las que obligan a esta última clase a organizarse en sindicatos para defender sus derechos y las que, por otro lado, obligan a la burguesía a crear mecanismos de defensa ante su enemigo inmediato que siempre se organizará aunque se oponga la clase en el poder.

haber sido rechazada por la Junta Central Electoral, Trujillo ordena a Interior y Policía que se tomen las disposiciones de lugar para que los comunistas puedan organizar un partido: "en esa carta elogia la cooperación de la URSS en la guerra y dice que el comunismo en la República Dominicana es ya un hecho real de positivas proyecciones". Como un juego político, después de esta disposición de Trujillo, Álvarez Pina se opone enérgicamente como presidente del Partido Dominicano a la legalización de tal partido.

Todo el aparente liberalismo que se registraba en casi todas las esferas del gobierno se debía fundamentalmente a la necesidad de crear un "ambiente democrático" en un período preelectoral, lo cual también fue forzado por la coyuntura internacional producida con la reciente derrota del fascismo. El 26 de octubre de 1946 se organizó, con permiso de la policía, un mitin del Partido Socialista Popular y la Juventud Democrática, dicho mitin fue el inicio de la culminación del aparente liberalismo: agentes del gobierno provocaron desórdenes, el acto fue desbandado por la policía y los organizadores fueron acusados de perturbar el orden.

La culminación de lo que Trujillo se había visto obligado a aparentar llegó poco después de las elecciones de 1947: una ley aprobada a mediados de junio inhabilitaba de hecho a las organizaciones comunistas y a todas aquellas que se opusieran al régimen.

Esta decisión fue facilitada por una coyuntura internacional en la que Estados Unidos se había declarado abiertamente en contra de los principios de las Naciones Unidas, con la posición de Truman, entonces presidente de aquel país, al adoptar una política de dominación mundial y de cruzada anticomunista.

En lo referente al control sindical, después de la huelga de 1946 fueron aprobadas leyes que primero restringieron y luego prohibieron la realización de huelgas. El Comité Nacional de Salarios fue modificado con el evidente propósito de asegurarse un mayor control en beneficio del patrón.

El 24 de septiembre de 1946 se realiza el Congreso Obrero Nacional, organizado por decreto del 27 de mayo de ese mismo año. El Congreso fue dirigido por Julio César Ballester, secretario general de la Confederación del Trabajo; también figuraron como vocales Mauricio Báez y Ramón Grullón, quienes eran miembros del comité ejecutivo de dicha organización.[79] La presencia de Báez y Grullón en la dirección del Congreso y la Confederación fue una de las conquistas de la huelga de 1946, pero también era parte de la política del régimen para ganarse a dichos líderes, lo que no pudo lograr.

Hacia 1950 y 1951 el mal llamado Partido Laborista había desaparecido del escenario político. La Confederación Dominicana del Trabajo era ya un instru-

---

[79] Respecto a este congreso nos dice Ramón Grullón: "Las ponencias de las organizaciones obreras y las casi doscientas resoluciones del congreso constituyeron una cruda denuncia de la realidad nacional caracterizada por una inicua explotación económica y una brutal opresión política capitalista, y contra la dominación semicolonial del imperialismo norteamericano, y las demandas contenidas en las resoluciones constituyeron un amplio programa demográfico que sentó las bases para una amplia y profunda movilización obrera y nacional democrática, contra la opresión capitalista y por la liberación nacional..." (La Noticia, 9 de junio de 1974, p. 13-A).

mento político sin vida propia y abiertamente identificado con los intereses trujillistas. Para el mes de mayo de 1951 se organizó otro congreso obrero nacional, básicamente para elogiar la obra de Trujillo. "Una de las últimas actuaciones públicas de la Confederación que puedo mencionar fue su adhesión a la candidatura presidencial de Héctor Bienvenido Trujillo, en un magno evento celebrado en el Palacio del Partido Dominicano el 29 de agosto de 1951; uno de los oradores fue Julio César Ballester." (*La Nación*, 30 de agosto de 1951.)[80]

Culminación de la primera parte del proceso de organización de la clase obrera

Ya en 1950, aún bajo el contexto de la dependencia —fundamentalmente respecto a Norteamérica— el gobierno de Trujillo había acumulado suficiente capital que le permitía incrementar los niveles de productividad interna.

"A partir de 1950 —con sus fallas— se acelera el proceso de cambio, tendiendo a un modelo en el que la expansión sea en función de la capitalización del sector productivo interno... El ritmo de inversión en industrias que se produce entre los años 1950-1958 no ha sido aún superado. La base de este proceso puede encontrarse en la acumulación de fuertes reservas que se producen en la década de 1940 y acelerados por la guerra de 1945, así como por la nacionalización de gran parte del sector azucarero y de algunas empresas de servicios."[81]

El impacto de este auge económico no se produjo en la magnitud que pudo darse, debido, entre otros factores, a la presencia de una alta concentración del ingreso en un grupo muy reducido de personas y al sistema de tenencia de la tierra que aún mantiene una estructura agraria sumamente rígida.

Sin embargo, el ritmo de acumulación e inversión creciente había permitido un sensible desarrollo cuantitativo de la clase trabajadora asalariada, y la expansión y desarrollo del sistema capitalista había forzado una legislación laboral que de hecho repercutió favorablemente en el movimiento obrero.

En 1950 se registraron un total de 227 174 personas que componían el grupo de la fuerza asalariada del país, es decir, el 27.5% de toda la población activa; para 1960 esta misma fuerza creció hasta 361 550, lo que equivale al 44.1% de la población activa.[82] Este sensible aumento de la fuerza asalariada del país contribuyó sin duda a una mayor concentración del proletariado y posteriormente a facilitar la reorganización del movimiento obrero en la nueva fase que se inicia tras la muerte del tirano.

El desarrollo del capitalismo en el país —lo cual era evidente en la década de 1950— había dado como resultado no sólo un crecimiento cuantitativo, una mayor concentración de la clase obrera y una más bárbara explotación de dicha clase, sino también una creciente profundización de la contradicción, el desarrollo de las fuerzas productivas y las relaciones de producción cada vez más

[80] Jesús de Galíndez, *op. cit.*, p. 300.

[81] Carlos Ascuasiati, "Diez años de economía dominicana", en *La Revista*, marzo-junio de 1972, pp. 64-70.

[82] Oficina Nacional de Estadísticas, *Censos de población, 1950-1960*, citado por Luis Gómez en su trabajo sobre "La cuestión de las relaciones de producción en la sociedad dominicana", publicado en la revista *Ciencia*, vol. 1, núm. 1, enero-junio de 1972, Santo Domingo, p. 62.

acentuadamente capitalistas. Esta agudización de las contradicciones en el régimen económico y político vigente también se manifestó con cierta fuerza en una fase mucho más clara, en los niveles siguientes: el gobierno norteamericano, que ya veía a Trujillo como una amenaza a sus intereses; [83] la Iglesia católica; la burguesía no trujillista, cuyo desarrollo siempre fue frenado por el dictador; la oligarquía importadora-exportadora fortalecida a partir de 1955 con la construcción de la Feria de la Paz, en la que trabajaron 8 000 obreros, y finalmente en el nivel de los sectores políticos opuestos al régimen, residentes fuera y dentro del país.

A nuestro juicio, fue el conjunto de estas contradicciones lo que ocasionó la caída definitiva de Trujillo. Sin embargo, la contradicción con el imperialismo nortemericano fue decisiva, ya que éste temía que Trujillo terminara por adueñarse del resto de sus inversiones en el país, entre las cuales ya estaban amenazadas en sus últimos años la Compañía Dominicana de Teléfonos, la Alcoa Exploration Company y el central La Romana. Además, en los inversionistas extranjeros era evidente el miedo a que el dictador se interesara por sus inversiones, y que al igual que en oportunidades anteriores las hiciera suyas en parte o en su totalidad.

Lo que venía ocurriendo desde 1959 tenía que desembocar en la muerte del tirano, pues el papel ideológico-burgués del régimen trujillista perdía cada vez más consistencia como consecuencia de la agudización de las contradicciones, tanto en el plano de la infraestructura como en el de la superestructura. Pues para que la burguesía pueda mantener su dominio sobre las demás clases sociales es imprescindible el encubrimiento de la esencia de la sociedad burguesa, lo cual no pudo lograrse en su totalidad en los tres últimos años del régimen trujillista. De aquí que cuando aumentó la claridad al respecto y se descubrieron contradicciones internas del orden social vigente, el imperialismo se vio forzado a adueñarse primero y a cualquier precio de la situación política y luego del orden económico de la nación, adecuándolo a sus intereses.

Resumen

Desde el principio mismo del régimen trujillista los cambios políticos introducidos en la sociedad dominicana a partir del Estado hicieron posible una sólida organización de la tiranía y una reorientación de la propiedad en beneficio casi exclusivamente personal del tirano. El proceso de consolidación de una élite burguesa-trujillista reunida alrededor del Estado, se muestra con más vigor a partir de la década de 1940, cuando ya es evidente una alta concentración política en la figura político-militar de Trujillo, y cuando es real un proceso eco-

---

[83] Las contradicciones con el imperialismo norteamericano fueron más preocupantes para aquel país a partir del momento en que crecía el temor de que en la República Dominicana se produjera una revolución o un régimen similar al que había surgido en Cuba en 1959. "El Departamento de Estado veía al tirano dominicano cada vez más como un estorbo... que ahora se prolongaba demasiado y ponía en peligro el futuro, y que sin saberlo preparaba el camino para el castrismo." (Robert D. Crassweller, *op. cit.*, p. 430.)

nómico con fuertes tendencias a reducir sustancialmente el predominio del capital extranjero, sobre todo norteamericano, en el país.

Este proceso implicó una tendencia hacia la nacionalización de la economía local pero condicionada y definida por características muy particulares, ya que el carácter centralista y monopólico del régimen tiránico no permitió el desarrollo de una estructura de clase en la que la burguesía pudiera desempeñar con eficacia su papel clasista. Ésta fue la más fuerte limitación del régimen trujillista, puesto que ello no hizo posible la superación de las contradicciones que hacía imposible el ensanchamiento del mercado local.

Conjugada esta situación interna con la coyuntura internacional que se presenta a partir de la segunda guerra mundial, la clase trabajadora pasa de un casi absoluto estancamiento de su lucha a un relativo auge que se muestra en las actividades y organización alcanzada, y hasta en un cierto nivel de conciencia política, asimilado por un reducido sector de dicha clase, lo cual se aprecia más fácilmente en la huelga de 1946 y los años inmediatamente siguientes.

En este período se registra una marcada expansión de las formas jurídicas laborales precipitadas en un proceso acelerado. El fenómeno guarda estrecha relación con las luchas llevadas a cabo por los sectores organizados del país y con la situación que presente la coyuntura internacional. Salvadas las dificultades que pudiera acarrear para el régimen la situación internacional que se origina con la segunda guerra mundial, el control absoluto de las organizaciones obreras tomó vigencia de nuevo y la legislación laboral, entonces, tuvo un carácter mucho más formal y decorativo. La definición y posición del régimen frente a la clase trabajadora quedó, a partir de entonces, más precisa y clara, y la represión ocupó más crudamente su lugar prioritario.

III. MOVIMIENTO OBRERO TRAS LA MUERTE DE TRUJILLO

Planteamientos generales

Si nos detenemos y observamos el marco estructural dominicano durante el período que abarca de 1961 a 1974 podemos apreciar que se destacan dos fases fundamentales que caracterizan al movimiento obrero de nuestro país. La primera se extiende hasta 1966 y define al movimiento obrero a partir de un significativo auge de reorganización y organización sindical que más tarde profundizaría las contradicciones entre el proletariado y las clases o fracciones de clases en el poder, y particularmente con el imperialismo norteamericano. Este auge se desarrolló paralelamente a una hábil actividad de penetración extranjera y estatal en el movimiento, y tiene su explicación inmediata, primero, en que el pueblo dominicano vivía momentos de relativa libertad que por muchos años no había tenido la oportunidad de disfrutar, y segundo, en la necesidad inmediata que tenían las clases o fracciones de clases en el poder de un afianzamiento político-económico que les permitiera asegurar una relativa estabilidad del sistema.

La segunda abarca todo el régimen de Balaguer y proyecta al movimiento obrero bajo unas fuertes condiciones de represión y una política abierta de destrucción y división de las organizaciones sindicales, con una incapacidad real del sistema para expandirse con el apoyo de su propia base legal, lo que implica una mayor agudización de las contradicciones que se registran en la sociedad dominicana. La situación que se genera en esta segunda fase trae por necesidad la adopción de nuevas perspectivas en el movimiento obrero dominicano.

Las razones por las que este movimiento se desarrolla con estas características a partir de 1966 deben buscarse en un resquebrajamiento de la soberanía nacional y en el ahondamiento de nuestra condición de país dependiente. Esta condición ha permitido una cierta manipulación de sectores importantes de la clase trabajadora a través del chantaje y el engaño, y al mismo tiempo ha obligado al régimen a refrenar al máximo posible el auge y fortalecimiento que proyecta el movimiento obrero organizado, ya que de no hacerlo la fuerza que representa esta clase llegaría muy pronto a constituir un verdadero peligro para los intereses económicos y políticos norteamericanos y de las clases o fracciones de clases en el poder.

En las páginas que siguen abordaremos el problema durante el período 1961-1974, para lo cual tomamos en consideración las dos fases antes señaladas, y dentro de éstas los aspectos que a nuestro juicio revisten más importancia para el movimiento obrero dominicano.

Búsqueda de afianzamiento político-económico

A la muerte de Trujillo su poderío económico y político personal desaparece y la inestabilidad política y económica se perfila, aparentemente, sin control.

Fracciones de clases, como la burguesía no trujillista, los terratenientes y la pequeña burguesía —antes excluidos parcialmente de los beneficios del régimen trujillista—, así como la clase proletaria —en la práctica excluida totalmente de una participación gananciosa en la vida política y económica de la nación—, en un primer momento desarrollan, de manera confusa y con una escasa o nula conciencia de clase en el caso específico del proletariado, una lucha por lo que parecía ser la hora del triunfo para todos.

La lucha que se lleva a cabo en este primer momento surge como una conciliación ilusoria que tiene su origen en un hábil manejo de la situación imperante por parte de las fuerzas en contradicción con el proletariado. Como era de esperarse, esa conjugación, en el fondo inconsistente, de clases con intereses encontrados y antagónicos respecto al proletariado, muy pronto colocó a los sectores poderosos en su lugar de privilegio con relación a las demás clases. Pues después de lograr el control conveniente del poder político y el económico, y lograrse un ajustado acuerdo con los intereses norteamericanos en el país, contra lo que creyeron muchos, la crudeza del sometimiento a las condiciones legales y caprichosas del capital nacional e internacional continuó siendo un hecho.

A la muerte del tirano, el afianzamiento político-económico era un objetivo claro de Norteamérica, no importando qué método o medios se utilizaran, cualquier camino era adecuado siempre que conllevara al control y dominio de la política económica del país. Una revalorización y formulación de criterios y posiciones norteamericanas respecto a la República Dominicana se hizo necesaria. La nueva condición política que se generó multiplicó las tensiones y, por primera vez en muchos años, los sectores populares tuvieron la oportunidad de pensar y actuar sobre la vida política del país. La inestabilidad política y económica era un hecho y en tal sentido se necesitaban métodos, procedimientos, práctica y decisiones capaces de forzar una mínima estabilidad interna que facilitara la consecución de los objetivos reales de los sectores poderosos.

Tras la búsqueda de este afianzamiento, Estados Unidos estaba consciente de que era necesario ganarse sectores importantes de la burguesía y pequeña burguesía, y de que se precisaba de un riguroso control de los sectores populares, especialmente de las organizaciones de la clase trabajadora. En esta coyuntura, el gobierno norteamericano observa tres opciones: un orden democrático, la continuidad del régimen de Trujillo y un régimen castrista. La última debía evitarse a cualquier precio.[84] En realidad, se optó por un régimen antidemocrático y represivo.

El primer gobierno con relativa estabilidad después de la muerte de Trujillo fue el Consejo de Estado, instaurado y mantenido por Estados Unidos. Se trataba de un gobierno colegiado en el que participaron importantes figuras de la Unión Cívica Nacional, primera organización política que aparece después de la caída del régimen de Trujillo, constituida por oligarcas, burgueses, pequeñoburgueses y en sus inicios hasta por sectores populares, en coalición con el movimiento 14 de Junio de carácter nacionalista, en el que se agrupaban importantes sectores de la pequeña burguesía. Esta alianza del 14 de Junio con la Unión Cívica Nacional fue de poca duración, ya que prácticamente desapareció con la instauración del Consejo de Estado.

Con el fundamental propósito de crear las bases de la estabilidad política que convenía a sus intereses y a fin de facilitar sus ulteriores y previstos objetivos, Estados Unidos ofrece un gran apoyo económico y político a este gobierno: las sanciones económicas impuestas en 1960 por la OEA fueron levantadas, se reiniciaron las relaciones diplomáticas y se reforzó la asistencia técnica militar, se abrieron las puertas para la venta en Estados Unidos de una mayor cantidad de azúcar y a un precio de privilegio y así más del 90% del azúcar fue exportada a Estados Unidos.[85] Esto era una evidente muestra de la reafirmación de Estados Unidos en cuanto a su determinación de no abandonar el país.

Los esfuerzos realizados y la forma en que se trató la situación de inestabilidad a que nos hemos referido arrojaron una cierta, aunque frágil, estabilidad política. Es así como se abren caminos para las elecciones celebradas en diciembre de 1962, las cuales estuvieron cuidadosamente vigiladas por Estados Unidos en la persona de John Bartlow Martin, embajador norteamericano en República Dominicana.

---

[84] Arthur M. Schlesinger, Jr., *A thousand days. John F. Kennedy in the White House*, Boston, 1965, p. 769, citado por Fred Goff y Michael Locker en "La violencia de la dominación", publicado en *La Revista*, vol. 11, año 1, 1972, p. 15.

[85] Fred Goff y Michael Locker, *op. cit.*, pp. 16-17.

El Consejo de Estado constituyó un gobierno sin sólido apoyo popular, caracterizado por una cierta debilidad, originada en el hecho de haber estado formado por clases y fracciones de clases con intereses un tanto diferenciados, y por haber pertenecido a un período en el que las masas disfrutaban por fuerza de un ambiente de relativa libertad y creciente participación en la vida política de la nación. El sustancial aumento de sueldos y salarios que se produce en los meses del Consejo de Estado tiene su explicación política en esta debilidad, y su explicación económica en tres factores principales: primero, en la presión ejercida por los sectores populares, cuyos ingresos habían sido nulos o restringidos a causa de la alta concentración económica mantenida por Trujillo; segundo, en que una política de aumento salarial ofrecía sustanciales beneficios a la oligarquía, fracción hegemónica de las clases en el poder (ya que esta política incrementaba significativamente la demanda interna, y esto repercutía en toda la economía del país). Estas medidas estaban acompañadas de las derogaciones de impuestos que gravan el consumo interno y otros que gravan la exportación del tabaco, café, cacao y chocolate;[86] el tercero, la disponibilidad de los recursos concentrados en la persona de Trujillo y los facilitados por Estados Unidos[87] permitieron esta acción demagógica.

En el cuadro siguiente puede apreciarse el incremento registrado en 1961-1962 en relación con los sueldos y salarios pagados, número de empleos y ventas realizadas.

ESTADÍSTICA INDUSTRIAL DE LA REPÚBLICA DOMINICANA

MOVIMIENTO INDUSTRIAL, 1961-1962

	1961	1962	Incremento %
Núm. de empleos	80 054	89 300	10.0
Monto sueldos y salarios	38 271 045	72 940 583	47.5
Monto de las ventas	253 443 174	326 590 915	22.4

FUENTE: Estadística Industrial de la República Dominicana, 1962, núm. 13, Dirección General de Estadística, 1965, p. 1.

De acuerdo con el trabajo de la Oficina Nacional de Planificación sobre la evolución de la economía dominicana en 1950-1970, el impacto de esta política en los sectores azucarero, manufacturero y público hace que entre 1961 y 1962 la remuneración per cápita real sufra la variación siguiente:

[86] República Dominicana, Presidencia de la República, Secretariado Técnico, Oficina Nacional de Planificación, *Evolución de la economía dominicana en el período 1950-1970*, enero de 1972, p. 21.
[87] A poco menos de cuatro meses de estar Bosch en el poder, el embajador Martin anotaba: "hemos consignado algo más de 50 millones para el último año del Consejo de Estado, sin embargo ni un centavo para Bosch". (Goff y Locker, *op. cit.*, p. 19.)

Sector	% de incremento
Azucarero	94.5
Manufacturero	33.2
Público	10.5
Promedio	29.6

Esta expansión de la remuneración per cápita se mantuvo en niveles significativos hasta 1964, sobre todo si tomamos en cuenta que el alza del costo de la vida fue sólo de un 3.6%. Es de este modo como la oferta interna per cápita cae por debajo de los niveles de la demanda hasta en los productos agrícolas.

Conjuntamente con estas medidas se estaba llevando al país hacia un endeudamiento creciente y hacia una profundización de los niveles de dependencia. Pues mientras en 1960 la deuda externa ascendía a 19.3 millones de dólares, para 1964 se elevaba a 143.8 millones de dólares. La gestión específica del Consejo de Estado en favor de los intereses económicos y políticos norteamericanos pueden muy bien resumirse en lo siguiente: facilidad de penetración en la banca radicada en el país y para negociaciones oscuras con las más importantes compañías multinacionales, a través de la autorización para que operaran en el país el First National City Bank y el Chase Manhattan Bank, ambos dominados por poderosos capitalistas norteamericanos que a su vez mantienen fuertes inversiones en compañías transnacionales diseminadas por todo el mundo; facilidades para firmar un acuerdo de asistencia militar entre Estados Unidos y la República Dominicana y para la creación de la Dirección Nacional de Seguridad que sustituyó al Servicio de Inteligencia Militar (SIM) que funcionó durante el régimen de Trujillo; facilidades para segurar las inversiones norteamericanas en el país y un máximo beneficio, a través de la ratificación de la concesión minera a la Alcoa y la Falconbridge, así como concesiones altamente desventajosas para el país en la venta del azúcar a capitalistas de aquel país; facilidades para que la planificación de la reforma agraria se adecuara a sus intereses mediante la aprobación de contrato entre el Instituto Agrario Dominicano (IAD) y la Agencia Internacional de Desarrollo de Estados Unidos. Por otro lado, también se correspondía con los intereses de los sectores locales dominantes y de Estados Unidos, la promulgación de la ley de emergencia para legalizar las deportaciones, siendo ésta una de las prácticas más frecuentemente utilizadas para deshacerse de los líderes políticos opuestos al régimen de turno, así como el establecimiento de sanciones para las huelgas "ilegales", facilitándose así la calificación de huelga política e ilegal a todas aquellas cuyos objetivos afectaran sus intereses.[88]

Auge de las organizaciones sindicales a finales de 1961 y 1962

El calor político que se produce en el pueblo y la lucha de masas que se desarrolla después de la muerte de Trujillo despertaron a importantes sectores de

[88] José del Castillo y Otto Fernández, "Elecciones de 1962—Modelo para armar", en *Ahora*, núm. 547, mayo de 1974, p. 42.

la clase trabajadora, en cuyo caso el cuadro de fermentación política que se crea se tradujo en la organización de más de medio millar de sindicatos.

En realidad, las organizaciones fueron moldeadas por una débil conciencia de clase y por su sometimiento a un creciente proceso de alienación que se muestra en el hecho de que la fuerza que el trabajador había contribuido a crear con el propósito de dar fin a los últimos remanentes de la dictadura trujillista, poco tiempo después se le enfrenta abiertamente y en forma hostil. Los sectores populares no podían comprender en ese momento que la lucha redundaría fundamentalmente en beneficio de los sectores enemigos de su desarrollo y que iría a fortalecer a quienes sólo les interesa del obrero una relación de explotación.

La primera organización sindical que se crea tras la muerte del tirano aparece el día 7 de septiembre de 1961 y responde al nombre de Frente Obrero Unido Pro-Sindicatos Autónomos (FOUPSA). Se dedica a promover diversos sindicatos, organizar y dirigir las primeras huelgas y protestas, contribuyendo significativamente al despertar de la clase trabajadora dominicana.

FOUPSA representaba una fuerza laboral de gran importancia: para comienzos de 1962 contaba con más de cien sindicatos afiliados en todo 'el país, los cuales reunían a la mayoría de los trabajadores dominicanos organizados. Sin embargo, su lucha se proyecta sólo a corto plazo y en tal sentido se limita al logro de reivindicaciones económicas inmediatas: aumento de salarios, mejores condiciones de trabajo, destitución de funcionarios, etc... Esta posición de FOUPSA, al igual que la mayoría de las organizaciones sindicales de la época, se corresponde perfectamente con el carácter embrionario del movimiento obrero dominicano, el cual era orgánica, ideológica y políticamente débil. De aquí que fuera manejado con relativa facilidad por los sectores enemigos de la clase trabajadora.

Desde el principio mismo de su fundación, FOUPSA orientó parte de su lucha contra la antigua Confederación de Trabajadores Dominicanos de corte trujillista que aún ejercía cierta influencia en algunos sectores de la clase trabajadora dominicana.[89] La actitud de FOUPSA frente a esta Confederación dirigida aún por funcionarios trujillistas, se comprende si tomamos en consideración que este Frente Obrero surge de una coalición de sectores que tenían en común una posición antitrujillista. Es así como FOUPSA es en cierto modo manejada en un primer momento por la Unión Cívica Nacional y utilizada políticamente para lograr la expulsión de los últimos miembros de la familia Trujillo y algunos ex funcionarios del régimen de más de tres décadas.[90]

---

[89] Así se explica por qué la Confederación de Trabajadores Dominicanos y la Federación de Trabajadores de San Pedro de Macorís hicieron publicaciones de repudio a FOUPSA, señalando que era imposible que la Secretaría de Trabajo reconociera organizaciones obreras creadas apresuradamente con fines políticos. (Véase El Caribe, 24 y 28 de septiembre de 1961.) Para esa misma fecha la CTD declara que promoverá movilizaciones obreras y reorganizará y organizará sindicatos en todo el país. El 18 de octubre de ese mismo año, la CTD anuncia la realización de 20 grandes concentraciones obreras en todo el país, a fin de demandar la distribución de los beneficios anuales de las empresas, extensión del seguro social, concertación de pactos colectivos de condiciones de trabajo, etc. (Véase El Caribe, 18 de octubre de 1961.)

[90] De acuerdo con declaraciones de dirigentes de FOUPSA en El Caribe del 2 de marzo de 1962, esta organización sindical recibía apoyo económico de la Unión Cívica Nacional cuando

La debilidad ideológica y política de FOUPSA y la escasa conciencia de clase de los dirigentes de la época, y más aún de los obreros que constituían sus bases, puede apreciarse en las posiciones de sus dirigentes sobre el sindicalismo y los objetivos que pretendían alcanzar. Según sus declaraciones, los sindicatos no deben realizar actividades políticas partidarias; como frente obrero son enemigos de toda clase de dictadura, sea ésta de izquierda o de derecha, y que *sus simpatías y su puesto estarán decididamente al lado de la libertad y la democracia representativa* (las cursivas son nuestras). En lo que a sus objetivos se refiere, declaran: educación para el obrero; formación de verdaderos sindicatos libres sostenidos y dirigidos por los propios trabajadores; salarios justos; distribución justa y equitativa de la riqueza; creación de planes asistenciales y de seguros; *colaboración obrero-patrón, luchando contra todo aquello que tienda a separar el obrero del patrón o considerarlos adversarios o enemigos, procurando por todos los medios el estrechamiento de las relaciones entre ambos, en beneficio de la producción y la economía nacional*; cumplimiento de la ley laboral; firma de pactos colectivos y *libertad sindical sin ejercer actividades partidaristas.*[91] (Cursivas nuestras.)

No obstante la debilidad que acusaban las organizaciones obreras, las masas fueron las que realmente impulsaron a los dirigentes de la época a adoptar determinadas posiciones frente a la reacción; habían perdido el miedo a la represión y a la fuerza y se mantenían en pie de lucha desafiando al gobierno, ejército, policía, patrones y organizaciones norteamericanas, que desde el principio estuvieron trabajando para dividir y debilitar a las organizaciones sindicales que habían adoptado posiciones disidentes de los intereses económicos y políticos del imperialismo.

El auge y creciente despertar de las masas fue confirmado por la realidad. Fruto de la presión ejercida por las masas, organizadas o no, durante el mes de octubre de 1961 la Azucarera Haina dio a sus trabajadores cerca de medio millón de pesos y ya para noviembre ofrecía 300 000 pesos más para distribuirlos entre empleados y obreros; además prometió construir casas a los trabajadores. Como consecuencia de las huelgas registradas entre septiembre de 1961 y marzo de 1962, la Sociedad Industrial Dominicana se vio forzada a conceder siete aumentos de sueldos y salarios, pasando así de $2.00 diarios a $3.00 y $5.00 por día de trabajo. En octubre de 1961 Molinos Dominicanos reparte un porcentaje de sus beneficios entre trabajadores y empleados. En ese mismo momento, la Compañía Anónima Tabacalera adopta medidas en favor de los trabajadores: construcción de casas; pagos por invalidez y pensiones con sueldos

ésta surgió como agrupación patriótica. Como muestra de debilidad de la UCN y con el evidente propósito de satisfacer a la American Federation of Labor Congress Industries Organization (AFL-CIO), representante de los negocios e intereses del gobierno norteamericano y quien había acusado públicamente a la UCN de estar manejando a FOUPSA, Viriato A. Fiallo, presidente de la Unión Cívica Nacional, hizo una declaración en el sentido de que no era cierto que ellos controlaran a FOUPSA, que sólo ofrecieron ayuda económica y apoyo moral en los primeros tiempos de su fundación, y que era el Partido Revolucionario Dominicano quien se proponía controlar la misma. Dijo además, que era partidario de la necesidad de que organizaciones internacionales extranjeras contribuyeran a la formación de nuestro naciente movimiento obrero. El juego político era claro.

91 Véase *El Caribe,* 21 y 27 de septiembre de 1962.

desde $30.00 mensuales hasta $300.00; regalía pascual a los trabajadores a destajo y a los empleados que ganaran más de $200.00. En octubre de 1961 fue aprobada una resolución por el Comité Nacional de Salarios autorizando a las empresas textiles a aumentar en un 25% el salario de los obreros que laboraban en éstas. En el mismo octubre de 1961, la firma J. Agustín Pimentel, productora del arroz Astoria, crea un comedor económico para los trabajadores y distribuye el 20% de los beneficios anuales entre el personal de oficina. En esa misma fecha, la Chocolatera Industrial distribuye el 8% de las ganancias netas de un año, entre el personal de oficina y obreros.[92]

La Federación Nacional de Estibadores y el Sindicato Nacional de Estibadores, ambos portuarios, ordenan una huelga general que afecta a todos los puertos del país durante cuatro días, del 4 al 7 de febrero de 1962. Los portuarios demandaban de las empresas navieras un aumento de salarios de $0.75 la hora normal a $1.94, y de $1.12 la hora extra a $3.88. La huelga fue levantada después de obtener una conquista parcial, pues la hora normal fue aumentada a $1.05, es decir en un 40%, y la hora extra a $2.00, significando un incremento del orden de 78.5%. En promedio recibieron un aumento de 59.2%.[93]

En mayo de 1962 fue firmado un pacto colectivo de condiciones de trabajo entre la Cervecería Nacional y el Sindicato Nacional de Trabajadores Cerveceros (SINATRACE). De noviembre de 1961 a mayo de 1962 los aumentos de salarios y sueldos significaron para la empresa un desembolso anual de 178 000 pesos.

En febrero de 1962 el obispo de Higüey, monseñor Juan F. Pepén, hace una denuncia pública de la miserable situación en la que viven los trabajadores del central Romana. Ante esta denuncia, el Consejo de Estado nombra una comisión investigadora que al final de su gestión hace una lista de los cambios que debía introducir la administración del emporio azucarero en favor de la clase trabajadora.

Durante esta investigación se comprobó que la firma Hilari Mayor controlaba, aparentemente por arrendamiento, de 50 a 60 bodegas del central Romana, y que una de las formas de arrancarle al obrero hasta el último centavo consistía en el cobro de un interés usurario por el hecho de adelantarle una parte de su jornal. En el sistema de extorsión del trabajador de la caña figuraba también el ajustero, quien le avanza dinero al cortador con un interés de 45% por cada pago. Los mayoristas que abastecen las bodegas vendían los artículos a precios "medalaganarios". Uno de los picadores declaró que como los pagos se hacían semanalmente, ellos se presentaban a la bodega con la tarjeta del día del trabajo realizado y si solicitaban un peso el bodeguero les cobraba por el cambio veinticinco centavos. Quien se negaba a pagarlo no conseguía dinero en la bodega, lugar al que tenía que acudir forzosamente el trabajador.[94] Bajo estas condiciones de explotación, descritas sólo parcialmente, era urgente que la clase trabajadora se decidiera a luchar por mejores condiciones de tra-

92 *El Caribe*, septiembre y octubre de 1961.
93 *El Caribe*, 4 de febrero de 1962.
94 *El Caribe*, 13 de febrero de 1962.

bajo y por un sistema más justo. Muy pronto se desencadenaron una serie de paros y huelgas que obligaron a la empresa a entrar en negociaciones con los trabajadores.

En *El Caribe* del 3 de junio de 1962 se informa que más de 20 000 obreros han quedado afectados por una huelga decretada por el Sindicato de Mecánicos del central Romana, en demanda de aumento de salarios. En la empresa funcionaban 28 sindicatos, 14 de los cuales controlaba FOUPSA y los restantes 14 el Bloque FOUPSA-Libre, disidente de FOUPSA y al cual nos referiremos más tarde. Los sindicatos en huelga pertenecían a FOUPSA, el resto se encontraba en paro forzoso por la posición y oficio de los mecánicos en la empresa; tanto es así que el Bloque FOUPSA-Libre solicitó la intervención del Consejo de Estado para que pusiera coto a la situación.

La situación que se le estaba presentando al central Romana era tal que B. V. Marionneaux, vicepresidente y administrador general del central, declaró que "desde hace meses la empresa viene confrontando problemas debidos a una serie de huelgas decretadas por los sindicatos de trabajadores del central. Hemos atendido demanda tras demanda, pero cuando resolvemos el caso de un sindicato siempre hay otro que nos plantea el mismo problema".

Las luchas desarrolladas por los sectores populares durante este período trascendían por su significación a todos los demás sectores del país, las huelgas y protestas por conseguir condiciones ventajosas despertaban la simpatía de la gran mayoría de la clase trabajadora. Ante esta perspectiva, el Consejo de Estado declara: "Considerando: que en su marcha incesante hacia una total recuperación económica, el país viene confrontando una situación difícil debido a la serie ininterrumpida de huelgas que se producen constantemente, *como consecuencia en unos caso de conflictos económicos entre los empleadores y los trabajadores, y en otros de un mal entendido y exagerado espíritu de solidaridad",* y considerando que las huelgas que no se realizan dentro de los términos de la ley "producen una alteración del orden público *con detrimento de las actividades laborales",* decreta una ley que declara ilegal toda huelga que tenga por fundamento *causas políticas*: las que presenten como única razón la solidaridad con los demás trabajadores, así como las que se promueven violando las formalidades del artículo 374 del código de trabajo, artículo que recoge una serie de trabas para dilatar y obstaculizar la materialización de las huelgas (las curvisas son nuestras).[95]

Es evidente que la promulgación de esta ley refleja los avances logrados en la extensión del movimiento y en el despertar de la conciencia de las masas; asimismo, pone en evidencia la acentuación de la crisis económica y política.

Sin embargo, muchas de las conquistas obtenidas, tal vez la mayoría, sirvieron en lo fundamental para que los sectores dominantes avanzaran hacia el afianzamiento político que les urgía, pues la lucha que se lleva a cabo es esencialmente económica y esto no era suficiente para alcanzar verdaderos cambios estructurales.

En esta coyuntura histórica, sin duda propicia para consolidar una vanguar-

[95] Secretaría de Trabajo, *Código de Trabajo*, Santo Domingo, Editora del Caribe, 1969, pp. 209-210.

dia revolucionaria dentro de la clase trabajadora, era preciso contar con dirigentes activos y capaces de aportar al obrero una conciencia política de clase. Era necesario disponer de suficientes dirigentes cuya formación y posición se basaran en un análisis e interpretación amplia y científica de lo que ocurría en esos momentos; esta condición hizo falta para poner a la clase obrera en condiciones de examinar con criterios de clase su relación con el Estado y con las demás clases existentes. Ésta fue la causa por la que la lucha desarrollada se mantuvo fundamentalmente en la esfera de las relaciones obrero-patrón, que conducía al trabajador hacia un mayor nivel de alienación, puesto que significaba una merma de su pertenencia de clase al no constituir esta relación externa la satisfacción en sí de sus necesidades de clase, sino un canal para satisfacer necesidades económicas que en el fondo representaban también necesidades de los sectores dominantes.

Es así como se comprende la relativa facilidad con la que se resquebraja y debilita el fuerte movimiento unitario que se expandía. Es sólo de este modo como se explica una posición evidentemente de atraso de sus dirigentes respecto a la posición correcta en un momento como el que se vivía. Nos referimos al abierto rechazo que hiciera la Confederación Autónoma de Sindicatos Cristianos (CASC) a una propuesta de unidad sugerida por FOUPSA en junio de 1962, argumentando que esa unidad *representaba un peligro porque podría conllevar a la constitución de una dictadura sindical de los trabajadores* (cursivas nuestras).[96]

A pesar de las debilidades que acusaba nuestro embrionario movimiento obrero, los sectores dominantes estaban alarmados ante el espíritu de lucha y la capacidad de combate de la clase trabajadora, por lo que muy pronto se agilizó la puesta en práctica de una fuerza más efectiva para contrarrestar este auge, como veremos más adelante. Por ahora seguiremos analizando el desarrollo de las organizaciones sindicales y la lucha que llevaron a cabo.

En febrero de 1962 la CASC surgió como una nueva organización sindical en la República Dominicana; desde el principio mismo de su fundación creció estrechamente ligada a un sector de la Iglesia católica, la Confederación Latinoamericana Sindical Cristiana (CLASC), con asiento en Caracas, Venezuela, y al Partido Revolucionario Social Cristiano. Algunos de sus principales dirigentes se habían formado en Puerto Rico, bajo los principios de la Juventud Obrera Católica (JOC). Otros de sus dirigentes que habían estado en el exilio durante los últimos años de la dictadura trujillista habían recibido adiestramiento y capacitación sindical en Venezuela, con el fin de regresar al país y trabajar en la organización de la clase obrera. El grupo inicial lo componían, entre otros, Henry Molina, Javier Castillo —ingeniero y luego dirigente nacional del Partido Revolucionario Social Cristiano—, Próspero Morales, Prisco Morales, Ramón Harvey, José Antonio Brea, Cucho Rojas Fernández y José Gómez Cerda. La mayoría de estos dirigentes pertenecían a la pequeña burguesía.

El primer equipo de dirección de esta organización en la República Domi-

---

[96] De acuerdo con declaraciones de ambas organizaciones, la CASC aglutinaba en ese momento un total de 40 sindicatos y FOUPSA 296 (véase *El Caribe*, 5 de junio de 1962).

nicana estuvo compuesto por: Jesús Marcelo, Gabriel del Río, Henry Molina, José Gómez Cerda y Rafael Hidalgo. Henry Molina, Gómez Cerda, Zarzuela y Cruz Reyes habían pertenecido a la Acción Católica y a la JOC; Gabriel del Río fue seminarista.

La naturaleza misma de la formación de los dirigentes de la CASC iba a influir en forma determinante para que su lucha adoptara un carácter singular. Su estrategia había quedado rezagada en un programa mínimo, sus planes a largo plazo habían estado viciados de declaraciones que no correspondían en general a una acción revolucionaria orientada hacia la consecución de un mayor nivel de conciencia de clase de los trabajadores y hacia el logro efectivo de cambios sustanciales en beneficio del obrero.

Es necesario reconocer las importantes conquistas laborales obtenidas por la CASC en sus años de lucha, aunque resulte difícil afirmar o reconocer una posición de vanguardia revolucionaria a esta Confederación.

La lucha que lleva a cabo la CASC en sus primeros tiempos, cuenta no sólo con el apoyo internacional de la CLASC y de parte del clero católico, sino que es además favorecida por el hecho de que la Secretaría de Trabajo y el Instituto de Desarrollo y Crédito Cooperativo (IDECOOP) estuvieron dirigidos en 1962 por el Partido Revolucionario Social Cristiano, partido que siempre ha estado ligado a dicha Confederación. Todo esto contribuyó a que la CASC rápidamente se convirtiera hacia fines de 1962 en la primera fuerza sindical del país.

La labor que realiza la CASC en estos primeros años puede muy bien calificarse de intensa y su aporte en términos de formación sindical ha sido significativo, labor que se ha llevado a cabo a través del Instituto Nacional de Formación Agraria y Sindical (INFAS).

La CASC ha sido la organización sindical que más ha contribuido a la organización de los campesinos, enrolando un número importante en la Federación Nacional de Ligas Agrarias Cristianas (FEDELAC).

Por otro lado, esta Confederación fue capaz de organizar y dirigir innumerables paros y huelgas cuyo objetivo era obtener aumento de salarios y la firma de pactos colectivos de condiciones de trabajo. Una gran parte de esta lucha se desarrolló en los ingenios azucareros de Haina, Amistad, Catarey, Montellano, Esperanza y Quisqueya.

La lucha debió realizarse en lo posible dentro de las mejores relaciones obrero-patronales y dentro del marco del cacareado apoliticismo. La CASC organizó a los trabajadores de los ingenios en la Federación Nacional de Trabajadores de la Caña (FENATRACA); un sector importante de la rama manufacturera fue organizado por medio de la Federación Nacional de Trabajadores Textiles (FENATRATEX); también mantuvo el control de importantes sectores de los empleados públicos y de servicios a través de la Federación Nacional de Trabajadores de Obras Públicas (FENATOP), de la Federación Nacional de Maestros (FENAMA) y de la Federación Nacional de Empleados Públicos e Instituciones Autónomas (FENEPIA).[97]

Se puede afirmar que durante los primeros 20 meses después de la muer-

_____

[97] Véase el periódico *Revolución Obrera* de la CASC, octubre de 1971.

te del tirano, el país contaba con un movimiento sindical que abarcaba sectores importantes de la economía, lo que muy bien pudo haberse aprovechado para canalizar cambios y logros de conquistas más allá de las puras reivindicaciones económicas inmediatas. Naturalmente, esto no pudo alcanzarse por las razones ya expuestas, y porque las iniciativas también estaban fuertemente refrenadas por la Organización Regional Interamericana de Trabajadores (ORIT) y por la AFL-CIO, con quienes la CASC mantuvo relaciones internacionales.

Para agregarse al ya impulsado movimiento obrero dominicano y con la pretensión de fortalecer una línea sindical más de acuerdo con los intereses de la clase trabajadora, el 6 de junio de 1962 se anuncia la creación de la Unión Dominicana de Trabajadores Sindicalizados (UNIÓN). Esta nueva organización aglutinaba parte importante de la izquierda revolucionaria y en su programa se destaca la lucha abierta contra la dominación imperialista. La UNIÓN plantea con un gesto clasista la unidad de la clase trabajadora, pero simultáneamente orienta parte de su esfuerzo a atacar a las demás organizaciones existentes, reprochándoles que trabajan "de arriba hacia abajo" y que reciben ayuda económica del gobierno y de los partidos políticos.

Esta organización sindical dio, durante este período, pruebas de que era capaz de influir en las manifestaciones de la lucha del proletariado, puesto que pudo penetrar y controlar transitoriamente diversas organizaciones obreras. Entre éstas pueden señalarse las siguientes: Sindicato Nacional de Trabajadores Cerveceros, Sindicato de Empleados de la Shell, Sindicato de Trabajadores de Molinos Dominicanos, División Textil de Los Minas, Cementera, Poasi, Refrescos Nacionales, Industria Nigua, Dulcera Dominicana, Petroquímica Dominicana, Concretera Dominicana, Asbesto Cemento, Operadores de Máquinas Pesadas, Trabajadores del Vidrio, Puertas y Ventanas y Pregoneros de Billetes y Quinielas.

Sin embargo, su influencia fue nula o escasa en los centrales azucareros donde se encontraba más del 70% de los trabajadores del país, y donde la explotación y situación de la clase obrera era aún más cruda y desesperante. Es muy probable que la corta duración de su influencia haya estado directamente relacionada con su incapacidad real para lograr lo que en un principio criticaron a las demás organizaciones. Nos referimos al importante trabajo de proyectar al movimiento desde abajo, contando con las limitaciones de esta clase en términos de conciencia política y sin subestimar la capacidad de organización y lucha ejemplar que podía desarrollar con un mínimo de dirección revolucionaria, y sin que ello implicara la sustitución o suplantación del obrero por los dirigentes pequeñoburgueses de los partidos y grupos políticos que estaban detrás de la UNIÓN.

Resumen

Durante el período 1961-1962, las condiciones sociales económicas y políticas se desarrollaron en un ambiente tenso, en el que las contradicciones del sistema podían apreciarse con mayor lucidez. Esta característica, conjuntamente con la tremenda influencia ejercida por la Revolución cubana en su proyección hacia los países latinoamericanos, creó una coyuntura histórica propicia para que la clase trabajadora, de haber contado con una correcta dirección revolucionaria, proyectara los acontecimientos hacia la consecución de cambios profundos y realmente ventajosos.

En estos meses de lucha, la clase obrera mostró una vez más su capacidad de organización y sus posibilidades de vencer la resistencia de las clases o fracciones de clases dominantes. En su lucha, prácticamente se apoderó por un momento de la fuerza de sus adversarios: la timidez con la que los patrones intentaban rechazar sus demandas y la frecuencia con la que se vieron precisados a negociar y a aceptar las demandas de los trabajadores, atestigua que su fuerza había perdido consistencia y que era posible abrir nuevos y mejores caminos para la clase trabajadora.

La rápida participación directa, abierta y descarada de la embajada norteamericana para controlar la marcha ascendente de todo un movimiento que pudo haber llegado hasta la toma del poder por parte de sectores que no garantizarían del todo sus intereses económicos en el país, evidencia el grado de debilidad alcanzado por los sectores dominantes criollos.

Lamentablemente, la mayor parte del esfuerzo y de la lucha se limitó a la conquista de reivindicaciones económicas que no podían trascender más allá de simples y superficiales mejoras de las condiciones de trabajo.

Sin embargo, aunque se trataba de un movimiento obrero de frágil consistencia orgánica, política e ideológica y, en tal sentido, altamente manejable, es preciso reconocer que durante este período se sentaron las bases que sirvieron para consolidar la confianza en la clase obrera y para fortalecer su capacidad de combate en los años siguientes.

IV. GOBIERNO DE BOSCH

En febrero de 1963 se instaló el gobierno del profesor Juan Bosch, quien había sido elegido presidente de la República en las elecciones celebradas es diciembre del año anterior, con la abrumadora cantidad de 580 000 votos, cifra que representó poco más que el doble de los 270 000 obtenidos por la Unión Cívica Nacional, que era la organización política con más fuerza después del Partido Revolucionario Dominicano.

En el triunfo de Bosch tuvo gran importancia la poderosa organización campesina FENHERCA, una federación de asociaciones campesinas que agrupaba a unos 800 000 campesinos, organizada por el rumano, naturalizado norteamericano, Sacha Volman.[98] Durante el gobierno de Bosch este personaje organizó

98 Sacha Volman llegó a ganarse la confianza del profesor Bosch desde antes de ser presidente y en varias ocasiones sirvió de puente entre su gobierno y el gobierno norteamericano, representado en el país por el embajador John Bartlow Martin. Volman siempre ha sido señalado como una pieza de la Agencia Central de Inteligencia —CIA—, la cual financiaba gran parte del presupuesto del Institute of International Labor Research —IILR—, organismo que dirigía y cubría a su vez el presupuesto del Centro Interamericano de Estudios Sociales, cuyas

el Centro Interamericano de Estudios Sociales (CIDES), que era un centro de investigaciones y planificación para el gobierno de Bosch y que también tenía la misión de entrenar a jóvenes políticos y administradores. En el financiamiento del CIDES, además de la Agencia Central de Inteligencia (CIA), intervenía Kaplan Fund, un norteamericano muy ligado a fuertes agencias norteamericanas como la Fundación Ford y poderoso capitalista interesado en el negocio del azúcar y la melaza.[99]

Este apoyo a Bosch por parte del gobierno norteamericano, interesado en llevar a cabo en el país su programa de la Alianza para el Progreso, así como de otros sectores del imperialismo, que más que un apoyo mantuvieron una actitud de expectativa frente a la política de este gobierno, tenía como propósito evidente el de asegurarse una importante y adecuada cuota de influencia en las decisiones político-económicas del gobierno. Frustrados parcialmente estos propósitos, muy pronto el gobierno fue acusado de estar infiltrado por comunistas y la ayuda económica norteamericana en realidad nunca llegó.

Frustración o fracaso parcial de su propósitos porque las clases dominantes buscaban de Bosch un gobierno claramente anticomunista y prooligárquico en el que se reprimiera toda acción o actividad que tendiera a fortalecer a los sectores de izquierda, aunque para ello fuera necesario el encarcelamiento, la deportación y el crimen, a fin de que no se afectaran los intereses económicos del grupo oligárquico reorganizado entre 1961 y 1962.

Bosch no se había dado cuenta aún que al gobierno norteamericano no le interesaban ni convenían los regímenes democráticos que fundamentalmente se apoyan en la fuerza de una burguesía nacional, sino regímenes oligárquicos con cara o apariencia de democráticos; con base en esta creencia él hacía esfuerzos para poner en práctica una política de gobierno que conllevara a un régimen burgués con proyecciones nacionalistas. Es muy probable que Bosch hasta ese momento no percibiera que la debilidad de la nueva burguesía, en términos de conciencia de clase, la hacía fácilmente manejable y plegable al sector oligárquico, y en realidad, en gran medida, no se sentía representada en su gobierno que de hecho trató de ejecutar una política económica que muy bien pudo favorecerla significativamente.

Producto de esta incomprensión Bosch no fue capaz de poner en práctica mecanismos políticos que en su corto período de gobierno hicieran ver claramente estos propósitos a la burguesía que pretendió representar en el poder. Así como tampoco se preocupó en los niveles necesarios para que su gobierno, que pretendía ser antioligárquico, estuviera sólidamente apoyado por la pequeña burguesía y la clase trabajadora. Es de este modo como cualquier malestar que se produjera se iba transmitiendo con relativa o total aceptación entre amplios sectores de la sociedad dominicana.

Las decisiones del gobierno de Bosch eran mal aceptadas por los inversionistas norteamericanos. Ya una vez en el poder "Bosch denuncia el acuerdo que el Consejo de Estado estaba a punto de concertar con el consorcio

operaciones dirigía en la República Dominicana Sacha Volman (Fred Goff y Michael Locker, *op. cit.*, pp. 21-22) .
[99] Para más detalles véase Fred Goff y Michael Locker, *op. cit.*, pp. 21-22.

Standard Oil of New Jersey, y le había dado la preferencia a una compañía suiza para la construcción y explotación de una refinería de petróleo. De la misma manera él fijó un precio máximo del azúcar contrario a los intereses de La Romana Sugar Corporation".[100]

El tope fijado para el precio del azúcar fue de $5.95, estando las empresas azucareras en obligación de depositar la diferencia del precio real de venta a nombre del Estado dominicano. Para llegar a un arreglo amistoso con el gobierno, La Romana proponía que fueran congelados los sueldos de empleados y trabajadores, a lo cual no accedió Bosch. Este tope al precio del azúcar dejó al gobierno en siete meses una reserva utilizable en inversiones públicas, ascendente a los $60 millones de pesos.[101]

Las perspectivas adoptadas por la política del gobierno de Bosch parecían contrarias a los propósitos del gobierno norteamericano y demás sectores del imperialismo (CIA, Pentágono, sector oligárquico local), especialmente en lo que concierne a las facilidades democráticas que se ofrecía a la clase trabajadora y a los sectores de izquierda. Grupos de izquierda llegaron a utilizar locales del Estado, como ayuntamientos y escuelas, para llevar a cabo actividades políticas y viajaron a Cuba sin dificultad alguna. Esto era muy criticado por sectores de la clase dominante al gobierno de Bosch.

Por todo ello se multiplican las críticas y se inician las amenazas al gobierno de Bosch. Se le reprochaba la constitución de 1963 que no protegía ningún derecho de propiedad y que autorizaba la expropiación sin compensación. Es de este modo, también, como el Departamento de Estado norteamericano amenaza al gobierno de Bosch con retirarle la ayuda de la Agencia Internacional de Desarrollo (AID) a la República Dominicana, en caso de que no cumpliera los contratos firmados durante el Consejo de Estado con las compañías azucareras norteamericanas.[102]

Por otro lado, les escandalizaba y asustaba a los poderosos capitalistas norteamericanos, al gobierno de ese país y al propio sector criollo que componía el grupo oligárquico y que también veía afectados sus intereses, que la constitución de 1963 recogiera una serie de reformas que de ser puestas en práctica echaban por el suelo importantes medidas que ya habían logrado con el Consejo de Estado. Aceptar estas reformas era aceptar una regresión de la política prooligárquica que se proponían consolidar.

Además del problema del azúcar, el cual siempre ha constituido el punto neurálgico del problema en su conjunto, les preocupaba de la constitución el artículo 19, que otorgaba a los trabajadores de los sectores industrial y agrícola el derecho a recibir parte de los beneficios de las empresas; pues el deseo de los sectores dominantes era el de disfrutar en paz, a cualquier precio, de todos los beneficios que resultaran de la explotación despiadada a que es sometida la clase trabajadora.

Les molestaban los artículos 23, 25 y 28, que, en ese mismo orden, consignaban la prohibición de los latifundios; la restricción del derecho de los extran-

---

100 Karl Leveque, "La Iglesia en tres crisis dominicanas", en *Ahora*, núm. 472, noviembre de 1972, p. 8.
101 Carlos Ascuasiati, "Diez años de economía dominicana", *op. cit.*, p. 82.
102 Véase Fred Goff y Michael Locker, *op. cit.*, p. 19.

jeros en lo que se refiere a la adquisición de tierras dominicanas, y la obligación de los terratenientes a vender la parte de "sus tierras" que sobrepasaran el límite fijado por la ley.

La actitud reacia ante estos artículos se comprende fácilmente si recordamos que el central Romana posee el más grande de los latifundios en el país, y si tomamos en cuenta que a través de la AID el gobierno norteamericano había logrado un acuerdo con el Consejo de Estado que le permitía tener fuertes influencias en la planificación de la reforma agraria, donde por supuesto no se contemplarían restricciones a los extranjeros en la compra de tierras, ni se prohibiría, por lo menos en las mismas condiciones, la existencia del latifundio, ya que esto sería actuar contra sus intereses.

Otro artículo que también entraba en abierta contradicción con la política e intereses de las clases y sectores dominantes, era el 66, que prohibía la expulsión de dominicanos de su propio país, dejando así sin efecto la famosa ley de emergencia para legalizar las deportaciones.

Otras disposiciones constitucionales que irritaban al imperialismo y a los sectores dominantes criollos, eran las relativas a los asuntos laborales. En la constitución se establecía que el trabajo es base primordial de la organización social, política y económica de la nación; la libertad para organizar sindicatos; el derecho de huelga; el no reconocimiento de sindicatos paralelos; para igual trabajo igual salario, sin discriminación de sexo, edad o estado.

Medidas no menos molestas fueron las siguientes: nivelación del presupuesto público, freno a las importaciones, control del contrabando, inicio de un promisorio retorno de capitales emigrados, la desviación de recursos monetarios hacia el sector público con una imposición a los altos precios del azúcar en el mercado mundial ese año, la erradicación de importantes puntos de corrupción administrativa e inicio del saneamiento de las empresas del Estado.[103]

Sin duda alguna, las condiciones democráticas que tendía a crear la política puesta en práctica por el gobierno de Bosch iban provocando un debilitamiento creciente del apoyo político que el gobierno norteamericano le había dado desde antes de alcanzar el poder del Estado.

La posición de Estados Unidos respecto a la ayuda externa y a la inversión por parte de los norteamericanos en el país, quedó bastante clara en el momento en que el director de la AID, Newell Williams, expresó lo siguiente: "Desde que Bosch ha estado en el gobierno nos han cerrado las puertas." Más tarde, hacia el final de los primeros cien días de estar Bosch en la Presidencia, el embajador Martin anotaba: "Hemos consignado algo más de 50 millones para el último año del Consejo de Estado; sin embargo, ni un centavo para Bosch."[104]

Prácticamente desde sus mismos inicios, el imperio del dólar había declarado la guerra al más mínimo intento de reforma social que pareciera una amenaza "comunista".

Por eso el gobierno de Bosch tuvo siempre un factor, en apariencia externo, que era adverso a sus propósitos democráticos, que no se correspondía con el

---

103 Carlos Ascuasiati, *op. cit.*, p. 82.
104 Fred Goff y Michael Locker, *op. cit.*, p. 19.

afianzamiento político-económico que el imperialismo no estaba dispuesto a perder. Esta situación estaba caracterizada por contradicciones no antagónicas entre el gobierno de Bosch y el imperialismo; no antagónicas porque Bosch fue consecuente con una política que se perfilaba como democrático-burguesa, de carácter reformista, que no descartaba la cooperación con los intereses económicos de Estados Unidos. Ante este enfrentamiento, provocado por la miopía política que ve en todo una agresión comunista, Bosch no tenía otra alternativa que no fuera la de consolidar un fuerte apoyo a su gobierno por parte de sectores internos que podían ser atraídos, por lo menos en mayor amplitud y profundidad que lo logrado. Al parecer, esta alternativa no fue seleccionada por su gobierno, o no fue capaz de llevarla a cabo.

Por la coyuntura política que se genera internamente, creemos que no estaba en los planes de Bosch mantener en forma dinámica el apoyo masivo que recibió durante las elecciones que lo llevaron al poder. Es posible que creyera suficiente el apoyo condicionado que le ofrecía el gobierno de Kennedy, y en tal sentido no era necesario un esfuerzo tendiente a organizar las bases y requerir la ayuda de sectores internos política y económicamente de mucho peso en la vida nacional. Esto es así porque Bosch se fue aislando de prácticamente todos los sectores del país, hasta quedarse en una especie de plataforma que ya no podía sostenerse con sus propias bases. En este aislamiento tuvo un peso específico de trascendental importancia la sistemática penetración imperialista en los diversos sectores de la sociedad dominicana.

Si bien es cierto que la política del gobierno de Bosch con relación a la clase trabajadora se expresa constitucionalmente y en los planes oficiales quizá como la mejor que pudo saborear dicha clase en toda su historia de lucha, no es menos cierto que en términos prácticos ésta se definía por su incoherencia. Este hecho constituyó una de las más grandes debilidades de su gobierno. Veamos:

Bosch no sólo no adoptó una política coherente frente a la clase trabajadora como veremos en breve, sino que él mismo contribuyó a su aislamiento de los demás sectores de la sociedad dominicana.

Un fuerte sector de la Iglesia católica, que se mantenía identificado con los valores e intereses de la clase dominante, había roto con Bosch desde antes de las elecciones, en cuyo gobierno la constitución no mantuvo referencia al Concordato.

Con la proximidad del proceso electoral, las acciones se hacen más radicales. En el mes de julio de 1962, los obispos publican una carta pastoral sobre las elecciones, en la que advierten al pueblo y al gobierno que ellos están "en muy grave peligro" de pasar a las manos de los comunistas. Por su parte, el hebdomadario católico *Fides* escribe que "una campaña de persecuciones contra la Iglesia estaba en curso de preparación". El material para esta campaña habría sido enviado desde Cuba.[105]

Estando ya Bosch en el poder, un obispo católico en sermón que pronunciara en Santiago, hizo un llamado respecto a lo que él entendía como la propagación creciente del comunismo entre los jóvenes, y más aún, prácticamente su-

---

[105] Karl Leveque, *op. cit.*, p. 4.

gería que el ejército como guardián de la democracia debía tomar las cosas en sus manos para corregir la situación.[106]

Aunque Bosch estaba consciente de la fuerza que tenía la Iglesia en todos los sectores y grupos dominicanos, producto precisamente de su idealismo democrático, permitió que ésta manifestara e hiciera efectiva esa fuerza de manera abierta y masiva y con evidentes propósitos de socavar las bases de su gobierno.

Varios mítines de "reafirmación cristiana" fueron permitidos a la Iglesia. "En estas manifestaciones, bajo el pretexto de combatir el comunismo, la extrema derecha creaba el apoyo de masas que necesitaba para dar el golpe de Estado contra Bosch. Mientras tanto, el presidente de la República no aparecía en público, no hablaba por televisión, ni movilizaba a sus parciales."[107]

La debilidad y el democratismo de Bosch lo estaban llevando a contribuir con su propio derrocamiento.

Otro sector muy fuerte y que sólo precisaba de las condiciones que iba creando la extrema derecha en las masas populares para llevar a cabo el golpe, lo constituían algunos miembros de la alta jerarquía de las Fuerzas Armadas Dominicanas. Dicho sector, además de que se mantenía en expectativa y que su desconfianza hacia el gobierno crecía con el auge de la propaganda que acusaba a Bosch y su gobierno de comunista, se sintió afectado por el control a que fue sometido el contrabando que beneficiaba sustancialmente a muchos que no estaban dispuestos a perder cuantiosas entradas extras.

Uno de los choques más fuertes con los jefes militares se produjo cuando Bosch contestó negativamente a una solicitud de la Aviación para adquirir unos aviones Hawker Hunter valorados en 6 millones de dólares, pues esto implicaba una sustancial comisión del 20% sobre el valor total de la compra, es decir, 1.2 millones que irían a engrosar los bolsillos de unos cuantos.[108]

Lo peor de todo fue que un hombre como Bosch, que conocía lo que significaba tener en su contra todo un ejército, tampoco se preocupara lo suficiente para garantizarse un apoyo seguro de ese sector, sobre todo si tomamos en consideración que antes del golpe ya se habían registrado otros intentos de los cuales Bosch estaba perfectamente enterado, y, sin embargo, por lo ocurrido el 25 de septiembre Bosch seguía tan campante como antes, no llegaba al grano del asunto, probablemente muy influido por la seguridad que él sentía respecto al apoyo político ofrecido por el gobierno norteamericano, a través de su embajador Martin.

Por otro lado, por la naturaleza misma de la política adoptada por el gobierno de Bosch, los sectores importador-exportador y terrateniente eran rabiosamente antiboschistas; entre las medidas que más molestaron a los comerciantes estaba la relativa al control de las divisas.

Para colmo, Bosch pone en práctica una amplia política de cancelaciones de empleados y obreros, que motiva la protesta de prácticamente todos los sectores de la sociedad sin que tampoco en este caso se pusieran a caminar planes

106 Karl Leveque, *op. cit.*, p. 8.
107 Karl Leveque, *op. cit.*, p. 8-A.
108 Karl Leveque, *op. cit.*, p. 8-A.

gubernamentales que absorbieran parte de la creciente mano de obra ociosa. En los periódicos de la época hay constancia de protestas casi a diario contra las progresivas cancelaciones.

Incluso sindicatos manejados por la izquierda, como la UNIÓN, llegaron a hacer protestas públicas contra esta práctica. En demanda del cese de las cancelaciones "injustificadas", por la restitución en sus puestos de los servidores que habían sido despedidos "injustamente" y por la inmediata creación del servicio civil (o de una comisión que funcionara como tribunal frente a los conflictos que surgieran entre los servidores públicos) la organización de empleados públicos FENEPIA, a sólo tres meses de estar Bosch en el poder, dispuso una huelga general para iniciarse el día 9 de mayo de 1963, que afectaba a todas las dependencias del Estado.

En esta ocasión, por el apoyo que tenía el gobierno en este sector burocrático y sin duda por las medidas tomadas con el auxilio del ejército y la policía para contrarrestar cualquier brote de violencia, "el llamado a huelga fracasó en la mayoría de los ministerios del país, pues sus empleados no acataron el llamado".

Bosch tampoco gobernó con el apoyo abierto de la izquierda; su relación con este sector no estuvo claramente definida, además de que era tal vez el aspecto de su política más vigilado y controlado por los organismos de seguridad de Estados Unidos.

En lo concerniente a la clase trabajadora y al campesinado, que es a nuestro juicio donde Bosch pudo haberse ganado un mayor apoyo organizado, por la falta de coherencia en la aplicación de su política sindical no acertó a dar pasos firmes que conllevaran a consolidar a su régimen sobre la base de la fuerza de estos sectores. De aquí que Goff y Locker escribieran: "El torpe manejo del apoyo obrero, combinado con la división de las confederaciones sindicales hechas por los organizadores entrenados en los Estados Unidos, privaron a Bosch de su arma más efectiva en contra de un golpe de derecha: un movimiento de masas organizado que en cualquier momento pudiera ser armado para contrarrestar a los militares. Con la cooperación de algunos oficiales jóvenes descontentos y de mentes reformistas esto podía ser posible, pero Bosch rehusó usar la violencia. Lo que pudo haber sido su más sólida base de apoyo, una organizada fuerza laboral y campesina, había sido socavada por la infiltración y manipulación de los Estados Unidos."[109]

El desacierto era tal que poco después de ser elegido como presidente de la República, Bosch y uno de sus consejeros se reunieron en Washington con George Mcany, Jay Lovestone y Andrew Mchellan, para plantearle que, dada la debilidad que acusaban los sindicatos del país a causa de la competencia que se registraba entre unos y otros, se hacía inminente unirlos a todos en una sola federación que comparó con la AFL-CIO.[110] Parecía como si Bosch estuviera solicitando ayuda, y más que eso, permiso, a los enemigos de la clase trabajadora para llevar a cabo tan importante trabajo de su gobierno.

109 Fred Goff y Michael Locker, *op. cit.*, p. 25.
110 Susanne Bodenheimer, "AFL-CIO en Latinoamérica (el caso de la República Dominicana)", en *La Noticia,* 5 de mayo de 1974.

En esta conversación se acordó seguir hablando sobre el tema pero, como era de suponerse, poco después la Confederación Nacional de Trabajadores Libres (CONATRAL), que era el fruto de la división promovida por AFL-CIO en el seno de FOUPSA, salió acusando a Bosch de tratar de dominar el movimiento obrero como el "dictador Trujillo". Los que Bosch consideraba amigos de sus ideas hicieron exactamente todo lo contrario, división y sólo división..

Esta denuncia de CONATRAL circuló rápidamente entre los sindicatos existentes, y tuvo una significativa aceptación en el nivel de dirigentes sindicales y miembros de base, que en su gran mayoría no contaban con niveles de conciencia de clase que les permitieran profundizar sobre esta acusación.

Con excepción de FOUPSA-CESITRADO, dos importantes núcleos de sindicatos que se unieron y se identificaron con la política del gobierno, de los que dos de sus dirigentes, Miguel Soto y Monegro, llegaron a ser diputados por el Distrito Nacional, todos los demás sindicatos, en una u otra forma, se opusieron a la formación de una Central Única de Trabajadores. Hasta la UNIÓN abogaba en sus comunicados y mítines por una mayor independencia del movimiento obrero dominicano.[111]

Durante el gobierno de Bosch los dirigentes sindicales le dedicaron poco tiempo a la organización de la clase trabajadora, aunque fue notable el trabajo que en este sentido hicieron los representantes de la AFL-CIO para dividir el movimiento. A través de CONATRAL organizaron una Federación Nacional de Trabajadores Azucareros, en cuyo acto de inauguración hablaron el secretario general de dicha organización y Leonardo Roland, representante de la ORIT;[112] sin embargo, más que a organizar grupos sindicales, se dedicaron fundamentalmente a desarrollar una lucha contra el gobierno y por la conquista de aumentos salariales y mejores condiciones de trabajo que no estaba en posibilidades de soportar el gobierno.

Hasta el mismo gobierno parecía estar en una actitud de receso en lo que a organización se refiere. El caso de la Federación Nacional de Hermandades Campesinas (FENHERCA) es quizá de los que más llaman la atención, pues no se tuvo en consideración que una organización como ésta, que agrupaba a un amplio sector de pequeños propietarios y proletarios agrícolas, requería de atenciones especiales del gobierno y del partido en el poder, a fin de mantenerla y fortalecerla, y no dejar que se desintegrara precisamente en los momentos en que los sectores dominantes consideraban que ya no sería muy útil a sus planes políticos.

La CASC, que era entonces una de las centrales sindicales que agrupaba a importantes núcleos de la clase trabajadora, y que fue quizá la que más luchó por la conquista de pactos colectivos de condiciones de trabajo, aún en 1971 expresaba lo siguiente: "En febrero de 1963 se instaló el gobierno del profesor Juan Bosch, que ha sido el gobierno que más ha respetado los derechos humanos del país. Sin embargo, cometió errores de trascendencia sindical, quizás dependiendo mucho de los conocimientos y antecedentes de Miolán, que había trabajado con Lombardo Toledano, un gran intelectual mexicano y dirigente

111 *El Caribe*, 2 de mayo de 1963.
112 *El Caribe*, 20 de abril de 1963.

máximo de la Confederación de Trabajadores de América Latina (CTAL). Intentaron crear una 'central única impuesta por el gobierno', que recibió el rechazo de la clase trabajadora, pues recientemente habíamos sufrido una dictadura, y cualquier intento de atar a una dependencia gubernamental a la clase trabajadora era negativo; además no se veían líderes sindicales con ideas claras que pudieran llevar a efecto ese proceso de donde era promovido; además, el propio presidente constitucional dio un espaldarazo a los trabajadores cuando pronunció sus famosas palabras de 'se mató como Chucumbele' al referirse a una organización sindical de servidores públicos, y la clase trabajadora se preguntó: ¿si estuviéramos en una central única dirigida por el gobierno, y ésta es la forma de tratarnos, dónde nos llevaría esa central? ¿Era ésta la forma de un gobernante tratar a una organización sindical?"[113]

En esta misma oportunidad la CASC criticó lo que consideró como eliminación de FENEPIA y la Federación Nacional de Maestros (FENAMA) por parte del gobierno de Bosch, diciendo al mismo tiempo que eso había originado alejamiento y desconfianza de parte de los trabajadores organizados.

Si bien es cierto que la CASC tenía razones para expresarse en esos términos, no es menos cierto que toda su crítica al gobierno de Bosch estaba influida por diferencias políticas con el partido en el poder, pues siempre estuvieron claramente establecidas las buenas relaciones de esta organización sindical con el Partido Revolucionario Social Cristiano.

Además, su negativa a la constitución de una central única de trabajadores era sólo una muestra más de su sistemática oposición a unirse con otros sectores organizados de la clase trabajadora que no compartieran en parte o en su totalidad su política sindical. De aquí su débil argumentación de que no se veían líderes con ideas claras —ideas que no se precisan— que pudieran llevar a cabo la organización de esa central única.

Otro hecho, producto de una visión política estrecha y de un escaso conocimiento de la coyuntura histórica que se vivía, lo constituyó el que en el mitin organizado por la UNIÓN el 1º de mayo de 1963 tres de sus principales consignas fueran: luchar por la libertad sindical, por la independencia del movimiento obrero y por la defensa y ampliación del derecho de huelga. Pues más que luchar por conquistas que ya disfrutaban todos los sectores de la vida nacional, hasta tal punto que fueron utilizados para derrocar al gobierno, lo más lógico y consecuente hubiera sido aprovechar la manifestación para fortalecer los niveles de conciencia de clase del obrero, no a través de eslóganes, que más que asimilados adecuadamente lo que provocaban era una mayor confusión en todo el pueblo, sino a través de una explicación racional y científica respecto a la relación de la clase obrera con el imperialismo, con la clase dominante local y con el Estado; así como una explicación seria de las maniobras políticas que venían realizando sectores de la oligarquía y de la Iglesia para hacer desaparecer el gobierno, y para dar a conocer cuáles eran las debilidades reales, políticas, económicas e ideológicas del gobierno de Bosch.

Por otro lado, entre las huelgas que organizaron los trabajadores en demanda de aumentos salariales, podemos señalar las siguientes: la de la Corporación Do-

113 Periódico de la CASC, *Revolución Obrera*, octubre de 1971, p. 8.

minicana de Electricidad, cuyo sindicato planteaba el aumento de salarios para
los trabajadores; la del Sindicato de la Manicera, asesorado por la CASC; esta
huelga tenía como objetivo obligar a la empresa a firmar un pacto colectivo de
condiciones de trabajo y fundamentalmente que se pagara a los obreros un
22% de lo que cada uno había ganado en el año de trabajo recién terminado por
concepto de bonificación. La huelga duró unos diez días y en ella se planteó
una posición contraria a la política de despidos de obreros y empleados.[114] Otra
huelga que tuvo una duración de 14 días fue iniciada el 5 de abril de 1963 por
los obreros de factoría del central Romana. Al principio, la huelga no influyó significativamente en la producción azucarera, sin embargo, once días después, es
decir, el 16 de abril, adoptó un carácter general que afectó así a todos los departamentos de obreros y empleados del central. Su demanda era que se aplicara la
tarifa de salarios aprobada en enero de 1962, la cual, según los trabajadores,
consignaba un aumento de salarios para los obreros, mientras que la empresa
alegaba que sólo tenía obligación de aplicarla a los nuevos trabajadores que se
emplearan.

Los sindicatos del central Romana Corporation, los del central Romana By-
Products Company (FURFURAL) y las asociaciones de empleados y técnicos azucareros se habían unido en la lucha. La fuerza de esta unidad pasó por encima
de una disposición de la corte de apelación de San Pedro de Macorís la que, al
estimar como ilegal esta huelga, fijó a los obreros un plazo de 48 horas para
que retornaran a su trabajo. La disposición no fue acatada por los trabajadores.

En el proceso de búsqueda de una solución al conflicto intervinieron altos
funcionarios del gobierno, como Ángel Miolán, dos ex dirigentes sindicales y en
ese momento diputados por el PRD, y hasta un avión de la Fuerza Aérea Dominicana que dejó caer miles de volantes en La Romana, invitando a mantener
un clima de orden y serena postura.

En los últimos días de la huelga los obreros modificaron sus demandas redu-
ciéndolas al pago de 30 días de salario como compensación del dinero que
alegaban les había retenido la empresa al no aplicar la tarifa de salarios; a que
se les pagaran los días en que se mantuvo la huelga (15 días), y a que la empresa se comprometiera a negociar pactos colectivos de trabajo a partir de los
cinco meses siguientes.

Frente a esta flexibilidad de los trabajadores, la empresa sólo aceptaba las dos
últimas demandas, y de la primera el pago de 15 días de salario. Aceptada esta
contrapropuesta, la huelga llega a su fin el 19 de abril.[115]

Por último, queremos apuntar que en líneas generales la lucha hasta aquí
desarrollada por la clase obrera, producto de su escasa conciencia de clase, se
limitaba en lo fundamental a la búsqueda de la máxima ventaja individual,
considerando así que el sindicato, más que un instrumento efectivo para defender sus intereses de clase, era una organización capaz de ayudarlos personalmente.

Además, cabe señalar que durante este período se vislumbra más claramente
la tendencia en la que el sindicato se inclina a pensar y actuar más como organismo de un partido político determinado, que por lo general no representaba

114 *El Caribe*, 20 de abril de 1963.
115 *El Caribe*, 4 de abril de 1963.

sus intereses de clase, produciéndose así un natural y creciente malestar interno que tendía a producir la desintegración de sindicatos. Ésta es quizás una de las razones por las que fue perdiendo arraigo FOUPSA-CESITRADO, que desde su origen se había identificado con el PRD, resultando que sus dirigentes centraran sus mayores esfuerzos en la defensa irrestricta del gobierno de Bosch.

Resumen

El gobierno de Estados Unidos en un principio vio a Bosch como el hombre capaz de ofrecerle la "estabilidad política" que ya buscaba durante el Consejo de Estado, no logrando precisamente eso, sino que las medidas de tipo democrático tomadas por el gobierno contrariamente iban diluyendo las bases de esa "estabilidad" que le era necesaria para alcanzar un definitivo afianzamiento económico. De inmediato, todas las engrasadas máquinas del imperialismo, aunque quizás en forma más tímida por parte del gobierno de Kennedy, se pusieron a la orden de la campaña anticomunista para culminar con el derrocamiento del gobierno. Bosch buscaba consolidar un régimen de tipo democrático-burgués, y el imperialismo uno de tipo esencialmente oligárquico.

Es posible que más tarde o más temprano el derrocamiento de Bosch se hubiera producido; sin embargo, si Bosch no deposita tanta confianza en el gobierno norteamericano y aplica una política coherente frente a los trabajadores y campesinos, asegurando al mismo tiempo la confianza de un sector importante de las Fuerzas Armadas, su derrocamiento hubiera contado, por lo menos, con una mayor y más consciente resistencia. Si así hubiera ocurrido, las condiciones políticas tras el golpe hubieran adoptado otras dimensiones y proyecciones.

En su lucha contra un enemigo que no conocían en profundidad, y menos en su lucha por aumentos salariales y por mejores condiciones de trabajo, la mayoría de los sectores obreros organizados, consciente o inconscientemente, directa o indirectamente, con frecuencia coincidieron con las posiciones de los sectores enemigos de los trabajadores, puesto que sus actividades sindicales no se sostenían sobre la base de un trabajo tendiente a crear conciencia del verdadero contenido y dimensión de los problemas que afectan al trabajador. Esto originó una mayor confusión en las masas y en tal sentido su trabajo repercutía en beneficio de la campaña que se desarrollaba para debilitar al máximo las bases del poder. Los trabajadores eran precisamente objeto de penetración de los organizadores de dicha campaña.

No obstante, fue durante el gobierno de Bosch cuando los trabajadores y el pueblo dominicano en general disfrutaron de las mayores libertades democráticas que se recuerden en la historia de la república.

V. GOBIERNO DEL TRIUNVIRATO: 1963-1965

Después del derrocamiento del gobierno de Bosch es instalado un Triunvirato con el apoyo de los peores intereses nacionales y norteamericanos. Para este nuevo gobierno, fiel representante de los intereses del sector oligárquico, la explotación sin límites y la represión en todos los planos y dimensiones constituían la realidad absoluta, puesto que fruto de una escasa visión política y de un profundo conocimiento de las inquietudes políticas que ya se constataban en la conciencia del hombre de los sectores populares, pero sobre todo como fruto de su distanciamiento real de las masas populares, que quizá como nunca antes habían empezado a asimilar una política económica favorable a sus intereses, los sectores dominantes creyeron que ésa era la forma correcta de frenar tanto el auge de conciencia clasista entre los trabajadores como las reformas que intentó llevar a cabo el gobierno de Bosch.

Contra las intenciones que se perseguían con esta política rancia y típicamente imperialista, la creciente agudización de las contradicciones y la cruda perspectiva que iban tomando para la clase trabajadora las relaciones de producción, hicieron posible el aceleramiento de la conciencia política entre los sectores populares y con ello la materialización de la revolución de 1965.

Por su origen mismo, el Triunvirato fue un régimen que favoreció la corrupción administrativa, la desorganización del Estado, el contrabando, el caos económico del país, así como la penetración del imperialismo en la economía nacional y en las estructuras burocráticas militares.

Por su naturaleza, este régimen fue abiertamente antiobrero. Apenas 48 horas después del golpe, las cárceles dominicanas estaban repletas de presos políticos, y al término del tercer día se hablaba ya de una huelga general programada en todo el país a través del sindicato de choferes públicos. Las movilizaciones callejeras se multiplicaban y el descontento general era tal que el mismo John B. Martin, embajador de Estados Unidos, comentaba en círculos de su confianza que "el golpe ha sido una estupidez patrocinada por los peores intereses dominicanos y estadunidenses".[116]

Las protestas contra el derrocamiento de Bosch aparecían casi diario en la prensa: el 30 de septiembre de 1963 fue efectuada una asamblea de estudiantes universitarios para condenar el golpe militar; el 4 de octubre diversas organizaciones profesionales se pronuncian en repudio al derrocamiento y contra las crecientes detenciones y prisiones ilegales; el 7 de ese mismo mes la agrupación política 14 de Junio repudia al Triunvirato calificándolo de "títere e impostor"; el mismo día 7 más de 70 sindicatos afiliados a la CASC se pronuncian en contra del golpe militar, al mismo tiempo que denunciaban la postura adoptada por los patrones al congelar las bonificaciones, salarios y contratos colectivos de trabajo.

Por otro lado, los partidos que apoyaban al Triunvirato responsabilizaron a Estados Unidos por los actos de subversión que pudieran generarse en el país, ya que el gobierno de Kennedy presionaba para que se entregara el poder al Dr. Juan Casasnova Garrido, quien en reunión secreta de un grupo de senadores y diputados del PRD fue elegido presidente provisional de la República. Como una forma de presión al Triunvirato, el presidente Kennedy llegó a cancelar la ayuda económica y militar de Estados Unidos.

116 Cit. en Franklin J. Franco, *República Dominicana, clases, crisis y comandos*, La Habana, Casa de las Américas, 1966, p. 164.

Una posición rabiosamente anticomunista y una total identificación con los sectores más reaccionarios del país, llevó al nuevo régimen a ofrecerle al gobierno norteamericano las facilidades para la instalación en la república de bases que tendrían por objeto una acción conjunta contra el régimen de Fidel Castro, a cambio de que Estados Unidos reanudara las relaciones diplomáticas con la República Dominicana.

La situación llegó a tornarse tan difícil para el Triunvirato que se vio precisado a decretar el 7 de octubre de 1963 el estado de sitio en todo el territorio nacional, al tiempo que se suspendía todo derecho de asociación. Para el día 8 de ese mismo mes fue promulgada la ley núm. 6 prohibiendo la organización, existencia y actividades comunistas; el otorgamiento de nombramiento y contrato para una función o empleo público, municipal, en instituciones oficiales, autónomas o en empresas del Estado, quedó prohibido a los afiliados a partidos comunistas; de igual modo fue prohibida la entrada al país de dominicanos o extranjeros que profesaran las ideas comunistas.

Además, el Triunvirato derogó la ley que fijaba precios tope para el azúcar y mieles vendidos al extranjero, dejando así sin efecto la ley núm. 24 del 10 de mayo de 1963 promulgada por el gobierno de Bosch.[117]

Con estas medidas, el Triunvirato buscaba demostrarle al gobierno norteamericano no sólo que su régimen era capaz de hacer lo que Bosch no hizo contra los sectores que practicaban o simpatizaban con el comunismo, sino que estaba en la plena disposición de poner en sus manos la economía y la política a seguir en el país.

El grado de represión llegó a tales extremos que a mediados de junio de 1964 centenares de casas de varias ciudades del país fueron golpeadas durante la noche y cuando abrían las puertas los hombres que allí se encontraban eran apresados. "Hubo casos en que uno solo de aquellos sorprendidos ciudadanos fue pateado y golpeado por más de treinta guardias, que con igual facilidad quebraban un brazo, rompían una costilla o le despedazaban el rostro a culatazos a un jovenzuelo." Cuando el Triunvirato fue cuestionado al respecto por los periodistas, su máximo jefe se limitó a decir que esas órdenes se habían dado porque el régimen tenía informes de que por motivos de la fecha 14 de junio se iba a producir agitación pública.[118] En realidad, este hecho fue sólo una muestra que hacía pensar hasta dónde estaba el Triunvirato dispuesto a llegar para mantenerse en el poder.

Durante los 19 meses de gobierno del Triunvirato pudo apreciarse con mayor claridad que regímenes de su naturaleza son incapaces de propiciar reformas legales que coadyuven con el desarrollo de la clase trabajadora y su movimiento. En este período la crisis económica y política se agudizó y la mayor parte de los sindicatos fueron fuertemente golpeados, divididos o desaparecidos.

En el campo sindical, las organizaciones que agrupaban el mayor número de trabajadores eran: la Confederación Autónoma de Sindicatos Cristianos, la cual constituía la mayor fuerza laboral de entonces y quien doce días después del golpe se pronunció en contra del mismo; la Confederación Nacional de

[117] *Ahora*, núm. 515, 24 de septiembre de 1973.
[118] Juan Bosch, *Crisis de la democracia de América en la República Dominicana*, Centro de Estudios y Documentación Sociales, México, 1974, p. 209.

Trabajadores Libres, abiertamente golpista y plenamente identificada con la ORIT y la AFL-CIO. Existían también FOUPSA-CESITRADO y la UNIÓN, pero en ese momento contaban con escasa organización y fuerza para enfrentar a los golpistas.

En realidad, la fuerza laboral organizada que existía entonces acusaba una fuerte debilidad orgánica e ideológica; sin embargo, la represión se tornó tan cruda y necesaria para el sostenimiento del régimen que los sectores populares por fuerza iban tomando cada vez más conciencia de la situación que vivía el país. Estas condiciones propiciaron la unidad de acción entre el Partido Revolucionario Dominicano, las izquierdas y todas las organizaciones democráticas, destacándose como vanguardia los choferes públicos y los muelleros.

La máxima expresión de esta unidad se inició con la histórica huelga del 2 de mayo de 1964, cuyos objetivos eran: protestar contra la ley 360 que aumentaba la cotización de los trabajadores en el Seguro Social; contra la institucionalización del contrabando, que afectaba de manera especial a los medianos y pequeños comerciantes; por la conquista de mejores condiciones de trabajo y aumento salarial a los obreros azucareros; contra el aumento de los impuestos dirigidos a vehículos, gasolina y otros artículos afines importados; por la vuelta a la constitucionalidad con Bosch como presidente; amnistía general para los presos políticos, y el cese de la represión.[119]

Durante el desarrollo de esta huelga las bases del impopular régimen se tambalearon, pues en sólo una semana se movilizó casi todo el país, hombres y mujeres salieron a la calle para obstaculizar el tránsito, romper vidrieras, derramar basura en las calles, quemar gomas usadas, muchos comerciantes se vieron obligados a cerrar sus puertas, etc. Ante esta situación el gobierno decretó la ley de emergencia, y como llegó un momento en que la policía no podía seguir luchando con la gente del pueblo que se había integrado a las protestas, fue necesario que el ejército también interviniera para poder controlar lo que parecía ser una verdadera batalla del pueblo contra el gobierno. Sólo utilizando todo su aparato represivo, el gobierno pudo lograr el levantamiento de la huelga el día 8 de mayo, es decir, seis días después de su inicio.

No cabe duda que la participación dinámica de importantes sectores de la clase trabajadora en esta huelga reflejaba desde ya, más que un alto grado de descontento general, un aumento de su conciencia política. Como era de esperarse, ante un hecho así el gobierno se apresuró a recrudecer más aún sus métodos represivos, ya que la huelga abría las posibilidades para que se produjera un movimiento más sólido y amplio que culminara con la desaparición del régimen, tal como ocurrió ciertamente en abril de 1965.

Después de esta huelga la actitud antiobrera del gobierno fue mucho más abierta y decidida. Fue disuelto el sindicato de choferes; al Sindicato de Trabajadores Portuarios de Arrimo —POASI— se le golpeó rudamente congelándole los fondos sindicales y creándole un sindicato amarillo paralelo llamado STAPI, el cual estaba asesorado por uno de los sindicalistas entrenados por organismos norteamericanos infiltrados en el movimiento obrero dominicano.

119 Antonio Marchena M., *Breve monografía histórica de la Confederación Autónoma de Sindicatos Cristianos (CASC)*, 1972.

Una de las centrales sindicales que quedó más afectada fue la CASC, con más de 250 dirigentes sindicales encarcelados; perdió más de 15 sindicatos en Santiago, entre ellos el de la Tabacalera, Tenería Bermúdez, Tenería Bojos y otros. En todo el país, de sus 120 sindicatos afiliados perdió más de la mitad y 350 directivos sindicales fueron despedidos de sus trabajos.

Una muestra de la magnitud e intensidad de la represión desatada y de la fuerza que habían adquirido los patrones, la constituye el caso de la Jabonería Valencia de Santiago, donde se despidió a todos los trabajadores y sin mucha dificultad fueron sustituidos por otros.[120]

A pesar de lo duramente que era reprimida la clase trabajadora, ya a mediados de enero de 1964 había llevado a cabo una de las más importantes huelgas que se organizara en el gobierno del Triunvirato; nos referimos a la huelga de los trabajadores del central Romana Corporation, afiliados a los sindicatos de factoría, de calderas y molinos y de ferrocarrileros. Se unieron a la huelga los sindicatos de los Mecánicos Libres y Democráticos, serenos, Mantenimiento de Batey, carpintería, ebanistas y constructores y de almacenes de azúcar.

El objeto de esta huelga era lograr que el central Romana otorgara las bonificaciones a los trabajadores tal y como habían hecho los ingenios del Estado. Ante esta demanda, la empresa extranjera argumentaba que las bonificaciones no estaban contempladas en el pacto colectivo de condiciones de trabajo.

Frente a esta situación, la cual pudo haber generado cuantiosas pérdidas para el emporio azucarero, ya que en el momento de la huelga existían más de 20 000 toneladas de caña cortadas que corrían el peligro de dañarse, los dirigentes de la empresa recurrieron, entre otras cosas, a firmar un contrato colectivo de trabajo con un sindicato que realmente no existía, puesto que fue creado para romper la huelga y anular así el pacto que los trabajadores habían firmado en 1963 durante el gobierno de Bosch. Además de este paso, el Estado intervino en las negociaciones a través de la Secretaría de Trabajo y la huelga fue declarada ilegal.

La sentencia de los "representantes de la ley" fue la siguiente: "los obreros deben volver a sus labores porque la empresa tiene razón y además amenaza con suspender la zafra azucarera y ésta es una de las principales fuentes de divisas del Estado dominicano".[121] No podía esperarse de un gobierno títere y antiobrero una sentencia más simplista y aparentemente ingenua.

La clase trabajadora no sólo sentía el peso de una escalonada represión, también estaba haciendo conciencia en un sector importante de ella lo que implicaba para el país una deuda externa que ascendía a los 200 millones de pesos que profundizaba la dependencia; la práctica de una corrupción sin límites que mantenía en estado deficitario a la mayoría de las empresas estatales, cuya situación argumentaban con frecuencia para no acceder a las demandas de los trabajadores; la pérdida de importantes conquistas logradas en años anteriores, como el caso de un aumento del 30% en los salarios de miseria de los

[120] José Gómez Cerda, "Breve historia del movimiento sindical dominicano", en *Revolución Obrera*, octubre de 1971.

[121] Franklin J. Franco, *op. cit.*, p. 175; Pedro Álvarez Bobadilla, *Aspecto de la industria y la economía dominicana en la década del 60*, Santo Domingo, 1970, pp. 11-12.

18 000 trabajadores del central Romana, que habían ganado en el régimen de Bosch y perdido durante el Triunvirato para ampliar así los jugosos beneficios de la compañía extranjera.

En estas condiciones la clase trabajadora continúa su resistencia y para el 26 de enero de 1965 el Sindicato Unido de La Romana y, en la capital, el Sindicato de Trabajadores Portuarios de Arrimo (POASI), convocan a un Congreso Nacional de Sindicatos que tuvo lugar durante los días 6 y 7 de marzo de ese mismo año, en el Centro Social Obrero de Villa Francisca.

El documento que recogía la convocatoria estimulaba la aceptación del mismo y la participación de todos los sectores sindicales democráticos, señalando que un poderoso frente unitario de lucha obrera podía lograr: "disminuir el costo de la vida, aumentar los salarios, evitar los atropellos, impedir la promulgación de leyes antiobreras y hacer detener las violaciones de pactos colectivos y la retención de fondos sindicales y hacer respetar la libertad sindical y los derechos humanos".

Este congreso, presidido por Teófilo Ortiz ("Pata Blanca"), se realizó con la participación de 75 sindicatos que cubrían las áreas del transporte marítimo y terrestre, industria azucarera, básicos de alimentación y construcción, comunicaciones, textileros, impresores y artistas. Cada uno de estos sindicatos fue previamente visitado por un delegado de las organizaciones convocantes, e invitado a discutir en asamblea su participación y la agenda del congreso. Esta capacidad de organización garantizó en gran medida la buena representatividad en el evento sindical.

Entre los principales acuerdos tomados, Sánchez Córdoba señala los siguientes: "salarios mínimos de $4.00 diarios para los trabajadores de la ciudad y $3.00 para los agrícolas; rebaja en los precios de artículos de primera necesidad; reducción de los alquileres a la mitad y servicios médicos eficientes con el Seguro Social en manos de los trabajadores". También se exigía el cese inmediato de los despidos y desalojos campesinos; revisión total del Código de Trabajo con la participación de los trabajadores, en especial en lo concerniente a despidos, huelgas y prestaciones; derogación de las leyes que consignan un aumento en los artículos de consumo y prohíben las huelgas y sindicalización del empleado público. Se exigía además la puesta en vigencia y práctica de los postulados contenidos en la constitución de 1963: el que declaraba al trabajo como base primordial de la organización social, política y económica de la nación dominicana; la libre sindicalización; no reconocimiento de sindicatos paralelos; prohibición de los monopolios y la posesión de tierras en exceso; la erradicación del analfabetismo; inviolabilidad de la vida; la no deportación de dominicanos y regreso de los exiliados; inviolabilidad del domicilio, y libertad de pensamiento.[122]

Pese a la represión y las amenazas del gobierno a los principales organizadores del congreso, éste se realiza y al tiempo que condena abiertamente el estado de cosas, toma acuerdos tendientes a fortalecer la lucha sindical por la recuperación de una serie de conquistas perdidas. Sin embargo, casi ninguno

[122] Mario E. Sánchez Córdoba, "El movimiento obrero dominicano", en *Ahora*, núm. 495, mayo de 1973.

de los acuerdos tomados en el congreso se pusieron en práctica o pudieron ser logrados, pues sus resultados fueron puestos en las manos de FOUPSA, y su debilidad orgánica e ideológica no permitió que cumpliera su importante responsabilidad ante la clase trabajadora del país.

Es muy probable que el incumplimiento de los acuerdos tomados en el congreso de marzo de 1965 constituyera una prueba de la falta de madurez del proletariado para enfrentarse a un régimen como el del Triunvirato, que ahogó, si no todas, sí las principales conquistas ya obtenidas y pretendió ahogar para siempre las legítimas aspiraciones de la clase trabajadora. Pero esta misma situación de opresión había de crear las condiciones para que un sector importante de los trabajadores, y en general el resto del pueblo identificado con la necesidad de un régimen más justo, adquiriera mayor conciencia y madurara más aún sus aspiraciones. En estas condiciones, la insurrección se aproxima, los sectores más avanzados políticamente asimilan y analizan la situación caótica a la que se había llevado al país, y la crisis llega a su máxima significación expresada en la revolución constitucionalista de 1965, en la que tuvieron una participación destacada los trabajadores agrupados en POASI, Sindicato Unido de La Romana, FOUPSA-CESITRADO y la CASC.

Resumen

Durante el régimen del Triunvirato pueden apreciarse claramente por lo menos dos grandes logros del imperialismo norteamericano: el afianzamiento de su penetración en lo que concierne a la economía nacional, política exterior e interior y defensa interna, con lo que se aseguraba más aún el fortalecimiento y permanencia de nuestra dependencia económica y política; y, a través de una creciente y sistemática represión al pueblo en general y a la clase trabajadora en particular, el debilitamiento del movimiento obrero dominicano.

Sin embargo, estos dos logros, alcanzados bajo protestas masivas seguidas de manifestaciones, detenciones y crímenes, desempeñaron un papel importante transformando y dando al problema económico un carácter de acontecimiento político que trajo como resultado un gran impulso al flujo general del movimiento revolucionario en el país, y, conjuntamente con ello, un claro ascenso de fuerzas revolucionarias en importantes sectores democráticos nacionales, así como un agotamiento de las fuerzas mostradas por el gobierno del Triunvirato y un relajamiento de los controles internos de las clases dominantes. La evidencia de esta situación es la revolución de abril, donde la participación de la clase obrera puede muy bien calificarse de destacada.

VI. PARTICIPACIÓN DE LA CLASE TRABAJADORA EN LA REVOLÚCIÓN DEL 24 DE ABRIL DE 1965

El 24 de abril de 1965 el gobierno de Reid Cabral fue derrocado por un golpe militar en el que, bajo la consigna popular de "el retorno a la constitución" y el de Juan Bosch a la Presidencia, el pueblo en general y un sector de la clase trabajadora en particular, habían de desempeñar un papel determinante para convertir el movimiento generado en un acontecimiento político de primer orden, en el que se desarrolló una viva agitación revolucionaria y en el que se registró un vigoroso retoño de la conciencia política de las clases oprimidas.

Pocas horas después de anunciada la existencia del movimiento que culminó con el descabezamiento del gobierno de facto del Triunvirato, amplios sectores del pueblo inician gigantescas movilizaciones de masas gritando y luciendo sus improvisadas armas, con el evidente propósito de retomar las conquistas que le fueron arrebatadas al pueblo durante el gobierno de Reid Cabral.

La agitación de masas y el fermento revolucionario que se expandieron rápidamente por toda la ciudad capital y algunos pueblos del interior del país, generaron rápidamente una crisis interna que ya era difícil de controlar por un gobierno debilitado. Ante esta situación, el gobierno norteamericano, amedrentado por los cambios que han de producirse en todos los países explotados del mundo, bajo la excusa de "salvar las vidas" de los norteamericanos residentes en el país y detener la amenaza comunista, y empeñado en detener la marcha de la revolución hace desembarcar 42 000 *marines* que ocupan militarmente al país, evitando así el triunfo definitivo de las fuerzas constitucionalistas. A partir de esta ocupación militar, la lucha del pueblo cambia sustancialmente y adopta un carácter antimperialista.

Desde el primer momento de la lucha constitucionalista, sectores organizados del proletariado se sumaron al movimiento revolucionario, lo que evidencia que ya grupos de trabajadores contaban con un nivel de conciencia política que les permitía aprovechar en lo posible coyunturas históricas como la que se presentó con la revolución de abril de 1965. Sin embargo, hay que admitir que los núcleos obreros organizados no tuvieron una participación abierta en el proceso de organización inmediatamente anterior al estallido revolucionario, ya que la gran mayoría del pueblo ni siquiera sospechaba que esto se fraguaba entre algunos militares y políticos, su integración al principio fue confusa.

La incorporación de la clase obrera se evidencia desde el anuncio mismo de la revuelta. Pocas horas después la CASC se pronuncia en favor del hecho; la UNIÓN se integra a FOUPSA y junto a la CASC y otras organizaciones sindicales libró una heroica batalla contra las clases que detentaban el poder y los invasores, organizando comandos en la parte baja de la capital. POASI estableció dos comandos que eran verdadera fuente de poder político y militar.

Pruebas objetivas de la participación de la clase obrera en la revolución de abril lo constituyen, entre otros, los siguientes hechos: durante el mes de julio fueron apresados los sindicalistas Ramón M. Cotes, Ramón López Rivero y Manuel Mañaná del Sindicato Unido de La Romana. Ante este hecho FOUPSA-CESITRADO hace la denuncia de rigor ante los organismos internacionales. Internamente los miles de trabajadores organizados en más de 20 sindicatos azucareros del central Romana y el central Romana By-Product, demandan la inmediata libertad de sus dirigentes y comunican al pueblo que apoyan el acta institucional del Gobierno Constitucional, de la que decían se inspiraba en todas las conquistas económicas y ético-sociales, los derechos humanos y las libertades públicas contenidas en la constitución de 1963.

Ante el apresamiento del líder sindical Teófilo Ortiz ("Pata Blanca"), secretario general del Sindicato de Marinos Mercantes, y muchos otros trabajadores combatientes, la Federación Portuaria Nacional, el Sindicato Sinamore, el de Estibadores y el Sindicato de Marinos Mercantes, se dirigen por medio de telegramas a 19 organizaciones sindicales de igual número de países del continente americano. De este modo se denunciaba ante la opinión pública internacional lo que ocurría en el país y se responsabilizaba a los invasores de la suerte que corrieran los apresados.

El desencadenamiento de las persecuciones más brutales estaba a la orden del día; el 14 y 15 de julio la CASC comunicó a la nación que el día 12 de ese mes existía un balance de muertos y heridos de todas las clases sociales y principalmente de la clase trabajadora, producto de la acción desatada por el ejército invasor. Denunciaba además, que, pese a los esfuerzos realizados, había sido imposible obtener la libertad de Luis Estrella, secretario general de la Federación Dominicana de Ligas Agrarias (FEDELAC) y de José Altagracia Tellería, secretario en funciones de la Federación Nacional de Trabajadores de la Caña (FENTRACA).

Pocos días después la Asociación de Choferes Independientes (ASOCHOIN) denuncia la desaparición de dos choferes constitucionalistas: los hermanos Arsenio y José Martínez.

Miembros de esta organización sindical llegaron a tener agrios enfrentamientos con personajes de la Fuerza Interamericana de Paz (FIP), la que impuso una serie de reglas en el tránsito capitalino, especificando que la violación de las mismas pondría en peligro las vidas de las personas y la propiedad de los choferes. El 27 de julio la ASOCHOIN decreta una huelga de 48 horas, determinada por las condiciones intolerables impuestas por la FIP, y cuyo principal objetivo era demostrar su decisión de lucha para culminar con el cese definitivo de los atropellos y vejámenes cometidos contra la clase obrera. La FIP utilizó sus fuerzas para desvanecer la huelga decretada, recurriendo para ello a patadas, empujones, encarcelamiento y muerte de civiles.[123]

Durante el mes de agosto, y como consecuencia de su posición responsable en favor de los sagrados intereses nacionales al apoyar el movimiento constitucionalista, 22 obreros de Las Salinas, Puerto Hermoso, afiliados a la CASC, fueron despedidos de su trabajo, bestialmente reprimidos y en su mayoría encarcelados en la Victoria y la fortaleza de Baní.

En un hecho que muestra el auge de la conciencia revolucionaria que iba tomando cuerpo y profundidad en la clase trabajadora, el Sindicato Autónomo de Trabajadores de Productos Cubs, afiliado a la CASC, se pronuncia en contra del acta de pro-conciliación presentada por la comisión ad-hoc de la OEA al Gobierno Constitucionalista y declara que: "Ciertamente, el pueblo dominicano está esperando con viva ansiedad la satisfactoria solución que el actual proceso requiere, pero aceptar sin antes hacer un análisis sereno y res-

---

123 Véase *La Nación*, 5 al 29 de julio de 1963.

ponsable, sería arrancar de las frentes de los patriotas muertos el glorioso laurel de haber ofrendado sus vidas en aras de la libertad, por el retorno de un régimen de prosperidad social, económica y política, y defendiendo la soberanía nacional, hoy humillada por tropas extranjeras de ocupación."[124]

En ese mismo mes, un grupo de empleados y trabajadores miembros de la Asociación Nacional de Empleados del Seguro Social (ANDESS), exigieron de la dirección general de ese organismo el pago de los salarios correspondientes a los meses de junio y julio, ya que no habían podido presentarse a su trabajo porque se habían puesto al servicio del movimiento revolucionario y reivindicador del 24 de abril.

En discurso que pronunciara el 22 de agosto el secretario general de la CASC, Henry Molina, hablando a nombre del comité ejecutivo nacional en una asamblea del consejo nacional de dicha organización, dijo, entre otras cosas, lo siguiente: "Conjuntamente con la Confederación Latinoamericana de Sindicatos Cristianos, de la cual somos afiliados, hemos sostenido juntos una enérgica política de lucha contra el imperialismo norteamericano, cuyos intereses predominan sobre nuestros propios intereses nacionales, hasta llegar al extremo de prohibirnos el derecho de autodeterminación consagrada universalmente y violada en forma clara la soberanía nacional con la invasión y la ocupación de nuestro territorio por tropas norteamericanas."

En esta misma ocasión la CASC protestó enérgicamente contra las actividades anticonstitucionales desarrolladas por la AFL-CIO, organización controlada por el Departamento de Estado de Estados Unidos. Esta entidad antiobrera se daba a la tarea de acusar de comunista al movimiento constitucionalista, y en ese momento intentaba crear un instituto de formación sindical en la ciudad de La Vega, bajo el pretexto de "enseñar a los obreros y campesinos".

De acuerdo con información aparecida en *La Nación* el 28 de agosto de 1965, la CASC se vio precisada a trasladar sus oficinas sindicales a la zona constitucionalista, pues las mismas fueron ocupadas por las tropas invasoras y era la zona constitucionalista la única que les ofrecía seguridad.

Para el 29 de agosto un frente común de los trabajadores de los periódicos *El Caribe* y el *Listín Diario* fue constituido para reclamar los salarios correspondientes a los meses de la lucha constitucionalista y "defender el derecho al trabajo y a las libertades de acción y opinión de todos los miembros de los dos sindicatos".

En ese mismo mes el sindicalista Julio de Peña Valdez destaca en el periódico *Patria* del día 10, la gran significación revolucionaria de la unidad de los obreros industriales y agrícolas interesados en la revolución democrática. Sólo con esta unidad, dice de Peña Valdez, se podrá derrocar al poder imperialista y los "tutumpotes", y hasta que esto no sea logrado no habrá libertad.

Otra de las actividades desarrolladas durante el mes de agosto, y que es una muestra de la lucha en que se encontraba sumergida la clase obrera, la constituye la asamblea que tuvo efecto el día 15 de ese mes, en la que los trabajadores de la construcción aprobaron un plan de trabajo que incluía, entre otras demandas, las siguientes:

---

[124] *La Nación*, 17 de agosto de 1965.

1. Unidad, organización y capacitación de los trabajadores.

2. Derogación de todas las leyes antiobreras y antisindicales.

3. Auténtica autonomía del Instituto de Seguros Sociales.

4. Pensión vitalicia para las familias de los obreros caídos en la lucha revolucionaria y constitucionalista.

5. Reposición de todos los empleados y obreros cancelados desde el 25 de septiembre, por considerar que fueron causas políticas las que motivaron los despidos.

6. La inmediata rebaja del costo de la vida y de un 50% de los alquileres de casas.

7. El descuento de las cuotas sindicales de los trabajadores organizados, a través de las instituciones estatales.

8. Que los militares no realicen trabajos de construcción fuera de los cuarteles.

9. Por la elaboración de un código de trabajo democrático, con la participación de los obreros.

10. Vigencia de la constitución de 1963; retirada inmediata de las tropas yanquis de ocupación, y el fortalecimiento de FOUPSA-CESITRADO.

Queremos hacer constar que las demandas de los trabajadores de la construcción son objetivamente válidas; sin embargo, en ellas se evidencia la permanencia de su ilusión y simpatía por la lucha económica. En sus demandas no aparece una sola cláusula que especifique la forma en que los obreros obtendrán estos derechos de las autoridades, ni ninguna actividad concreta que pudiera producir en el futuro una demostración de su decisión en términos de combatir las relaciones de producción dominantes. En general, se trataba de modestas reivindicaciones.

Una posición similar a la de los carpinteros, pero más objetiva porque señala pasos más concretos a la clase trabajadora, aunque no precisa las formas de su ejecución ni destaca la importancia de los objetivos políticos que debían alcanzarse en ese momento, fue la adoptada por el sindicalista de la Fábrica de Sacos y Tejidos, División Textil Los Minas, Dionisio Martínez, según publicación del periódico *Patria*, del 16 de agosto de 1965.

Al referirse Martínez a los graves problemas que aquejaban a las empresas (corrupción administrativa, despidos masivos, contratación de "botellas", etc.), manifestó:

"Frente a semejante situación, exhortamos a los trabajadores de todas las empresas y centros de trabajo, a mantenerse unidos y firmes en la lucha, única forma que nos garantiza el buen encauzamiento de nuestras respectivas empresas al superarse la situación que estamos atravesando... Los primeros pasos serán, indudablemente, higienizar su centro de trabajo, librarlo de botellas y colaboracionistas, echar de ellas a los administradores corruptos..., la reintegración de los compañeros despedidos por causas políticas y, muy especialmente, por luchar o simpatizar por la causa constitucionalista; exigir el pago inmediato de los sueldos y jornales adeudados a los trabajadores y demandar la rápida solución a todos los problemas que afectan a la clase trabajadora. Los directivos de los sindicatos en que se vislumbra un acuerdo a la crisis nacional, preparar un plan mínimo de trabajo que recoja las inmediatas aspiraciones de los trabajadores, y éstos unirse como un solo hombre alrededor de su organismo representativo para que sus demandas sean atendidas."[125]

El llamado que encierra esta posición, que en realidad era la que correspondía a la mayoría de las organizaciones sindicales que de una y otra forma participaron en la lucha constitucionalista, fue en cierto modo acatada por varios sectores sindicales, según se desprende de los hechos ocurridos a partir del mes de septiembre.[126] Huelgas y movilizaciones que tenían por objeto sacar funcionarios y "botellas" de diversas empresas, así como exigir el pago de salarios atrasados, fueron realizadas por los trabajadores de la Fábrica de Sacos y Cordelería (FASACO), quienes paralizaron las labores de la empresa por varios días en demanda de que fueran despedidos el gerente de factoría, Ing. Caro, y el supervisor de la Corporación de Fomento Industrial, que era pagado con fondos de la FASACO. FOUPSA-CESITRADO también exigía la inmediata salida de FASACO de ambos funcionarios, por considerar que ganaban sueldos lujosos sin rendir ningún beneficio a la empresa y porque eran enemigos de los obreros.[127]

Los trabajadores de los periódicos *El Caribe* y *Listín Diario* reclamaron de ambas empresas el pago de los salarios que legalmente se les adeudaba, por concepto de trabajos realizados durante los meses de la lucha armada.[128]

En el Altar de la Patria los dirigentes azucareros Juan Quiñones García y Luis Germán Urbáez expresaron que la lucha debía continuar hasta expulsar a los explotadores que se escondían en la Corporación Azucarera Dominicana (CAD), que las mayores riquezas del país proceden de los centrales azucareros, pero que sólo unos cuantos se las reparten en detrimento de la clase trabajadora.[129]

De acuerdo con el artículo publicado por el sindicalista Julio de Peña Valdez, en el periódico *Patria* del 15 de septiembre de 1965, el Sindicato Unido de la Romana mantenía una lucha en aquellos días exigiendo: "La vigencia del pacto colectivo de 1963, firmado entre el sindicato y la empresa y rescindido por el central el 6 de enero del presente año; la prima del 22% para los trabajadores industriales y agrícolas, la reposición de todos los dirigentes, delegados y trabajadores despedidos por su participación en las huelgas desarrolladas por el sindicato a partir del golpe de Estado de 1963, y desconocimiento del pacto colectivo de 1965 firmado entre el central y el sindicato fantasma del traidor Danilo Brito Báez..."[130]

[125] Para esta y otras actividades sindicales desarrolladas durante el mes de agosto, véase *La Nación* del 7, 14, 17, 22, 26, 27 y 28 de agosto de 1965, y *Patria* del 10, 12, 13 16, 20, 22 y 31 de agosto de 1965.
[126] Para el mes de septiembre de 1965 los negociadores norteamericanos habían logrado que se estableciera un gobierno provisional cuyo objetivo era asegurar un mínimo de estabilidad política que permitiera la celebración de unas elecciones que llevarían al poder un gobierno respaldado por Estados Unidos (véase Fred Goff y Michael Locker, *op. cit.*, p. 37). Durante este gobierno las organizaciones sindicales pudieron desplegar una serie de actividades pero aún permanecían en el país las tropas invasoras norteamericanas.
[127] *Patria*, 15 de septiembre de 1965.
[128] *Patria*, 9 de septiembre de 1965.
[129] *Patria*, 9 de septiembre de 1965.
[130] *Patria*, 15 de septiembre de 1965.

Para enfrentarse a la empresa los obreros adoptaron el método de lucha conocido como el "paso de la jicotea", que consiste en realizar en forma lenta los trabajos para reducir los niveles normales de producción. Ante esta actitud, el emporio azucarero les propuso firmar un nuevo pacto colectivo al finalizar la zafra anual, cosa que los trabajadores rechazaron.

En asamblea realizada por el Sindicato de la Corporación Dominicana de Electricidad el día 10 de septiembre, se exigió la restitución en sus cargos de los compañeros que fueron despedidos por defender los derechos de los obreros; se exigió además que fueran sacados de la empresa todos los traidores y colaboradores.

Por otro lado, Miguel Soto, máximo representante de FOUPSA-CESITRADO, quien había sido invitado a esta asamblea, expresó: "el 30 de mayo lo que se hizo fue quitar la torre de mando, pero siguió intacta la maquinaria con todas sus fuerzas en orden complejo". Además, se hizo un llamado a la unidad de todas las organizaciones sindicales, a fin de lograr las conquistas reivindicativas por las que lucharon en la revolución armada.[131]

Una huelga que afectó a más de 70 000 trabajadores de la Corporación Azucarera Dominicana fue realizada durante el mes de septiembre. La huelga, que enrolaba por lo menos a trabajadores de las centrales Río Haina, Santa Fe, Consuelo y Porvenir, tenía por objeto presionar para que el gobierno destituyera a la totalidad de los miembros del consejo directivo de la Corporación Azucarera, así como a los administradores y demás empleados. Los obreros lograron lo que exigían, pero no sin antes ser ametrallados, golpeados y detenidos varios de ellos.

Por más de dos semanas un número superior a los 800 trabajadores se fueron a la huelga en la Sociedad Industrial Dominicana, en demanda de que fueran cesados varios funcionarios de la empresa que los obreros calificaban de perjudiciales para la empresa y sus intereses.[132]

Durante esta turbia oleada de manifestaciones de protesta que parecían interminables y que fueron seguidas por el recrudecimiento de una larga represión, en los periódicos de la época se publicaban artículos que ofrecían orientación adecuada a la clase trabajadora, pero que en ocasiones dejaban ver algunas contradicciones propias de la pequeña burguesía y de un proletariado con escasa experiencia de lucha revolucionaria.

Uno de esos trabajos, publicado por FOUPSA-CESITRADO, expresa lo siguiente: "Al comenzar el repliegue de los combatientes obreros, tanto de Santo Domingo como del interior del país, cumplo con el deber de orientar a los trabajadores sobre el futuro del movimiento obrero nacional. Todos estamos conscientes de que los objetivos planteados: LA VIGENCIA DE LA CONSTITUCIÓN de 1963, no fueron alcanzados debido a la presencia de las fuerzas interventoras del imperialismo yanqui y a la debilidad ideológica de los grupos que dirigen la lucha en el campo político, o *a la poca fe de la burguesía nacional en la capacidad de lucha del pueblo dominicano*. Frente a la mediatización del proceso constitucionalista *la clase obrera tendrá los mismos problemas que confrontaba*

---

[131] *Patria*, 15 de septiembre de 1965.
[132] Véase *Patria*, del 21 de septiembre al 10 de octubre de 1965.

antes del 24 de abril en lo económico, en lo social y en lo político. Por esta razón, los trabajadores dominicanos tenemos que prepararnos y unirnos para futuras luchas en pos de nuestras reivindicaciones comunes." (Las cursivas son nuestras.)[133]

Algunas de las contradicciones observadas en trabajos publicados por líderes sindicales, contradicciones que pudieron distorsionar su lucha clasista, pueden apreciarse también en un trabajo del sindicalista Julio de Peña Valdez. En él se expresa lo siguiente: "La clase obrera dominicana, que a partir del 25 de septiembre de 1963 ha tenido una amplia participación en el proceso político dominicano, desarrollando política e ideológicamente, demostró en esta lucha ser *la clase más interesada objetivamente en la revolución dominicana; y esto ha llevado a los trabajadores a comprender la necesidad que tienen de organizarse alrededor de instrumentos genuinamente revolucionarios que defienden sus intereses.* Las criminales actuaciones de las tropas yanquis nos señalan bien claro que el imperialismo no es 'imparcial', y que en esencia es el principal enemigo del pueblo dominicano. Frente a este axioma sólo hay un camino, el fortalecimiento del frente unido antimperialista, *donde participan desde la clase obrera hasta la burguesía nacional, en la lucha contra el imperialismo yanqui..., y por la revolución democrático-burguesa liberadora.*"[134] (Cursivas, nuestras.)

Si en el comunicado de FOUPSA-CESITRADO se cae en el error de sugerir que una de las causas por la que no se lograron los objetivos de la revolución de abril fue la "poca fe de la burguesía nacional en la capacidad de lucha del pueblo dominicano", en este trabajo de De Peña Valdez se comete el grave error de hacer recomendaciones concretas que en cierto modo tienden a confundir a los trabajadores.

Mientras por una parte señala que la clase obrera es objetivamente la más interesada en la revolución dominicana, y que esto la ha llevado a comprender la necesidad que tiene de organizarse alrededor de instrumentos genuinamente revolucionarios que defiendan sus intereses clasistas; por otra parte se le ocurre exhortar a la clase trabajadora para que fortalezca un frente unido antimperialista, en el que participen desde la clase obrera hasta la "burguesía nacional", contra el imperialismo yanqui y por la revolución "democrático-burguesa liberadora".

Parece ser que este líder sindical desconocía que la llamada burguesía nacional ocupaba una posición de subordinación respecto al sector oligárquico, principal aliado interno de los intereses extranjeros, producto precisamente de su debilidad orgánica e ideológica.

También parece que desconocía, como lo desconocen aún en estos días algunos grupos de izquierda, que una revolución "democrático-burguesa", por su naturaleza misma —si fuera posible— sólo beneficiaría a la burguesía, clase que, de producirse tal revolución, sería la única en absorber los frutos del desarrollo alcanzado por las fuerzas productivas, ya que se produciría dentro de las relaciones de producción vigentes. En realidad, sólo los individuos más

133 *Patria*, 14 de septiembre de 1965.
134 Julio de Peña Valdez, "Mundo del trabajo", en *Patria*, 8 de septiembre de 1965.

avanzados de la burguesía y la pequeña burguesía, aunque con frecuencia sustituyendo al obrero en su genuino papel clasista, son capaces de contribuir a la causa de la clase trabajadora.

Resumen

En lo expuesto hasta aquí hemos intentado bosquejar en rasgos sumarios la participación de la clase trabajadora en la revolución de abril de 1965. Si bien es cierto que su incorporación abrió la posibilidad de amplias y nuevas perspectivas para el movimiento obrero dominicano, no es menos cierto que al mismo tiempo se ha generado una situación en la que la propia experiencia, y más que esto la sangre derramada por miles de dominicanos combatientes, parece negarse a ser lo bastante útil a la aparentemente interminable lucha por mejores condiciones de vida.

Después de catorce años de la revolución de abril, que puede ser poco para la historia pero significativo para conocer en qué medida el giro producido en la vida nacional ha sido asimilado en términos gananciosos para los sectores explotados, la tan deseada y cacareada unidad sigue siendo tan escasa como antes, tanto en la clase obrera como en los demás sectores democráticos del país. Aunque la histórica posición combativa contra el invasor y demás enemigos de la clase trabajadora fue más que una muestra de la capacidad política que había adquirido una parte importante del pueblo dominicano, los escasos niveles alcanzados en términos de conciencia de clase aún no han permitido la formación de una central obrera verdaderamente sólida, respaldada por federaciones y sindicatos también sólidos; asimismo, tampoco se ha llegado a contar con un partido que represente los intereses de los sectores explotados y que realmente tenga peso específico de gran importancia en la vida nacional, y en el que haya al menos un número apreciable de obreros en sus bases. En realidad, tal vez deberíamos hablar del caso contrario, puesto que la atomización de los partidos y grupos de izquierda ha sido en estos años una de las características que más la definen.

Fruto, quizá, de una orientación política que no se correspondió en gran medida con la realidad del país y con el verdadero carácter de clase que tenía, en general, la revolución de abril, y en particular la lucha del proletariado de un movimiento eminentemente político, se pasó de inmediato a adoptar una posición esencialmente economicista.

No obstante, cabe afirmar que la revolución constitucionalista fue una fuente que un sector de la clase trabajadora aprovechó para aumentar su grado de conciencia como clase. De aquí que hoy en día una parte de los que integran el movimiento obrero y amplios sectores democráticos se manifiestan o se declaran abiertamente, y en forma menos anecdótica, en contra de la situación imperante.

Es así como también se ha incrementado, aunque no en los niveles necesarios, el interés por una mayor formación política y sindical y como se perfila una perspectiva, no cuajada aún, hacia la unidad de la clase obrera y sectores democráticos. Ante esta perspectiva, los enemigos de la clase trabajadora están alertas para seguir socavando sus bases sin contemplaciones, actitud esta que continúa acumulando carga explosiva, neutralizada con frecuencia con los aparatos represivos y todos los demás medios con que cuenta el Estado para defender los intereses de la clase en el poder.

VII. RÉGIMEN DEL DR. JOAQUÍN BALAGUER: 1966-1978

Profundización de la dependencia estructural dominicana

Sobre la base de la adquisición de empresas extranjeras y la centralización del poder político y económico alrededor de la élite burguesa trujillista, durante el régimen de Trujillo se fue imponiendo un proceso de desarrollo económico y de autonomía política y militar que, según se constata, iba reduciendo el predominio de la injerencia norteamericana en los asuntos internos de la República Dominicana, la cual se había ejercido históricamente y de manera esencial a través de la industria azucarera.

Sin embargo, por la naturaleza misma del régimen y por las contradicciones que lo caracterizaron, este proceso dio una determinada dirección a la estructura económica del país, no permitiendo el desarrollo de una estructura de clases en la que la burguesía nacional fuera lo suficientemente sólida como para poder sostener por mucho más tiempo la política de reducción de la injerencia del capitalista extranjero; y mucho menos en la que el proletariado estuviera en condiciones de asimilar esta situación y, más que sostener, reorientar y profundizar esta política hasta sus últimas consecuencias.

Trujillo sólo permitió que se incorporara en forma dinámica y provechosa al núcleo de la burguesía nacional un reducido número de burgueses compuesto por sus familiares y allegados más cercanos y de mayor confianza. Limitó en extremo no sólo la expansión de la burguesía nacional, sino el desarrollo de su conciencia de clase. Por otro lado, aunque se registró un significativo incremento del proletariado, las bases económicas y políticas de su régimen no podían, bajo ninguna circunstancia, propiciar de manera consciente el desarrollo de la conciencia política de esta clase, puesto que ello sería contradictorio en términos de la naturaleza del régimen y, de haberse producido, aunque fuese de manera inconsciente, posiblemente ello hubiera significado su derrocamiento antes de 1961.[135]

Sin embargo, es muy posible que, de haberse orientado a la clase trabajadora después de 1961 con base en un programa político que implicara para

---

[135] Refiriéndose al dominio de la burguesía nos dice Lukács: "Como su dominio no sólo es ejercido por una minoría, sino también en interés de una minoría, la ilusión de las demás clases, su permanencia en una conciencia de clase oscura, es un presupuesto necesario de la subsistencia del régimen burgués. Pero el encubrimiento de la esencia de la sociedad burguesa es una necesidad vital para la burguesía misma, pues cuando aumenta la claridad al respecto se revelan las contradicciones internas insolubles de ese orden social, y..." (George Lukács, *Historia y consciencia de clase*, México, Grijalbo, 1969, p. 72.)

esta clase una abierta y consciente participación en la redefinición de la estructura económica y política nacional, se hubieran sentado bases firmes para la instauración de un sistema político nacional con mayores perspectivas democráticas, y obviamente la dependencia respecto a Estados Unidos hubiese sido hoy mucho menos significativa.

Pero esto no podía ocurrir de ese modo. Aunque la clase trabajadora era capaz de asimilar como clase una orientación que conllevara a cambios estructurales, no fue una burguesía nacional independiente la que terminó con el régimen y que probablemente se hubiera inclinado a utilizar a la clase trabajadora en su lucha contra los intereses extranjeros, y bajo estas condiciones ofrecerle facilidades para su participación en provecho directo de esa burguesía nacional; ni fue tampoco el proletariado nacional el que intervino en forma directa y consciente en la muerte del tirano y derrocamiento del régimen. Fue precisamente el propio imperialismo quien puso fin al régimen, aprovechándose de la no existencia de una burguesía nacional con amplias bases orgánicas o ideológicas y del deterioro que acusaba ya la élite burguesa trujillista, motivada por los desaciertos políticos de Trujillo en sus últimos años. Importantes fueron también las limitaciones estructurales que el mismo Trujillo se impuso al no ver la necesidad de ampliar y dar mayor solidez a las bases burguesas de su régimen; el descontento del sector oligárquico aparentemente dormido; de que el país, precisamente por estas condiciones, no contara con una sola organización de importancia política que pudiera eventualmente enfrentarse en defensa de los intereses nacionales con posibilidades de éxito, ni con un solo partido comunista o socialista que por su fortaleza orgánica e ideológica fuera capaz de orientar al proletariado por el camino correcto de una política antimperialista o sencillamente democrático-burguesa.

Lo cierto es que una estructura económica y política que tendía a reducir la injerencia extranjera en los asuntos internos de la nación y, por lo tanto, a fortalecer una política económica que ya se desarrollaba con un cierto nivel de independencia de los intereses norteamericanos, ha sido sustancialmente desviada y orientada a reforzar el proceso de la dependencia estructural.

De aquí que pueda hablarse de una profundización de la dependencia estructural dominicana, que se inicia en 1961 con la muerte del tirano y alcanza sus mayores niveles de consolidación en el régimen de Joaquín Balaguer.

A partir de 1966 la situación política que se produce tras la revolución de 1965 constituye motivo de preocupación para Estados Unidos, ya que hasta en ese país se aceptaba el evidente desprestigio de la OEA. Al gobierno norteamericano no sólo le preocupaba que la República Dominicana diera un viraje hacia el socialismo, sino fundamentalmente las posibilidades de que surgiera en las masas del pueblo una actitud de real y consciente hostilidad hacia lo que es Norteamérica en nuestro país.

La debilidad en que quedó la burguesía nacional, producto en gran medida de la alta concentración ejercida por la élite burguesa trujillista, es una de las razones principales por la que Estados Unidos, a través de su abierta intromisión en los asuntos políticos internos, los empréstitos y "ayudas generosas", no sólo pretendió poner en jaque nuestra soberanía nacional, sino producir una deformación tal de la débil y reducida burguesía nacional, hasta el punto de llevarla a unas condiciones de incapacidad real para enfrentarse con efectividad al sector oligárquico en defensa de su intereses de clase.

Sólo la clase trabajadora, junto con los demás sectores explotados, por su condición de explotación y por su contradicción antagónica con los intereses de la burguesía nacional y extranjera, podrá sobre la base de una sólida organización política, enfrentarse masivamente al sistema con la *ayuda* de los sectores más avanzados de las demás clases, y deponer del poder a los que pretenden mantener ilimitadamente la explotación que saquea el trabajo y la riqueza del obrero y hasta de los miembros de su propia clase.

Como resultado inmediato de la segunda intervención militar norteamericana, registrada sólo en medio siglo, en 1966 los Estados Unidos y sus aliados criollos logran llevar al poder al Dr. Joaquín Balaguer, figura política que fue capaz de mantener el mínimo de equilibrio necesario en la lucha sostenida internamente por sectores de las clases dominantes, así como la estabilidad política requerida para penetrar y asfixiar lo que pudo haber sido una estructura económica y política orientada hacia los intereses nacionales.

El objetivo inmediato consistió en hacer de este gobierno un gobierno con sólida base política y militar, cuya fuerza fuera capaz de desprestigiar al máximo a la oposición política y dominar los conflictos económicos que por razones estructurales no podían ni pueden ser adecuadamente solucionados por el sistema. Logrado esto, la intensificación del saqueo de nuestras riquezas resultaba mucho más fácil al imperialismo y con ello se aceleraba el proceso de profundización de la dependencia.

Ayuda militar y asistencia técnica extranjera

El presente régimen ha contado con "ayudas" extraordinarias del gobierno norteamericano, las donaciones, los préstamos y la asistencia técnica han sido sin duda alguna abundantes. Por supuesto, el objetivo esencial de esta ayuda no se deja ver o se muestra sólo de manera inadecuada y sólo en algunas de sus partes se da a conocer como algo distinto de lo que realmente es y se mantiene sólo por lo que en esencia es: un instrumento que en la práctica ha dado muestras de eficacia para encubrir la realidad y deformarla y hacer así más propicio el saqueo de nuestras riquezas, la dominación política y la profundización de la dependencia económica y política.

Pero, obviamente, el ocultamiento de la realidad nunca puede ser absoluto y al descomponer esta ayuda en la totalidad que ella implica, su verdadero objetivo puede ser constatado en términos concretos.

Después del aplastamiento de la revolución de abril, la segunda victoria del imperialismo consistió en poder llevar al poder a un hombre y a una constitución que, a diferencia de la de 1963, les garantizaba a plenitud sus intereses en el país. Conjuntamente con esto la "generosidad" del gobierno norteamericano se vuelca sobre la República Dominicana y, debido a la experiencia de 1965, ocupa un lugar prioritario el reforzamiento de la organización militar e ideológica de las fuerzas armadas dominicanas. Con este paso se buscaba mayor seguridad en el respaldo que éstas debían ofrecer a sus intereses. Es así como se comprende que al inicio del primer gobierno de Balaguer: "rápidamente llegaron técnicos y financieros para asistir al nuevo régimen. Como suplemento a los generosos préstamos y dádivas, cerca de 500 norteamericanos servían en calidad de oficiales creando un virtual gobierno paralelo. Un grupo conocido como la Fundación Internacional para el Desarrollo (International Development Foundation) financiado y formado por miembros de la Agencia Central de Inteligencia (CIA), sustituyó las operaciones de Volman en el entrenamiento de líderes campesinos anticomunistas. La cuota azucarera norteamericana fue aumentada sustancialmente para ayudar a las entradas económicas del gobierno. Además de tres millones de dólares en asistencia militar, el Pentágono envió 60 consejeros bilingües para darle instrucciones a una brigada del ejército compuesta por una élite de 3 400 hombres especializados en control de revueltas y disturbios y contra insurrección. Por añadidura, la AID gastaba 800 000 dólares en 'seguridad pública' [instrucciones a la policía]. Las fuerzas armadas recibían más del 40% del presupuesto nacional."[136]

El gobierno norteamericano estaba consciente de que las condiciones que presentaban las fuerzas armadas y la policía nacional en 1966 requerían de una sustancial inversión para ponerlas en capacidad de enfrentar efectivamente el indudable incremento de la actitud antimperialista que habían asimilado con la revolución sectores avanzados del pueblo. Sabía también que ése era el camino más seguro para imponer un régimen de naturaleza oligárquica.

Es así como de 1.2 millones de dólares que se otorgaban en asistencia militar a la República Dominicana en 1965, se pasa a 2.4 millones después de este año.[137] En 1966 fue diseñado un programa por la AID para reestructurar la policía nacional. Este programa incluía: "entrenamiento de oficiales en la academia policial de Washington y en la Academia Interamericana de la Policía en Panamá. AID subsidió también la creación de la Academia de la Policía Nacional, la Escuela del Alto Comando y el Colegio de la Policía en Santo Domingo para el entrenamiento local..."[138]

La asistencia ofrecida por Estados Unidos no sólo se limitaba a la profesionalización y mejor entrenamiento de los militares dominicanos, también estaba dirigida a la modernización de los instrumentos de represión tales como las armas de reglamento, el uso de gases lacrimógenos, carros patrulleros, archivos, clasificación de huellas digitales, etcétera.

De 1966 a esta parte Estados Unidos dedica a los militares dominicanos recursos humanos y económicos que sólo son superados en América Latina por Brasil, Venezuela, Panamá y, en algunos casos, Colombia, Bolivia y Guatemala.[139]

136 Fred Goff y Michael Locker, *op. cit.*, p. 39.
137 *US Department of Defense, military assistance facts*, Washington, 1968, pp. 16-17, citado por José A. Moreno en su trabajo "Dominación de clases, represión interna y penetración económica en la República Dominicana", en *Ahora*, núm. 559, 1973, p. 6.
138 *NACLA*, vol. 2, abril de 1971, pp. 21-28, citado por José A. Moreno, en *op. cit.*, pp. 6-7.
139 La misión militar norteamericana en Santo Domingo estaba compuesta en 1970 por 39 hombres, número que en Latinoamérica sólo era mayor en Brasil, Colombia y Bolivia. De 1964 a 1968 fueron entrenados en el Programa de Asistencia Militar (MAP) un total de 1419 militares dominicanos, cifra que con excepción de seis países, era superior a todas las repúblicas de América Latina. Sólo en el período 1968-1970 se graduaron en la Academia de la Policía en

Es difícil poder precisar el monto que alcanzó la "ayuda" militar norteamericana en el país. Lo que sí puede asegurarse es que los gastos militares se mantuvieron en niveles muy significativos.[140] ya que el fortalecimiento y la estabilidad de las fuerzas armadas y la policía nacional constituyeron un requisito indispensable para asegurar su control y la imposición de la dependencia estructural a la que ha sido más hondamente sometido el país; así, pues, el control militar ha resultado beneficioso para garantizar un mínimo de estabilidad política forzada, que facilite la efectiva reducción de los esfuerzos del pueblo por la recuperación de las riquezas nacionales y del derecho nacional a explotar en provecho propio los recursos del país.

Junto con los esfuerzos para mejorar el control de los aparatos militares, se desarrolló una política de terror y represión que trajo como consecuencia el asesinato de cientos de dominicanos,[141] la vigencia de la deportación como política estatal frecuentemente utilizada; la eliminación física de los mejores cuadros de los partidos de izquierda y otros sectores de oposición al régimen; la división y descabezamiento del movimiento obrero dominicano, etcétera.

De este modo, prácticamente la totalidad de los partidos políticos, tanto de izquierda como de derecha, fueron llevados a unas condiciones evidentemente débiles. Las direcciones políticas, muchas veces se encuentran sin orientación suficiente, la mayoría de los dirigentes y figuras políticas con cierto arraigo popular fueron en la práctica neutralizados, puestos fuera de circulación o sencillamente linchados en plena calle y a plena luz del día.

La magnitud de esta política de terror obligó al propio presidente de la República a intervenir directamente para que la vida política volviera a la normalidad; ése fue el caso de "La Banda", y poco después la que se produjo como consecuencia de un verdadero asalto militar al liceo secundario "Juan Pablo Duarte". En esa ocasión el presidente se dirigió a la policía nacional en los siguientes términos: "ha llegado el momento de que la policía termine la depuración de sus miembros y la lleve a cabo con honestidad y rapidez". Ordenó a la policía que se abstuviera de penetrar a los locales escolares, uti-

Borinquen un total de 1 384 militares y se esperaba que en 1972 fueran 3 700. Desde antes de 1970 se le dio una importancia especial a la creación de una unidad de 800 hombres que serían utilizados para el control de disturbios civiles (*NACLA*, vol. VII, julio-agosto de 1973; el vol. V, abril, 1971, y el de noviembre de 1970, citados por José A. Moreno, en *op. cit.*, pp. 5-6.)

140 En un artículo publicado por el asesinado periodista Gregorio García Castro, en la revista *Renovación* (núm. 201, junio de 1972) consta que sólo la policía nacional recibe 33 millones de pesos al año, unos 3 millones mensuales y 100 mil diarios. Para esa fecha el número de miembros que componía a esta institución alcanzaba los nueve mil.

141 En sólo un período de diez meses se cometieron unos "143 asesinatos políticos fríos y alevosos" (*Renovación*, núm. 201). Todos estos asesinatos fueron cometidos por una organización parapolicial denominada "La Banda". La monstruosidad de los crímenes que a diario se cometían repercutió en el pueblo con toda su crudeza el 9 de octubre de 1971. Ese día fueron asesinados salvajemente cinco jóvenes del club "Héctor J. Díaz", del barrio 27 de Febrero de Santo Domingo. La indignación y el repudio traspasaron las fronteras nacionales y hasta el propio jefe de Estado tuvo que intervenir públicamente para que desapareciera esa organización de asesinos. Para esos días el periódico *El Nacional de Ahora* opinó así: "parecería que aquí hay malvados que quieren mantenerse arriba empinándose en un montón de huesos o llegar al palacio de gobierno pisando escalinatas llenas de coágulos. Tal es la impresión que se extrae del recuento del tiempo que el Dr. Balaguer lleva en la Primera Magistratura".

lizando los términos de "lamentable e irresponsable" contra la policía para manifestar su rechazo a los sucesos del plantel escolar, en los que por lo menos murió un estudiante, hubo varios heridos y más de un centenar de presos.[142]

En definitiva, los esfuerzos del imperialismo norteamericano y sus aliados criollos para mantener un régimen de naturaleza esencialmente oligárquica, a fin de evitar que el pueblo pueda llegar a ser sujeto dinámico en el proceso de transformación que ha de suceder en el país, son inmensos y de difícil medición. Frente a la necesidad de continuar su dominio y lograr la conformación de una estructura nacional que se mueva en función de sus intereses, la cantidad de sangre derramada, el montón de deportados y la pila de seres humanos convertidos en cadáveres, son sólo puntos de minúscula importancia. Lo esencial e importante era que Washington fuera convertido en el centro de decisión de los problemas políticos y económicos fundamentales del país.

Inversión extranjera, empréstitos y el fortalecimiento de la dependencia estructural dominicana

En general, los regímenes represivos han sido los mejores instrumentos para la penetración imperialista y el dominio interno de nuestra economía. Así sucedió en los últimos años con el Consejo de Estado, el Triunvirato y el gobierno del Dr. Balaguer.

De 1961 a esta parte las inversiones extranjeras, principalmente norteamericanas, canalizadas a través de las corporaciones transnacionales —con quienes han estado plenamente identificados estos gobiernos— o por contratos directos con el gobierno dominicano, han disfrutado de tantas y tantas ventajas y privilegios que resulta difícil al propio gobierno nacional tomar decisiones de importancia política o económica que puedan llegar a afectar los intereses de los inversionistas extranjeros.

Una muestra palpable del incremento sustancial en los privilegios otorgados a la inversión extranjera la constituyen los siguientes datos: el 80% de las industrias instaladas después de 1961 pertenecen o son controladas por el capital foráneo, básicamente norteamericano, y el 97% de las empresas agroindustriales pertenecen o están bajo el control del capital extranjero.[143]

De acuerdo con las cifras oficiales la inversión de capital extranjero ha crecido de 135 millones de dólares en 1966 a más de mil millones en 1978. Desde el punto de vista legal 1 100 millones de dólares invertidos en el país tienen derecho a repatriar a sus casas matrices, por concepto de dividendos que el banco central facilita en dólares, un total anual de cerca de 200 millones. Aunque podría parecer a muchos que obligar a estas empresas extranjeras a reinvertir sus utilidades en el país sería la solución adecuada, esto sólo aceleraría el proceso de desnacionalización de las industrias nacionales y, al mismo tiempo, abriría más aún las posibilidades de expansión de las industrias extranjeras, y en fin de cuentas los siguientes dividendos serían mucho mayores.

142 *La Noticia*, 9 de abril de 1975, p. 1.
143 *La Noticia*, 23 de enero de 1974, p. 10.

Incluso bajo estas condiciones se mantendría la práctica de repatriación de capitales, ya que una legislación tendiente a controlarla resulta de difícil aplicación por nuestra condición de país dependiente, y los límites del mercado interno serían alcanzados muy rápidamente.

A pesar de que el régimen reformista prometió estimular el desarrollo industrial del país, la verdad es que este estímulo ha estado básicamente dirigido al inversionista extranjero. Una prueba de ello puede verse en los ejemplos siguientes: "La Phillips Morris copó la industria tabacalera privada y la Gulf and Western desarrolla siembras de tabaco para elaboración en zona franca al mismo tiempo que participa minoritariamente en el grupo privado de accionistas de la estatal Compañía Anónima Tabacalera. El Banco de Crédito y Ahorros pasó completo el capital nominalmente español del Banco Condal de Barcelona. J. M. Hernández, C. por A., en su tiempo una de las primeras firmas farmacéuticas nacionales fue copada por Alter, S. A., de Madrid, España. Productos La Estrella, envasadores de comestibles listos para el consumo, vendió la mayoría de sus acciones a una firma norteamericana. Mediante la oferta de patentes y financiamientos el capital extranjero ocupa posiciones en la fabricación de aceites comestibles y margarina, alimentos para ganado y aves, etc., de tradicional propiedad nacional... El total de la explotación minera está controlado por capitales extranjeros, con participación simbólica y minoritaria de capitales estatales y privados dominicanos."[144]

Por otra parte, la gran mayoría de la banca en el país corresponde a capitalistas extranjeros, principalmente norteamericanos, quienes mantienen una estrecha relación con las corporaciones transnacionales radicadas en el país. Hasta el Banco Popular Dominicano, que intenta aparecer como netamente nacional, tiene la mayor parte de sus acciones copadas por el Banco Popular de Puerto Rico y la empresa transnacional Gulf and Western.[145]

Los privilegios otorgados a la Gulf durante el presente régimen son sencillamente insólitos. Para citar sólo una de las fantásticas concesiones que ha reci-

144 José Israel Cuello, *Siete años de reformismo*, Santo Domingo, Ed. Taller, 1973, p. 140.

145 La Gulf and Western aparece en 1958 en Michigan como una mediana productora y distribuidora de repuestos de piezas de automóviles, con un capital de cinco millones de dólares. Para 1970 ya contaba con dos billones de capital; según sus propios informes financieros sólo en el año fiscal 1972-1973 la empresa obtuvo ganancias por 89 millones de dólares, 28 de los cuales provenían de las ganancias en República Dominicana. La propia Gulf afirma que tiene 70 000 empleados en todo el mundo, 20 000 de los cuales están en la República Dominicana. En 1967 la Gulf llega al país y adquiere —con un préstamo de 62 millones 734 000 dólares que le hicieron los bancos neoyorquinos Bankers Trust Company y National Bank of North America— la South Puerto Rico Sugar Co. y, con ella, el central Romana By-Products. De este modo, la Gulf penetró de lleno en el eje central de la economía del país, el azúcar. Se calcula que la Gulf pagó 50 millones de dólars en la compra de estas propiedades originales y que ya tiene invertido en el país más de 100 millones en: ingenio azucarero la Romana, turismo, hoteles, banca, ganado, cítricos, zona franca, furfural y otros. Posee unos mil kilómetros cuadrados de tierra en el país. Se calcula que la Gulf es propietaria o tiene acciones en más de 80 empresas radicadas en el país. Como deducción de un análisis general de los últimos informes financieros de esta transnacional, se ha observado que mientras esta compañía tiene que invertir 21 dólares en Estados Unidos para sacar 1 dólar de beneficio, en la República Dominicana con sólo 3 saca uno de ganancia (*Renovación*, núm. 196; *La Noticia* de fechas 25 de agosto, 23 de noviembre, 19 de diciembre de 1973 y 17 de enero de 1974).

bido, nos referiremos aquí al caso del contrato firmado por la Gulf con el gobierno dominicano para instalar una fábrica de cemento en la ciudad oriental de San Pedro de Macorís: dicho contrato cubre un período de 20 años y exonera a la Compañía Cementos Nacionales, S. A., de todo tipo de impuestos presentes y futuros; el Estado dominicano se obliga además a proporcionarle facilidades portuarias; el uso de las aguas del río Higuano o subterráneas; librarla "de toda otra obligación impositiva de carácter fiscal o municipal existente o que incida o recaiga sobre cualquiera de los bienes, obras, negocios, actividades, actos o cosas que forman parte o se produzcan en la explotación, empresa o negocio de la compañía".[146]

Con base en esta concesión la Gulf gestionó un préstamo en bancos extranjeros por un valor de 18 millones de dólares, que requiere divisas del Estado dominicano para su amortización. Según el contrato estos bancos también quedan exonerados del pago de impuestos sobre la renta en sus operaciones con la nueva industria.[147]

A finales de febrero de 1974 el presidente de la República se atreve a defender a la Gulf, señalando que las censuras a esta empresa extranjera son injustas porque su expansión se debe en gran parte a que los capitalistas nativos prefieren mantener su dinero en bancos extranjeros en lugar de arriesgarlo en nuevas empresas que resultarían de utilidad vital para la economía nacional. Esto a pesar de que un grupo de inversionistas criollos había solicitado antes que la Gulf que el gobierno les diera el aval para instalar una fábrica de cemento en Barahona, en la que el Estado dominicano podía adquirir un 49% de las acciones. No les ha sido aceptada aún la solicitud, y sin embargo, se le brindó a una compañía extranjera, con privilegios jamás contemplados en contrato alguno, una nueva oportunidad para enriquecerse y arruinar más aún la economía del país.

Contratos también altamente onerosos para la República se mantienen en el sector minero con la ALCOA, la Rosario Mining y la Falconbridge. Los dos últimos han sido firmados en el gobierno de Balaguer, y los tres en conjunto están destinados a fortalecer la dependencia económica y política.[148]

Lo peor del caso es que dentro de esta perspectiva de profundización de la dependencia, el capital local disponible en el país es permanentemente forzado a adoptar un papel que entra en evidente contradicción con la necesidad de

146 Juan Bosch, charla pronunciada el 20 de octubre d 1972 y publicada en el *Listín Diario*, 21 de octubre de 1972, p. 12.
147 José Israel Cuello, *op. cit.*, p. 74.
148 El contrato con la ALCOA fue firmado en 1957 para explotar la bauxita de Cabo Rojo, en Pedernales. En el período 1959-1971 esta empresa declaró que había exportado bauxita por un valor de 142 millones, de los cuales el gobierno dominicano sólo recibió 31.6 millones por concepto de impuestos y regalías. En el contrato con Falconbridge (compañía controlada principalmente por accionistas norteamericanos) el Estado dominicano le autoriza divisas para el pago de 21 millones al First National City Bank of New York pagaderos a 8 años, 25 millones al Banco Mundial, pagaderos a 20 años; 114 millones a los banqueros neoyorquinos Dillion Read & Co., también a 20 años. Además el pago de intereses, fletes y seguros. En un solo año la Falconbridge sacó 29 millones de dólares de la República Dominicana y sus ganancias declaradas fueron de 4.3 millones de dólares. Y para colmo de los colmos, las acciones que tiene el Estado dominicano deben ser pagadas en dólares. (José Israel Cuello, *op. cit.*, pp. 64-65; *La Noticia*, 29 de marzo de 1974, p. 10.)

recursos económicos que tiene el Estado dominicano. La movilización del ahorro y del capital local por parte de los inversionistas y empresas extranjeras permite a éstas importar una cantidad menor de capitales o sencillamente no importar nada de sus países de origen.

La práctica seguida en este sentido tiene por objeto el arriesgar el menor capital posible de origen externo a fin de hacer uso de él cuando las circunstancias lo requieran. La mayoría de las veces, con los propios recursos nacionales, los inversionistas extranjeros tienen mucho más ventajas que el propio gobierno, pues, en general, se trata de grandes compañías en las que poseen acciones importantes capitalistas poderosos. Las facilidades con que cuenta frente a cualquier gobierno local son prácticamente ilimitadas: disponen de mecanismos extraordinarios para obtener créditos bajo condiciones favorables, tanto en el mercado interno como en el externo; mantienen un efectivo control del mercado mundial; facilidades para resolver cualquier problema tecnológico; monopolio de patentes, marcas y procesos de producción de máxima demanda. Por encima de todo esto hacen sus inversiones en ausencia de reglamentos que regulen la penetración del capital foráneo o sobre la base de leyes mal definidas o muy flexibles; tienen el apoyo y la protección, además, de varios organismos internacionales al servicio de las grandes potencias.

Es así como se explica que la Gulf and Western llegara a contar en el Banco de Reservas de la República Dominicana con una lista de créditos de hasta cinco millones de pesos. En otros bancos que también controlan el ahorro criollo, su crédito prácticamente no tiene límites. En estas circunstancias la transnacional utiliza el ahorro criollo para financiar no sólo la inversión directa de capitales fijos, sino además la zafra azucarera.[149]

Por otro lado, algunas de estas corporaciones, como la Falconbridge, la Rosario Mining y la propia Gulf, que han obtenido o gestionado préstamos en los bancos nacionales y extranjeros para financiar sus operaciones, en realidad invierten muy poco o nada de sus propios capitales, ya que todos sus préstamos son avalados por el gobierno y prácticamente no pagan ningún tipo de impuestos.

Otro caso que denuncia el uso del capital local por inversionistas extranjeros es el de la Phillips Morris International, a quien el Estado dominicano, además de hacerle estudios gratuitos para el cultivo, mercadeo y consumo del tabaco dominicano, le facilitó los recursos económicos para la siembra, a través del Fondo de Inversiones para el Desarrollo Económico (FIDE).[150] Sobre este particular, el economista Bernardo Vega expresa lo siguiente: "Este problema es grave, en un país donde el monto total de los préstamos de los bancos al sector privado asciende a tan sólo $145 millones, pues si muchas nuevas inversiones extranjeras se financian localmente, habrá una escasez de recursos en los bancos comerciales, quedando afectados negativamente los clientes dominicanos."[151]

Para sostener esta dislocada política económica el Estado dominicano ha con-

149 José Israel Cuello, op. cit., p. 56.
150 José Israel Cuello, op. cit., p. 112.
151 Bernardo Vega, La problemática económica dominicana, UCMM, 1973, p. 148.

ducido al país por un creciente endeudamiento externo, y hacia un déficit permanente en nuestra balanza comercial y de pagos. La deuda externa del país en 1960 era tan sólo de 19.3 millones de dólares, en 1964 se elevó a 143.8 millones; en junio de 1967 alcanzó los 193.4 millones; en 1970 llegó hasta 287 millones; en 1973 estaba alrededor de los 400 millones, y en la actualidad se calcula por encima de los 1 000 millones. Nada más efectivo para poner en manos extranjeras las más importantes decisiones políticas y económicas del país.

Bajo estas perspectivas económicas, el sector oligárquico del país, el cual ha quedado fortalecido con carácter de predominio dentro de las clases dominantes locales, ha hecho los arreglos necesarios para participar de los beneficios de que disfrutan a sus anchas los inversionistas y monopolios extranjeros. El acrecentamiento de la práctica de esta política económica hace cada vez más débiles las bases de la burguesía nacional, puesto que en estas condiciones ella ocupa una posición de subordinación y de dependencia respecto al sector oligárquico.

Es evidente que bajo estas circunstancias el país está siendo llevado hacia una crisis cada vez más espantosa y sin lugar a dudas hacia un acelerado reforzamiento de la dependencia estructural, lo que obviamente limita el desarrollo político y económico del país, forzando sus propios recursos a favorecer la condición de nación dependiente.

De modo que si admitimos que durante el régimen de Trujillo se imponía una reducción del predominio de Estados Unidos en nuestros asuntos internos, y que este proceso implicaba el desarrollo de una estructura económica y política con relativa independencia y autonomía respecto de los intereses extranjeros, es preciso que aceptemos la lamentable situación de una profundización de la dependencia estructural dominicana, más sólidamente definida durante el régimen de Balaguer.

Penetración norteamericana en el sindicalismo dominicano y la división y debilitamiento del movimiento obrero

Las causas de la relativamente reducida actividad revolucionaria de los amplios sectores de la clase trabajadora dominicana frente al nivel de explotación al que ha estado sometida por las clases dominantes, están íntimamente ligadas a la injerencia norteamericana en nuestros asuntos internos en general y en el movimiento obrero en particular.

Previendo el auge de las organizaciones populares y las movilizaciones de masas que se originarían tras la muerte de Trujillo, y adelantándose a los trabajos de división que debían llevar a cabo una vez que se materializara el asesinato del tirano, los grandes capitalistas norteamericanos y su gobierno, a través de sus fieles representantes agrupados en la AFL-CIO, desde antes de 1961 ya realizaban en Puerto Rico y Nueva York actividades tendientes a entrenar exiliados dominicanos que luego serían utilizados como simples instrumentos de penetración en el movimiento obrero que a partir de entonces ampliaría sus bases en la República Dominicana.[152]

152 Susanne Bodenheimer, *AFL-CIO en Latinoamérica, op. cit.*, p. 6-A.

A raíz de la toma del poder por parte de los cívicos del Consejo de Estado, Estados Unidos comprueba la urgente necesidad de limitar y atacar por cualquier vía el auge y carácter que iba adoptando el movimiento obrero organizado en todo el país. Conjuntamente con el agregado laboral de la embajada norteamericana, Andrew McLellan y Fred Sommeford, ejecutores inmediatos y directos de la política de la AFL-CIO en el país, procedieron rápidamente a dividir el movimiento unitario de FOUPSA, que tras su formación en septiembre de 1961 venía siendo objeto de sistemáticos intentos por comprar, y de no ser posible desacreditar con la acusación de comunistas, a los dirigentes principales y con mayor arrastre dentro de la clase trabajadora. Fue así como después de no haber podido convencer al secretario general de FOUPSA entre 1961 y 1965, Miguel Soto, de que se pasara a sus filas, primero intentan comprarlo y después lo acusan de comunista logrando con ello convencer a otros dirigentes y miembros de la organización para que constituyeran un nuevo sindicato democrático y libre. "El Sr. Soto cuenta que durante una huelga general en diciembre de 1961-1962 Andrew McLellan le había ofrecido $20 000.00 para que la terminara; cuando Soto rechazó esa y otras ofertas, lo denunciaron como comunista."[153]

Bajo estas condiciones de resistencia por parte de dirigentes sindicales que no estaban dispuestos a contribuir al divisionismo de que era objeto su clase, los norteamericanos podían justificar la necesidad de dividir a la clase obrera dominicana, puesto que ella podía ser presa de los "agentes comunistas". Llegado a este punto, en febrero de 1962 algunos dirigentes y varios obreros que aparentemente decidieron por convencimiento propio dejar FOUPSA, formaron el Bloque FOUPSA-Libre, más tarde convertido en Confederación Nacional de Trabajadores Libres (CONATRAL).

La importancia que Estados Unidos dio desde el principio al control sindical en el país se constata por el esfuerzo que han venido desarrollando en ese sentido organismos internacionales, como la AFL-CIO; la Organización Regional Interamericana de Trabajadores (ORIT);[154] el Instituto Americano para el Desarrollo del Sindicalismo Libre (IADSL),[155] y también cubanos anticastristas ex

153 Susanne Bodenheimer, *op. cit.*,

154 Serafino Rumaldi, uno de los principales dirigentes de la AFL-CIO y de la ORIT, fue públicamente condecorado por el gobierno antiobrero del Triunvirato, días antes de la revolución de abril. Mientras los obreros dominicanos protestaban y luchaban contra la ley de austeridad del presente régimen, Arturo Jáuregui, secretario general de la ORIT, felicitaba al presidente de la República por su "avanzado pensamiento social, económico y político". Y como era lógico esperar, la ORIT apoyó el golpe de Estado de Juan Bosch en 1963 y la intervención yanqui en 1965 (José Gómez Cerda, "Penetración norteamericana en el sindicalismo dominicano", en *Ahora*, núm. 558, julio de 1974, p. 14).

155 El IADSL tiene su sede principal en Washington y su misión fundamental es la de entrenar dirigentes sindicales latinoamericanos para el movimiento obrero del área y para garantizar así un sindicalismo débil ante las poderosas empresas multinacionales que lo financian y que están radicadas en estos países. De acuerdo con el trabajo ya citado del actual secretario general de la CASC, José Gómez Cerda, entre las empresas que mantienen económicamente este instrumento de penetración están las siguientes: Gulf and Western, Rockefeller Brother Foundation, Pan American Airways, Standard Oil, W. R. Grace & Co., First National City Bank, Johnson & Johnson, Sinclair Oil, Coca Cola Export, Chase Manhattan Bank y otras empresas más con grandes interés en la República Dominicana y América Latina.

miembros de la Confederación de Trabajadores Cubanos, en abierta colaboración con la AFL-CIO, organismo que ocupaba un importante lugar en los trabajos de entrenamiento de los sindicalistas antiboschistas.

Desde entones FOUPSA fue convertido en FOUPSA-CESITRADO, controlada hasta 1965 por el PRD y en el Bloque FOUPSA-Libre que estaba dirigido por verdaderos agentes de la burguesía infiltrados en el movimiento obrero y reales promotores de la atomización y debilidad ideológica que acusa el movimiento obrero hoy en día.

La naturaleza de las decisiones adoptadas por CONATRAL, todas coincidentes con la posición de la AFL-CIO, IADSL, ORIT y la embajada norteamericana en el país, y los acontecimientos registrados en el movimiento obrero dominicano, confirman día tras día que la política sindical de Estados Unidos ha servido en lo fundamental para dislocar a la clase obrera y fomentar en ella un proceso interminable de atomización. Todos los hechos indican con suficiente claridad que su intromisión no es en favor del proletariado sino en contra de él.

Mientras un sector de la clase trabajadora lucha por mejorar las condiciones miserables de trabajo, el Bloque FOUPSA-Libre se niega a apoyar la huelga general de principios de 1962, llegando incluso algunos de sus miembros a pelear cuerpo a cuerpo contra los obreros en huelga, alegando que los que sostenían la huelga eran comunistas. De este modo ponía en práctica su verdadero programa sindical, un programa anticomunista dirigido por la AFL-CIO. Su acusación era totalmente incierta puesto que era de dominio público que tanto la CASC como FOUPSA-CESITRADO —centrales sindicales que agrupaban el grueso de los obreros organizados— eran controladas por un partido evidentemente anticomunista, como el PRSC, y por un partido como el PRD de claras ideas democráticas.

CONATRAL o BFL también se opuso a la unidad sindical, tanto en los casos que le propuso FOUPSA, como en las ocasiones que le fue sugerida por el propio Bosch a raíz de haber ganado las elecciones presidenciales de 1962. En esa oportunidad acusó a Bosch de tener intención de dominar al movimiento obrero al estilo Trujillo.

Es de sobra conocido que CONATRAL nunca ofreció su apoyo al gobierno de Bosch y que apoyó el golpe de Estado de 1963, al igual que lo hicieron las grandes empresas que financian a sus protectoras AFL-CIO, IADSL y ORIT. Esto a pesar de ser el gobierno que intentó mejorar las condiciones de vida del trabajador dominicano y que ofreció muchas ventajas a la clase trabajadora.

Un ejemplo ilustrativo de la naturaleza política de CONATRAL y que deja claramente establecido a quiénes representan y tras cuáles intereses se mueven, lo constituye el hecho de que pertenecieran a esta central los únicos dirigentes de un sector de la clase trabajadora que se atrevieron a denunciar que la revolución de abril estaba controlada por comunistas, primer paso para aceptar días más tarde la necesidad de la intervención militar norteamericana, a fin de evitar una nueva Cuba.

Siendo fiel a sus principios anticomunistas y divisionistas, la CONATRAL protestó ante el gobierno provisional de García Godoy porque éste no reconoció a STAPI, un sindicato portuario paralelo creado por el Triunvirato después de una huelga decretada por POASI en 1964 en el puerto de Santo Domingo, y que no representaba los verdaderos intereses de los trabajadores del muelle.

Su posición no sólo fue apoyada por FENATRADO, una federación de choferes afiliada a CONATRAL, sino que la propia ORIT arremetió diciendo que este gobierno se proponía legalizar sindicatos antidemocráticos como POASI y rechazar otros de reconocida orientación democrática como STAPI. Al fin, STAPI fue reconocida por el gobierno de Balaguer y se afilió a CONATRAL.

La CONATRAL además apoyó la ley de austeridad y la subsecuente congelación de salarios, la cual agravó sustancialmente el nivel de vida del pueblo trabajador ya de por sí muy bajo.[156] De más está decir que estos seudorrepresentantes de la clase trabajadora apoyan abiertamente y contribuyen de manera especial con el presente régimen.

Como es natural, esta penetración no se limita a la existencia de CONATRAL, pues si la táctica de penetración fue en principio controlar el movimiento obrero casi exclusivamente a través de los líderes sindicales dominicanos entrenados al efecto, cuando esto no surtió todos los resultados esperados, entonces lo hicieron personalmente los norteamericanos dirigentes de los organismos sindicales extranjeros ya señalados, instalando en el país el Instituto Dominicano de Capacitación Sindical (INDOCAS), un instrumento del IADSL y un verdadero centro de entrenamiento anticomunista. Es así como el IADSL se esfuerza en forma directa por enrolar a los trabajadores, especialmente los de la caña, en cooperativas que funcionan paralelas a los sindicatos. Con frecuencia miembros de estas cooperativas podían beneficiarse de los préstamos y otros servicios proporcionados por las cooperativas siempre que no estuvieran inscritos o identificados con el sindicato. Se trata sencillamente de una forma de obligar a los trabajadores a pertenecer al sindicato que controla el IADSL. De aquí las grandes facilidades económicas que ofreció el CEA a la Federación Nacional de Sindicatos Azucareros (FENSA), quien tuvo buenas relaciones con el movimiento cooperativo nacional.

Producto directo de esta penetración y de la naturaleza represiva del régimen de Balaguer, la proliferación de sindicatos amarillos fue un hecho de sobra conocido.

Dádivas para corromper líderes, agentes entrenadores del anticomunismo, centros de formación sindical que sólo sirven para alienar a los trabajadores, becas para estudiar sindicalismo norteamericano en México, Puerto Rico y Washington, compra de falsos dirigentes, infiltraciones y espionajes en los sindicatos democráticos y partidos de izquierda, etc., son sólo parte de los mecanismos utilizados por el gobierno norteamericano para aplicar su estrategia divisionista al movimiento obrero dominicano.

Para sólo señalar unos pocos, a continuación ofrecemos una lista de sindicatos amarillos que han actuado como verdaderos agentes divisionistas de la clase obrera en el país. Además de CONATRAL y STAPI, podemos citar el Sindicato de Trabajadores del central Romana, la Confederación Sindical de Trabajadores Orga-

156 Para estas informaciones y otras más sobre la AFL-CIO, IADSL, ORIT y CONATRAL, pueden consultarse trabajos que al respecto se han publicado en el periódico *Revolución Obrera*, de octubre y noviembre de 1971: *La Noticia*, del 5 de mayo de 1974, y la revista *Ahora*, núm. 558, de julio de 1974.

nizados (COSTO), la Federación Nacional de Trabajadores de Transporte, Federación Nacional de Sindicatos Azucareros (FENSA), Sindicatos de Trabajadores en los Ingenios Consuelo, Quisqueya, Santa Fe, Caei, Colón, Angelina, Ozama, Barahona, Haina, etc. Sindicato de Trabajadores del Cemento, Industria Nacional del Papel, Textil Los Minas, Pinturas Dominicanas, Granja Mora, Fábrica Nacional de Baterías, Sindicato Unido de Pregoneros de Billetes y Quinielas del Distrito Nacional, Sindicato Autónomo de la Fábrica de Aceites Vegetales (AMBAR). Además, se han organizado innumerables frentes obreros reformistas en las diferentes empresas del Estado, etcétera.

En julio de 1974 se estimaba que las organizaciones sindicales agrupaban unos 100 000 afiliados cotizantes, lo que representaba menos del 10% de la fuerza de trabajo; a comienzos de 1973 había 994 sindicatos y 38 federaciones registrados en la Secretaría de Trabajo, pero sólo 30% aproximadamente de los sindicatos y 40% de las federaciones estaban en actividad;[157] los obreros sindicalizados de las empresas que concentran la mayor parte de los trabajadores, como la azucarera, textilera, cementera, Falconbridge, ALCOA, industria no azucarera de la Gulf, etc., están controladas por agentes del IADSL y el gobierno. De aquí que del reducido porcentaje de obreros sindicalizados la gran mayoría estaba actuando bajo control y dirección de organizaciones amarillas. Esta situación se traduce en un movimiento obrero profundamente dividido, débil y en posición sumamente desventajosa respecto a los verdaderos intereses del proletariado.

Bajo esta perspectiva del amarillismo sindical siempre resultará muy difícil superar las condiciones actuales del movimiento si no se llegan a comprender las raíces económicas de este fenómeno y si no se precisan con un criterio clasista la trascendencia e implicaciones políticas e ideológicas de este desbocado divisionismo del movimiento obrero dominicano. De no tomarse plena conciencia de esta situación, el obrero dominicano estará cada vez más enajenado, más desposeído de su fuerza como clase, más entregado al dominio y al poder del enemigo, más alejado de una auténtica conciencia de clase, más compenetrado con las ilusorias soluciones que ofrece el capitalismo a sus problemas, y así los errores de los sectores revolucionarios seguirán cometiéndose. De mantenerse estas condiciones, los resultados que se cosecharán no serán otros que el de una efectiva colaboración con la política antiobrera de los gobiernos y con el proceso de afianzamiento creciente de la dependencia.

La represión y el golpeo sistemático como política sindical del régimen de Balaguer

Algunos sectores organizados de la clase trabajadora han mostrado ser capaces de crear las condiciones que hagan posible transformaciones políticas y económicas que satisfagan sus intereses; también —aunque en forma muy aislada— han comprendido la falsedad de las medidas democráticas burguesas

---

157 PLANDES 19, *Bases para formular una política de empleo en la República Dominicana*, julio de 1974, p. 171.

aplicadas con las pretendidas intenciones de mejorar las condiciones del pueblo trabajador, y sobre todo han llegado a la conclusión de que sólo con la unidad consciente de todos los sectores avanzados y revolucionarios será posible arrancar el poder a los más firmes enemigos del proletariado.

Muy especialmente ante estos sectores, el régimen puso en práctica una amplia política de naturaleza represiva con el evidente propósito de aplastarlos y asegurarse así de que la fuerza del proletariado, organizado o no, seguirá estando al servicio de la burguesía y su sector dominante la oligarquía.

Si analizáramos en detalle cada uno de los hechos represivos cometidos desde 1966, tendríamos que escribir cientos de páginas. Ello nos obliga a que nos limitemos a señalar algunos casos que ponen en evidencia la magnitud de la política represiva del régimen de Balaguer.

Como uno de los primeros pasos para facilitar las superganancias de las transnacionales, en 1967 el gobierno de Balaguer acabó con el sindicato mayoritario del país: el Sindicato Unido del Central Romana. La acción de destruirlo no se limitó sólo a desbandar a sus dirigentes, sino que también fue asesinado el prestigioso asesor del sindicato, el Dr. Guido Gil Díaz en enero de ese mismo año. De inmediato fue reconocido un nuevo sindicato controlado por los personeros del IADSL. De este modo el mayor de los sindicatos del país pasó a ser una organización ajena a los intereses de la clase trabajadora dominicana.

Durante el régimen de Bosch este sindicato contaba con 18 000 trabajadores y había conquistado un aumento de un 30% en sus salarios. En el gobierno del Triunvirato fue una pieza importante del Congreso Nacional de Sindicatos y, en abril de 1967, el promotor de un nuevo congreso que se efectuó en la Romana. A este último congreso asistieron 124 sindicatos del país. "La agenda descansaba en la lucha contra la represión gubernamental y por las libertades sindicales, por las reivindicaciones económicas y sociales de los trabajadores del campo y de la ciudad, por la soberanía nacional y por la unidad sindical."[158]

Una de las resoluciones de este congreso fue la de constituir una Confederación Unitaria de Trabajadores Dominicanos, para lo cual se integró un comité gestor con siete sindicatos. Cualquier esfuerzo tendiente a unificar la fuerza del proletariado se convierte de inmediato en un factor de terror para el gobierno y los representantes directos de los intereses norteamericanos en el país, y por lo tanto había que destruirlo. Pero también, y muy especialmente en el caso del Sindicato Unido, en el que incidían varias corrientes ideológicas de izquierda, los grupos revolucionarios contribuyeron en gran medida a que no se cuajara la unidad, puesto que les preocupaba sobremanera la posibilidad de ser desplazados uno por el otro en lo que se refiere al dominio político que ejercían en la dirección del sindicato.

La política represiva del régimen implicó la violación de los derechos humanos, desde el terror psicológico, el encarcelamiento, la deportación y la desaparición, hasta la supresión misma de la vida.

La persecución contra los líderes sindicales es un hecho de la vida diaria: en 1973 se dio a conocer el despido de más de 300 obreros que intentaron

[158] Mario E. Sánchez C., artículo publicado en la revista *Ahora*, núm. 495, mayo de 1974.

organizar un sindicato en su empresa o que ya eran dirigentes o activistas sindicales. Algunas de estas empresas fueron las siguientes: Industrias Lavador, Coca Cola, Ochoa Hermanos —de Santiago—, Industria Continental, Firma Exportadora Paiewonsky, Granja Mora, Industria Nacional del Papel, Incontrobas, Industria Ramos, Bolonotto y otras.

Entre los dirigentes sindicales deportados se encuentran: Efraín Sánchez Soriano, Carlos Tomás Fernández, Bladimiro Blanco, Héctor Dumariel Santana, Juan Pablo Gómez, Antonio de la Cruz y Fernando de la Rosa. Asesores desaparecidos, además de Guido Gil: Modesto Campusano Rodríguez, Amancio Toledo y Aníbal Rossi. Casos de dirigentes y activistas sindicales asesinados son: Miguel Fortuna, Agustín Castro López, Mario Balderas, Olegario Pérez y Antonio Duvergé.[159]

Entre los asesinatos y desapariciones de reconocidos dirigentes políticos de la izquierda revolucionaria y opositores del régimen se pueden señalar: la desaparición de Henry Segarra Santos, el 25 de julio de 1969; el asesinato de Otto Morales Efres y Amín Abel Hasbún, el 16 de julio y 24 de septiembre de 1970, respectivamente, después de haber sido detenidos; la muerte a golpes en el penal de La Victoria el 8 de febrero de 1971 del dirigente obrero Rafael Pérez Guillén; José L. Paulino, asesinado en la prisión de La Victoria en marzo de 1971; Homero Hernández Vargas, ametrallado en presencia de su esposa por miembros de la policía nacional, el 22 de septiembre de 1971; José Mercedes Fernández, asesinado a golpes en La Victoria, el 26 de septiembre de 1971; la masacre de Amaury Germán Aristy, Bienvenido Leal Prandy, Ulises César Polanco y Virgilio Perdomo Pérez, en el kilómetro 14 de la autopista de Boca Chica, el 12 de enero de 1972; Sagrario Díaz Santiago, ametrallada en la Universidad Autónoma de Santo Domingo, el 4 de abril de 1972; Gregorio García Castro, periodista asesinado en plena calle de esta capital, en la noche del 28 de marzo de 1973; el estudiante Joaquín Suero, de Barahona, quien fue asesinado en una movilización estudiantil el día 31 de mayo de 1973; etcétera.[160]

De 1973 a la fecha los insólitos casos de POASI y Bolonotto Hermanos son los que mayormente ponen de relieve la amplitud y profundidad de la represión y el golpeo a la clase trabajadora. El Sindicato de Portuarios y Arrimos POASI es una de las organizaciones sindicales de mayor tradición de lucha por la libertad sindical y mejores condiciones de vida para los trabajadores. El testimonio de lucha de este sindicato se remonta al régimen trujillista, quien le arrancó la vida a uno de sus dirigentes más avanzados que respondía al nombre de "Reglita".[161] Esta lucha se constata también en las múltiples huelgas que ha organizado o en las que ha participado en favor de los trabajadores y en su destacada actuación durante la revolución de 1965.

De acuerdo con informaciones recogidas en un artículo publicado por Raúl Pérez Peña en La Noticia del 6 de abril de 1974, en la destrucción de POASI,

---

159 Documento del primer pleno ampliado de dirigentes nacionales de la Central General de Trabajadores (CGT), 19 de agosto de 1973.

160 Carta dirigida al presidente de la República por reconocidas personalidades de universidades norteamericanas y de París, publicadas en La Noticia, el 10 de julio de 1973.

161 Miguel Soto, "POASI: Resistencia", en La Noticia, abril de 1973.

además del Movimiento Agrario Reformista (MAR), dirigido por José Osvaldo Leger, quien ejecutó la acción en compañía de otros personeros del gobierno, participaron miembros del llamado Instituto Dominicano de Capacitación Sindical, el cual además de tener sumo interés en acabar con este combativo sindicato, estaba defendiendo los intereses de las compañías navieras que querían introducir en el muelle los furgones de carga, a lo que se oponía enérgicamente el sindicato.

En un documento que fue publicado por el comité ejecutivo de POASI el 7 de abril de 1973, consta que: "En fecha 23 de marzo de 1973 en una asamblea general de POASI fueron elegidos los miembros de la junta electoral para organizar las elecciones de 1973. Esta junta es la que tiene poderes de la asamblea para preparar y publicar el reglamento de las elecciones del sindicato. Sin que se llegara a ningún acuerdo sobre estos requisitos preelectorales, el señor Regio Alfonso Andino de modo unilateral, el día 25 de este mismo mes inicia una propaganda para unas supuestas elecciones en POASI que se realizarían el 27 de marzo de 1973. Esta actitud del Sr. Regio A. Andino provocó que la mayoría de los miembros de la junta electoral, elegidos en asamblea, se presentaran al Departamento de Trabajo el día 26 para que notificaran formalmente el acta de su elección y conversar sobre los inspectores de la Secretaría de Trabajo que debían verificar las elecciones que próximamente se realizarían en POASI. El director del Departamento de Trabajo se negó a recibir la comisión, alegando que ya el Sr. Andino había dado los pasos correspondientes. En ese mismo día las casas de los principales dirigentes del sindicato fueron allanadas por patrullas del servicio secreto de la policía nacional que estaban acompañadas precisamente por el Sr. Regio Andino. El día 27 de marzo el Sr. Andino penetró con violencia en el local de POASI y conforme a sus planes presidió junto a otros las falsas eleccciones, porque la convocatoria no se realizó de acuerdo a las normas del sindicato; porque las mismas no estuvieron presididas por las personas que señalan los estatutos de POASI; y porque los obreros que se presentaron a votar sólo sumaron ciento sesenta y tres (163), violándose así el artículo 332 del Código de Trabajo que establece la asistencia de un mínimo igual a la mitad más uno de los miembros del sindicato en caso de elecciones. Como prueba de que la fuerza primó sobre el derecho de los trabajadores: el día 29 de marzo de 1973 algunos integrantes de la plancha que se ha presentado a la trama, señores Domingo Suero (Tribulí), Mariano A. Andino, Miguel A. Romero, Marcos de Vargas, los políticos profesionales José Osvaldo Leger y Carlos J. Séliman, en compañía de varios oficiales de la policía nacional, con seis guaguas celulares y varios carros del departamento secreto de la policía nacional en las cercanías de POASI, REALIZARON EN UN SALÓN CASI VACÍO LA JURAMENTACIÓN DE LOS POCOS DIRECTIVOS DEL GRUPO DE DOMINGO SUERO (TRIBULÍ) QUE ASISTIERON A LA FARSA QUE MONTABA."[162]

En el desarrollo de la lucha tendiente a recuperar el sindicato, los verdaderos dirigentes de POASI encabezados por su secretario general Marcelino Vásquez, organizaron una asamblea electoral el 25 de julio de 1973 en la que de 1 300 miembros del sindicato, 890, es decir 68.4% del total, votó en favor de la

---

[162] *El Nacional de Ahora*, 7 de abril de 1973, p. 12.

reelección de Marcelino Vásquez, confirmándolo así en la secretaría general de la organización.

Días antes de las elecciones, los dirigentes reconocidos por la mayoría de los trabajadores habían comunicado al Dr. Jaime Guerrero Ávila, secretario de Trabajo, la decisión de llevar a cabo estas elecciones a fin de que en cumplimiento de la resolución núm. 37/64[163] del 28 de octubre de 1964, se enviara a la asamblea un inspector del Departamento de Trabajo para que hiciera la certificación de las elecciones.

En su esperada y grosera respuesta, el Dr. Jaime Guerrero Ávila manifestó que la directiva surgida de esos comicios sería ilegal, porque "ya en POASI existe una directiva que regirá por un año y que fue reconocida por la Secretaría de Trabajo".[164] En cumplimiento a su arbitraria decisión, ningún inspector de la Secretaría se presentó en la asamblea eleccionaria y, naturalmente, la nueva directiva elegida, aunque tenía el apoyo de la mayoría de los trabajadores, no fue reconocida.

Frente a esta posición de la Secretaría de Trabajo, representante de hecho de la burguesía y en especial de su sector dominante, los obreros de POASI continuaron su lucha, que fue fuertemente debilitada el 16 de octubre de 1973, cuando en un acto que la propia Suprema Corte de Justicia, máximo tribunal judicial del país, calificó de "ilegal, exceso de poder y fuera de atribuciones, la interferencia administrativa del gobierno en la determinación a su conveniencia sectaria e ilegal, quiénes son o no directivos de POASI",[165] el local del sindicato fue ocupado militarmente por miembros de las fuerzas armadas y la policía nacional y agentes pagados del Movimiento Agrario Reformista.

A pesar del apoyo militante de varios sindicatos y organizacions democráticas, y de haberse denunciado el hecho ante organismos internacionales como la OIT, el local siguió ocupado por agentes del gobierno. No obstante, los verdaderos líderes del sindicato permanecieron activos y vinculados a las actividades sindicales del propio POASI y de otros organismos. Una vez más la fuerza y el terror primaron sobre la razón y el derecho de los trabajadores. Pero la lucha continúa, esto es sólo un aspecto del quehacer diario de la burguesía que irremisiblemente conlleva a una mayor agudización de las contradicciones del sistema y por fuerza al salto final de las transformaciones estructurales.

Otro caso no menos dramático lo constituye el de la empresa Dulcera Dominicana Bolonotto Hermanos, propiedad de italianos. Al igual que los obreros de POASI, los de Bolonotto Hermanos hicieron todos los esfuerzos necesarios para demandar sus derechos y desarrollar sus actividades ajustados a las leyes del país. Sin embargo, los dueños de esta empresa no sólo violaron repetidas veces los derechos de los trabajadores sino que se burlaron en más de una ocasión de la propia Secretaría de Trabajo y de los jueces de la corte de ape-

---

163 La resolución núm. 37/64, creada durante el Triunvirato, establece que "en las asambleas generales que se efectúen con el propósito de constituir un sindicato, elección de directiva, reforma de estatutos o afiliación de los sindicatos a una federación o confederación, deben ser certificados por un inspector del Departamento de Trabajo".

164 *La Noticia*, 26 de julio de 1973, p. 20.

165 Central General de Trabajadores (CGT), *Documento denunciando violación de los convenios 87 y 98, firmados entre el estado dominicano y la OIT*, 20 de agosto de 1974.

lación de Santo Domingo, y utilizaron la policía nacional para reprimir a los trabajadores en conflicto.

Dulcera Dominicana es una de las tantas empresas que arrastran desde hace muchos años un historial negro frente a los trabajadores. Por la destacada arbitrariedad de sus propietarios, ya en 1962 los obreros de Bolonotto Hermanos se vieron precisados a declarar en esta empresa la primera huelga después de la muerte de Trujillo. Era tan evidente el abuso y tan excesiva la explotación a la que estaban sometidos los obreros que, en esa ocasión, y también por sus actividades sindicales, se cesó el 90% del personal de la Dulcera, y la corte de apelación se vio forzada a dictar sentencia en favor de los trabajadores, condenando a los propietarios por violar las leyes de trabajo y disponiendo un aumento en los miserables salarios de los productores de plusvalor.

De nuevo se inició el conflicto a fines de septiembre de 1973, cuando la empresa cesó a una comisión de cuatro trabajadores que fueron elegidos en asamblea para que reorganizaran el sindicato de la Dulcera y dieran los primeros pasos para lograr la firma de un contrato colectivo con mejores condiciones de trabajo. A estos primeros objetivos tuvieron que agregarle de inmediato la reposición en sus puestos de los obreros despedidos, que muy pronto llegaron a sumar 83.

Alegando razones de tipo económico, cada vez que una asamblea volvía a nombrar nuevos directivos sindicales, los Bolonotto los cesaba sin contemplación, no importando que se tratara de un obrero que sólo ganaba ocho pesos semanales, de una mujer embarazada o de un trabajador con treinta años en la empresa con sueldo de $30.00 semanales.

En la medida que crecía esta bestial actitud, los obreros, siempre dentro de la ley, iban dando pasos firmes y ordenados. Hicieron un llamado urgente a la Secretaría de Trabajo para que impidiera que se continuara despidiendo trabajadores de la empresa; el proyecto de pacto colectivo fue entregado a los empresarios mediante acto de alguacil para que hubiese constancia de dicha entrega; en señal de una firme posición, el 11 de octubre varios de los trabajadores cesados se colocaron una vez más frente al local de la empresa con la boca amarrada con tela, simbolizando la represión en su contra; como muestra de solidaridad, obreros de 20 sindicatos de la capital hicieron un piquete frente al edificio de Bolonotto Hermanos; trabajadores de unos 40 sindicatos celebraron una asamblea conjunta el 12 de octubre de 1973 y acordaron manifestar su apoyo a la lucha de los obreros de Bolonotto, realizando manifestaciones en las empresas donde laboraban; la Asociación de Comerciantes Detallistas anunció un acuerdo tendiente a boicotear los productos fabricados por Dulcera Dominicana; a mediados de octubre, los obreros directamente en conflicto —105 de un total de 130 empleados en la empresa— anuncian que iniciarán una huelga el 6 de marzo, la cual se inició el día 12 y terminó por orden de la corte de apelación al tercer día, a quien se le había expuesto el caso por las vías correspondientes; etcétera.

Mientras se producían estos esfuerzos legales por parte de los trabajadores, los patrones continuaban cesando y la policía reprimía y encarcelaba a los que cumplían la ley (los trabajadores).

Frente a este cúmulo de abusos, el secretario de Trabajo, quien no parecía tener otra alternativa que no fuera la de darle la razón a los trabajadores, haciendo como que no estaba enterado de nada, el 20 de octubre de 1973 dispuso que funcionarios de esa dependencia realizaran una investigación de los despidos de los sindicalistas, y prometió que sometería la empresa a la justicia si se comprobaba que las leyes del trabajo habían sido violadas. Afortunadamente, por primera vez en todo el régimen de Balaguer, la huelga del 12 de noviembre fue declarada legal por la Secretaría de Trabajo el 21 de octubre. La legalidad de la misma se apoyó en que los propietarios italianos violaron las leyes del país cesando a los trabajadores por sus actividades sindicales, pero fundamentalmente porque los Bolonotto, en franca actitud de burla, no asistían a los citatorios que les hacía la Secretaría. Decimos fundamentalmente, porque las leyes del trabajo son violadas a diario y en forma constante por los patrones y nada anormal ocurre.

En definitiva, Dulcera Dominicana violó el artículo 307 del Código de Trabajo, que prohíbe a los patrones exigir a los trabajadores que se abstengan de formar parte de un sindicato, ejercer represalias contra ellos en razón de sus actividades sindicales, despedir o suspender a un trabajador por pertenecer a un sindicato, etc.; El artículo 17, que prohíbe a los jefes de departamentos realizar actividades sindicales, ya que constituyen un sindicato fantasma con los directores departamentales para boicotear la lucha de los trabajadores; El artículo 131, que establece que de ser necesaria la reducción del personal, ésta debe iniciarse por los extranjeros empleados; violó también la resolución de la corte de apelación, quien ordenó la reintegración de los obreros a sus labores y el cese de las cancelaciones. Después de esta resolución, nuevos dirigentes fueron cancelados; se violaron además, los convenios internacionales núms. 87 y 98 de la OIT, que se refieren a la libertad sindical y al derecho de la sindicalización de los trabajadores.

Violaron todos los derechos de los trabajadores y hasta hirieron a un obrero mientras se desarrollaba la huelga, y en forma descarada la interferencia de la aplicación de la propia ley burguesa fue siempre el objetivo de todas las autoridades que intervinieron en el conflicto, incluyendo a la corte de apelación que, pese a que la ley establece un plazo de cinco días para que los jueces se pronuncien sobre la legalidad o no de la huelga, aun después de varios meses no produjo ninguna sentencia calificando la huelga.[166]

Casos similares se han registrado en los últimos años con mucha frecuencia, sólo para señalar algunos mencionamos a continuación los de: Textil Los Minas y la Industria Metalúrgica de la capital, ESPAÑOL, Metaldom, donde los sindicatos fueron destruidos; Cementera, Telefónicos, Refinería de Petróleo, Industrias Lavador, Tenería Bermúdez de Santiago, etcétera.

Las movilizaciones, manifestaciones y demás actividades de los obreros que muestran oposición al régimen, tienen como respuesta inmediata la represión, la cárcel y hasta el asesinato. Sólo a modo de ejemplo, citamos a continuación los principales titulares de los periódicos del 1 y 2 de mayo de 1972, cuando las organizaciones sindicales no identificadas con el gobierno se arriesgaron a mo-

---

[166] Para estas y otras informaciones sobre el caso Bolonotto Hermanos, véase la prensa de septiembre de 1973 a septiembre de 1974.

vilizarse a pesar de la prohibición impuesta por la Secretaría del Interior y Policía: "culatazos, bombas, en represión a manifestantes", "se movilizaron ayer, ahora van a la justicia por constituirse en turbas", "con violencia, tropas policiales disuelven marcha de UNACHOSIN", "someterán 21 personas que arrestaron en mítines", "la policía impidió una marcha laboral en Villa Altagracia", etcétera.

Como se desprende de lo antes expuesto, la represión y el golpeo sistemático ha sido la política que los sectores dominantes han aplicado con más furia. El debilitamiento y la división de la clase trabajadora es precisamente el verdadero objeto de esta represión. La institucionalización de esta política represiva ha obligado a los sectores organizados de la clase trabajadora a adoptar una posición "extralegal" en sus actividades sindicales. "Una confederación sindical sostiene, por ejemplo, que ha declarado unas cien huelgas desde su fundación y que todas ellas se han producido al margen del Código."[167] Aun los propios contratos o pactos colectivos que han logrado firmar los sindicatos con los patrones (fueron un total de 134 de 1969 a 1973, ubicados principalmente en la industria de transformación, transporte y sector azucarero) no son cumplidos tal y como fueron firmados. Estos contratos colectivos en realidad han beneficiado a ciertos sectores obreros, fundamentalmente a los afiliados a organizaciones amarillas, pero en cierto modo pueden considerarse vacíos o de poca importancia porque lo conquistado es poco significativo respecto al grado de explotación a que está sometido el obrero.

Es exactamente esta contradicción lo que hace necesario que el crecimiento del movimiento obrero se transforme, por vía de una mayor profundización de la conciencia de clase, en niveles de organización y madurez política que conducirán hacia la renovación de las grandes relaciones de causa, a la visión de conjunto de la problemática que los afecta y hacia la consecución de la unidad clasista.

Resumen

En términos económicos y políticos, el régimen de Balaguer se caracteriza por una profundización de los niveles de dependencia en la sociedad dominicana, pues en este período se produce un reforzamiento de la dependencia del país respecto a Estados Unidos.

Las características de este proceso se pueden localizar en una política sin reservas de puerta abierta al imperialismo norteamericano, quien ejerce un predominio político y un control de los sectores más importantes de la economía nacional, logrando integrarlo a los intereses económicos norteamericanos. Este predominio político y control económico ha sido trabajado a través de la asistencia técnica en general, y en particular la militar; de la inversión de capitales extranjeros con clara prioridad sobre el capital local como elemento complementario de la política económica de Estados Unidos; de la división y debilitamiento de las organizaciones de oposición al régimen, en especial del

---

167 PLANDES 19, *op. cit.*, p. 173.

movimiento obrero, permitiendo así un afianzamiento de la penetración norteamericana en el sindicalismo nacional, y de la represión como política imprescindible para callar las demandas de los sectores populares y sobre todo del proletariado.

El significativo auge alcanzado por el movimiento obrero durante el período 1961-1965 se ha visto tronchado durante el gobierno de Balaguer. Es claro que la dependencia estructural constatada es causante directa de esta situación que aqueja a la clase trabajadora en su conjunto. Bajo estas condiciones, el régimen se ha volcado sistemáticamente hacia mecanismos extralegales para tratar de ocultar verdaderos problemas que por naturaleza exigen una solución en el nivel de la base económica. Asimismo, ha forzado a la clase obrera a recurrir también a mecanismos extralegales, para hacer oír sus demandas y hacer sentir sus intereses de clase. De ahí que las reformas legales no hayan sido significativas para la clase trabajadora, que se haya permitido que agencias foráneas manipulen a un sector de los trabajadores, especialmente los de la industria azucarera y otras de las más grandes empresas del Estado; que se haya aumentado y estimulado la corrupción, la división y destrucción de los sindicatos, así como la represión abierta contra las posiciones de demandas.

Tal y como ocurre en amplios sectores de la sociedad dominicana —por ejemplo, los partidos políticos— una contradicción palpable dentro del movimiento obrero se da en términos de una creciente y acelerada atomización y aislamiento, frente a la urgente necesidad y exigencia de unidad programática y táctica que se requiere en los actuales momentos. Esta situación en el movimiento obrero es fruto precisamente de las limitaciones estructurales que caracterizan a la sociedad dominicana y en especial de la débil conciencia de clase que define a las amplias bases de la trabajadora.

Sin embargo, a pesar de estas condiciones que moldean todo el proceso de desarrollo del movimiento obrero dominicano, un sector de la clase obrera que no nos fue posible cuantificar, pero que muy probablemente es aún pequeño, ha dado muestras de haber adquirido niveles significativos de conciencia de clase y de haber comprendido que el socialismo es la vía que puede garantizar sus intereses, aunque no está muy claro en cuanto a si es éste el paso inmediato a dar. En este sector se observa también una fuerza organizada del mundo de los trabajadores, aunque sin muchos éxitos todavía.

No obstante, los esfuerzos realizados para organizar un verdadero partido del proletariado pueden calificarse de escasos y aislados, y éstos, sólo en cierto modo reflejan los niveles de conciencia de clase y organización de los trabajadores dominicanos.

VIII. CONCLUSIONES

1. Desde fines del siglo pasado las relaciones capitalistas de producción se mostraban significativamente en la realidad dominicana. El problema fundamental fue que la clase social que surgió y que vino a ser la fuerza rectora

de este movimiento de sustanciales transformaciones en la sociedad dominicana, era extranjera o estaba dominada por el capital foráneo. Y, por vía de
consecuencia, la estructura de clases local, específicamente la burguesa, tenía
un peso de muy poca importancia. Esta condición ha influido de manera
determinante en todos los acontecimientos y perspectivas históricas de la nación, provocando transformaciones que en esencia han conservado la tendencia
de una mayor profundización de la dependencia estructural, y han hecho
cada vez más difícil la consolidación de una burguesía nacional independiente.

2. Este proceso de desarrollo de las relaciones capitalistas de producción que
desde sus inicios se introdujo con un carácter dependiente, tuvo una vigencia
claramente detectable con la transformación de la producción azucarera en una
industria capitalista. La industria azucarera se convirtió, en su situación de
enclave, en el eje central de la estructura económica y política del país y en el
canal más importante que ha conducido a la imposibilidad de un desarrollo
independiente dentro de la órbita capitalista de producción, puesto que ello
ha implicado un creciente y marcado proceso de desnacionalización de los
recursos locales que, en estas condiciones, ha adoptado un carácter irreversible.

3. En el presente trabajo puede apreciarse que la situación de dependencia
que históricamente ha caracterizado la sociedad dominicana ha impuesto profundas limitaciones al desarrollo del movimiento obrero, de tal modo que ha
impedido en gran medida que la clase obrera globalice, con conciencia de clase
y con criterios ubicados fuera del contexto del capitalismo, sus condiciones
concretas de explotación y el cumplimiento de su papel central como rector
en la transformación de las estructuras capitalistas por otras que se correspon-
dan objetivamente con sus verdaderos intereses de clase.

4. En tal virtud, el carácter del movimiento obrero dominicano ha estado
determinado tanto por su inscripción dentro del proceso de expansión y desarrollo del capitalismo mundial como por la naturaleza dependiente de la estructura económica y política del país. Así se explica su línea de acción eminentemente reivindicativa, y en cierto modo desplazadora de la conciencia de
clase, y, por lo tanto, su significativa integración al sistema de las relaciones
capitalistas de producción.

5. El primer grupo importante de proletarios se organiza fundamentalmente a partir de la industria capitalista de producción azucarera. Aún hoy en
día los más amplios núcleos de obreros están ubicados en este sector de la economía. En tal sentido, todo análisis histórico y toda programación seria del
proletariado por fuerza debe tener claramente establecido este punto de partida y el conjunto de lo que ello significa en términos económicos y políticos.

6. La condición de país capitalista dependiente ha representado una decisiva limitación al desarrollo cuantitativo y cualitativo de la clase obrera y su
movimiento, y de hecho ha frenado y neutralizado en gran medida la eficacia
de su lucha por la transformación de las estructuras sociales.

7. En las coyunturas históricas, como por ejemplo las correspondientes a los
períodos 1940-1955 y 1961-1965, en las que por factores externos e internos al
imperialismo se le han escapado de su control aspectos significativos de la economía y situación política del país, se han registrado auges de cierta significación históricas en el desarrollo del movimiento obrero dominicano.

8. Con Trujillo las relaciones capitalistas de producción quedaron mucho más claras y definitivamente establecidas. Su desarrollo se aprecia bajo la evidente contradicción de la necesidad de expansión del mercado interno, que urgía mucho más ante la política de reducción creciente de la inversión extranjera en el país, y la estrechez de ese mercado interno agravado cada vez más por el carácter monopólico del régimen de Trujillo. Con ello la clase obrera es sometida a la más brutal explotación.

Durante este período, el movimiento obrero toma cuerpo y adquiere perspectivas de organización proletaria, pero con un carácter confuso y de actividades de naturaleza frecuentemente artesanal. Aunque en la tiranía el movimiento obrero alcanza ciertos logros y avances, sin embargo, fue hábilmente manejado por Trujillo y su élite burguesa en beneficio de sus intereses y proyecciones económico-políticas de nivel nacional e internacional, frenando con ello su desarrollo.

9. Es claro que ni la conciencia de clase capaz de conducir a la toma del poder, ni la transformación revolucionaria de las estructuras sociales, podrán alcanzarse a través de un proceso espontáneo de cambios. Esto es pura ilusión, toda transformación revolucionaria de la sociedad exige de constante formación y práctica revolucionaria organizada, avances, auges, tropiezos y hasta regresiones cuantitativas y cualitativas en la lucha.

10. La división, la atomización y la represión en el movimiento obrero dominicano ha tomado la forma de la caracterización más general en los años del régimen de Balaguer. Así, la lucha de la clase trabajadora ha quedado sustancialmente neutralizada.

11. La evidente tendencia a dividir el movimiento obrero en sindicatos y cooperativas y a condicionar el sindicato a la existencia de la cooperativa, es sumamente riesgosa, puesto que constituye un freno para la lucha de clases y facilita efectivamente a la burguesía el mantenimiento y reproducción de las relaciones capitalistas de producción.

12. La directiva e inclinación pequeñoburguesa del movimiento obrero dominicano ha entorpecido en gran medida la visión de conjunto de la clase trabajadora respecto a la problemática esencial que le presenta el sistema capitalista, y ha impedido la adopción de una política de lucha lo suficientemente correcta. En tal virtud, se requiere de un gran esfuerzo revolucionario de parte del proletariado, que sea capaz de llevarlo a asumir realmente su propia dirección de la revolución del proletariado.

13. Frente a la crudeza de las limitaciones impuestas por la profundización de la dependencia estructural que se presenta en la sociedad dominicana más claramente en los últimos años y que ha implicado una creciente inestabilidad económica y política, un mayor grado de explotación y de control de los trabajadores y sus organizaciones, el movimiento obrero dominicano tendrá necesariamente que aumentar sus esfuerzos para orientar sus mejores y más amplios trabajos por el camino que conduzca a una más sólida conciencia de clase; a una centralización o unidad de las organizaciones proletarias; a una más clara búsqueda de la transformación de la sociedad dominicana, con conciencia de la carga económica, política e ideológica que ello significa, tanto para la clase obrera como para los sectores locales dominantes, y de manera espe-

cial a la organización del partido de la clase trabajadora. Todo ello supone estudios serios y sistemáticos de la sociedad dominicana en su conjunto, importantes esfuerzos para organizar con correcta conciencia a los obreros ubicados en los más importantes sectores de la economía nacional; unas perspectivas que contemplen la integración de los sectores que por su posición en la estructura de clases se identifiquen, de una u otra manera, con la causa del proletariado; así como una clara conciencia de que el desarrollo independiente ya no se podrá lograr bajo el contexto de las relaciones capitalistas de producción.

BIBLIOGRAFÍA

Almont R., Ramón, *El movimiento cooperativo en la República Dominicana*, tesis de licenciatura en administración de empresas cooperativas, Universidad Nacional Pedro Henríquez Ureña.

Álvarez B., Pedro, *Aspecto de la industria y la economía dominicana en la década del 60*, Santo Domingo, 1970.

Ascuasiati, Carlos, "Diez años de economía dominicana", en *La Revista*, vol. 1, año 1 Santo Domingo, marzo-junio de 1972.

Báez Evertsz, Frank, *Azúcar y dependencia en la República Dominicana*, Santo Domingo, Editora de la Universidad Autónoma de Santo Domingo, 1978.

Bambirra, Vania, *El capitalismo dependiente latinoamericano*, México, Siglo XXI, 1974.

Barnet, Richard J. y Ronald E. Muller, *Los dirigentes del mundo: el poder de las "multinacionales"*, Barcelona, Grijalbo, 1976.

Bodenheimer, Susanne, "AFL-CIO en Latinoamérica", en *La Noticia*, Santo Domingo, 5 de mayo de 1974.

Bonó, Pedro F., "Carta al general Gregorio Luperón", en Emilio Rodríguez Demorizi (comp.), *Papeles de Pedro F. Bonó*, Santo Domingo, Editora del Caribe, 1964.

Bosch, Juan, *Crisis de la democracia de América en la República Dominicana*, México, Centro de Estudios y Documentación Sociales, 1964.

————, *Dictadura con respaldo popular*, Santo Domingo, Imp. Arte y Cine, 1970.

Cassá, Roberto, "Acerca del surgimiento de relaciones capitalistas de producción en la República Dominicana", en *Realidad Contemporánea*, núm. 1, Santo Domingo, octubre-diciembre de 1975.

CGT, "Documento del primer pleno ampliado de dirigentes nacionales de la Central General de Trabajadores", 19 de agosto de 1973.

————, "Documento denunciando violación de los convenios 87 y 98, firmado entre el Estado dominicano y la OIT", 20 de agosto de 1974.

Crassweller, Robert D., *Trujillo - La trágica aventura del poder personal*, Barcelona, Bruguera, 1968.

Cuello, José Israel, *Siete años de reformismo*, Santo Domingo, Ed. Taller, 1973.

Del Castillo, José y Walter Cordero, *La economía dominicana durante el primer cuarto del siglo XX*, Santo Domingo, Fundación García Arévalo, 1979.

Del Castillo, José y Otto Fernández, "Elecciones de 1962 - Modelo para armar", en *¡Ahora!*, núm. 547, Santo Domingo, mayo de 1974.

De Castro, Víctor M., *Cosas de Lilís*, Santo Domingo, 1919.

De Galíndez, Jesús, *La era de Trujillo*, Buenos Aires, Ed. Atlántico, 1958.

De Peña Valdez, Julio, *Breve historia del movimiento sindical dominicano*, Santo Domingo, Ediciones Dominicanas Populares, 1977.

——, "Mundo del trabajo", en *Patria*, 8 de septiembre de 1965.

Durán B., Florencio, *La política y los sindicatos*, Santiago de Chile, Ed. Andes, 1963.

Franco, Franklin J., *República Dominicana, clases, crisis y comandos*, La Habana, Casa de las Américas, 1966.

Goff, Fred y Michael Locker, "La violencia de la dominación", en *La Revista*, vol. 1, año 1, Santo Domingo, marzo-junio de 1972.

Gómez, Luis, *Relaciones de producción dominantes en la sociedad dominicana, 1875-1975*, Santo Domingo, Editora de la Universidad Autónoma de Santo Domingo, 1977.

Gómez Cerda, José, "Breve historia del movimiento sindical dominicano", en *Revolución Obrera*, octubre de 1971.

Grullón Martínez, Ramón, Artículos publicados en el periódico *Última Hora*, de Santo Domingo.

Harnecker, Martha, *Los conceptos elementales del materialismo histórico*, México, Siglo XXI, 1971, 6a. ed. corregida y aumentada.

Hoetink, H., *El pueblo dominicano, 1850-1900*, Santiago, Universidad Católica Madre y Maestra, 1972.

Hostos, Eugenio María de, "Falsa alarma, crisis agrícola", en Emilio Rodríguez Demorizi (comp.), *Hostos en Santo Domingo*, Ciudad Trujillo, Imp. Vda. García, 1939.

Jiménez, Grullón, Juan I., "Análisis socio-filosófico de nuestro presente y pasado inmediato", en *¡Ahora!*, núm. 336, Santo Domingo, 20 de abril de 1970.

Knight, Melvin M., *Los americanos en Santo Domingo*, Santo Domingo, Imprenta Listín Diario, 1939.

Lenin, Vladímir I., *El imperialismo etapa superior del capitalismo*, Buenos Aires, Ed. Ateneo, 1972.

——, *Sobre el sindicalismo*, Buenos Aires, Ed. Abraxas, 1972.

Leveque, Karl, "La Iglesia en tres crisis dominicanas", en *¡Ahora!*, núm. 472, Santo Domingo, noviembre de 1972.

Luxemburg, Rosa, *Huelga de masas, partido y sindicatos*, México, Cuadernos de Pasado y Presente, núm. 13, 1978.

Lukács, Georg, *Historia y conciencia de clase*, México, Grijalbo, 1969.

Marchena M., Antonio, *Breve monografía histórica de la Confederación Autónoma de Sindicatos Cristianos (CASC)*, 1972.

Moreno, José A., "Dominación de clases, represión interna y penetración económica en la República Dominicana", en *¡Ahora!*, núm. 559, 1973.

NACLA, The *contribution of US private investment to underdevelopment in Latin America*.

PLANDES 19, "Bases para formular una política de empleo en la República Dominicana", julio de 1974.

Pozo, Manuel de Jesús, "Historia del movimiento obrero dominicano, 1900-1930 (1)", en *Realidad Contemporánea*, núm. 2, Santo Domingo, abril-junio de 1976.

Primer Censo Nacional de la República Dominicana, 1920, Santo Domingo, Editora de la Universidad Autónoma de Santo Domingo.

Sánchez Llustino, Gilberto, *Trujillo, el constructor de una nacionalidad*, La Habana, Cultura, 1938.

Sánchez C., Mario E., "El movimiento obrero dominicano", en *¡Ahora!*, núm. 495, mayo de 1973.

Secretaría de Trabajo, "Código de Trabajo", Santo Domingo, Editora del Caribe, 1969.

Soto, Miguel, "POASI - Resistencia", en *La Noticia*, abril de 1973.

Szulc, Tad, *Revolución en Santo Domingo (Dominican diary)*, Madrid, Ediciones Cid, Colección Vórtice, 1966.

Vega, Bernardo, *La problemática económica dominicana*, Santiago, Universidad Católica, Madre y Maestra, 1973.

Vizgunova, I., *La situación de la clase obrera en México*, México, Ediciones de Cultura Popular, 1978.

Publicaciones periódicas

¡Ahora!
El Caribe
La Información
Listín Diario
La Nación
La Noticia
Patria
Renovación
Revolución Obrera
Última Hora

HISTORIA DEL MOVIMIENTO OBRERO PUERTORRIQUEÑO
1872-1978*

GERVASIO LUIS GARCÍA

A. G. QUINTERO RIVERA

I. LOS PRIMEROS FERMENTOS ORGANIZATIVOS: 1872-1898

El surgimiento y desarrollo de la clase trabajadora puertorriqueña y sus organizaciones tropezaron en sus comienzos con los obstáculos de la economía feudal y esclavista y con las estructuras políticas conservadoras y coloniales predominantes durante la mayor parte del siglo XIX.[1] El dominio de la monarquía absoluta en España y sus colonias dificultó la integración de los artesanos, los asalariados urbanos y los trabajadores de la tierra en una actividad social y política comunes; de la misma manera, la ausencia de un mercado nacional de trabajo y de mercancías y la proliferación de la pequeña propiedad y los agregados propiciaron el aislamiento, la dispersión y la falta de un espíritu de solidaridad entre los trabajadores.

Después de abolidos —legalmente— el trabajo servil y la esclavitud en 1873, persistieron las dificultades típicas del medio agrícola tales como los lazos de dependencia entre hacendados y campesinos (fomentados por el endeudamiento y los pagos de salarios en especie, fichas y vales), la naturaleza estacional del trabajo, las malas comunicaciones y el analfabetismo. Mientras tanto, en los pueblos no existieron las condiciones propicias para el surgimiento de un proletariado industrial. Como consecuencia del régimen colonial imperante, la entrada casi irrestricta de las manufacturas extranjeras frustró el desarrollo de la industria criolla y perpetuó el carácter artesanal de la producción urbana. Aun así la masa asalariada de los pueblos creció a fines del siglo como consecuencia del auge de las obras públicas, la construcción de viviendas, la inauguración del tranvía y el ferrocarril y el incremento de la producción de cigarros.

El crecimiento urbano fue ayudado también por las transformaciones que ocurren en la economía feudal a partir de la década de 1870 y cuyas repercusiones en la vida de los trabajadores fueron significativas. El triunfo del liberalismo en España a partir de 1868 aceleró la crisis y la abolición del trabajo

---

* Las secciones I y II de este trabajo fueron redactadas por Gervasio Luis García y las secciones restantes (III al VII) por A. G. Quintero. Aunque el trabajo en su conjunto fue objeto de examen y discusión entre ambos y cada sección recoge observaciones, críticas y sugerencias del otro, cada autor es responsable de las partes señaladas.

[1] La complejidad y peculiaridad de la esclavitud puertorriqueña pueden observarse en la colección de documentos publicada por el Centro de Investigaciones Históricas de la Universidad de Puerto Rico titulada *El proceso abolicionista en Puerto Rico: documentos para su estudio. La institución de la esclavitud y su crisis, 1823-1873*, San Juan, Industrias Gráficas M. Pareja, 1974.

servil y la esclavitud, punto de partida de una mayor movilidad entre el campo y la ciudad y del desarrollo de un mercado libre de trabajo. Este proceso fue acelerado por la fundación de las primeras centrales azucareras modernas a partir de 1873. Éstas, en su afán de acrecentar la superficie cultivada, transformaron a muchos agregados y pequeños propietarios en asalariados.

En consecuencia, el jornalero pasó a formar parte de una masa anónima, hermanada por unas condiciones similares de vida y distanciada del dueño de la tierra que era en muchos casos un comerciante de la ciudad o una gran corporación norteamericana después de 1898. De esta manera es desintegraron las relaciones paternalistas, el compadrazgo y los lazos sociales que distinguieron la vida del pequeño grupo humano que producía en la hacienda. Las implicaciones de este cambio fueron trascendentales: ahora la protesta contra los bajos salarios y las pésimas condiciones de trabajo no sería un gesto aislado contra un propietario con quien se convivía en la finca sino la acción de un verdadero ejército de trabajadores en contra de un patrón impersonal y ausente.

Al transformarse la hacienda,[2] se proletariza el trabajador de la tierra y exhibe una nueva mentalidad y unas actitudes ante los patrones, el salario y las desgracias cotidianas muy similares a las de los obreros industriales. Lo inusitado y lo exótico —como las huelgas de los peones del campo— se tornan en experiencia común y corriente a partir de los paros de trabajo ocurridos en expericiencia común y corriente a partir de los paros de trabajadores ocurridos en varias plantaciones de caña de Ponce y otros pueblos de la isla en el año 1895.

Las primeras organizaciones

En las ciudades, los artesanos (término que usamos en el sentido que fue utilizado en el siglo xix y que designaba al trabajador especializado con o sin taller propio) fundaron sus primeras organizaciones de resistencia al amparo de la coyuntura liberal (1868-1873) iniciada a raíz del derrocamiento de la monarquía absoluta de Isabel II en la metrópoli. Durante el quinquenio liberal finalizó la censura, se permitieron el sufragio limitado, los ayuntamientos electivos y la libertad de asociación. Esto coincidió con el inicio de la revolución técnica en el azúcar y la abolición del trabajo servil y esclavo.

Fue pues en el contexto de grandes cambios políticos, de mayores libertades y de importantes transformaciones económicas que brotaron a la superficie las primeras organizaciones de los trabajadores urbanos. Éstos, en vez de empeñarse en resucitar el gremio tradicional —de escasa relevancia en las décadas anteriores— crearon casinos de artesanos, sociedades de socorros mutuos y cooperativas. Estas organizaciones fueron calcadas de la experiencia europea pero

2 La transformación de la hacienda azucarera y su repercusión en la vida de los trabajadores (en particular una proletarización a medias) son explicados rigurosamente en el trabajo de Andrés A. Ramos Mattei, *Los libros de cuentos de la hacienda Mercedita, 1861-1900: apuntes para el estudio de la transición hacia el sistema de centrales en la industria azucarera de Puerto Rico*, San Juan, CEREP, 1975.

a la larga los trabajadores puertorriqueños les imprimieron un contenido y una orientación originales.

El casino de artesanos: del rigodón a la huelga

En 1872 existió en San Juan el Círculo de Recreo y Beneficencia pero fue a partir del decreto de libre asociación emitido por el gobernador Primo de Rivera en 1873[3] que proliferaron en otros pueblos de la isla los casinos de artesanos tales como La Bella Unión Mayagüezana, el Círculo Ponceño de Artesanos y La Unión Fajardeña.[4]

A primera vista los fines del casino son frívolos porque encierran el deseo de los artesanos de copiar las formas y costumbres recreativas —y a veces hasta el vestir— de los españoles miembros del exclusivo "casino español" de cada pueblo, del que estaban excluidos por sus orígenes sociales, raciales y geográficos. Los "bailes de confianza" y los carnavales fueron las actividades celebradas con más empeño por los artesanos porque servían para mostrarle al resto de la sociedad (y en particular a la clase propietaria) que eran tan capaces como ellos de un comportamiento social refinado y digno. Esto podría interpretarse como una imitación servil de las costumbres más superficiales de la alta sociedad. Sin embargo, el deseo de formar una organización aparte es también prueba de una toma de conciencia de que los artesanos son un grupo definido con unos intereses particulares, que vale socialmente por sus propios méritos. Y, sobre todo, de que sólo a través de sus organizaciones podrían superarse material y culturalmente.

De ahí que además de bailar el rigodón los artesanos trataran de adquirir a través del casino y otras organizaciones dirigidas por artesanos la educación que la sociedad les negaba. Así, los casinos auspiciaron "veladas literarias" como la ofrecida en 1874 por La Bella Unión Mayagüezana en homenaje a Salvador Brau (a la sazón poeta y dramaturgo y posteriormente periodista e historiador)[5] y la "fiesta lírico-literaria" ofrecida por los artesanos de San Germán a la poetisa Lola Rodríguez de Rió en 1892.[6] En fin, la literatura fue concebida por los artesanos como un medio de recreo y superación cultural. Pero también fue vista a fines de siglo, por un grupo de artesanos de Ponce, como un vehículo de autoafirmación de la clase.

El casino de artesanos también fomentó el arte dramático mediante la formación de grupos teatrales. Igualmente auspiciaron clases de dibujo y música. Al respecto, el casino de San Juan organizó en 1881 un orfeón dirigido por el músico y compositor Felipe Gutiérrez.[7] Por otra parte, los casinos fundaron escuelas nocturnas (Guayama, 1872) y en 1889 funcionaba en el sur de la isla una Sociedad Protectora de la Inteligencia del Obrero cuyo fin era

---

[3] *La Gaceta de Puerto Rico*, 13 de mayo de 1873.

[4] Lidio Cruz Monclova, *Historia de Puerto Rico*, San Juan, Universidad de Puerto Rico, Editorial Universitaria, 1952-1964, 3 vols., II, primera parte, p. 290.

[5] *La Razón* (día ilegible) de julio de 1874.

[6] *El Clamor del País*, 28 de abril de 1892.

[7] *Boletín Mercantil*, 5 de febrero de 1881.

"el levantamiento intelectual de la clase obrera, haciéndose fuerte y respetable a la vez que una garantía para el porvenir..."[8] En 1893 existió en Ponce la Sociedad Verdaderos Amigos, dirigida por el "obrero educacionista" Mario Martínez, dedicada a la educación de los obreros mediante clases de lectura, gramática, geografía y matemáticas.[9] Finalmente, los artesanos crearon sus propias bibliotecas. En 1880 el casino de San Juan inauguró la suya y en 1886 el español Peris Mendieta visitó el casino de los "negros" de Bayamón y asombró de la calidad de sus libros.[10]

En conclusión, el casino de artesanos que comenzó como un calco de las costumbres más frívolas de la clase dominante, se transformó en una organización que promovió la superación intelectual de sus miembros. Sus actividades demuestran el desarrollo de una conciencia de grupo con aspiraciones propias que difieren tajantemente de las de sus primeros modelos sociales. Así, en ocasión del caos monetario de 1895 los tabaqueros y los sastres de San Juan se reunieron en el casino no para bailar sino para organizar sendas huelgas a favor del aumento de sus salarios.[11] El casino reflejó, por consiguiente, la creciente solidaridad que se generalizó entre los trabajadores urbanos, fomentada simultáneamente por otras organizaciones artesanales como las sociedades de socorros mutuos y las cooperativas.

Los socorros mutuos

Las sociedades de socorros mutuos arrancan de la misma fecha en que se fundaron los primeros casinos de artesanos, es decir, a partir del célebre decreto de libre asociación emitido en 1873. Quizá la más antigua fue la Sociedad Amigos del Bien Público (1873) fundada en San Juan por el carpintero Santiago Andrades. En los años siguientes se fundaron organizaciones similares en otros pueblos de la isla.

El fin primordial de las sociedades de socorros mutuos era auxiliar a los artesanos en caso de enfermedad o accidente en el trabajo, y a la familia en caso de muerte del primero. El Taller Benéfico de Artesanos de Ponce ofrecía a sus socios los beneficios de un médico, medicinas y cincuenta centavos diarios en caso de enfermedad; en caso de gravedad dos socios le servirían de enfermeros durante la noche. En caso de muerte se pagarían todos los gastos del entierro y, finalmente, al socio que quedara inutilizado por golpes o caídas en el trabajo o los que quedaran impedidos permanentemente para trabajar por motivo de enfermedad, recibirían tres reales diario.[12] También promovieron actividades culturales similares a las auspiciadas por los casinos de artesanos.[13]

8 *Ibid.*, 28 de noviembre de 1872; *El Obrero*, 10 de noviembre de 1889.

9 *Revista Obrera*, 19 de noviembre de 1893.

10 *Boletín Mercantil*, 25 de noviembre de 1880; F. Peris Mencheta, *De Madrid a Panamá, Gigo, Tug, Tenerife, Puerto Rico, Cuba Colín y Panamá*, Madrid, s.e., 1886, p. 76.

11 *La Correspondencia*, 1 y 5 de febrero de 1895.

12 *Reglamento Taller Benéfico de Artesanos*, Ponce, Establecimiento Tipográfico El Vapor, 1888.

13 Taller Benéfico de Artesanos de la Villa de Humacao, Fe, Esperanza y Caridad, *Reglamento*, Humacao, Tip. El Criterio, 1893.

Las cooperativas

Las sociedades de socorros mutuos ayudaron a mitigar el desamparo en que inevitablemente se sumía el artesano y su familia por motivos de enfermedad, accidente de trabajo o muerte. Pero no resolvían el problema del desempleo cuyas secuelas eran igualmente duras. Por esta razón los artesanos crearon cooperativas de producción con el fin de "asegurar en el porvenir el bienestar de sus asociados por medio del trabajo y la cooperación, base de todo progreso en toda sociedad bien organizada".[14] El prospecto de la Sociedad Progresiva de Artesanos (San Juan, 1889) prometía la creación de dos talleres de carpintería "en los cuales tendrán digna ocupación los asociados".[15] En los años siguientes surgieron nuevas cooperativas de albañiles (Ponce, 1893), carpinteros (San Juan, 1893), panaderos (La Choza Amiga, Mayagüez, 1894) y de zapateros (La Liga del Trabajo, Ponce, 1895).[16]

El visto bueno de las autoridades

Las primeras organizaciones de resistencia creadas por los artesanos no despertaron la animosidad del gobierno colonial y de un sector considerable de los propietarios y profesionales del país. Es más, surgieron con su aprobación y patrocinio porque no contradecían —a corto plazo— sus aspiraciones económicas y políticas. Esta política oficial la facilitó la ausencia de un proletariado urbano y rural numeroso. Además, los artesanos, en vez de demandar al gobernador Primo de Rivera el derecho a fundar uniones y sindicatos modernos y el derecho a la huelga, sólo pidieron la libertad para fundar casinos, sociedades de socorros mutuos y cooperativas. El gobernador colonial no puso reparos a la petición porque tanto los casinos como las sociedades de socorros mutuos no le eran ajenos ya que existieron en España antes de mediados de siglo. Por otro lado, en momentos en que muchos obreros españoles recurrían a la huelga general y a la insurrección, las sociedades artesanales no eran una amenaza política y social para el gobierno y la clase propietaria.[17]

Hasta fines de siglo persistieron, en líneas generales, las relaciones cordiales entre las autoridades y las organizaciones de los artesanos. Ello no excluyó algunos momentos de fricción. Después de la caída de la primera república española en 1874 y a partir de la segunda gubernatura de José Laureano Sanz se sucedieron una serie de gobiernos conservadores que dificultaron la creación de las mismas organizaciones de solidaridad fundadas por los artesanos a principios de la década de 1870. Así lo ejemplifican las trabas impuestas por el gobierno colonial a las peticiones de los tipógrafos de San Juan para crear

14 Sociedad Benéfico-Cooperativa del Gremio de Tabaqueros de Ponce, *Reglamento*, Ponce, Tipografía de la Revista de Puerto Rico, 1891.

15 *Boletín Mercantil*, 7 de febrero de 1889.

16 *Revista Obrera*, 19 de noviembre de 1893; *El Clamor del País*, 28 de marzo de 1893; *La Correspondencia*, 19 de julio de 1894 y 1 de febrero de 1895.

17 La agitación y las insurrecciones de los obreros españoles son descritos en el trabajo erudito de Clara E. Lida, *Anarquismo y revolución en la España del XIX*, Madrid, Siglo XXI Editores de España, 1972.

una sociedad de socorros mutuos en 1877 y de los artesanos de Ponce para fundar una sociedad de recreo e instrucción en 1878.[18]

Por otra parte, con el fin de evitar que los primeros fermentos de organización artesanal desembocaran en la creación de organizaciones sindicales combativas, el gobierno español prohibió —a través del código penal impuesto a Cuba y Puerto Rico en 1879— las actividades de "los que se coligaren con el fin de encarecer o abaratar abusivamente el precio del trabajo o regular sus condiciones..."[19] Esta legislación represiva estuvo vigente hasta la década de 1890 y fue esgrimida contra los sastres de San Juan cuando se generalizaron en 1895 las huelgas suscitadas por los drásticos aumentos de los precios. Finalmente, el periódico *Ensayo Obrero,* publicado por un grupo de artesanos de San Juan, fue multado en 1897 y su director José Ferrer y Ferrer encarcelado por veinticinco días sólo por publicarlo sin fecha fija.[20]

El auspicio de la clase propietaria

Al igual que el gobierno liberal español, la clase propietaria y en particular los agricultores y profesionales criollos aplaudieron las intenciones de las primeras sociedades de artesanos. En realidad, los deseos de "ocuparse de cultivar el espíritu y el buen trato social" a través de clases, conferencias y actividades sociales auspiciadas por los casinos y las sociedades de socorros mutuos coincidieron con las aspiraciones económicas de los propietarios. En particular, con el deseo de los agricultores de resolver el problema secular de la falta de trabajadores agrícolas. Curiosamente, los primeros creían que la educación fomentaría en los trabajadores nuevas necesidades cuya satisfacción los obligaría a abandonar la "vagancia" y a trabajar más.[21] La preocupación por la educación de los trabajadores persistió en las siguientes décadas pero el énfasis recayó sobre los trabajadores urbanos. Ante las potenciales consecuencias políticas y sociales de una masa urbana creciente que necesitaba y exigía medios de subsistencia, la clase propietaria favoreció la educación de los obreros y la creación de cooperativas de producción y consumo, cajas de ahorros, sociedades de socorros mutuos, el mejoramiento de la vivienda urbana y sobre todo el desarrollo de nuevas industrias.[22] Esto obedeció a un evidente espíritu de conservación social.

---

[18] *El Heraldo del Trabajo,* 24 de septiembre de 1879; *El Buscapié,* 15 de septiembre de 1878.

[19] *Código penal para las provincias de Cuba y Puerto Rico y ley provisional de enjuiciamiento criminal,* Madrid, Imprenta Nacional, 1879, p. 138.

[20] *La Correspondencia,* 15, 20 y 29 de septiembre de 1897.

[21] *El Fomento de Puerto Rico,* agosto-diciembre de 1863, pp. 13-14; *La Razón,* 2 de marzo y 15 de noviembre de 1873.

[22] Lidio Cruz Monclova, *Historia...,* cit., II, segunda parte, pp. 931-934, 936; *Boletín Mercantil,* 4 de agosto de 1877; José Ramón Abad, *Puerto Rico en la feria-exposición de Ponce en 1882,* Ponce, Establecimiento Tipográfico El Comercio, 1885, pp. 173-177; *La Correspondencia,* 15 y 20 de febrero de 1893.

La protesta contra las tarifas

En esa ocasión el olfato de la clase propietaria estuvo bien orientado pues antes de terminar el siglo ocurrió la participación masiva de los trabajadores en protestas públicas y en múltiples huelgas. Durante la década de 1890 los obreros urbanos no aceptaron en silencio el aumento de los impuestos, las alzas de precios y las tribulaciones monetarias. En 1892 el anuncio de nuevos impuestos sobre el comercio que inevitablemente inflaría el costo de las mercancías detonó una serie de protestas en la capital y varios pueblos del interior de la isla.[23]

El descontento fue de tal magnitud que Pablo Ubarrí, líder máximo del Partido Conservador, admitió que "dado el aspecto de las masas populares" el país estaba expuesto "a ver correr la sangre de sus habitantes". Ante esta disyuntiva el gobierno suspendió los impuestos.

Las huelgas: contestación a la crisis monetaria

A fines de 1894 y comienzos de 1895 la crisis monetaria que padecía la isla y en particular su incontenible devaluación provocó el aumento vertiginoso de los precios y —por primera vez en la historia del país— una ola de huelgas simultáneas en el campo y la ciudad, cuyos desenlaces favorecieron a los trabajadores.[24] Al fin los obreros aparecían como una poderosa fuerza social.

La iniciación en la política

Durante el período liberal de 1868 a 1873 presenciamos no sólo la creación de casinos de artesanos y sociedades de socorros mutuos sino también el interés de los trabajadores por participar en las contiendas políticas y la preocupación de los liberales criollos por ganar su apoyo. Ello fue posible gracias a la eliminación de las trabas (edad, pago de impuestos, requisito de saber leer y escribir) que rigieron las elecciones anteriores. Así, mientras en 1869 votaron 4 000 electores —de una población de 600 000 habitantes—, en 1873 lo hicieron 28 563.[25] En consecuencia, la ampliación del sufragio, el fin de la censura de prensa y la concesión de la libertad de asociación crearon un ambiente propicio para que ocurrieran los primeros acercamientos políticos entre los liberales y los artesanos. Aunque la documentación disponible no permite medir su incorporación al Partido Liberal Reformista es claro que un sector simpatizó públicamente con éste, tal como se constata en las páginas de El Artesano (1874; subtitulado "periódico republicano federal"), quizás el periódico más antiguo de los artesanos.

Ahora bien, los contactos fugaces entre liberales y artesanos fueron inte-

23 La Correspondencia, 5-6, 8-10 de septiembre de 1892.
24 Los pormenores de las huelgas aparecen en las ediciones de enero y febrero de 1895 de La Correspondencia.
25 Francisco Moscoso, Los diputados de Puerto Rico a las Cortes de España, inédito.

rrumpidos abruptamente después de la caída de la Primera República a principios de 1874. A diferencia de los casinos de artesanos y de las sociedades de socorros mutuos —que funcionaron aun en las circunstancias más adversas— la participación electoral fue limitada por las leyes vigentes hasta 1896 al condicionar el sufragio al pago de contribuciones sobre la tierra, el comercio o la industria.[26]

No fue hasta las elecciones de 1898 —en las que rigió el sufragio para los varones mayores de veinticinco años— que los artesanos volvieron a incorporarse a la lucha electoral. En vista de que el Partido Conservador defendió constantemente las restricciones electorales impuestas por la metrópoli podemos suponer que la mayor parte de los artesanos simpatizó con los liberales autonomistas. Este apoyo se expresó claramente desde fines de 1897, a raíz de la concesión a Puerto Rico de la Carta Autonómica y del inicio de la campaña política para la elección del primer gobierno autonómico del país. Pero en ese momento los liberales estaban profundamente divididos entre los autonomistas ortodoxos (de ideas republicanas, enemigos de los pactos con los monárquicos de la metrópoli y defensores del carácter regional del Partido Autonomista) y los liberales fusionistas, partidarios de la fusión al Partido Liberal Monárquico de España con el fin de obtener la autonomía.

La decisión se reflejó en las filas de los artesanos y provocó gran hostilidad en ambos bandos. Entre los que sobresalieron en la campaña contra los liberales fusionistas figuró el grupo que publicaba desde 1897 el periódico *Ensayo Obrero,* en cuya dirección figuraron los tipógrafos José Ferrer y Ferrer y Ramón Romero Rosa y el carpintero español Santiago Iglesias. Pero representaron la corriente minoritaria en las filas autonomistas ya que el Partido Liberal Puertorriqueño triunfó en forma abrumadora en las elecciones de 1898. Mas su triunfo fue efímero pues en abril estalló la guerra hispano-norteamericana y en julio las tropas de Estados Unidos iniciaron la ocupación militar de la isla. Este tremendo acontecimiento transformó profundamente la vida del país e inició un nuevo capítulo en la lucha política y social de los trabajadores puertorriqueños.

La Federación Regional: un comienzo titubeante

En vísperas de la invasión norteamericana de 1898 los trabajadores urbanos contaban con un espíritu de solidaridad expresado a través de los casinos y las sociedades de socorros mutuos, una experiencia de lucha adquirida en las protestas y las huelgas de los años noventa, una prensa obrera de larga tradición (por ejemplo, *El Artesano,* 1874; *El Obrero,* 1889; *El Eco Proletario,* 1892 y *Ensayo Obrero,* 1897) y un liderazgo que ya cobraba conciencia de la necesidad de crear una federación y un partido obreros.

Este proceso no fue interrumpido por la nueva dominación colonial de los Estados Unidos. Es más, fue bajo la ocupación militar norteamericana que se

---

26 Lidio Cruz Monclova, *Historia...,* cit., II, segunda parte, pp. 472-473; III, primera parte, pp. 299 y 305; III, segunda parte, p. 56.

fundó la primera Federación Regional de los Trabajadores de Puerto Rico (1898); además fue instituida por orden militar la jornada de ocho horas (2 de mayo de 1899; aunque no se logró en la práctica hasta varias décadas después) y desapareció la prohibición de las huelgas impuesta por el antiguo código español.

Al igual que las potencias coloniales en África, Estados Unidos tenía tres alternativas ante las actividades de las organizaciones de los trabajadores: 1] oponerse a toda reivindicación sindical y prohibir absolutamente la formación de organizaciones obreras; 2] permitir el desarrollo de éstas desde sus comienzos para tenerlas bajo su tutela, y 3] oponerse por un tiempo hasta que la fuerza de las organizaciones obreras los llevase a concederles la libertad de asociación. En Puerto Rico, Estados Unidos optó por la segunda y permitió desde el comienzo de su dominación la libre asociación de los trabajadores. Este derecho se otorgó no como una concesión a un movimiento poderoso sino a unas organizaciones embrionarias en cuyo seno no se agitaba todavía el sentimiento nacionalista.[27] En realidad, no existía —en el corto plazo— la amenaza de que la lucha social desembocara en una independentista y más cuando la conciencia nacional de la clase propietaria criolla estaba diluida en un autonomismo tímido.

Por su parte, los trabajadores puertorriqueños mostraron gran admiración por el desarrollo económico y las instituciones políticas y educativas de Estados Unidos y aceptaron de buen grado la nueva dominación. Sin derramar una lágrima por el antiguo régimen colonial español —símbolo para muchos de siglos de ignorancia y servidumbre— los obreros albergaron la esperanza de que —en palabras de unos tabaqueros de Cayey— "al pertenecer a una nación tan poderosa cambiaría la suerte del trabajador honesto".[28]

Sin embargo, a pesar de que el movimiento obrero contemporáneo surge formalmente bajo el nuevo régimen norteamericano, sus organizaciones nacen sin relación ni auspicio alguno de las organizaciones obreras norteamericanas. El 20 de octubre de 1898 se constituyó la Federación Regional de los Trabajadores, inspirada en el ejemplo de la Federación Regional española, aunque no estuvo afiliada a ella.[29] Su programa expresó, en términos típicamente socialistas, la aspiración de eliminar "la explotación del hombre por el hombre" y lograr "la completa emancipación del proletariado". Pero a corto plazo demandaba —entre otras cosas— la fijación de un salario mínimo, la supresión de los impuestos sobre los artículos de consumo, la creación de un sistema de instrucción "idénticamente al de los Estados Unidos" y la implantación de las instituciones liberales norteamericanas.

27 A raíz de la invasión norteamericana circuló el rumor de que la Liga Obrera y la Asociación de Tabaqueros rechazaban la nueva dominación. Por tal razón el gobernador militar Guy V. Henry citó a sus respectivos presidentes Fernando J. Matías y Juan S. Solís para indagar su veracidad pero éstos lo desmintieron y prometieron cooperar con el nuevo régimen. *La Correspondencia*, 23 de septiembre de 1898.

28 Una interesante muestra del sentir de un sector de los trabajadores urbanos en 1899 aparece en el importante testimonio de Henry K. Carroll, *Report on the island of Puerto Rico*, Washington, U. S. Government Printing Office, 1899.

29 Rafael Alonso Torres, *Cuarenta años de lucha proletaria*, San Juan, Imprenta Baldrich, 1939, pp. 358-359.

El anexionismo proletario: arma de doble filo (1898-1910)

En ausencia de un fuerte y amplio sentimiento nacionalista e independentista, a partir de 1898 tanto los partidos de la clase propietaria (Partido Republicano y Partido Federal) como la Federación Regional y posteriormente la Federación Libre (1899) favorecieron la anexión de Puerto Rico a Estados Unidos. A primera vista, parece un anexionismo de conveniencia, sin raíces ni abolengo. Hasta entonces el anexionismo fue una corriente insignificante y clandestina pero sus primeras manifestaciones datan de la víspera de la insurrección independista de Lares en 1868 y a fines de siglo tuvo sus primeros portavoces públicos en los independentistas-anexionistas que conspiraban en Nueva York contra el colonialismo español. Aún más, se apoyaba en una realidad material avasalladora: desde antes de mediados de siglo Estados Unidos fue el principal mercado de exportación e importación de Puerto Rico y en particular del azúcar, el primer producto del país durante la mayor parte del siglo XIX.

Pero la anexión pronto se convirtió en un ideal a largo plazo ya que no figuraba en los planes del gobierno norteamericano. Por lo tanto, la lucha por una mayor autonomía insular se convirtió —en lo inmediato— en la meta principal del Partido Federal. Esta aspiración —compartida inicialmente por el liderazgo obrero— fue rechazada después de 1905 al comprender que la ampliación de los poderes del gobierno colonial sólo fortalecería los intereses de la clase propietaria criolla. En este contexto, el anexionismo del movimiento obrero no fue un mero deseo de norteamericanización a ultranza sino un instrumento a usarse en la lucha social contra los patronos (que los obreros identificaban con los propietarios de la colonia española). Para muchos obreros la única garantía de que se preservaría la democratización de la vida política (como el sufragio masculino sin cortapisas, vigente en las elecciones de 1904) y las posibilidades de un mayor progreso económico sería, en palabras de Santiago Iglesias, la unión indisoluble con la potencia industrial "moderna, próspera y democrática" de Estados Unidos.

Sin embargo, el anexionismo del movimiento obrero implicó el divorcio entre la lucha social, sindical y el conflicto colonial existente. Inspirados en el internacionalismo de los socialistas y anarquistas del siglo XIX, condenaron el nacionalismo de las clases propietarias y aspiraron a una sociedad igualitaria y a un mundo sin fronteras nacionales. Sentían que nada tenían que ganar los obreros en la "patria" de los políticos, dividida en proletarios explotados y patronos explotadores. Proclamaron, pues, que la verdadera patria del trabajador era el taller de trabajo y desdeñaron la política como un juego de engaños de la clase dominante. Es decir, la preocupación fundamental de los trabajadores debía ser la lucha por mayores salarios y mejores condiciones de trabajo y no la lucha política inconsecuente. En fin, se negaron a contaminarse en los regateos coloniales pero no advirtieron que la dominación de Estados Unidos facilitó la masiva penetración de los capitales norteamericanos, en particular los grandes intereses azucareros y tabacaleros a los que tuvieron que enfrentarse posteriormente en largas y sangrientas huelgas. Así, sin cuestionar el dominio político y económico de Estados Unidos desvincularon la lucha sindical de la lucha por el control del poder político y por la independencia de Puerto Rico, su premisa mayor.

II. LA FEDERACIÓN LIBRE (1899-1910): EL OBRERISMO REFORMISTA

Fueron vanos todos los esfuerzos por aislar al movimiento obrero de las contiendas políticas. En junio de 1899 —apenas ocho meses después de su creación— se escindió la Federación Regional por luchas políticas intestinas entre el bando que favorecía su neutralidad e independencia frente a "los partidos políticos burgueses" y los que favorecían (junto al presidente Rosendo Rivera García) que apoyara al Partido Republicano en las elecciones de ese año. A la postre, los defensores de la autonomía del movimiento obrero se retiraron de la organización y fundaron la Federación Libre de los Trabajadores de Puerto Rico (FLT) (18 de junio de 1899). Con el fin de evitar que las disputas políticas dividieran la nueva federación, crearon ese mismo día el Partido Obrero Socialista (que pronto se afilió al Socialist Workers Party dirigido en Estados Unidos por Daniel de Leon).[30] Ambas organizaciones se regirían por el principio de que a la Federación Libre pertenecían los miembros de cualquier partido político pero a los miembros del Partido Obrero Socialista se les exigía ingresar a la Federación Libre.

Los fundadores de la Federación Libre renovaron los principios originales de la Federación Regional y su fidelidad a los postulados de la Primera Internacional pero su orientación organizativa e ideológica se enfiló hacia Estados Unidos. En el acercamiento al movimiento obrero norteamericano desempeñó un papel importante el carpintero español Santiago Iglesias. En septiembre de 1900 —tras una huelga fracasada que le costó una breve estadía en la cárcel y el ostracismo de los centros de trabajo— Iglesias viajó a Estados Unidos donde ingresó en una unión de ebanistas y en diciembre de ese año asistió a la convención anual de la American Federation of Labor (AFL). Allí pidió, a nombre de los trabajadores de Puerto Rico, que las uniones obreras norteamericanas tradujeran sus constituciones con el fin de organizar a los trabajadores puertorriqueños.[31] Sus gestiones fructificaron al afiliarse la Federación Libre a la AFL en septiembre de 1901. Al poco tiempo, Iglesias fue nombrado organizador general para Cuba y Puerto Rico, a sueldo de la AFL.

Pero, ¿cómo armonizó el liderazgo de la Federación Libre la afiliación a una organización notoriamente antisocialista y conservadora como la AFL con sus ideas socialistas (una rara y a veces indigesta mezcla de Bakunin y Marx)? Sin ocultar ni negar el carácter conservador de la AFL, los federacionistas concluyeron que era más apremiante sobrevivir en un medio económico hostil.[32] Por su debilidad organizativa, la Federación Libre se unió a la AFL no en

---

[30] Santiago Iglesias Pantín, *Luchas emancipadoras*, San Juan, Imprenta Venezuela, 1958, pp. 117-127.

[31] Federación Libre de los Trabajadores de Puerto Rico, *Procedimientos del sexto congreso de la Federación Libre*, San Juan, Tip. de M. Burillo & Co., 1910, p. 131.

[32] Al respecto consúltese las opiniones de Ramón Romero Rosa y Santiago Iglesias en *La Democracia*, 25 de marzo de 1902 y 10 de octubre de 1904.

busca de un aliado en la lucha social por el poder político sino de un apoyo económico que garantizara el sustento de sus miembros en caso de huelga o enfermedad; además, en caso de desempleo podían emigrar a Estados Unidos donde recibirían la protección de las uniones afiliadas a la AFL. El afán de salvar la incierta existencia de los oficios y la debilidad económica de las uniones locales llevó a los portavoces de la Federación Libre a rechazar la posibilidad de formar organizaciones regionales, similares a las norteamericanas, capaces de agrupar a los obreros y las uniones de un mismo oficio.[33] Este énfasis puramente económico desembocó en la concepción de la unión como una sociedad de socorros mutuos o una caja de ahorros.

Sin embargo, durante los primeros años la AFL mostró gran indiferencia hacia el movimiento obrero puertorriqueño. Basta recordar que seis años después de la afiliación Iglesias pedía que se tradujeran las constituciones de las principales uniones norteamericanas[34] para divulgarlas entre los obreros del país. Igualmente, muy pocos funcionarios de la AFL visitaron la isla. Esta indiferencia es explicable en vista de la distancia geográfica, los problemas económicos y sociales diferentes que enfrentaban y, sobre todo, porque la clase trabajadora puertorriqueña se componía de una mayoría de jornaleros de la tierra, sin oficios especializados, mientras que la AFL era una organización de la élite de los trabajadores urbanos especializados.

¿Por qué, entonces, aceptó la AFL la solicitud de afiliación de la Federación Libre? La razón reside en un acontecimiento ajeno a la voluntad del movimiento obrero norteamericano: como consecuencia de la dominación de Estados Unidos, los trabajadores puertorriqueños podían entrar libremente al mercado de trabajo norteamericano y por tanto competir por los mismos empleos. Esto coincidió con las grandes oleadas de inmigrantes que inflaron por millones las filas del proletariado norteamericano a fines del siglo XIX y principios del XX. Era claro el doble reto que la inmigración le planteó a la AFL: por un lado, agudizó la competencia en el mercado de trabajo y expuso a sus miembros al desplazamiento laboral y, por otro, los inmigrantes podían ingresar a las organizaciones obreras rivales. Entre las uniones y los partidos obreros que cuestionaron la ideología y la política organizativa de la AFL figuraron los Knights of Labor (empeñados en la organización de los obreros no especializados), el Socialist Workers Party, el Social Democratic Party (fundado en 1898 por el socialista Eugene G. Debs) y las Western Labor Union y American Labor Union, fundadas por disidentes de la AFL. De la unión de algunas de estas organizaciones surgió la Industrial Workers of the World (IWW) en 1905.[35]

En el caso de los trabajadores puertorriqueños, la oportunidad de ingresar a las organizaciones rivales no era una posibilidad remota pues recordemos que en 1899 el Partido Obrero Socialista (cuyo liderazgo era el mismo de la Federación Libre) se afilió al Socialist Workers Party, enemigo obstinado de la AFL. Aunque esta relación no tuvo gran trascendencia y murió pronto, era muestra del peligro potencial que amenazaba a la AFL. Ésta, al afiliarse la

---

[33] *Unión Obrera*, 3 de enero de 1907.
[34] Carta de Santiago Iglesias a Samuel Gompers, *Unión Obrera*, 19 de enero de 1907.
[35] Philip S. Foner, *History of the labor movement in the United States*, Nueva York, International Publishers, 1955-1965, 4 vols.

Federación Libre, no obtuvo —a corto plazo— grandes beneficios económicos de la recaudación de cuotas pero intentó conjurar la amenaza de que los obreros no organizados la combatieran en las uniones enemigas al pisar suelo norteamericano.

Por otro lado, el respaldo de la AFL a la Federación Libre armonizó con la consolidación del dominio de Estados Unidos sobre Puerto Rico. Desde su creación, la AFL no interfirió con los intereses económicos norteamericanos en el exterior y mucho menos estuvo inclinada a apoyar el nacionalismo obrero en las nuevas colonias. Así, por ejemplo, la AFL se negó a organizar a los tabaqueros filipinos basada en que "la agitación a favor de la independencia de Filipinas, fuertemente arraigada en el sector de los trabajadores especializados y apoyada por los abogados y los doctores... tiene que ser tomada en cuenta al organizar a esta gente".[36]

El gobierno norteamericano no puso ningún reparo a la unión del movimiento obrero puertorriqueño y el norteamericano porque la política reformista de la AFL era el mejor freno al posible desarrollo de la lucha obrera independentista y revolucionaria. Los objetivos de la principal organización obrera norteamericana se limitaban a la organización y la federación de las uniones obreras, la creación de uniones nacionales e internacionales de oficios, el auspicio de la prensa obrera y el logro de una legislación favorable a los trabajadores.[37] Por estar compuesta principalmente de obreros especializados, siempre protegió los privilegios de la "aristocracia obrera" y aun cuando los obreros no especializados podían pertenecer a sus organizaciones, nunca se entusiasmó por organizarlos. No sorprende entonces que el mismo Santiago Iglesias reconociera que la AFL "...representa un carácter más conservador que en ninguna época representó el movimiento obrero en este país".[38]

Esta orientación conservadora explica en gran medida la afinidad con la Federación. No obstante el espectacular desarrollo industrial de Estados Unidos, la AFL continuó apegada a la vieja estructura del *craft-unionism* y, por ende, fue hostil al *industrial unionism*, más tarde en boga, que aceptaba en pie de igualdad tanto a los obreros especializados como a los no especializados. La coincidencia de principios y estructuras, paradójicamente desarrollados en dos economías dispares, explican la afinidad de ambas federaciones. Es revelador que cuando Santiago Iglesias pidió la solidaridad y la ayuda organizativa de la AFL lo hizo a nombre de "los quince mil trabajadores competentes" de la isla, cifra que obviamente no correspondía al número total de obreros puertorriqueños, pero sí a un cálculo aproximado de la clase artesanal a la que él pertenecía. El corolario natural de esta concepción de la organización obrera fue la relación con la AFL en función de unos objetivos exclusivamente económicos.

Los problemas organizativos

La afiliación a la AFL no disminuyó los grandes obstáculos que enfrentó la

---

36 Philip S. Foner, *History...*, cit, II, pp. 437-438.
37 *Ibid.*, p. 142.
38 Santiago Iglesias, *¿Quiénes somos?*, San Juan, Progress Publishing Co., 1914, p. 19.

Federación Libre durante sus primeros años de vida, tales como el predominio del sector agrícola —aislado e ignorante—, la dispersión y atomización de los oficios y el nivel artesanal de la industria. En primer lugar, en 1899 existían 198 761 trabajadores empleados en la agricultura mientras que sólo 26 515 trabajaban en las "industrias fabriles y mecánicas".[39] El desglose de las ocupaciones muestra más claramente cuán atrofiados estaban los oficios artesanales e industriales en comparación con el trabajo agrícola. De la enumeración del censo de 1899 hemos escogido los diez oficios que agrupaban el mayor número de trabajadores:

CUADRO 1
DIEZ OFICIOS PRINCIPALES EN 1899

5 125	carpinteros	1 395	albañiles
3 683	tabaqueros	1 048	sastres
2 337	panaderos	841	herreros
1 685	zapateros	734	barberos
1 595	marineros	663	pintores

FUENTE: *Informe sobre el censo de 1899*, pp. 334-335.

Es decir, en 1899 la mayor parte de los trabajadores "no agrícolas" no eran precisamente obreros industriales ya que los principales oficios no sobrepasaban el nivel artesanal. Además, de la naturaleza de los oficios podemos inferir la escasa concentración de los obreros en un mismo lugar de trabajo. Diez años más tarde persistía esta realidad.

CUADRO 2
CONCENTRACIÓN DE TRABAJADORES EN LAS PRINCIPALES INDUSTRIAS: 1910

Industrias	1-6	6-20	21-50	51-100	101-250	251-500	501-1 000	Más de 1 000
Panaderías	194	62	1	—	—	—	—	—
Tahonas de café	32	5	—	—	—	—	—	—
Licorerías	11	33	—	—	—	—	—	—
Azúcar y mieles	43	18	17	16	12	1	1	—
Fábricas de tabaco	196	55	9	6	12	2	—	2
Otras industrias	147	53	15	7	2	—	—	—

FUENTE: *Boletín sobre manufacturas de Puerto Rico*, decimotercer censo de Estados Unidos, citado en *Informe especial del Negociado del Trabajo*, p. 13.

[39] Departamento de la Guerra, *Informe sobre el censo de Puerto Rico*, Washington, Imprenta del Gobierno, 1900, p. 99.

Si recordamos, además, que en 1899 había más criados y lavanderas (42 801) que obreros empleados en los diez principales oficios (19 106)[40] podemos imaginar cuán grandes fueron los obstáculos que se interpusieron al crecimiento de las organizaciones obreras urbanas. Aun así, las primeras uniones echaron raíces en los oficios especializados y desde la fundación de la Federación Libre los artesanos ocuparon los principales puestos de dirección.

CUADRO 3

TRABAJADORES ORGANIZADOS POR LA FEDERACIÓN LIBRE, 1904-1907

Oficios	Total de trabajadores según censo de 1899	Miembros de la Federación Libre, 1904	Miembros de la Federación Libre, 1907
Agrícolas	211 832	2 832 (1.3%)	223 (.1%)
Albañiles	1 395	165 (11.8%)	130 (9%)
Carpinteros	5 125	449 (8.8%)	809 (16%)
Criadas	18 453	37 (.2%)	20 (.1%)
Marinos	1 595	975 (61%)	424 (27%)
Panaderos	2 337	248 (10.6%)	23 (1%)
Pintores	663	120 (18%)	76 (12%)
Tabaqueros	3 683	63 (1.7%)	977 (27%)
Tipógrafos	352	44 (12.5%)	26 (7%)
Zapateros	1 685	83 (4.9%)	63 (4%)

FUENTES: 1899, *Informe sobre el censo de Puerto Rico*, 1899, pp. 334-335, 1904, *La Democracia*, 3-8, 10, 12-15, 17-19, 21-22 de octubre y 15 de noviembre de 1904. 1907, Santiago Iglesias, *Gobierno propio*.

Durante los años de 1904 y 1905 la Federación Libre hizo grandes esfuerzos por organizar a los trabajadores agrícolas. Pero las uniones creadas tuvieron una vida intermitente, en particular las de cortadores de caña de azúcar cuya existencia precaria reflejó las oscilaciones de las temporadas de zafra y "tiempo muerto". Esta política organizativa sufrió la ruda prueba de las huelgas cañeras de 1905 y 1906, cuyos resultados fueron adversos a los trabajadores. A partir de estos fracasos la Federación Libre concentró sus esfuerzos en la organización de los obreros urbanos hasta el final de la primera década.

La tarea de organizar a los trabajadores urbanos no fue más fácil. En primer lugar, todavía en 1908 la Federación Libre no tenía organizadores permanentes pagados de su fondos y dependía del trabajo indisciplinado e irregular de los organizadores voluntarios. Por otro lado, persistía la mentalidad artesanal entre muchos miembros, ejemplificada por el prejuicio contra los aprendices y por la concepción de la unión obrera como una sociedad de socorros mutuos y no como un instrumento de lucha para mejorar las condiciones de trabajo.

[40] *Ibid.*, pp. 334-335.

Aun así el movimiento obrero no permaneció estático ni resignado a vivir de los fondos de enfermedad y muerte de las uniones. Así lo atestiguan las huelgas ocurridas en el país durante la primera década de la Federación Libre. Aunque no todas las huelgas fueron promovidas originalmente por la Federación, ésta apoyó muchas de ellas con sus recursos organizativos. Entre las celebradas durante este período sobresalieron las huelgas cañeras de 1905 (desatadas en unos catorce pueblos, sobre todo del sur del país) y 1906 (Arecibo, Barceloneta y Manatí) y la de los tabaqueros de San Juan, Bayamón y Río Piedras en 1907. A pesar de la tenacidad y los esfuerzos organizativos desplegados por la Federación Libre, las huelgas fracasaron. Las causas del desenlace negativo fueron múltiples. En primer lugar, era difícil sostener huelgas prolongadas de obreros azucareros de fácil remplazo; aun los tabaqueros especializados le achacaron a los rompehuelgas el fracaso de su protesta. En algunos casos, como la huelga cañera de 1905, el arraigo de la Federación en la región era minúsculo y la mayor parte de los huelguistas no pertenecían a sus uniones; en la huelga cañera de Arecibo (1906) de los 5 000 huelguistas sólo 182 pertenecían a la Federación Libre.[41]

Por otro lado, la Federación Libre no tenía recursos económicos suficientes y si, además, los obreros no estaban organizados, tampoco podían recibir ayuda de las uniones norteamericanas. Sin embargo, incluso aquellas uniones que pagaban cuotas no podían contar con la pronta ayuda financiera de la AFL: en 1907 cuando una de las uniones de tabaqueros fue a la huelga y pidió urgentemente el apoyo económico de la Unión Internacional de Tabaqueros de los Estados Unidos, ésta tardó en contestar ¡porque la petición se hizo en español y el traductor estaba enfermo! Por otra parte, la libertad de las uniones para concertar las huelgas fue restringida por el control de la AFL y de las uniones norteamericanas sobre los fondos destinados al sostenimiento de los afiliados en huelgas y por el lento mecanismo que las acciones. En otras ocasiones los reglamentos de las uniones norteamericanas fueron violados o malinterpretados por las uniones puertorriqueñas, lo que acentuó la mecánica inflexible del proceso de concertación de las huelgas.

Finalmente, el fracaso de las huelgas generó un espíritu antihuelga entre los líderes de la Federación Libre. A partir de 1905, después del fracaso de las huelgas cañeras de Ponce y Arecibo, predominó una corriente favorable al arreglo amistoso de los conflictos entre obreros y propietarios. Sólo a la luz del fracaso de la huelga cañera de Ponce se explica la resolución aprobada en el Tercer Congreso de la Federación Libre (1905) que favoreció la creación de "comités de arbitraje para el ajuste de huelgas o desavenencias que surjan entre patrones y obreros". Dos años más tarde, la Asamblea Magna de Tabaqueros (1907) aprobó una resolución similar contraria a la huelga aunque reconoció que era "el mejor medio de defensa".[42]

41 *Unión Obrera*, 9 de abril de 1907.
42 Federación Libre, *Procedimientos del Sexto Congreso...*, cit. p. 136; Cuerpo Consultivo Conjunto de las Uniones de Tabaqueros de Puerto Rico, *Actuaciones de la segunda y tercera asambleas regulares de las uniones de tabaqueros en Puerto Rico afiliadas a la Cigarmakers International Union of America*, San Juan, Porto Rico Progress Publishing Co., 1914, pp. 41-42.

La quimera de la huelga general

Pero, paradójicamente, las derrotas de 1905 resucitaron la vieja idea de la huelga general como arma para lidiar con los patrones. Desde sus orígenes el movimiento obrero coqueteó con el principio de la huelga general y según Iglesias se intentó en 1900 con resultados desastrosos. La idea fue desenterrada en el Tercer Congreso de la Federación Libre (1905) mediante la aprobación de una resolución de huelga general que celebrarían los trabajadores cañeros en enero de 1906.[43] La huelga se celebró pero se confinó al litoral norte y terminó en el mismo fracaso que la huelga cañera de 1905. Durante los siguientes años el concepto de huelga general provocó prolongados debates que giraron en torno a dos posiciones fundamentales: 1] la huelga general de toda la clase obrera (defendida por Iglesias) y 2] la huelga general por oficios individuales que contasen con una mayoría de obreros organizados en cada localidad (defendida por Eugenio Sánchez López). A la larga, prevaleció la segunda.[44] En el Quinto Congreso de la Federación Libre (1908) la comisión sobre huelga general informó que "la huelga general actualmente es poco menos que un sueño, debido a la casi completa desorganización de nuestros compañeros", pero recalcó la necesidad de que los trabajadores promovieran la huelga general para salir de las condiciones miserables en que vivían y concluyó que la huelga se celebraría por oficios y sólo participarían aquellos que contasen con una mayoría de obreros organizados.[45]

CUADRO 4
AFILIADOS A LA FEDERACIÓN LIBRE, 1900-1910

Año	Número de uniones	Total de miembros
1900	30	5 500
1903	70	8 600
1905	72	8 700
1906	35	6 300
1908	51	7 800
1910	54	8 300

FUENTE: Rafael Alonso, *Cuarenta años de luchas proletarias*, pp. 263-264.

En junio de 1910, el consejo ejecutivo de la Federación resolvió que los tabaqueros eran los más próximos a alcanzar un 60% de obreros organizados pero

43 *Unión Obrera*, 25 de junio de 1907.
44 *Ibid.*, 18, 20, 22, 26 y 27 de abril de 1907.
45 Federación Libre, *Procedimientos del Sexto Congreso...*, cit., pp. 140-142.

pospuso la orden de huelga general hasta que contasen con más recursos. Al año siguiente, la Segunda Asamblea Regular de las Uniones de Tabaqueros favoreció la huelga general de sus miembros pero enmendó las disposiciones anteriores sobre la extensión insular de la misma y la limitó a los tabaqueros de San Juan, reconociendo así la pobre organización en otros centros tabaqueros de la isla.[46] A estas alturas, a pesar de los planes, la organización y la agitación —siempre dependiente de una sólida y amplia organización de los trabajadores— se perdía de vista en el futuro incierto de la Federación Libre.

La lucha política

El movimiento obrero no se circunscribió al frente laboral y participó en las contiendas políticas de la época. Muy a pesar del desprecio por los partidos y la lucha política, expresado originalmente por algunos líderes influidos por el anarquismo europeo, las organizaciones obreras contemporáneas nacieron inmersas en la política. Ya vimos anteriormente que la Federación Regional se dividió en 1899 entre los que favorecían su alianza con el Partido Republicano y los que defendían su independencia organizativa. De esta división surgieron la Federación Libre y el Partido Obrero Socialista. Este último cumpliría dos funciones: inmunizar a la Federación Libre del virus político e iniciar la lucha política de la clase obrera al margen de los partidos políticos tradicionales. Sin embargo, las circunstancias pudieron más y el Partido Obrero Socialista se alió al Partido Federal en el curso de la campaña electoral de 1902. Es cierto que tanto la Federación Libre como el Partido Obrero Socialista eran organizaciones embrionarias y, por lo tanto, muy vulnerables a la hegemonía ideológica de la clase propietaria y todavía existían restricciones al sufragio en 1902. Pero lo que precipitó la alianza fueron los ataques de los seguidores del Partido Republicano triunfante en las elecciones de 1900 y enemigo de la Federación Libre desde la escisión de la Federación Regional. A fines de 1901 y a lo largo de 1902 varios miembros de la Federación Libre fueron heridos, apaleados y encarcelados, sus oficinas atacadas y frustrada la celebración del 1 de mayo.[47] Los miembros del Partido Federal sufrieron persecuciones y agresiones similares hasta el punto de que Luis Muñoz Rivera, su dirigente máximo, se exilió voluntariamente en Estados Unidos. Fue, pues, una alianza con el fin de defenderse de un enemigo común —"las caníbales turbas que dirigen los maquiavelos del día"— y de desalojar del gobierno al Partido Republicano.

La alianza era muy apetecible al Partido Federal por dos razones adicionales: en primer lugar, la Federación Libre contrapesaba la influencia de la Federación Regional —simpatizante del Partido Republicano— entre el electorado obrero; por otro lado, a través de su afiliación a la AFL, la Federación Libre tuvo acceso a los altos círculos de Washington y Santiago Iglesias pudo entre-

46 Cuerpo Consultivo Conjunto de las Uniones de Tabaqueros de Puerto Rico, *Actuaciones...*, cit., p. 21.

47 Véase el capítulo "Atentados y persecuciones contra la Federación Libre", en Manuel F. Rojas, *Cuatro siglos de ignorancia y servidumbre,* San Juan, Imprenta Primavera, 1914, pp. 53-59.

vistarse —en compañía de Samuel Gompers— con los presidentes McKinley y Roosevelt. Los autonomistas siempre le dieron gran importancia al rejuego de influencias entre los políticos de la metrópoli. Luis Muñoz Rivera quedó tan impresionado con el prestigio de la Federación en la vida política norteamericana que publicó en su revista *The Puerto Rico Herald* (publicación bilingüe editada en Estados Unidos) varios artículos de Santiago Iglesias, y a su regreso a Puerto Rico en 1902 exclamó que "la única voz que se había escuchado fuerte y vigorosa en el continente, era la de los socialistas y federados libres, en un clamor demandando justicia del pueblo americano".[48]

Pero la conjunción de fuerzas del Partido Federal y el Partido Obrero Socialista no pudo evitar el triunfo del Partido Republicano en las elecciones de 1902. Dos años después volvieron a enfrentarse pero en un contexto político distinto, más favorable a los opositores del Partido Republicano: por una parte, éste sufrió el desprendimiento de un sector importante presidido por el prestigioso Rosendo Matienzo Cintrón, y contrario a las elecciones anteriores la clase trabajadora entró de lleno en el proceso electoral al eliminarse las últimas trabas del sufragio masculino, sobre todo el requisito de saber leer y escribir.

Los republicanos de Matienzo se unieron a los federales y fundaron el Partido Unión de Puerto Rico (1904). Su programa fue el de un frente amplio de autonomistas, anexionistas e independentistas empeñados en salvar la crisis de la agricultura y en obtener mayor autonomía política del gobierno norteamericano. Con el fin de reclutar los votos del electorado popular —ampliado por la nueva legislación— incluyeron en su papeleta electoral a varios candidatos obreros. El resultado de la nueva estrategia fue dramático pues el Partido Unión derrotó ampliamente a los republicanos en las elecciones de 1904 y por primera vez en la historia de Puerto Rico los trabajadores se convirtieron en legisladores al ser electos dos tipógrafos, un carpintero, un obrero pintor, un marinero y un periodista a la Cámara de Delegados.[49]

Sin embargo, las extensas y amargas huelgas cañeras de 1905 y 1906 dieron al traste con la alianza entre el movimiento obrero y el Partido Unionista. La Federación Libre participó en ambos conflictos mientras que el Partido Unionista asumió la defensa de los azucareros y atacó duramente al liderazgo obrero.[50] Las huelgas cañeras en dos años sucesivos fueron suficientes para que el Partido Unionista rechazara las candidaturas obreras propuestas por la Federación Libre en vísperas de las elecciones de 1906.

El balance de la alianza pesó desfavorablemente sobre el movimiento obrero. Es cierto que logró el objetivo inmediato de detener las persecuciones físicas de los republicanos mediante el triunfo electoral de 1904 pero el saldo final fue negativo por las siguientes razones:

1] El Partido Obrero Socialista (que a partir de 1904 suprimió lo de "Socialista") descuidó su organización y murió en la práctica. Prueba de ello es que al romperse la alianza fue la Federación Libre y no el Partido Obrero la que concurrió a las elecciones de 1906 y 1908.

[48] Citado por Rafael Alonso, *op. cit.*, p. 331.
[49] Santiago Iglesias, *Luchas...*, cit., I, pp. 324-325.
[50] *La Democracia*, 8 de febrero, 8 de marzo y 18-19 de abril de 1905.

2] El movimiento obrero concentró su propaganda en torno a la defensa de la autonomía y relegó a un segundo plano la defensa del socialismo.

3] La alianza sembró la ilusión de que los obreros lograrían conquistas fundamentales a través de los partidos de la clase propietaria. Así lo evidencia el triste ejemplo de Ramón Romero Rosa (antiguo primer secretario del Partido Obrero Socialista y el ideólogo más original y coherente del movimiento obrero en sus comienzos) quien como miembro de la Cámara de Delegados vio derrotados sus principales proyectos de ley por los aliados del Partido Unionista. Aun así rompió con sus antiguos compañeros y permaneció junto a los unionistas al quebrarse la alianza en 1906.[51]

El movimiento obrero, extenuado y derrotado en las grandes huelgas cañeras de 1905 y 1906, no contaba con una estructura política capaz de rivalizar con las agrupaciones de la clase propietaria. El Partido Obrero sólo existía en las actas de los congresos y las reuniones obreras. De ahí la decisión de la Federación Libre de participar, precipitadamente y sin esperanza alguna de triunfo, en las elecciones de 1906. El que la Federación concentrara sus esfuerzos propagandísticos en la región de Arecibo auguraba ya la derrota inevitable. Tanto en estas elecciones como en las de 1908 la Federación obtuvo menos del 1% de la votación general.

Desde su fundación, la Federación Libre sostuvo teóricamente la libertad política de las organizaciones obreras y defendió la libertad de sus miembros de pertenecer a cualquiera de los partidos políticos de la época. Este principio fue recalcado durante las elecciones de 1906 y 1908. Sin embargo, en la práctica de la organización era muy difícil pertenecer a ella sin compartir la orientación política de sus líderes. Para un obrero republicano era insoportable y a la vez contradictorio pertenecer a la Federación Libre, fundada con la intención de rechazar la injerencia del Partido Republicano en la Federación Regional. Más difícil todavía lo fue durante las campañas políticas de 1902 y 1904 cuando los cuadros dirigentes de la Federación Libre se aliaron con los principales enemigos de los republicanos. Claro está, los líderes obreros afirmaron que la alianza era entre el Partido Obrero Socialista y los partidos Federal y Unionista, y, por tanto, la independencia política de la Federación quedaba salvaguardada. Pero esto era una sutileza formal pues la alianza conllevó la reorientación de la política global de la Federación en consonancia con los principales intereses políticos y económicos de los federales y los unionistas. Ésta fue, en efecto, la época de la defensa de los intereses de los cafetaleros y del principio del "gobierno propio" en los congresos anuales de la AFL. Y más importante aún de la aceptación del principio de la visión social de la clase propietaria del país.

Cuando el movimiento obrero rompió con el Partido Unionista en 1906 y la Federación Libre decidió participar en las elecciones, lo hizo en franca violación de sus acuerdos de independencia política ratificados en la Asamblea Constituyente (celebrada en Guayama en 1904) y en el Tercer Congreso celebrado en

---

[51] El estudio más completo de las ejecutorias de Ramón Romero Rosa es de Amílcar Tirado Avilés, *Las ideas y la acción de Ramón Romero Rosa, obrero tipógrafo*, State University of New York at Buffalo, tesis profesional, 1976, mimeografiada.

Mayagüez en 1905.[52] Por tanto, creemos muy improbable que los resultados electorales de la Federación Libre incluyeran votos de obreros unionistas o republicanos. Es decir, las estadísticas de las elecciones de 1906 y 1908 muestran el alcance real de la Federación en las filas de los trabajadores, lo que no fue un balance muy halagüeño de las primeras experiencias políticas independientes de la clase obrera organizada. Ante los dos fracasos electorales la Federación decidió no participar en los comicios de 1910. El Sexto Congreso de la Federación Libre (1910) optó por retirar la organización de la contienda política y adoptó la consigna, muy propia de la American Federation of Labor, de "defender a los amigos y combatir a los enemigos", independientemente de sus afiliaciones políticas.[53]

Un movimiento autóctono y autónomo

Al hacer el balance de los primeros diez años del movimiento obrero colonial, defensor de la anexión de Puerto Rico a Estados Unidos y miembros de la AFL, es necesario que nos preguntemos si el camino recorrido por las organizaciones obreras puertorriqueñas fue original, trazado por sus propios líderes y determinado por las particulares circunstancias del país o si su trayectoria fue calcada servilmente de la principal federación obrera norteamericana.

En primer lugar, tanto la Federación Libre como la AFL compartieron el criterio de que la organización económica de los trabajadores era la tarea principal de las organizaciones obreras y que la militancia política era una actividad secundaria, subordinada a la primera. Pero este principio doctrinario fue aplicado de manera diferente por ambas organizaciones. Sin lugar a dudas, la Federación Libre fue más "política" que la AFL. Basta recordar que la división interna de la Federación Regional y el surgimiento de la Federación Libre fueron provocados por las disputas entre los partidarios de la alianza con el Partido Republicano y los defensores de la autonomía política del movimiento obrero. En 1902 y 1904 la Federación Libre se alió a los partidos Federal y Unionista. Mientras tanto, la AFL adoptó una política distinta en Estados Unidos: en 1902 Samuel Gompers llegó al extremo de oponerse a toda participación política de las organizaciones obreras y rechazó la creación de un partido obrero en la ciudad de Los Ángeles y amenazó a los auspiciadores con expulsarlos de la Federación.[54]

En 1904 la actividad "política" de la AFL se limitó al envío de cuestionarios a los principales candidatos políticos con el fin de interrogarlos sobre sus ideas en pro del movimiento obrero; a la vez, pretendía presionarlos con la amenaza de publicar sus contestaciones.

En 1906 la orientación política de la AFL mostró un cambio significativo: esta vez subrayó la importancia de elegir candidatos de origen obrero —pertenecientes a los partidos tradicionales— aunque recordó nuevamente que la lucha eco-

52 La democracia, 15 de septiembre de 1904; Federación Libre, Procedimientos del Sexto Congreso..., cit., p. 137.
53 Federación Libre, Procedimientos del Sexto Congreso..., cit., pp. 110-111.
54 Philip S. Foner, History..., cit., III, p. 297.

nómica era la actividad principal de la organización. Los afiliados puertorriqueños, sin embargo, hicieron todo lo contrario pues convirtieron la Federación Libre en un partido político y participaron con sus propios candidatos en las elecciones de 1906 y 1908. En esta última fecha la AFL exhortó a sus afiliados a que votaran por el Partido Demócrata por contar con un programa político y social más avanzado que el del Partido Republicano.[55] Pero nunca concibió la participación política independiente en las contiendas electorales.

Al no participar en las elecciones de 1910, la Federación Libre coincidió con la tradicional oposición de la AFL a la lucha política del movimiento obrero. Pero no fue un curso impuesto por la organización norteamericana sino el resultado de sus fracasos electorales, de la misma manera que recurrieron a las alianzas políticas con el fin de protegerse de sus más peligrosos enemigos y no por obediencia a una directriz emanada de la AFL.

En fin, el desarrollo del movimiento obrero, en sus orígenes, fue original aun dentro del poderoso campo de atracción de la AFL. La distancia de la colonia recién adquirida, los diferentes problemas de ambos movimientos, los escenarios económicos dispares y la indiferencia de la AFL garantizaron un precario pero autóctono desarrollo organizativo. Pero la independencia organizativa no evitó el deterioro interno de la Federación Libre. Al respecto, el Sexto Congreso de la Federación Libre (1910) concluyó contundentemente que: 1] la mayoría de las uniones no cumplían con las constituciones de las organizaciones a que estaban afiliadas; 2] las cuotas se pagaban con retraso; 3] las demandas de solidaridad eran desestimadas, y finalmente 4] no se mantenían relaciones con otras organizaciones obreras de América y del resto del mundo.[56] Este cuadro sombrío no presagiaba los grandes avances del movimiento obrero en los siguientes años.

III. EL CRECIMIENTO DE LA LUCHA ECONÓMICA Y EL SURGIMIENTO DEL PARTIDO SOCIALISTA: 1910-1924

Después de los fracasos electorales de 1906 y 1908 la FLT relegó a un plano secundario la lucha política y concentró sus esfuerzos en dos campañas interrelacionadas que habían comenzado a principios de siglo: el fortalecimiento de la unión obrera en la lucha económica y la generalización de lo que sus líderes llamaron "el espíritu de clase". Se fortaleció entonces la llamada "cruzada del ideal", donde uniones de obreros urbanos (principalmente tabaqueros) le daban el equivalente de su salario a alguno de sus miembros para que dedicara semanas o meses a propagar la idea de la organización sindical y de la nueva concepción de mundo del socialismo. La campaña iba dirigida por un lado a organizar uniones afiliadas a la Federación Libre y, por otro, o conjuntamente, círculos obreros alrededor de los cuales fuera girando toda la vida del trabajador. En esta forma fueron generándose dos procesos sin cuya consideración es

55 *Ibid.*, pp. 282-366.
56 *Union Obrera*, 2 de julio de 1910.

imposible entender el regreso (exitoso) a la lucha política para las elecciones de 1917.

El más evidente de estos procesos fue el crecimiento vertiginoso en la lucha económica. Después de las grandes huelgas agrícolas de 1905 y 1906, los tabaqueros prácticamente monopolizan las estadísticas de huelgas hasta 1915; entre 1906 y 1910 se registran sólo seis huelgas de importancia, cinco de ellas de tabaqueros; entre 1911 y 1913 los tabaqueros llevaron a cabo no menos de diecisiete huelgas, aunque muchas de ellas sin éxito; en 1914, sin embargo, irrumpieron con una huelga en todos los establecimientos de la Porto Rico American Tobacco Co., que representaba más de la mitad del empleo en la manufactura del tabaco. La huelga duró cuatro meses y el desenlace fue positivo para los trabajadores.[57] A principios de 1915, la militancia de los tabaqueros y su "cruzada del ideal" dejó sentir sus efectos, en una huelga de trabajadores de las plantaciones azucareras que fue descrita en el informe anual del gobernador como "the most important [strike] in Porto Rico since the American occupation". La huelga duró más de dos meses y participaron 17 625 trabajadores en veinticuatro centrales o plantaciones de las treinta y nueve más importantes, cubriendo gran parte de toda el área costera de la isla. En muchas otras plantaciones (no especifica número la fuente) hubo intentos de huelga, pero "ésta fue sofocada antes de que ningún agitador extraño [referencia a los tabaqueros de la cruzada del ideal] tomara parte en ella para propagarla".[58] La huelga concluyó con un aumento promedio aproximado de 20% en los salarios.

La gran huelga agrícola de 1915 fue sólo un asomo de la huelga cañera de 1916: 40 000 trabajadores en huelga; 32 municipios afectados; cinco meses y medio de duración. Esta huelga realmente sacudió al país; en términos de "días-hombre perdidos" representó 2.56 veces la cifra de la suma de todas las huelgas en las últimas dos décadas en Puerto Rico (de 1950 a 1970). En veinticuatro municipios los resultados fueron positivos, lográndose cerca del 13% de aumento en salarios; en cinco municipios la huelga terminó sin acuerdo, y para tres no pudo conseguirse información. El año fiscal de 1915-1916 registró también seis huelgas en la manufactura del tabaco representando cerca de 50 000 "días-hombre perdidos"; además, importantes huelgas en los muelles y entre otros oficios e industrias. La gran actividad huelguística de ese año no fue fortuita. Respondió al crecimiento organizativo de la Federación Libre y al desarrollo ideológico que iba configurándose en la transformación de campesino a proletario agrícola-cañero y de artesano a proletario de los centros de elaboración de tabaco. La intensa actividad huelguística se sostiene en los años inmediatamente siguientes. En 1923 la Federación Libre anunció que representaba a 236 uniones obreras en la isla, que sumaban a 25 000 afiliados en cuotas.[59]

Estos años de intensa actividad huelguística fueron años también de un con-

57 Puerto Rico Governor, *Annual Report, 1914*, San Juan, 1914, p. 442. Es interesante notar que en los informes de 1912 y 1913 no se hace mención alguna a huelgas, y los informes de 1914 en adelante separan sitemáticamente una sección específica para esa información.

58 *Ibid., 1915*, p. 425.

59 Prudencio Rivera Martínez, "Federación Libre de Trabajadores de Puerto Rico", en E. Fernández García (comp.), *El libro de Puerto Rico*, San Juan, El Libro Azul Publishers, 1923, p. 900.

tinuado aumento en el costo de la vida.[60] Algunos líderes de la Federación Libre que habían participado en las huelgas del tabaco desde principios de la década se percataron de la insuficiencia de la lucha por mayores salarios: la lucha económica misma requería otro tipo de lucha. Y mientras fomentaban la actividad sindical, vieron la importancia de crear además nuevos instrumentos. En la Convención Constituyente del Partido Socialista, el primero de marzo de 1915, Manuel F. Rojas, secretario de estado del partido, señalaba en el discurso inaugural: "La independencia económica no puede ser obtenida luchando solamente en el campo económico. Mientras el capitalista reciba el poder que dimana del pueblo, convertido en ley, ley adulterada, ley confeccionada en una forma que el capitalismo es el único beneficiado, no es posible camaradas, pensar en la independencia económica sin ley que facilite su consecución. Tenemos que hacer cambiar las leyes de privilegio en leyes de protección general, y para esto tenemos que votar nuestros genuinos representantes. Aquí, en esta primera Convención del partido que representamos, debemos resolver que las fuerzas todas del pueblo se unan para luchar por la emancipación social, económica y política del pueblo mismo."[61]

La lucha sindical dio base organizativa a la formación del partido de los trabajadores. Uno de los acuerdos principales de la convención del Partido Socialista fue "constituirse en el brazo político del movimiento obrero de la FLT" y sus primeros estatutos establecían que era requisito ser miembro de un sindicato o gremio para pertenecer al Partido (aunque dentro de la doctrina de la lucha económica amplia no existía requisito político para pertenecer a uniones). Fue a través de las uniones de oficio que el Partido pudo conseguir las firmas de inscripción para participar en las elecciones de 1917. El crecimiento en la actividad huelguística, además, creaba conciencia de la fuerza de la solidaridad obrera y, conjuntamente, el crecimiento en el costo de la vida, conciencia de la insuficiencia de la lucha solidaria puramente salarial.

La reaparición política de la clase obrera en las elecciones de 1917 no fue resultado únicamente del desarrollo de la lucha económica. El proceso de proletarización en la consolidación del modo de producción capitalista y la acción consciente de la militancia de la Federación Libre en su "cruzada del ideal", fueron generando, en la dialéctica de su interrelación, unos elementos de cultura obrera —"elementos de cultura democrática y socialista"— antagónicos a la cultura que enmarcaba los patrones dominantes de relaciones sociales.

Estos elementos de cultura obrera fueron cuajando de las tradiciones radicales del artesanado, mientras iban éstas conformándose en torno a la emergente solidaridad combativa de la lucha proletaria. El socialismo libertario, máxima expresión clasista de la vanguardia radical artesanal a principios de siglo (y cuya influencia arrastró el movimiento obrero por décadas) fue relegando su preponderancia a un socialismo amplio, que armonizaba diferentes corrientes ideológicas y estratégicas ante el "supremo ideal" de la solidaridad. La ideología de la libre asociación de productores independientes, conviniendo racionalmente

---

60 Como señalan los informes anuales de los gobernadores coloniales de 1912 y 1920.

61 Partido Socialista, *Actuaciones, 1915*, citado en A. G. Quintero Rivera, *Lucha obrera en Puerto Rico*, San Juan, CEREP, 1971 p. 73. Véase también Manuel F. Rojas, *Estudios sociales o frutos del sistema*, San Juan, FLT, 1918, pp. 7-8.

su ayuda mutua, perdía vigencia y realidad en la medida que los artesanos independientes se incorporaban a la fuerza laboral con la venta de su fuerza de trabajo. Ante los nuevos procesos sociales y realidades políticas, algunos líderes del artesanado en transición promovieron conscientemente esta transformación ideológica. Romero Rosa, por ejemplo, en su *Catecismo socialista* de 1905,[62] luego de explicar las diferentes "modalidades" del socialismo (y declararse simpatizante de la corriente bakuninista) argumentaba que éstas no deben ser causa de división entre la clase obrera, lo importante, señalaba, es hacerse "societario" y el primer paso es entrar en la Unión Obrera. Nueve años más tarde, el año previo a la formación del Partido, el sastre-tabaquero Manuel F. Rojas, quien fue su primer secretario-tesorero, escribía: "ajustemos a nuestro proceder los propagadores de las distintas ideas libertarias... no debe haber división en la causa común".[63]

El concepto de solidaridad, como eje de los rudimentos de la cultura alternativa que iba desarrollándose en la naciente clase obrera, no se reflejó únicamente en el nivel ideológico. Se reflejó en toda una gama de manifestaciones culturales: veladas literarias y representaciones teatrales que acompañaban los actos de huelgas; nuevas concepciones del matrimonio, la mujer y las relaciones familiares; el espíritu y la estructura democrática de las organizaciones de lucha o "resistencia", entre otras.[64]

En un sector muy importante del movimiento, el desarrollo de este concepto fue también base para una concepción de patria planteada en forma antagónica a la cultura dominante. El Partido Unión, organización electoral mayoritaria desde 1904 hasta 1924, partido que representaba principalmente a los terratenientes puertorriqueños del antiguo mundo señorial que desplazaba el capitalismo imperialista, fue centrando progresivamente su campaña alrededor del sentimiento patriótico y en 1913 planteó la independencia del país como su máxima aspiración programática. Dentro de la ideología señorial, la patria "unionista" se concebía como una "gran familia": familia de padres amorosos o condescendientes (los hacendados), esposas dedicadas y hacendosas (las mujeres) e hijos respetuosos y obedientes ("los honrados hijos del trabajo"). Frente a esta concepción, los rudimentos de cultura obrera alternativa produjeron "la patria socialista": ni padres ni esposas ni hijos, ¡hermanos todos! dentro del nuevo eje cultural de la solidaridad. La patria no era pues una realidad, sino un proyecto: la comunidad de hermanos era imposibilitada por el régimen de propiedad privada y las llamadas "leyes de privilegio" de la política señorial. Esta concepción representaba, pues, un compromiso político; y el sector del movimiento obrero que más claramente desarrolló esta visión fue a su vez uno de los sectores principales que impulsaron la formación de un partido obrero socialista.

Además de las transformaciones culturales y la intensificación de la lucha económica, procesos en la participación política misma fueron sentando las bases para la formación del Partido Socialista en 1915. Después del fracaso elec-

---

[62] San Juan, Ed. Propaganda Obrera.

[63] *Cuatro siglos de ignorancia y servidumbre en Puerto Rico*, San Juan, Imp. La Primavera, 1914, p. 68.

[64] Más detalles en Ricardo Campos, "Apuntes sobre la expresión cultural obrera en Puerto Rico", San Juan, 1974, mimeografiado.

toral de 1908 la Federación Libre aprobó una resolución para retirar su nombre de la papeleta electoral insular, aunque permitía la participación política de la organización en el nivel local si así lo decidía la seccional del municipio.[65] En Arecibo se dieron condiciones favorables al desarrollo de la política obrera local. El municipio era el cuarto centro urbano del país, siendo, por lo tanto, un importante centro de trabajadores de oficio, de antiguos artesanos; el pueblo estaba circundado por extensas plantaciones cañeras de larga tradición y comprendía además dos centrales de importancia. Las uniones urbanas de oficios tenían pues fácil acceso al creciente proletariado del azúcar. En las elecciones de 1914 la Federación Libre de Arecibo sorprendió al país con su triunfo. Por primera vez, obreros ocupaban cargos de administración municipal sin respaldo alguno de profesionales, burócratas y el gobierno central. El gobernador norteamericano aprovechó unas irregularidades administrativas (producto de la inexperiencia y falta de colaboración) para destituir de sus cargos a los trabajadores al año siguiente. Con el entusiasmo de la victoria y la indignación de este atropello, el ejemplo de Arecibo proveyó la chispa final para la creación del Partido Socialista en 1915. El grupo de Arecibo convocó y dirigió la primera asamblea.

El Partido Socialista proponía una "grande y profunda transformación de la vida del país".[66] Su programa político empezaba con una denuncia del capitalismo, del "sistema vigente legalizado de expropiación del trabajo humano por el capital". Denunciaba, asimismo, a los representantes de este sistema, "internos y externos" y "a los partidos capitalistas y a sus 'leaders' como principales cómplices de este gran crimen económico". El programa establecía la necesidad de un cambio radical en la estructura de la producción: la eliminación de la propiedad privada sobre los recursos naturales y el sistema de trabajo salarial. Conjuntamente con esta transformación estructural, que presuponía un Estado, el partido proponía cambios fundamentales en la superestructura política, dándole al orden público un sentido de democracia participativa directa. Las decisiones tanto ejecutivas, legislativas como judiciales estarían sujetas al referéndum popular o al "recall" y se proveería para la "iniciativa del pueblo". Los cambios políticos que proponía el Partido iban dirigidos, además, contra el paternalismo y el patronazgo; por ejemplo, se sugería votar por soluciones, no por personas, y que el sistema electoral se estableciera sobre esas bases.

Muchas otras medidas iban directamente encaminadas a quebrar la antigua ideología hegemónica, la cultura del paternalismo y la deferencia. Por ejemplo, se planteaba la abolición de los asilos de beneficencia y casas de misericordia o caridad, sustituyendo este sistema de "compasión" por uno basado en la ayuda mutua y la protección directa personal solidaria, con el respaldo económico del Estado. Para quebrar dicha cultura, que identificaban los obreros con atraso e ignorancia, se planteaba la extensión e intensificación de la ins-

---

[65] El presidente Santiago Iglesias se opuso a la participación política local, pero fue derrotado con votación de 20 por 21 lo que constituye un ejemplo del carácter democrático de la organización. FLT, *Procedimientos del Sexto Congreso Obrero*, San Juan, Tip. Burillo, 1910, p. 111.

[66] Partido Socialista, *Programa 1919*, en A. G. Quintero Rivera, *Lucha obrera*, cit., p. 94. Dicho libro reproduce el programa íntegro.

trucción pública de forma que llegara a todos los hogares, y que fuera laica, libre y gratuita. Permeaba todo el programa un claro sentido de igualdad entre hermanos y condenaba las distinciones por raza, procedencia social y sexo. Vislumbraba una sociedad de amplias libertades civiles y aspiraba a la democratización del disfrute de la vida.

El Partido Socialista participó por primera vez en las elecciones de 1917; logró el 14% de la votación total y ganó las elecciones locales en seis municipios. En las elecciones siguientes (1920) alcanzó el 23.7% de los votos, logrando una victoria absoluta en ocho municipios. La distribución de su apoyo electoral por municipios refleja la naturaleza altamente clasista de su apoyo. La transformación de agricultura de haciendas a agricultura de plantaciones cañeras capitalistas no fue dándose homogéneamente en toda la isla. Las plantaciones fueron desarrollándose sobre todo en los llanos costeros, donde la geografía facilita el cultivo de la caña de azúcar. El apoyo electoral al Partido Socialista provino claramente de las áreas cañeras, especialmente las cercanas a importantes centros de elaboración de tabaco, donde los artesanos proletarizados podían acelerar la concientización proletaria.

La fuerza y el potencial de crecimiento que demostró el partido de la clase obrera al iniciar su participación electoral transformó el carácter de las contiendas políticas nacionales. Entre 1920 y 1924 la clase obrera puertorriqueña se convirtió en el eje de la política del país. La militancia sindical de la Federación Libre y su política socialista de transformación social amenazaba tanto al tradicional mundo de las haciendas como al creciente capitalismo de las plantaciones. Tanto para los hacendados, como para la burguesía antinacional y los intereses imperialistas de la metrópoli, la clase obrera se había erigido como su principal enemigo de clase y para las elecciones de 1924, el "patriótico" Partido Unión y el pronorteamericano Partido Republicano formaron una alianza contra el Partido Socialista.

IV. EL CAPITALISMO COLONIAL Y LAS CONTRADICCIONES EN LA TRAYECTORIA DE LAS ORGANIZACIONES PROLETARIAS: 1918-1932

El Partido Socialista (PS) y la Federación Libre de Trabajadores (FLT) surgieron genuinamente de la lucha obrera: de las aspiraciones a una sociedad solidaria y de la fuerza de la solidaridad. El cauce que fue tomando su acción política y sindical fue empujando a una contradictoria situación de antagonismo entre estas instituciones y su clase. Éste fue un proceso dialéctico pues dicho cauce se cimentaba, a su vez, en elementos del propio desarrollo de la clase obrera.

La política obrera en Puerto Rico fue configurándose en el proceso de formación mismo del proletariado, en la vertiginosa transformación de la economía señorial de hacienda a la economía dominada por el modo de producción capitalista. Los patrones culturales del mundo señorial mantuvieron su (quebradiza) hegemonía en la vida social de las primeras décadas de este profundo proceso de transformación (hegemonía reflejada en los triunfos electorales del Partido Unión). La aspiración socialista de una nueva organización social basada en la solidaridad que el proletariado iba cuajando en sus nuevas experiencias de vida sobre el modo de producción capitalista, se enfrentaba políticamente, en lucha social, con los antiguos patrones culturales aún prevalecientes del mundo señorial con más intensidad incluso que frente al modo de producción de donde antagónicamente arrancaban. Las organizaciones obreras tenían que ser, pues, anticapitalistas y antiseñoriales simultáneamente. La naturaleza dependiente imperialista del desarrollo capitalista en el país, complicaba aún más la política pues la lucha antiseñorial contra la hegemonía social prevaleciente, era aliada de quien dominaba formalmente la estructura de poder estatal, es decir, la metrópoli capitalista. Frente a "los cuatrocientos años de ignorancia y servidumbre"[67] de la época española, que representaba en lo civil-administrativo el gobierno de la represión autoritaria y en lo socioeconómico el mundo señorial de hacienda, la presencia norteamericana era lo más cercano a la revolución burguesa. Significaba modernización de la economía: opresiva y enajenante por las relaciones salariales capitalistas, pero positiva respecto al desarrollo de las fuerzas productivas, especialmente el trabajo libre, elemento que posibilitaba el planteamiento socialista. Significaba, además el establecimiento de las libertades civiles: libertad de reunión, de asociación, de prensa, de palabra, etc., que hacían posible, por otro lado, el desarrollo de las organizaciones obreras.

Dicha "revolución burguesa" sin embargo surgió imbuida en las contradicciones que el colonialismo da al Estado capitalista, pues mientras "el Estado con su aparato de poder... es para las clases gobernantes bajo el capitalismo un medio a través del cual ponen en práctica los principios de su dominio económico", respecto al "colonialismo moderno es un instrumento que ella [la clase gobernante] usa para crear las condiciones para su dominio económico".[68] En segundo lugar, y estrechamente vinculado con lo anterior, "la revolución burguesa sobreimpuesta" estaba limitada por el hecho de que representaba, en términos de clase, no sólo a una burguesía ausente sino porque además se presentaba en la etapa del capitalismo monopólico, que ha enfrentado históricamente contradicciones con los principios políticos de los inicios mismos de las revoluciones burguesas.

En su práctica política la clase obrera se vio inmersa en la defensa de la "revolución burguesa" e incluso en la vanguardia de la defensa del desarrollo de ésta. En la lucha económica, que el movimiento entendía era la base de la lucha política, nutría procederes contradictorios. Frente al poderío monopolista de las corporaciones, los trabajadores recurrían a actos ilegales de violencia para obtener negociaciones favorables en la lucha salarial, a la vez que invocaban la legalidad frente al abuso de orden público con el capital. Se buscaba el pleno desarrollo y respeto de las garantías legales, mientras se atacaba el "vigente sistema legalizado de expropiación del trabajo humano" y de "leyes de privi-

---

[67] Esta frase aparece repetidamente en la literatura obrera de las primeras décadas de este siglo con referencia al período de colonialismo español.

[68] Georg Lukács, *History and class consciousness*, Londres, Merlin Press, 1971, p. 56.

legios" (PS, *Programa*, 1919). La incompleta revolución burguesa, además, nublaba el significado del control político colonial, pues mientras se atacaba con toda vehemencia "la esclavitud económica de las corporaciones ausentistas, los tigres capitalistas norteamericanos que devoraban al país",[69] se defendían las instituciones políticas norteamericanas de la democracia liberal frente a la amenaza señorial. Lo político y lo económico no se habían integrado en una concepción global del imperialismo.

El maridaje, que presionaba la coyuntura histórica, de ideologías contradictorias en una misma práctica política y sindical, generó confusión o ambivalencia en el nivel de la estrategia política: la estrategia para la toma del poder. La inserción de la ideología liberal en el movimiento socialista se disipaba o fortalecía de acuerdo con el estado de la lucha de masas. Entre 1914 y 1922, años de intensa actividad sindical, se experimentó un proceso de mayor definición estratégica, fortalecido por el ejemplo de la revolución bolchevique. En las décadas de 1920 y 1930, la lucha de masas experimentó dificultades especiales que revivieron la inserción liberal.

Este proceso está íntimamente vinculado a la dinámica de acumulación capitalista que, por un lado, generó un proletariado —base de la lucha obrera— pero por otro, también unas formas de sobrepoblación relativa. Marx discute cómo la primera forma de esta sobrepoblación, la que denomina "flotante" se refiere a la transferencia masiva de trabajadores hacia las áreas de desarrollo capitalista, que aumenta en forma global el empleo, pero de manera progresiva, a un ritmo comparativamente menor al nivel de producción. En este sentido, al producir la acumulación de capital que permitirá la inversión tecnológica sustitutiva de trabajo humano (o la reproducción de ese trabajo acumulado que representa), la población obrera produce los medios para su propio exceso relativo.[70] Esto fue precisamente lo que ocurrió en Puerto Rico durante la primera década de este siglo. El empleo total aumentó más que la población (25% frente a 17.3%), pero las exportaciones a precios constantes aumentaron en 275.4% mientras las importaciones aumentaban en 166.7%.[71] El gigantesco aumento de las exportaciones —sobre 100% del aumento en las importaciones— ilustra unas tasas de crecimiento en la producción mucho mayores que el aumento en el empleo.

Luego de haber aumentado su empleo entre 1899 y 1910, hacia principios de la segunda década las principales industrias de la transformación capitalista del país —la caña de azúcar y la manufactura del tabaco— habían desarrollado las bases para un crecimiento independientemente del aumento en empleo. Mientras el tonelaje de azúcar producido se triplicaba entre 1910 y 1934 (221.1% de aumento) la cifra de empleo permanecía prácticamente inalterada ($\triangle$ de 5.4%). Las cifras de empleo en el tabaco alrededor de 1930 no están disponibles, pero entre 1910 y 1920 el proceso fue evidente: un aumento en producción de aproximadamente 12% y una reducción en el empleo de 26%.

69 Periódico *Unión Obrera*, 11 de mayo de 1918, p. 2.
70 Karl Marx, *El capital*, tomo I, vol. 3, México, Siglo XXI, 1975, p. 797.
71 Clark *et al.*, *Porto Rico and its problems*, Washington, Brookings Institution, 1930, p. 402. Se usan cifras de importación y exportación porque no existe información completa de producción.

El proceso de acumulación en las industrias capitalistas básicas a través del desarrollo del plusvalor relativo o la productividad del trabajador, fue generando una amplia sobrepoblación relativa latente en los campos, que se manifestó esporádicamente en grandes migraciones a las ciudades. Entre 1920 y 1930 la población del país aumentó en 18.8%, pero en San Juan el aumento fue de 60.6%, en la ciudad adyacente de Río Piedras (que se convirtió eventualmente en parte de San Juan) el aumento fue de 180.4%; en Ponce, la segunda ciudad, fue de 27.5%, y en la tercera ciudad, Mayagüez, fue de 93.8%.

El intenso proceso migratorio a las ciudades en la tercera década de este siglo —mientras el sector manufacturero de la economía se encontraba estancado— produjo, como fenómeno macroeconómicamente generalizado, la tercera categoría de sobrepoblación relativa que examina Marx y que se ha traducido al español como "estancada" o "intermitente". Ésta "constituye una parte del ejército obrero *activo*, pero su ocupación es absolutamente irregular, de tal modo que el capital tiene aquí a su disposición una masa extraordinaria de fuerza de trabajo latente. Sus condiciones de vida descienden por debajo del nivel medio normal de la clase obrera y es esto, precisamente, lo que convierte a esa categoría en base amplia para ciertos ramos de explotación del capital. El máximo de tiempo de trabajo y el mínimo de salario la caracterizan. Hemos entrado ya en conocimiento de su figura principal bajo el rubro de la industria domiciliaria".[72]

Esta descripción analítica de Marx corresponde perfectamente a la situación de los sectores de empleo en el Puerto Rico de este período:

1] crecimiento de empleos inestables, esporádicos o "misceláneos", por ejemplo, la construcción, el minicomercio, y el "chiripeo" en los servicios;

2] aparición y apogeo de la industria domiciliaria de la aguja caracterizada por los más míseros salarios y días completos de trabajo;[73] industria cuyo valor de exportaciones superaba al tabaco hacia 1930, siguiendo en importancia sólo a la industria azucarera (para más detalles véase el cuadro 5). Además, es este período uno de enorme crecimiento en el desempleo.

El estancamiento en el empleo azucarero y en la manufactura del tabaco que produjo el desarrollo contradictorio de la acumulación capitalista, representó una paralización en el proceso de proletarización. Habían sido precisamente las transformaciones en estas industrias las que dieron base material a principios de siglo a la formación del proletariado puertorriqueño y de ellas surgieron los grupos que configuraban sus organizaciones. La clase obrera puertorriqueña, formada en la etapa del desarrollo capitalista inicial de estas industrias —cuando aumentaba grandemente su empleo proletarizante—, nació con la visión de que la proletarización abarcaría al país. Al irse quebrando los patrones de vida del mundo señorial, pensaban los líderes de esta clase, los trabajadores, a través de la educación obrera y la actividad sindical, se irían despojando de las "musarañas" que los separaba de la lucha por su reivindicación: la ideología de la deferencia y la superstición de la religión y el atraso. La

---

[72] K. Marx, *El capital*, cit., p. 801.

[73] U. S. Department of Labor, *Appendixes supporting report on home needlework industry*, Washington, 1937.

CUADRO 5
DINÁMICA DEL EMPLEO POR SECTOR INDUSTRIAL, 1910-1940*

	Porcentaje del empleo total				Diferencia entre el porcentaje de cambio en el empleo de cada sector y el porcentaje de crecimiento poblacional		
	1910	*1920*	*1930*	*1940*	*1910-20*	*1920-30*	*1930-40*
Agricultura	61.1	60.1	52.2	44.7	—14.2	—11.5	—33.4
Manufactura (excluyendo aguja a domicilio)	(8.7)	(11.7)	(11.1)	(10.9)	24.0	— 1.6	—20.6
	11.5	15.3	19.5	19.6			
Aguja a domicilio	(2.8)	(3.5)	(8.4)	(8.7)	12.1	174.1	—14.3
Construcción	2.0	2.3	2.5	3.1	3.3	18.2	5.1
Transportación	2.3	2.5	3.4	3.9	— 5.4	51.5	— 2.4
Comercio	6.5	6.2	7.9	10.5	—17.2	37.3	15.0
Servicios (excluyendo el doméstico)	1.4	1.8	3.4	4.5	8.9	122.6	13.8
Doméstico	13.1	8.7	7.6	8.3	—46.9	—11.8	— 9.3
Gobierno (servicio público no incluido en categorías anteriores)	1.0	1.6	2.3	3.7	40.2	60.7	46.8
Otros	1.1	1.5	1.1	1.5	—	—	—
Total	100.0	100.0	99.9	99.8	—12.7	4.6	—18.6

* En 1897 la agricultura absorbía el 62.8% del empleo total. Entre 1897 y 1910 la diferencia entre el porcentaje de cambio en el empleo agrícola y el cambio poblacional fue de 3.4; la diferencia entre el porcentaje de cambio en cifras totales de empleo y el cambio poblacional fue de 6.4. Aparte de estos datos el censo de 1899 usa categorías de empleo distintas que no permiten el análisis comparativo con años posteriores.
FUENTE: H. S. Perloff, *Puerto Rico's economic future*, University of Chicago, 1950, p. 401.

victoria del socialismo era, pues, inevitable, espíritu que recoge el primer Programa del Partido Socialista: "Todo indica por toda la isla que hay un movimiento social espontáneo, creciente, inevitable. Algo que es la época misma de transformación industrial, económica y mercantil."[74]

Desde los años veinte la clase obrera se encontró en una situación donde, aunque seguía desapareciendo el mundo señorial, no se estaban generando ya proletarios, sino marginados: ubicados en la economía en la sobrepoblación relativa intermitente o sencillamente desempleados. Los subempleados de los servicios, el minicomercio y el chiripeo (empleos inestables y esporádicos), los

[74] Partido Socialista, *Programa*, p. 90.

superexplotados de la aguja a domicilio y más aún los desempleados no participaban de las experiencias de donde había ido generando la clase obrera los elementos de cultura alternativa alrededor de la solidaridad combativa, fundamento del planteamiento socialista.

En una situación de ubicación tan difusa y quebradiza en la estructura productiva y de gran inseguridad en el consumo de las necesidades básicas, las experiencias cotidianas en torno al "buscárselas" para el consumo giraban más en torno a ese "buscárselas" que en la lucha inserta en las contradicciones de un particular mundo de trabajo. El "buscárselas" podía implicar desesperanza, que se manifestó en el crecimiento del "revivalismo pentecostal", con su posición no sólo antiburguesa sino antimundo, canalizada hacia el desprecio por lo mundano y la espera apocalíptica.[75] El "buscárselas" podía implicar también sumisión astuta a la beneficencia gubernamental (en los años treinta crecían los programas del Nuevo Trato en la isla) y podía implicar, finalmente, una competencia descarnada con sus semejantes en miseria por las aperturas del minicomercio o el chiripeo de los servicios individuales misceláneos. En todo caso, generaba patrones culturales distintos o contrarios a la solidaridad combativa de la lucha sindical.

La sobrepoblación relativa debilitó enormemente las organizaciones obreras. En primer lugar, porque frenó el crecimiento de éstas (esos sectores sociales son sumamente difíciles de organizar en uniones obreras); en segundo lugar, debilitó la lucha sindical por la reducción en los salarios que presionaba el ejército industrial de reserva, tanto en la presencia misma del desempleo, como la forma latente de sobrepoblación relativa respecto a los salarios agrícolas y la forma intermitente en los salarios principalmente urbanos.

Ante el crecimiento de la sobrepoblación relativa, la clase obrera comenzó a perder las esperanzas en su certera hegemonía futura. Esta desmoralización transformó la política obrera: frente al anterior ideal de *hacer* gobierno en la transformación social, el lograr paliativos a través de una *participación* en el gobierno y las posibles alianzas con partidos políticos no obreros para conseguir dicha participación, se presentó como atractiva alternativa.

V. VICISITUDES DE LAS ORGANIZACIONES OBRERAS: 1924-1945

Los acuerdos electorales del movimiento obrero con los partidos tradicionales no eran, para 1932, un fenómeno nuevo. Además de las experiencias de 1902 y 1904 examinadas antes, en 1914, Julio Aybar, editor del periódico obrero más importante —*Unión Obrera*— fue elegido legislador por Mayagüez bajo el Partido Republicano. En 1920, luego de la gran demostración de fuerzas del Partido Socialista en su primera participación (1917), el Partido Republicano intentó concretar una alianza electoral que el PS, en ese momento de auge en la lucha

---

[75] Samuel Silva, "La iglesia ante la pobreza: el caso de las iglesias protestantes históricas", en *Revista de Administración Pública*, IV, 2 de septiembre de 1971.

de masas, rechazó, permitiendo, sin embargo, que en el nivel local se experimentara al respecto si las seccionales municipales lo estimaban conveniente. En Ponce, municipio que incluía la segunda ciudad del país, se acordó esta coalición bajo el nombre de Partido Popular (conocido como "El Ligao") y logró el triunfo en las urnas.[76] En la Convención General del PS de 1923 la cuestión del pacto electoral, que continuaba impulsando el Partido Republicano, fue objeto de intensa y prolongada discusión, pero la balanza se inclinó a favor de buscar el entendido electoral.

El Partido Unión, que había logrado sólo una escasa mayoría absoluta en las elecciones de 1920 (51.5% de la votación) temía que se concretara la coalición Republicano-Socialista. Por otro lado, el Partido Republicano, aunque veía en un pacto la única forma de lograr la victoria electoral que no experimentaba desde 1902, sentía la amenaza obrera en el plano económico y temía por "la revolución de las masas".[77] Ante este cuadro sociopolítico, el liderazgo máximo de ambos partidos tradicionales anunció la formación de la Alianza Puertorriqueña en 1924. Los tradicionales rivales se unían frente al "fantasma rojo".

Una disidencia del Partido Republicano (un análisis preliminar indica que la constituían los sectores del partido menos identificados con los grandes intereses azucareros)[78] no apoyó la "alianza" y propuso un pacto electoral al PS que éste aceptó (casi unánimemente) para aminorar el golpe que podía asestarle organizativamente la Alianza por no contar los socialistas con punto de apoyo alguno en la superestructura. La disidencia republicana incluía abogados, jueces, representantes en juntas locales de elecciones, burócratas experimentados en la administración pública, en fin, el personal técnico necesario para las contiendas de la "democracia burguesa"; contiendas en las que un partido estrictamente obrero llevaba una desventaja natural. Muchos de los que se habían opuesto en el partido a cualquier acuerdo electoral con "partidos burgueses" en 1920 y 1923 apoyaron la coalición de 1924[79] que sirvió a los propósitos de defensa de la vida institucional del obrerismo organizado.[80] Ante la posibilidad de una brutal represión, se trataba de salvar aquello que la democracia liberal, la incompleta revolución burguesa, había permitido.

La coalición de 1924 estableció un precedente que contribuyó significativamente a allanar el camino para la coalición de 1932. En 1929 se rompió la Alianza y luego de prolongadas e intrincadas negociaciones, se constituyó una

---

[76] Bolívar Pagán, *Historia de los partidos políticos puertorriqueños*, San Juan, Lib. Campos, 1959, vol. I, pp. 199-200.

[77] Según me señalara en entrevista el importante líder republicano Juan B. García Méndez (cinta grabada, 1967). Véase también Claudio Capó, *¿República independiente o estado federado?*, San Juan, s.e., 1921, p. 77 y Néstor I. Vicente, *La civilización americana y el porvenir de Puerto Rico*, San Juan, Departamento de Instrucción Pública, 1928.

[78] Conclusión similar tienen Juan Antonio Corretjer, *La lucha por la independencia de Puerto Rico*, San Juan, Tip. Porvenir, 1949, cap. VIII, el líder socialista Juan Carreras en entrevista grabada en 1967 y la líder republicana Pilar Barbosa Vda. de Rosario en conversaciones informales.

[79] Por ejemplo, "Muñoz Marín pro-pacto", *El Mundo*, 30 de abril de 1924, p. 1.

[80] Como un movimiento de defensa han explicado posteriormente la coalición de 1924 varios líderes, por ejemplo, Blas Oliveras en "Prólogo" a Epiganio Fiz Jiménez, *El racket del Capitolio*, San Juan, Ed. Esther, 1944 y Félix Ojeda en entrevista grabada en 1969, pp. 13-14 de transcripción.

nueva mayoría legislativa por medio de un entendido entre republicanos alian-
cistas, republicanos "puros" y socialistas que se denominó Grupo del Buen Gobierno. A través de éste, los legisladores socialistas se envolvían en una estrategia
francamente gobiernista de colaboración entre clases en un momento en que
la lucha de masas, o la lucha de clases frontal, atravesaba grandes dificultades.

Para las elecciones de 1932 las dos facciones del Partido Republicano se reunieron en un solo partido, Unión Republicana, arrastrando además los elementos más reaccionarios del antiguo Partido Unión. La fracción unionista de la
Alianza formó el Partido Liberal. Para esta fecha el poder de los hacendados
tradicionales estaba herido de muerte. Los grandes intereses económicos estaban
fundamentalmente vinculados a la industria azucarera y políticamente al Partido Republicano. Por eso la decisión de formar una coalición con el Partido
Unión Republicana en 1932 conllevaba una problemática distinta a la coalición con el Partido Republicano puro en 1924. Significaba claramente una
alianza política con sus enemigos en el plano económico. Luego de agrias discusiones internas en el PS y a pesar de una fuerte oposición por muchos sectores
del partido, la posición procoalición triunfó democráticamente en asamblea.[81]
La coalición ganó las elecciones de 1932; el líder más importante del PS, Santiago Iglesias, fue electo comisionado residente en Washington y el líder más
importante de la FLT, Prudencio Rivera Martínez, fue ratificado como comisionado del recién creado Departamento del Trabajo (puesto que ocupó desde
1931, impulsado por el Grupo del Buen Gobierno, hasta 1940).

La histórica inserción liberal en el movimiento socialista facilitó la coalición
y, dialécticamente, la coalición fortaleció dicha inserción. La dialéctica de este
proceso se manifestó claramente en los cambios de estilo político de las organizaciones obreras. La FLT y el PS surgieron de la política de masas: de la quema
de cañaverales y las grandes huelgas, las marchas de antorchas, "La Marsellesa"
y las manifestaciones masivas de protesta. Los "tajureos" para mantener la coalición y las componendas internas para lograr pasar en la legislatura o el ejecutivo medidas laborales reformistas fueron trasladando la lucha a reuniones a
puerta cerrada, al cabildeo en el congreso, a las convenciones de la AFL, a los
corredores de la legislatura o a las oficinas del Departamento del Trabajo.
Las acciones de masas fueron perdiendo importancia ante las actividades de
los líderes: negociaciones, reuniones, arreglos, acuerdos, componendas.[82] Las
acciones de masas correspondían a la solidaridad combativa, a los elementos
de cultura alternativa que fortalecían la amenaza obrera; y la política de
los líderes, a la concepción representativa de la democracia liberal, donde se
insertaba el partido por la coalición. Esta transformación fue quebrando en el
partido y en la FLT el amplio sentido democrático de sus comienzos. Fueron
apareciendo críticas internas de burocratismo, autoritarismo y corrupción que
llevaron a divisiones en el partido.

81 Un examen del periódico obrero más importante del período *Unión Obrera*, en el mes
previo a la decisión, es decir, julio de 1932, ilustra vívidamente lo difícil que fue dicha decisión para el PS y lo fuerte de la oposición al pacto. Véase también, Bolívar Pagán, *Historia*...,
cit., vol. II, p. 33, y referéndum organizado por otro periódico obrero, *La Campana*, I, 3, 25 de
julio de 1932.

82 Véase "Exposición de motivos para la formación de la CGT" (1940) reproducido en CGT,
Asociación de Choferes, *Álbum*, San Juan, 1945.

Entre estas divisiones merece destacarse la Afirmación Socialista, constituida por importantes líderes intermedios y miembros de base del PS opuestos al convenio azucarero de 1933-1934. Para esa zafra, la primera bajo la coalición, el liderazgo de la FLT acordó el primer convenio colectivo de nivel nacional para la industria azucarera con la asociación de productores de azúcar, llevando la alianza política a la "paz industrial". Los trabajadores cañeros, sobre todo en aquellas áreas tradicionalmente más fuertes en la lucha sindical (y, por tanto, "baluartes" del PS), rechazaron el convenio porque quedaba por debajo de lo que estimaban podía lograrse en la lucha sindical. Se desató una larga y combativa huelga por primera vez dirigida contra el liderazgo. El sector más importante de la clase obrera se lanzaba contra el propio instrumento de lucha que había creado, contra su propio brazo organizativo; estaba pues, "manco"; la gran militancia espontánea no bastaba, y la huelga se perdió, consolidándose la "paz industrial" en el azúcar en los años siguientes a esa década.

Afirmación Socialista intentó una renovación del PS desde dentro del mismo, subrayando los siguientes puntos: la crítica al burocratismo y autoritarismo, que conllevaba un distanciamiento del liderazgo respecto a la base del partido; la crítica al patronazgo gubernamental y la lucha por puestos públicos, que comenzaba a aparecer en el partido relegando a un segundo plano la lucha por la transformación social; íntimamente vinculado con lo anterior, la crítica al pacto con el Partido Republicano, es decir, a la coalición y finalmente, la lucha para que el partido se declarase en contra del coloniaje y a favor de la independencia para Puerto Rico.[83] Afirmación Socialista proveyó la mayor parte del escaso liderazgo de la huelga azucarera de 1934 —movimiento fundamentalmente espontáneo— y esta participación precipitó la expulsión de sus miembros. Habiéndose constituido en términos de una renovación interna del PS, la pronta expulsión del partido quebró sus objetivos al nacer, y la derrota de la huelga cañera cerró su posible crecimiento. En menos de dos años Afirmación Socialista había desaparecido.

Con críticas similares, pero objetivos y estrategias distintos, núcleos de militantes socialistas en varios pueblos abandonaron al PS para constituir el Partido Comunista (PC) en septiembre de 1934. Dichos núcleos consideraban esta idea desde varios años antes, pero no habían creído conveniente abandonar al partido de los trabajadores. Hasta finales de los años veinte, además, el planteamiento comunista cabía perfectamente dentro de la pluralidad ideológica socialista del PS.[84] Con la política de la FLT de paz industrial en los años treinta y la coalición en el nivel de partido, las posiciones se tornaron incompatibles.

El PC reconocía la importancia de su progenitor, el PS, como expresión política poderosa de los trabajadores y valoraba la unidad obrera que representaba la FLT.[85] Entre 1935 y 1939 no dirigió su política a rivalizar con estas institu-

---

83 Véase documentos de Afirmación Socialista y de la huelga en A. G. Quintero, *Lucha obrera...*, cit., pp. 98-117.

84 Un buen ejemplo es el periódico y la editorial *La Tribuna* de Ponce.

85 Periódico del PC, *Lucha Obrera*, 3, 16, 8 de marzo de 1937, p. 2. Se describe en el texto la política del PC a partir del año 1935 pues en sus primeros meses siguió la línea intransigente que propulsaba la Tercera Internacional entonces. Véase Georg Fromm, "La huelga de 1934: una interpretación marxista", en *En Rojo (Claridad)*, 1 al 7 de julio de 1977, p. 5.

ciones —no se dirigió en sus comienzos a convertirse en un partido de masas ni a formar una nueva central sindical— sino a ir sembrando en la base "las semillas de la revolución". A través de una serie de movimientos populares se iría fortaleciendo la insatisfacción y el desafío, que se traduciría revolucionariamente cuando las condiciones fueran propicias, bien fuera presionando a las organizaciones existentes hacia la izquierda o lanzándose sobre nuevas alternativas.

"Durante este período se luchó dentro y fuera de la Federación Libre de Trabajadores. Allí donde los trabajadores se sentían aún identificados con el viejo liderato socialista, la lucha se llevaba a cabo dentro de las filas de la FLT. Por el contrario, allí donde los trabajadores no estaban organizados, o donde habiendo estado organizados se sentían decepcionados por los viejos líderes, se planteaba la organización de sindicatos independientes. En una u otra forma, lo que importaba era organizar a los trabajadores para la lucha."[86]

El PC estuvo presente, indirectamente pero en forma muy significativa, en las más importantes huelgas del período, muchas de las cuales fueron combatidas por la FLT. Puede mencionarse, por ejemplo, la gran huelga portuaria de 1938 que fue descrita por el boletín oficial del Departamento del Trabajo en esta forma: "La historia de las relaciones industriales en Puerto Rico no registra una controversia huelgaria comparable en importancia social y económica a esta de los muelles. Ninguna lucha industrial anterior, incluyendo las grandes huelgas registradas en la industria azucarera que a veces envolvían más de cien mil hombres había afectado tan seriamente a nuestra economía."[87] La huelga representó 259 000 días-hombre perdidos (7 000 trabajadores por 37 días de duración): el 89% del total en las huelgas de ese año fiscal y cerca del triple de la suma del total en los tres años anteriores.[88] Más aún, su impacto no puede medirse sólo por su magnitud, pues afectó a muchos otros renglones de la economía (una economía tremendamente abierta, organizada en términos de la exportación e importación). El boletín antes citado da una cifra de 95 000 trabajadores no portuarios desempleados temporalmente por la huelga, por falta de materiales importados o excedentes almacenados sin exportar.

El PC participó también en otros movimientos sociales muy importantes del período, como la organización de los desempleados y los rescates de tierra en la formación de arrabales. Su primera actividad masiva, escasamente un mes luego de constituirse oficialmente, fue, de hecho, una marcha de desempleados en Ponce que logró reunir a 10 000 personas y removió las fuerzas políticas de esa ciudad.[89]

El PC ejerció liderazgo o influencia en estas luchas y movimientos, pero no creó vínculos organizativos directos, lo que facilitó la incorporación de este desafío popular a la alternativa populista del Partido Popular Democrático (PPD) (que se examinará más adelante). Además, a pesar de que, contrario a

[86] César Andreu Iglesias, "El movimiento obrero y la independencia de Puerto Rico", en *La Escalera*, II, 8-9 de febrero de 1968. Andreu fue un importante líder del PC, activo en el movimiento de los años treinta.

[87] *Puerto Rico Labor News - Boletín del Trabajo*, I, 4 de febrero de 1938, p. 14.

[88] Calculado de las cifras presentadas en los *Informes anuales* del comisionado del Trabajo, 1934-1935, pp. 34-35; 1935-1936, pp. 42-43; 1936-1937, pp. 62-63; 1937-1938, pp. 58-59.

[89] *El Día*, 29 de octubre de 1934, pp. 4 y 5.

Afirmación Socialista, el PC subrayaba internamente la importancia de la disciplina y el "centralismo" —enfrentado al control abarcador de la ya rígida estructura del movimiento PS-FLT, el propio PC fomentaba el espontaneísmo por la actitud de desafío popular que representaba. Desde sus inicios el PC propició la formación de un frente amplio antimperialista como medida temporal para salvar al país de la gran crisis social y económica de los años treinta. Y concibió la formación del PPD para las elecciones de 1940 como tal frente. Dio entonces por completo su espalda a su progenitor —el PS— y apoyó al nuevo partido, apoyo que el PPD públicamente rechazó.[90]

Un año antes de las elecciones generales de 1940, el PS sufrió su más importante disidencia en términos cuantitativos. Un grupo que incluía algunos de los más destacados líderes obreros desde los inicios de la FLT y la fundación del PS, acusando a éste de abandono de los ideales obreros; de separación respecto a la clase obrera por la preponderancia de advenedizos oportunistas —abogados— sobre los genuinos líderes sindicales, y de complicidad en la corrupción del patronazgo gubernamental de la coalición, abandonó el PS formando el Partido Laborista Puro.[91] Como Afirmación Socialista, el movimiento comenzó como uno de renovación interna del PS; el Partido Laborista se constituyó al ser expulsados del PS los líderes promotores de esa renovación, lo que ilustra el nivel de autoritarismo e intolerancia a que había llegado este organismo que en sus orígenes había sido sumamente democrático. En el nivel del liderazgo, y con el apoyo general, el Partido Laborista arrastró con los sectores más claramente de la FLT del PS, mientras el partido retenía los sectores más identificados con la lucha política parlamentaria; al punto que, a pesar de que formalmente la FLT se mantuvo neutral en el conflicto, el partido se sintió necesitado de crear una nueva federación sindical: la Federación Puertorriqueña del Trabajo (FPT) que fue un fracaso rotundo.

La polémica, ataques y contratanques, en el seno del movimiento FLT-PS producidos por este rompimiento, fortalecieron las alternativas al margen de esta tradición. Hicieron aflorar en la conciencia obrera los rumbos perdidos de estas instituciones. El sector más progresista y menos distanciado de su clase —el Partido Laborista— cargaba, por la identificación de su liderazgo con la FLT, con la responsabilidad de haber canalizado la lucha sindical a través de los organismos burocráticos ejecutivos. Atacaba violentamente a la coalición y, sin embargo, sólo unos meses después de su fundación caía en un tipo de arreglo político similar. El Partido Laborista fue un gran partido de denuncia, pero no de futuro. Tuvo un pobre respaldo electoral en 1940 y fue desvaneciéndose en los meses siguientes. Entre 1941 y 1944 muchos de sus líderes fueron incorporándose al PPD o indirectamente a su política a través de la colaboración con los comisionados del trabajo del PPD.

El fraccionamiento del movimiento obrero en el plano político, producto del desenvolvimiento de la histórica inserción liberal en el movimiento socialista, frente a la expansión de la sobrepoblación relativa y la política triangular de

90 *El Imparcial*, 9 de enero de 1940, p. 27; 1 de febrero de 1940, p. 2.

91 Véase el largo reportaje periodístico de E. Badillo y N. Soltero, "Se constituye el Partido Laborista Puro", en *El Mundo*, 4 de diciembre de 1939, empieza en la p. 4. Véase respuestas de nivel local (municipal) en *El Imparcial*, 26 de febrero de 1940, pp. 20 y 22, como ejemplos.

la colonia, se reflejó también en el plano sindical. No sólo en aquellas divisiones que respondían directamente a la política, como la fundación de la FPT, sino también en aquellas que eran producto del antagonismo entre la práctica sindical que fue asumiendo la FLT por tal inserción y los intereses de una clase obrera en crítica transformación. Ante un cuadro sumamente difícil para la lucha salarial, la FLT promovía, a través del Departamento del Trabajo, la paz industrial, mediante la legislación protectora. Sin embargo, los informes anuales mismos de dicho Departamento registraban casos como el siguiente: el 13 de septiembre de 1939 se fueron a la huelga 8 000 trabajadoras de los talleres de la aguja en Mayagüez exigiendo que los patrones pagasen el salario mínimo estipulado por la legislación. Éstos argumentaron que no podían pagar esos salarios y que por tanto no cumplirían con la ley. Varios días después las trabajadoras tuvieron que reincorporarse al trabajo bajo las mismas condiciones, quedando al desnudo la impotencia del Departamento del Trabajo para hacer cumplir las leyes laborales, aun siendo éstas el puntal de su política obrera.[92]

Frente a esta desmoralización de la política de la FLT de paz industrial, la actividad sindical fue concentrándose fuera de los baluartes sindicalistas tradicionales. Mientras en el año fiscal 1931-1932 el 85.5% de todos los trabajadores que participaron en huelgas eran de los sectores cañero o tabaquero y sólo el 17.5% de otros sectores, en el año de 1940-1941 la proporción era exactamente la inversa. La transformación de lo que representaba cada sector en términos del total de días-hombre perdidos en huelgas fue todavía más drástica: los sectores cañero y tabaquero representaban el 92.1% en el año 1931-1932 y sólo el 12.4% en 1940-1941. Si tomamos los primeros cinco años de esos diez, la media de los promedios anuales que representaban los sectores no cañero ni tabaquero del total de trabajadores en huelga en cada año era 26.3%, y la media de los siguientes cinco años resultaba ser más del doble, exactamente 54.3%. En términos de días-hombre las cifras serían 35.6% para el primer lustro, aumentando a 72.8% en el segundo, es decir un aumento aún mayor. La gráfica 1 ilustra este crecimiento proporcional en la actividad sindical de sectores distintos de los que tradicionalmente habían dominado la lucha económica.

Se genera un proceso en el que la intensa movilidad en el empleo, y la inestabilidad que esto acarreaba, hacían más definitoria la ubicación alcanzada que las particulares destrezas de un oficio. Esto se tradujo organizativamente en un tipo de sindicalismo por industria o empresa frente al sindicalismo gremialista, por oficio, de la FLT. La gran huelga portuaria de 1938 examinada algunas páginas atrás, dramatizó la importancia de la nueva forma organizativa. Uno de los factores más importantes en el éxito de la huelga fue que no sólo participaron los estibadores (que organizaba tradicionalmente la FLT), sino conjuntamente con éstos todos los otros empleados de los muelles: empleados de oficina, de limpieza, de seguridad, etc., que se organizaron juntos en una sola unión al margen de la FLT. La paralización fue total y la posibilidad de utilizar rompehuelgas se hacía más difícil. Es importante señalar que los estibadores se fueron a la huelga contra la decisión de su representante (organizador de la

---

[92] Departamento del Trabajo, *Informe Anual, 1939-1940*, p. 51.

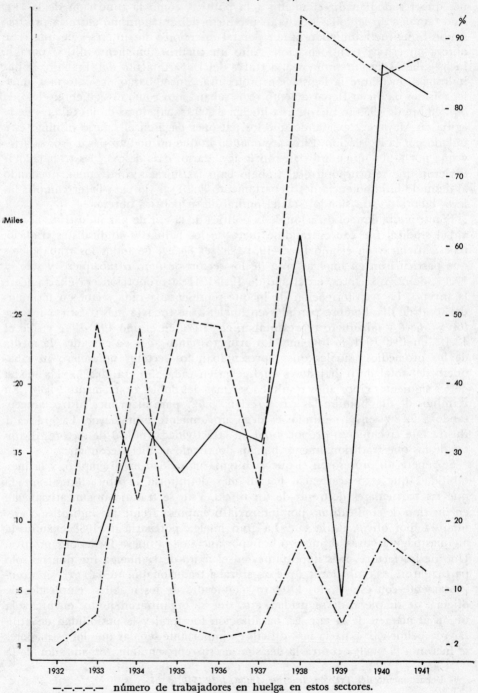

ACTIVIDAD SINDICAL DE TODOS LOS SECTORES DE EMPLEO EXCLUYENDO LA INDUSTRIA AZUCARERA Y LA ELABORACIÓN DEL TABACO, 1932-1941 (*años fiscales*)

-·-·-·- número de trabajadores en huelga en estos sectores.
——— porcentaje que representa el total de trabajadores en huelga.
- - - - porcentaje del total de días-hombre perdidos.

FLT) y en asamblea conjunta con los trabajadores de muelles de la unión no FLT.[93]

Precisamente en estos años el movimiento obrero norteamericano atravesaba un proceso de división también en estas líneas. La American Federation of Labor (AFL), organización a la que estaba afiliada la FLT, representaba el obrerismo gremialista tradicional, y en 1936 las más importantes uniones industriales, luego de intentar sin éxito una renovación interna de la AFL, se separaron de este movimiento creando el Congress of Industrial Organizations (CIO). Entre 1936 y 1940 el CIO fue la organización obrera de mayor pujanza y mayores victorias en Estados Unidos.[94] El CIO se inició en el campo laboral puertorriqueño precisamente con la huelga portuaria de 1938. La Unión de Muelles de los oficinistas, dependientes, etc., se afilió a la CIO y además del temor y el respeto que este respaldo infundió entre el gobierno y los patrones, la solidaridad de las uniones norteamericanas afiliadas a la CIO fue de importancia fundamental en el éxito de este conflicto, pues los marinos de los barcos que llegaban a Puerto Rico (miembros del National Maritime Union afiliado al CIO) se negaron a trabajar en la descarga de la mercancía.

A finales de los años treinta y principios de los cuarenta, los movimientos obreros que surgían en nuevos sectores laborales en Puerto Rico (y, que como señalamos antes, fueron predominando en la actividad sindical) comenzaron a vincularse o relacionarse más con el CIO que con la AFL. Y la identificación de la FLT con esta última fue separándola aún más de estos nuevos sindicatos puertorriqueños.

A finales de los años treinta fueron proliferando uniones obreras al margen de la FLT y unos meses antes de las elecciones de 1940 éstas se agruparon en una nueva central sindical, la Confederación General de Trabajadores (CGT). En su lucha contra el viejo sindicalismo identificado políticamente con el PS (y con su disidencia, el Partido Laborista), la CGT dio su apoyo a la alternativa populista.

Así pues, en cuanto a la organización —tanto en el plano político como en el sindical— la clase obrera puertorriqueña se encontraba tajantemente dividida en vísperas de las elecciones de 1940.

Otro factor que fue distanciando a la clase obrera de sus instituciones históricas fue la transparencia del dominio económico y superestructural de las corporaciones azucareras en el mundo del trabajo. En sus comienzos el PS había considerado a la clase de hacendados como su enemigo político principal: dominaba la política local y sus patrones culturales ejercían aún (una quebradiza) hegemonía social. En la lucha triangular colonial se recurría al apoyo de la AFL e incluso del gobierno metropolitano contra los "tiranuelos" locales del Partido Unión. Estas relaciones, muy pragmáticas en un comienzo, fueron generando un pronorteamericanismo en estos organismos en la medida que se fortalecía la inserción liberal en el movimiento socialista. Sin embargo, para los años treinta, la clase de hacendados no era un enemigo real. Tanto entre la

---

93 *El Imparcial*, 4 de enero de 1938, p. 3.
94 Véase por ejemplo, R. Boyer y H. Morais, *Labor's untold story*, Nueva York, United Electrical, Radio and Machine Workers of America, 1974, cap. 10.

clase obrera como entre el creciente "populacho" que nutrían la expansión de la sobrepoblación relativa, fue generándose un rudimentario antimperialismo, en la medida que se identificaba la economía azucarera con la presencia norteamericana y dicha economía con la condición social general. No es de extrañar, pues, que todas las disidencias obreras importantes del movimiento PS-FLT tuvieron entre sus postulados principales el apoyo a la lucha por la independencia de Puerto Rico: Afirmación Socialista, el Partido Comunista y la CGT. La tradición pronorteamericana que fue afianzándose en el PS y la FLT a fines de los veinte, fortalecida también por su coalición con la burguesía anti-nacional, separaba a estas instituciones de los nuevos giros de la mentalidad popular.

Respondiendo precisamente a esos nuevos giros, para las elecciones de 1940 irrumpió en la escena política un movimiento que habría de dominar la política del país en las siguientes décadas: el Partido Popular Democrático (PPD). Éste surgió originalmente como una disidencia del Partido Liberal llamada Acción Social Independentista, dirigida por un sector profesional proveniente de familias de hacendados arruinados y de medianos agricultores. Este sector, heredero de la vocación hegemónica de la clase de hacendados, arrastraba tradiciones y elementos culturales de esa clase moribunda, pero transformados por un radicalismo modernizante y populista.[95] La encadenación de formas de la sobrepoblación relativa había generado un "populacho" que servía de apoyo a este tipo de política. El rechazo a la línea que seguía el PS y la apariencia radical del populismo llevaron a la CGT a apoyar este movimiento.

En las elecciones de 1940 el PPD recibió 37.8% de la votación total, y logró el control del senado eligiendo diez de los diecinueve miembros de ese cuerpo. Con la colaboración de los gobernadores norteamericanos novotratistas, el PPD comenzó a participar efectivamente en el gobierno desde 1941. En 1944 ganó las elecciones por abrumadora mayoría (64.8%) y así, sucesivamente, todas las elecciones hasta 1968.

El apoyo del PS se redujo de 31.7% del total de votos en las últimas elecciones de la década de los veinte (1928) a 15.4% en 1940. Entre 1940 y 1952 fue desangrándose el PPD y en 1954, luego de haber obtenido escasamente el 3.3% de los votos en las elecciones de 1952, decidió en asamblea disolverse recomendando a sus miembros, como decisión oficial del partido, incorporarse al PPD.[96]

Un elemento fundamental para entender el apoyo masivo al PPD en las elecciones de 1944 fue la huelga cañera de 1942. Al igual que la huelga de 1934, vista antes, ésta surgió del descontento de los trabajadores con el convenio firmado por la FLT con la Asociación de Productores de Azúcar, pero, contrario a aquella que fue fundamentalmente espontánea, ésta estuvo fomentada y dirigida por la CGT. Luego de varias semanas de paro, los obreros que se habían agrupado en la CGT aceptaron volver al trabajo para que la Junta de Salario Mínimo (organismo gubernamental recién creado) decidiera sobre los salarios

[95] En otro trabajo examino este movimiento con más detalle: "Bases sociales de la transformación ideológica del PPD", San Juan, Cuaderno CEREP, 6, 1975.

[96] Bolívar Pagán, Historia..., cit., vol. II, pp. 346-348. Porcentajes calculables directamente de P. R., Junta Insular de Elecciones, Informes, 1932, 1936, 1940, 1944, 1948 y 1952.

en el azúcar, garantizándoseles que la decisión se haría retroactiva a la fecha del comienzo de la huelga. La Junta de Salario Mínimo decretó salarios superiores a los acordados por la FLT en su convenio, lo que colocó en situación sumamente embarazosa a esta organización ante los trabajadores. En el término de un año la CGT ejercía una hegemonía prácticamente absoluta entre el proletariado azucarero, despojando al movimiento PS-FLT, ya dividido, de su principal base de apoyo.[97]

Uno de los objetivos fundamentales de la política del PPD era la transformación de la economía de plantaciones azucareras; el gran enemigo del pueblo en el maniqueísmo populista. La industrialización se concibió como la alternativa deseada y para ello el control del movimiento obrero era muy importante. Sobre todo a partir de 1943 y principalmente a través de las recién incorporadas uniones de la caña, el PPD intentó controlar la CGT. Se agudizaron los conflictos internos en torno a la relación del sindicato con el partido y se intentó armonizar las diferencias con una presidencia compartida. Durante seis meses del año presidía un líder de la facción claramente identificada con el PPD y los seis meses restantes presidía uno de los líderes que promovía la línea sindical independiente de los partidos (aunque en términos generales apoyaba, pero no incondicionalmente, al gobierno del PPD).[98] Después de la gran victoria electoral del PPD en noviembre de 1944, el partido intensificó los llamados a la "lealtad" y sus acusaciones a los independientes, y en el siguiente congreso de la CGT en marzo de 1945 el sindicato se dividió,[99] destrozándose así la esperanza que representaba de revivir un movimiento obrero unido y vigoroso.[100] La rivalidad entre ambas facciones (llamadas CGT-Auténtica y la CGT-Gubernamental) nublaba la presencia del enemigo real.

VI. EL MOVIMIENTO OBRERO EN EL PROCESO DE CRECIMIENTO INDUSTRIAL: 1945-1960

La década siguiente a la división de la CGT de 1945 se caracterizó por una continuada y acelerada fragmentación en el movimiento obrero. La situación del obrerismo en el nivel organizativo estaba íntimamente vinculada a unos procesos sociales que fueron desintegrando la solidaridad en el seno de la clase obrera. Estos procesos sociales tuvieron raíces, a su vez, en el hecho de que la economía puertorriqueña en la década de los cuarenta era una economía en transición. El capitalismo de plantaciones entró en crisis, pero sin haberse consolidado aún la economía manufacturera que habría de sustituirlo. Mientras la FLT se constituyó fun-

[97] Numerosas referencias de periódicos en notas 60 y 61 de A. G. Quintero Rivera, "La desintegración de la política de clases: de la política obrera al populismo", en *Revista de Ciencias Sociales*, XX, 1, marzo de 1976, p. 43.

[98] *El Mundo*, 28 de junio de 1943, p. 1.

[99] *Ibid.*, 23, 24 y 26 de marzo de 1945.

[100] Véase análisis de Juan Sáez Corales reproducido en A. G. Quintero, *Lucha obrera*, pp. 131-132. Sáez era el secretario general de la CGT en el momento de la división y ambas facciones le pidieron que continuara siéndolo aunque él se identificaba más con el grupo de los independientes.

damentalmente con los trabajadores de las dos industrias básicas del país en el momento de su nacimiento y desarrollo —la caña y el tabaco—, la CGT era una amalgama de trabajadores de diferentes sectores y tipos. Junto a los asalariados de la producción —en fábricas de licores, en centrales, en fábricas de sombreros, o de botones, en talleres de la aguja, en la construcción— figuraban prominentemente asalariados de los servicios, desempleados y aun empleados por cuenta propia. El grupo que llevó la voz cantante en la formación de la CGT, la Asociación de Choferes, tenía internamente esa heterogeneidad, pues junto a mecánicos y asalariados del volante, pertenecían dueños de camiones y de carros "públicos". Una de las uniones más importantes en los primeros convenios de la CGT fue la Asociación de Operadores y Ayudantes Cinematográficos. Y la CGT llegó incluso a organizar a los quincalleros de San Juan. Entre todos estos sectores se dio un radicalismo evidente respecto a la necesidad del cambio, pero difícilmente podían compartir una visión común del futuro. En los documentos de la CGT de los primeros años de la década de los cuarenta abundan las referencias a la necesaria transformación económica en términos de industrias (por ejemplo, ataques al ausentismo azucarero), pero, a pesar de la importante injerencia del PC (especialmente en el alto liderazgo de la CGT), es asombrosa la ausencia de críticas al modo de producción y su necesaria transformación para la constitución de una sociedad diferente, lo que había sido el tuétano del planteamiento del PS en sus primeros programas.

En la medida que el radicalismo obrero de la CGT se basaba en la necesidad de un cambio concebido en términos de industrias, una vez que se dio la transformación del capitalismo agrario en manufacturero, dicho radicalismo comenzó a disiparse. El mejor ejemplo lo encontramos en la Asociación de Choferes, grupo principal en la formación de la CGT, que se encuentra totalmente absorbida por el proyecto, entonces triunfante, de la industrialización, como puede verse en su *Álbum* de 1952.

El hecho de que la economía de Puerto Rico en los momentos que surgía y crecía la CGT estuviera en transición tuvo un segundo efecto de gran importancia. Fue un período en que se transformaba la forma dominante de acumulación, lo que se tradujo en una reducción momentánea de las tasas de plusvalor en el sector económico que iba a sustituir la antigua base de la formación económico-social, o sea, la manufactura. Los censos de la manufactura proveen información suficiente como para calcular, en una forma aproximada y preliminar, el movimiento de la tasa de plusvalor. Como ilustra la gráfica 2, las tasas de plusvalor de la manufactura en Puerto Rico entre 1920 y 1940 —cuando la extracción de plusvalor o la acumulación capitalista ocurrían fundamentalmente en la agricultura— eran mucho más elevadas que en Estados Unidos. Entre 1939 y 1949, cuando la economía de Puerto Rico vivió su transformación hacia la manufactura, las tasas de plusvalor en la manufactura bajaron drásticamente hasta niveles más cercanos a aquellos de la economía norteamericana, economía de donde parte y a la cual se integra el crecimiento manufacturero del país. En 1939 la manufactura en Puerto Rico generaba un excedente bruto, o productos por un valor neto, de $2.82 por cada dólar que se pagaba en salarios a los obreros productores; mientras la manufactura en Estados Unidos generaba el equivalente de $1.72. En 1949, el excedente bruto de la manufactura en Puerto Rico por cada dólar pagado a los obreros que lo producían se había reducido a $1.62, cuando en Estados Unidos la cifra era de $1.59.

A partir de 1949, es decir, en el período propiamente manufacturero de nuestra historia económica, las tasas de plusvalor aumentaron (y aumentan) en forma rápida y consistente, distanciándose nuevamente (por su mayor aumento)

GRÁFICA 2
TASAS DE PLUSVALOR EN LA MANUFACTURA, 1919-1972

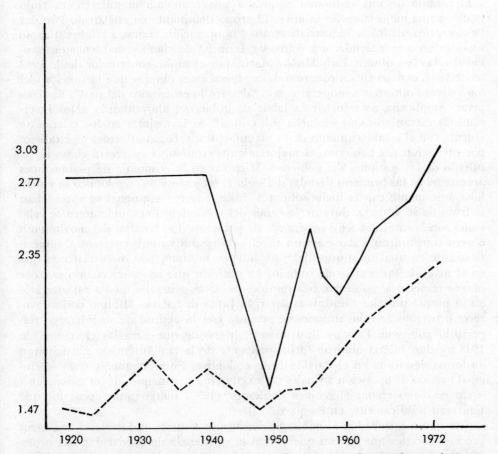

FUENTE: Calculado con base en la información de todos los censos de manufactura de Puerto Rico disponibles, preparados por el US Bureau of the Census, 1919, 1934, 1949, 1954, 1956, 1958, 1963, 1967 y 1972. La información histórica de Estados Unidos está resumida en el censo general de Estados Unidos de 1972.

de dichas tasas en Estados Unidos (como era de esperarse en una economía satélite o dependiente). Pero no fue hasta cerca de 1970 cuando dichas tasas alcanzaron los niveles de explotación de los sectores manufactureros de la economía de Puerto Rico en 1939.

La CGT se formó y creció en el período de transición de la forma dominante de acumulación, caracterizado por una gran reducción en las tasas de plusvalor de la manufactura. Era sumamente difícil que esa organización y los obreros que la componían desarrollaran una visión abarcadora de un futuro deseado en términos de una crítica radical a la explotación capitalista (como lo logró el PS en sus comienzos) cuando los niveles de explotación se reducían drásticamente en el sector de la economía hacia el cual iba dirigida la economía en su transformación, es decir, en la manufactura (no tenían por qué pensar ellos que esa reducción sería temporal).

El cambio de una economía agraria a una economía manufacturera trajo también una mejoría en los salarios. El grupo dominante en el Partido Popular Democrático utilizó la industrialización ("la operación manos a la obra") como una ilusión que le ayudaría a controlar la lucha de clases y mantener en pasividad a la clase obrera. Luis Muñoz Marín, por ejemplo, gobernador desde 1948 hasta 1964, expuso en un congreso de organizaciones obreras que la función del movimiento obrero era cooperar con el "desarrollo económico del país". El "cooperar" implicaba no estorbar la labor de gobierno, ahuyentando a los inversionistas extranjeros con su lucha militante.[101] Si la mejoría en los salarios se vincula con el establecimiento de la manufactura, y la manufactura se establece por invitación del gobierno, el mejoramiento económico aparecerá como el resultado de las gestiones del gobierno. Mientras en la economía de plantaciones azucareras de las primeras décadas del siglo el mejoramiento económico se vinculaba únicamente con la lucha solidaria sindical frente a quienes se apropiaban el fruto de su trabajo, durante los años del crecimiento manufacturero se relacionó con la sumisión a los programas de gobierno. Las batallas del movimiento obrero comenzaron a darse en un nivel administrativo gubernamental (específicamente en una junta que fijaba los salarios mínimos por industria) más que en el nivel de los centros de trabajo. La posición que adoptara cualquier líder obrero respecto al gobierno, o a cambios políticos generales, podía así afectarle en su propia práctica sindical: es decir, la Junta de Salario Mínimo podía favorecer o perjudicar a las uniones de acuerdo con la actitud de su liderazgo respecto al gobierno. Es muy ilustrativo el hecho de que para las elecciones de 1948 muchos líderes obreros (principalmente de la CGT-Auténtica) participaran en forma destacada en el Partido Independentista Puertorriqueño (PIP) —principal partido de oposición a finales de los cuarenta y principios de los cincuenta— y sin embargo en las elecciones siguientes (1952) fueran muy pocos los que figuraran públicamente en ese partido.

Este temor o sumisión al gobierno descansó y a su vez se fortaleció con otros procesos sociales que fueron quebrando la conciencia de solidaridad del proletariado. La transformación de una economía agraria en economía manufactu-

---

[101] Luis Muñoz Marín, *Función del movimiento obrero en la democracia puertorriqueña*, San Juan, s.e., 1957.

rera moderna produjo una expansión de los empleos intermedios en la jerarquía salarial: empleados de oficina en las empresas, el comercio, el sector de servicios y el gobierno.[102] Éstos requerían mayores niveles de educación. Después de la segunda guerra mundial y la guerra de Corea, la Administración de Veteranos proveyó amplias facilidades de estudios que pudieron aprovechar muchos ex combatientes provenientes de la clase obrera. La esperanza en esa vía individual de ascenso en la jerarquía socioeconómica a través de la educación se convirtió en la década de los cincuenta en el "opio de las masas trabajadoras".

Un significado similar tuvieron las grandes emigraciones, alentadas por el gobierno, a Nueva York y otros lugares de Estados Unidos, cuyos años de mayor intensidad fueron entre 1948 y 1955. Esta "válvula de escape" se le presentó también a la clase obrera como una alternativa individual, sin lucha de clases, de mejoramiento económico.

Por su condición colonial, Puerto Rico sufrió la imposición de la ley norteamericana Taft-Hartley (1947) la que produjo también efectos negativos en la conciencia de solidaridad; especialmente al proscribir las huelgas de apoyo (paros en una industria en solidaridad con los obreros en huelga de otras industrias). Esta unidad en los conflictos obrero-patronales era una de las armas más poderosas de la clase obrera puertorriqueña, cuya lucha se había canalizado históricamente a través de una federación obrera única.

La ley Taft-Hartley, aprobada en los comienzos de la "guerra fría" sobre el veto del presidente Truman, prohibía a los que eran, o hubieran sido, miembros del Partido Comunista que ocuparan puesto de dirección en las uniones obreras. Como se señaló antes, muchos líderes de la CGT eran miembros del PC. Es especialmente importante el caso de Juan Sáez Corales, líder máximo del obrerismo puertorriqueño en los años cuarenta, secretario general durante el primer lustro de la CGT. Al dividirse la Confederación, Sáez fue llamado al servicio militar obligatorio, y a su regreso trató de unificar las dos facciones. Al no tener éxito, formó otro sindicato: la Unión General de Trabajadores (UGT). Sáez reconoció después que su creación fue un error porque provocó una nueva división del movimiento obrero.[103]

La gran mayoría de las uniones en Puerto Rico y Estados Unidos protestaron enérgicamente por la aprobación de la ley Taft-Hartley, pero en Puerto Rico sólo la UGT decidió no acatarla. Para todos los efectos del orden institucional, la UGT, estando fuera de la ley, no existía como sindicato. Esto permitió a todas las empresas que tenían conflictos o huelgas con la UGT despedir a los trabajadores en huelga y remplazarlos. La entrada de los rompehuelgas a las fábricas fue garantizada por las fuerzas del orden público. Las huelgas militantes de la UGT de principios de los cincuenta, fueron derrotadas en esta forma y el sindicato se vio obligado a acatar la ley Taft-Hartley para continuar existiendo. Esto representó el retiro forzoso de Sáez Corales, quien fue perseguido y encarcelado por el macartismo en el año 1955.

La ley Taft-Hartley complicó enormemente, los procedimientos y trámites

[102] En 1940 los empleados de oficina y vendedores de cuello blanco representaban 8.1% del empleo total; en 1970 representaban el 19.6%. Datos de los censos de 1940 y 1970.

[103] J. Sáez Corales, *25 años de lucha es mi respuesta a la persecución*, San Juan, 1955; reproducido en A. G. Quintero Rivera, *Lucha...*, cit., p. 134.

para las huelgas y otros conflictos laborales. Y colocaba en posición de desventaja a las uniones puertorriqueñas frente a los gigantes sindicales de Estados Unidos. Estas uniones norteamericanas (llamadas "internacionales" porque organizan también en Canadá y en Puerto Rico) se interesaron en hacer campaña organizativa directa en el país por el tipo de industrialización de la isla basada en el establecimiento de subsidiarias de empresas norteamericanas. En 1950 el salario por hora promedio en la manufactura en Puerto Rico era solamente 27% del promedio para Estados Unidos,[104] y las uniones norteamericanas temían una transferencia de actividad productiva a la isla que podía traducirse en cesantías en las empresas matrices. Un observador de la época señala que ante tal preocupación el gobierno de Puerto Rico promovió acuerdos entre la empresa y el sindicato de la fábrica matriz en el proceso mismo de establecerse la sucursal en Puerto Rico. Así, muchos obreros puertorriqueños de las nuevas fábricas se encontraron automáticamente (tan pronto eran contratados) pagando cuotas a una unión que no conocían y que había ya acordado los niveles de salario con la empresa. Este tipo de arreglo se dio sobre todo con la International Ladies Garmen Workers Union (ILGWU) que en Estados Unidos era conocida por sus relaciones sumamente cordiales con los empresarios.[105]

A pesar de este tipo de arreglo, que no existió en todas las fábricas los gastos operacionales de las "internacionales" para establecer oficinas en el país eran mayores que lo que podían obtener en cuotas recaudadas dentro de lo que llamaban su "jurisdicción natural". Así, uniones norteamericanas de empacadores, marinos, camioneros, carniceros, etc., comenzaron a organizar trabajadores de las más diversas industrias, muchas veces sin relación alguna con la nominación gremial de su "jurisdicción original".[106] Esto generó una situación de gran competencia y lo que se ha llamado piratería sindical, no sólo entre las uniones puertorriqueñas (en desventaja de recursos) sino también entre los sindicatos norteamericanos mismos; situación que abrió aún más las brechas en la solidaridad obrera.[107] A principios de los años sesenta la fragmentación del movimiento obrero arrojaba el siguiente cuadro: 26 diferentes uniones norteamericanas y 122 uniones puertorriqueñas independientes. Existían además 16 distintas federaciones de uniones, 4 de las cuales estaban afiliadas a la AFL-CIO. Se calcula también que para esta fecha dos terceras partes del total de obreros sindicalizados pertenecían a uniones norteamericanas.[108]

104 L. G. Reynolds y P. Gregory, *Wages, productivity and industrialization in Puerto Rico*, Yale, University Press, 1965, p. 20.
105 O. B. Server, "La degeneración del movimiento obrero en Puerto Rico", en revista *La Escalera*, II, 4, verano de 1967, p. 14.
106 W. Knowles, "Unionism and politics in Puerto Rico", en STACOM, *Background studies*, Washington, 1966, p. 322.
107 Esta situación está vívidamente descrita en el "Manifiesto para crear una Central Única de Trabajadores", intento fallido de once uniones puertorriqueñas en 1961, reproducido en la edición inglesa de A. G. Quintero Rivera, *Lucha...*, cit., publicado como *Workers' struggle in Puerto Rico, a documentary history*, Nueva York, Monthly Review Press, 1976, pp. 168-175.
108 Carmen Rivera Murillo, *Estudio sobre la labor realizada por la UGT dentro del contexto general del movimiento obrero de Puerto Rico*, tesis profesional, Ad. Pública, UPR, 1969, pp. 38-39.

VII. NOTAS SOBRE EL OBRERISMO EN PUERTO RICO HOY, 1960-1978

El movimiento obrero arrastra todavía muchas de las dificultades generadas en el período de crecimiento industrial, y la tasa general de sindicalización no ha aumentado, por el contrario, ha disminuido. Se destacan, sin embargo, varios cambios significativos en los últimos años, en especial un renacer de las uniones puertorriqueñas independientes, una mayor militancia en la lucha económica y más independencia de los sindicatos frente al gobierno. Estos cambios están íntimamente vinculados a la consolidación de la economía manufacturera en los años sesenta y a los inicios del estancamiento o crisis del modelo puertorriqueño de desarrollo en los últimos cinco o seis años.

En la década de los cuarenta y a principio de los cincuenta, el crecimiento manufacturero se identificó con el programa gubernamental de fomento industrial. A finales de los cincuenta, la manufactura, ya claramente establecida, manifestó una dinámica propia que abrió nuevas posibilidades para una lucha salarial dentro de la nueva configuración económica independientemente de la oficina de fomento. El temor al regreso a la agricultura y sus salarios inferiores fue perdiendo vigencia ante la consolidación de la economía industrial moderna. La intensa actividad sindical de la International Brotherhood of Teamsters en 1959 y a principios de los sesenta, sacó a relucir abiertamente esta realidad. Los Teamsters eran conocidos en Estados Unidos como "los incontrolables"'; sus luchas económicas fueron muy militantes y violentas y demostraban una absoluta independencia y desprecio por el gobierno y los políticos prominentes. Cuando anunciaron sus planes organizativos para Puerto Rico, el gobierno colonial los combatió ferozmente y fue respaldado por todos los partidos políticos y la opinión pública en general. Los éxitos sindicales de los Teamsters, a pesar de esta campaña de oposición, mostraron la relativa autonomía de la lucha económica frente al gobierno.

La independencia de los sindicatos respecto al gobierno se acrecentó enormemente a partir del 1968 cuando el Partido Popular Democrático, que había dominado el gobierno local desde 1940, perdió las elecciones generales. Desde entonces han ocurrido cambios de gobierno en cada elección. El desvanecimiento de la hegemonía electoral de un solo partido ha facilitado la independencia partidista de los sindicatos y del gobierno como institución cambiante.

Con la consolidación de la manufactura comenzaron a hacerse más transparentes la explotación del capitalismo industrial y sus contradicciones, fenómeno que la transformación de la economía agraria en manufacturera había nublado anteriormente. Ya no se comparan los salarios industriales con los agrícolas, sino con los ofrecidos por las plantas matrices en Estados Unidos y con el nivel de ganancias de las compañías. Si bien es cierto que los salarios reales en la manufactura aumentaron en cerca de 120% entre 1949 y 1972, también es cierto que el excedente bruto general por trabajador (a precios constantes) aumentó en 340% en el mismo período (véase gráfica 3). Los datos posteriores a 1972 señalan una reducción en los salarios reales a niveles inferiores de los de 1970.[109]

[109] Ricardo Campos y Frank Bonilla, "Industrialization and migration: some effects on the Puerto Rican working class", en *Latin American Perspectives*, III, 3, verano de 1976, p. 72.

Además, la diferencia en salarios con los obreros norteamericanos aumentó durante todo el período en términos absolutos. Una de las demandas más importantes de un amplio sector del movimiento obrero en la última década ha sido el establecimiento de los salarios mínimos federales (o sea, de Estados Unidos). Y en las discusiones de convenios colectivos en los últimos años prolifera el argumento de los aumentos en productividad.

GRÁFICA 3

DINÁMICA DE LOS SALARIOS Y EL EXCEDENTE BRUTO GENERADO POR TRABAJADOR EN LA MANUFACTURA EN PUERTO RICO, 1949-1972.

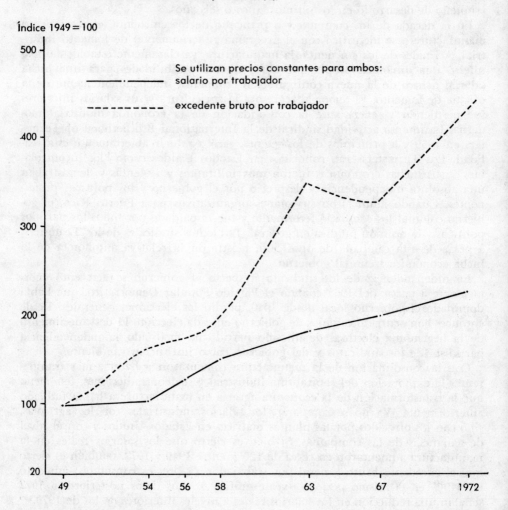

FUENTE: Calculado con base en cifras de los censos de manufactura de Puerto Rico preparados por el U.S. Bureau of the Census, años 1949, 1954, 1956, 1958, 1963, 1967 y 1972.

La emigración y la educación, como formas de movilidad individual en la jerarquía salarial, que examinamos antes en sus aspectos nocivos a la solidaridad obrera, han tomado un significado distinto en los últimos años. Los puertorriqueños en Estados Unidos han sufrido altos niveles de explotación y una oprobiosa discriminación social. Las oportunidades de empleo en Estados Unidos para los migrantes puertorriqueños se han reducido y la emigración neta ha llegado a niveles insignificantes en la última década (varios años registran incluso inmigración). Por otro lado, las oportunidades de trabajo profesional o semiprofesional no han aumentado al mismo ritmo que ha crecido la escolaridad general y muchos graduados incluso universitarios tiene grandes dificultades para conseguir empleo y muchas veces se ven obligados a aceptar empleos mal remunerados y que no corresponden a su preparación profesional.

Todos estos factores ayudan a explicar por qué, a pesar de una reducción en la tasa general de sindicalización (cuadro 6), la actividad sindical ha aumentado enormemente, así como el desafío y la militancia de las uniones. En los últimos cinco años, la cifra anual de trabajadores en huelga es aproximadamente tres veces mayor que a finales de los años cincuenta y la de días-hombre perdidos es aproximadamente cuatro veces mayor (cuadro 7).

En las últimas dos décadas el gobierno es el sector que ha experimentado un mayor aumento en el empleo (cuadro 8) y es precisamente también el sector de mayor crecimiento en la actividad sindical. El grupo industrial de mayores tasas de sindicalización (cuadro 6) es el de transportación, comunicación y utilidades

CUADRO 6

PORCENTAJE DE EMPLEADOS ASALARIADOS QUE ESTABAN AFILIADOS A UNIONES POR GRUPO INDUSTRIAL PRINCIPAL, 1965-1975

Grupo industrial	Abril de 1965	Junio de 1970	Julio de 1975
Todas las industrias	19%	20%	14%
Agricultura	33	29	16
Construcción	14	17	9
Manufactura	32	30	24
Comercio	4	6	4
Transportación, comunicación y utilidades públicas	41	61	54
Servicios	10	20	11
Administración pública	3	7	7

FUENTE: Departamento del Trabajo, Negociado de Estadísticas, División Grupo Trabajador.

CUADRO 7
ACTIVIDAD HUELGUÍSTICA, 1956-1975

Períodos*	Número de huelgas promedio por año	Trabajadores en huelga promedio por año	Días-hombre perdidos en huelgas promedio por año
1971-1975	85.6	19 688	313 810
1966-1970	67.2	12 054	109 040
1961-1965	48.6	10 179	86 457
1956-1960	38.0	6 921	78 479

* Usando años fiscales.
FUENTE: Calculado con base en estadísticas del Departamento del Trabajo, Negociado de Conciliación y Arbitraje.

CUADRO 8
DINÁMICA DEL EMPLEO POR SECTOR INDUSTRIAL, 1940-1976

| | Porcentaje del empleo total | | | | |
	1940	1950	1960	1970	1976
Agricultura	44.7	36.3	23.0	9.9	6.4
(Caña)	(24.2)	(14.6)	(8.3)	(2.6)	(1.4)
Manufactura (excluyendo a domicilio)	10.9	9.2	14.9	19.2	18.5
(Azúcar)	(3.9)	(1.8)	(1.5)	(1.0)	(0.6)
Aguja a domicilio	8.7	8.6	1.8	0	0
Construcción	3.1	4.5	8.3	11.1	7.4
Transportación, comunicación y otros servicios públicos	3.9	5.0	7.2	6.6	6.4
Comercio	10.5	15.1	17.9	18.7	19.5
Servicios (excluyendo doméstico)	4.5	7.7	10.5	14.7	15.6
Servicio doméstico	8.3	5.2	3.3	2.2	1.3
Administración pública	3.7	7.6	11.4	15.5	22.0
Otros (sobre todo finanzas)	1.5	.8	1.5	2.0	2.5
	99.8	100	99.8	99.9	99.6

El desglose no suma 100% debido al redondeo.
FUENTE: Calculado de cifras en Puerto Rico, Junta de Planificación, *Informe económico al Gobernador 1976*, San Juan, 1976, p. A-24.

públicas, compuestas principalmente por trabajadores en corporaciones del Estado (gran parte de la transportación y la comunicación está nacionalizada en el país). Las tasas oficiales de sindicalización en la administración pública son muy bajas porque está prohibida por ley para la inmensa mayoría de trabajadores de este sector. Sin embargo, existe amplia evidencia de numerosas asociaciones de empleados que funcionan como sindicatos y extraoficialmente negocian convenios colectivos.[110]

Pero la actividad sindical es mucho más ilustrativa que las tasas de sindicalización en este sector. Según las estadísticas oficiales del Departamento del Trabajo, el 47.7% de los trabajadores participantes en huelgas entre los años fiscales 1971-1972 a 1975-1976 pertenecían al sector público. Esta cifra debe elevarse hasta casi el 66% si se incluyen los paros de asociaciones de empleados que no están clasificados legalmente como uniones.[111] El cuadro 9 ilustra claramente el crecimiento de la actividad sindical en este sector y de su importancia relativa en el movimiento obrero.

Las uniones obreras en el sector público son en su gran mayoría sindicatos puertorriqueños independientes. En las corporaciones públicas, sólo 5 de 30 uniones existentes están afiliadas directamente a la AFL-CIO; otras tres uniones forman parte de federaciones puertorriqueñas que están afiliadas a su vez a la AFL-CIO; pero la gran mayoría (20) son uniones independientes que agrupan el 86% del total de empleados afiliados en estas corporaciones.[112]

El auge en la actividad sindical del sector público está, pues, estrechamente relacionado con el renacer del obrerismo puertorriqueño, que a principios de los años sesenta parecía estar destinado a la extinción frente al tradeunionismo norteamericano. Este renacer, sin embargo, no ocurre sólo en el sector público. Entre 1955 y 1965 las uniones afiliadas a la AFL-CIO constituían más del 70% de todas las elecciones de representación donde se constituyó unión en la empresa privada; sin embargo, en la década de los setenta, es inferior al 35%. Por otro lado, mientras en el último lustro de la década de los sesenta (no hay información previa) los sindicatos puertorriqueños representaban menos del 30% de las elecciones adjudicados a unión, en la década de los setenta el promedio supera el 44% (cuadro 10).

El movimiento obrero en Puerto Rico sigue aún sumamente dividido. Sin embargo, desde 1960 se han dado varios intentos de unidad, impulsados sobre todo por sindicatos puertorriqueños.[113] El más importante de estos intentos fue el Movimiento Obrero Unido (MOU) que a principio de los setenta llegó a incluir muchos de los sindicatos más importantes del país (incluso algunas uniones "internacionales") y sus manifestaciones y actividades tenían divulgación e impacto amplios. Han sido importantes también los intentos de algunos de los más fuertes sindicatos del sector público por constituir una Central Única de Tra-

---

[110] Comisión del Gobernador para estudiar las relaciones del trabajo en el servicio público en Puerto Rico, *Informe*, San Juan, 1975, vols. I y II.
[111] *Ibid.*, datos para 1971, 1972 y parte de 1974 en vol. I, pp. 27, 28.
[112] *Ibid.*, p. 21.
[113] Véase "Manifiesto para la creación de una Central Única de Trabajadores (1960)" reproducido en la edición inglesa de A. G. Quintero Rivera, *Workers' struggle in Puerto Rico*, cit., pp. 168-175.

bajadores del Estado (CUTE). Existen también en el país dos importantes institutos de educación obrera formados por la acción unida de varios sindicatos, fundamental o casi exclusivamente puertorriqueños.

CUADRO 9

ACTIVIDAD SINDICAL EN EL SECTOR PÚBLICO, 1963-1974

Año*	Porcentaje del total de casos vistos por la Junta de Relaciones del Trabajo (P.R.)	Porcentaje del total de peticiones para elecciones de representación	Porcentaje del total de huelgas	Trabajadores participantes en huelgas	Días-hombre perdidos en huelgas
1963	8.3	10.6	0.0	0	0
1964	4.3	5.6	1.8	24	264
1965	6.3	6.0	2.3	1 045	14 550
1966	9.3	12.0	0.0	0	0
1967	5.8	4.3	7.1	1 541	2 402
1968	7.0	8.0	28.6	4 409**	9 683
1969	11.0	12.7	13.6	4 922	9 490
1970	8.5	21.5	11.0	3 672	18 703
1971	13.3	9.5	24.2	7 385	40 194
1972	11.0	4.3	26.0	18 872**	139 212**
1973	20.8	36.7	38.3	20 085**	141 796**
1974	21.5	50.1	61.2***	n.d.	n.d.

    * Las primeras dos columnas se refieren a años fiscales y el año indica el que completaba el año fiscal.
    ** Faltan datos sobre una huelga.
    *** Incluye solamente los primeros 4 meses del año.
FUENTE: Comisión del Gobernador..., *Informe*, cit., vol. III, pp. 26 y 88.

Aun desde los años más críticos del sindicalismo puertorriqueño en los años cincuenta, las uniones independientes se caracterizaron por posiciones políticas radicales o progresistas respecto al estado general del país. Esta tendencia se ha acrecentado y en la actualidad una mayoría considerable del liderazgo obrero puertorriqueño está identificado con la lucha por la independencia de Puerto Rico y con diferentes vertientes del movimiento socialista.

El obrerismo actualmente dista mucho de ser una fuerza social decisiva en el país. No tienen ni sombra de la fuerza, la cohesión ni el desarrollo ideológico (el espíritu de clase) que alcanzó entre los años 1914 a 1924. Incluso tampoco la que tuvo a principios de los años cuarenta. Sin embargo, los procesos examinados o anotados en esta última sección indican que existen claros gérmenes para un posible desarrollo. Y, definitivamente, en la última década, con todas sus limitaciones y dificultades, el movimiento obrero ha comenzado a salir del estancamiento en que estuvo durante los primeros años del crecimiento industrial.

CUADRO 10
UNIONES PUERTORRIQUEÑAS Y NORTEAMERICANAS EN LA EMPRESA PRIVADA, 1955-1976

Período	Total de elecciones adjudicadas a unión	Porcentaje del total que representa			
		la AFL-CIO	los Teamsters	Otras uniones norteameri-canas	Uniones puertorriqueñas
1955-1959 (5 años)	201	71.6	La informa-ción no está desglosada		
1960-1964 (5 años)	457	71.1			
1965-1969 (5 años)	519	51.1	17.7	1.9	29.3
1970-1974 (5 años)	540	33.1	20.7	2.4	43.7
1975-1976 (2 años)	107	36.4	18. 7	0	44.9

FUENTE: Todos los informes anuales de la Junta Nacional de Relaciones del Trabajo de Esta-dos Unidos desde el año fiscal 1954-1955 hasta el de 1975-1976. Esta Junta interviene en todos los casos de la empresa privada del territorio norteamericano (incluyendo a Puerto Rico por su condición colonial) que afectan el comercio "interestatal". En el caso de Puerto Rico, éstos son la gran mayoría de las empresas. Quedan fuera de jurisdicción las empresas de menor volumen de venta; pequeños negocios, sobre todo.

BIBLIOGRAFÍA

Memorias y documentos

Hasta muy recientemente los libros clásicos de historia obrera puertorriqueña los cons-tituían las memorias publicadas de algunos líderes obreros: Rafael Alonso Torres, *Cua-renta años de lucha proletaria*, San Juan, Imprenta Baldrich, 1939; Santiago Iglesias Pantín, *Luchas emancipadoras*, San Juan, Imp. Venezuela, 1958 (vol. I, primera edición de 1929) y 1962 (vol. II, editado por Igualdad Iglesias de Pagán); José Ferrer y Ferrer, *Los ideales del siglo XX*, San Juan, Tip. La Correspondencia, 1932. Éstos fueron tres de los más importantes líderes del movimiento PS-FLT. También importantes son los libros críticos de este movimiento escritos por el disidente Andrés Rodríguez Vera, *Los fantoches del obrerismo*, San Juan, Tip. Negrón Flores, 1915 y *El triunfo de la apostasía*, San Juan, Tip. La Democracia, 1930, que son, también, fundamentalmente memorias.

El ensayo de César Andreu Iglesias, "El movimiento obrero y la independencia de Puerto Rico", publicado en la revista *La Escalera*, II, 8-9, febrero de 1968, combina la utilización de documentos con memorias, pues su autor fue líder activo del movimiento obrero desde los años treinta, a través del PC en las décadas de los treinta, los cuarenta y principios de los cincuenta, y de varias uniones posteriormente. Una combinación similar, aunque intenta limitarse a documentos, es el libro de Juan Carreras, *Santiago Iglesias Pantín*, San Juan, Ed. Club de la Prensa, 1967.

Las *Memorias de Bernardo Vega* (César Andreu Iglesias, comp.), San Juan, Ediciones Huracán, 1977, constituyen un excelente libro sobre la vida obrera de los emigrantes puertorriqueños en Nueva York durante la primera mitad de este siglo.

El autor de las secciones III a VII de este ensayo publicó en 1971 una colección de documentos obreros que incluye escritos desde 1874 hasta 1955: A. G. Quintero Rivera, *Lucha obrera en Puerto Rico, antología de grandes documentos en la historia obrera puertorriqueña*, San Juan, CEREP, 1971. El libro contiene además una detallada bibliografía comentada.

Fuentes secundarias

Posterior a *Lucha obrera...* Quintero ha publicado una serie de escritos analíticos que las secciones III a la VI de este ensayo intentan resumir. Éstos son una serie de cinco artículos publicados en la *Revista de Ciencias Sociales* (UPR), XVIII, 1-2 y 3-4 (1974), XIX, 1 y 3 (marzo y octubre de 1975) y XX, 1 (marzo de 1976); el ensayo "Socialista y tabaquero: la proletarización de los artesanos", en la revista *Sin Nombre*, VIII, 4, marzo de 1978; y el libro *Conflictos de clase y política en Puerto Rico*, San Juan, CEREP-Huracán, 1976. Las secciones I y II de este ensayo pretenden resumir algunas partes de la tesis doctoral de su autor, aún inédita: Gervasio García, *Economie dominée et premiers ferments d'organisation ouvrière: Puerto Rico entre le XIX et le XXe siècle*, Universidad de París, 1976.

Recientemente se han publicado también los siguientes trabajos: Igualdad Iglesias de Pagán, *El obrerismo en Puerto Rico (1896-1905)*, San Juan, 1973; Georg Fromm, *César Andreu Iglesias*, San Juan, 1977 y una serie de seis artículos sobre *El nacionalismo y el movimiento obrero en la década del 30*, publicados en *En Rojo*, suplemento del periódico *Claridad*, comenzando el 3 de junio de 1977 y finalizando el 7 de julio de 1977; Marcia Rivera Quintero, serie de tres artículos sobre "La incorporación de la mujer al trabajo asalariado", en *En Rojo*, 10, 17 y 23 de junio de 1977; Miles Galvin, "The early development of the organized labour movement in Puerto Rico", en *Latin American Perspectives*, III, 2, verano de 1976; y el *Informe* de la Comisión del Gobernador para estudiar las relaciones del trabajo en el servicio público en Puerto Rico, 3 vols., San Juan, 1975.

Previo a estos trabajos la única fuente secundaria de importancia era el libro de Félix Mejías, *Condiciones de vida de las clases jornaleras de Puerto Rico*, San Juan, UPR, 1976, que incluye un capítulo (V) de historia obrera. También son útiles los trabajos del antropólogo norteamericano Sidney W. Mintz, especialmente *Worker in the cane*, New Haven, Yale University Press, 1960, que tiene algunas referencias a la historia obrera.

impreso en editorial galache, s. a.
priv. dr. márquez núm. 81 - col. doctores
delegación cuauhtémoc - 06720 méxico, d. f.
tres mil ejemplares más sobrantes para reposición
29 de junio de 1984

LA CLASE OBRERA EN LA HISTORIA DE MÉXICO
Coordinada por Pablo González Casanova

1. FLORESCANO Y OTROS. *De la colonia al imperio.*

2. LEAL, J. F. y WOLDENBERG, J. *Del estado liberal a los inicios de la dictadura porfirista.*

3. CARDOSO, C. y OTROS. *De la dictadura porfirista a los tiempos libertarios.*

4. DE LA PEÑA, S. *Trabajadores y sociedad en el siglo xx.*

5. CALDERÓN, J. M. *En la Revolución (1910-1917).*

6. GONZÁLEZ CASANOVA, P. *En el primer gobierno constitucional 1917-1920).*

7. POZAS H., R. *En el interinato de Adolfo de la Huerta y el gobierno de Álvaro Obregón (1920-1924).*

8. RIVERA CASTRO, J. *En la presidencia de Plutarco Elías Calles (1924-1928).*

9. CÓRDOVA, A. *En una época de crisis (1928-1934).*

10. LEÓN, S. y MARVÁN, I. *En el cardenismo (1934-1940).*

11. LOYO, A. y BASURTO, J. *Del avilacamachismo al alemanismo (1940-1952).*

12. REYNA, J. L. y TREJO DELARBRE, R. *De Adolfo Ruiz Cortines a Adolfo López Mateos (1952-1964).*

13. RODRÍGUEZ ARAUJO, O. *En el sexenio de Tlatelolco (1964-1970).*

14. BASURTO, J. *Con Luis Echeverría: rebelión e independencia.*

15. CAMACHO, M. *El futuro inmediato.*

16. GÓMEZ QUIÑONES, J. y MACIEL, D. *Al norte del río Bravo (pasado lejano: 1600-1930).*

17. MACIEL, D. *Al norte del río Bravo (pasado inmediato: 1930-1979).*

HISTORIA INMEDIATA

ALTAMIRANO, C. *Dialéctica de una derrota.*

ARIAS, P. *Nicaragua: revolución.*

AUBRY, A. *Una iglesia sin parroquias.*

BELFRAGE, C. *La inquisición democrática en Estados Unidos.*

BENAVIDES CORREA, A. *¿Habrá guerra próximamente en el Cono sur?*

BENDER, G. *Angola: mito y realidad de su colonización.*

BLANCO, H. *Tierra o muerte.*

CARASSO, J. P. *El rumor irlandés: ¿guerra de religión o lucha de clases?*

CASTRO, F. *Hoy somos un pueblo entero (1953-1973).*

CECADE/CIDE: *Centroamérica, crisis y política internacional.*

FRANCK, F. *La iglesia en explosión.*

GALEANO, E. *Las venas abiertas de América Latina.*

GONZÁLEZ CASANOVA, P./FLORESCANO, E. (comps.). *México hoy.*

GRUPO AREÍTO. *Contra viento y marea. Jóvenes cubanos hablan desde su exilio en Estados Unidos.*

HARNECKER, M. *Cuba, ¿dictadura o democracia?*

INSTITUTO DE INVESTIGACIONES SOCIALES. *Estados Unidos, hoy.*

MALDONADO-DENIS, M. *Puerto Rico, una interpretación histórico-social.*

MALDONADO-DENIS, M. *Puerto Rico y Estados Unidos: emigración y colonialismo.*

MARÍN, G. *Una historia fantástica y calculada: la CIA en el país de los chilenos.*

MEJIDO, M. *México amargo.*

PAZ SALINAS, M. E. *Belize, el despertar de una nación.*